Marie-Louise Astre,
*Professeur certifiée de lettres modernes.*

Françoise Colmez,
*Professeur agrégée de lettres classiques.*

# Poésie française

anthologie critique
préface de Philippe Soupault

Formes poétiques du Moyen Age et de la Renaissance
Du romantisme à la poésie contemporaine

Maquette et couverture : Patrice Gayard.
Iconographie : Édith Garraud.

© Bordas, Paris, 1982. ISBN 2-04-015 041-2.

# Préface

Découvrir la poésie est une merveilleuse aventure. Le domaine poétique français est très vaste. Pour le parcourir on peut tenter une comparaison. Suivre le parcours d'un fleuve depuis la source jusqu'à l'estuaire. Mais il faut un guide et c'est la vocation d'une anthologie. Il ne suffit pas de choisir le meilleur et éviter le pire. Ne rien oublier. On risque en composant un ouvrage de cette importance de créer un kaléidoscope. Toutefois on doit se souvenir que la poésie est le reflet d'une époque, d'une civilisation, d'un climat, reflet qui, au cours des âges est plus ou moins fidèle. Mais qu'on peut aussi percevoir comme une vibration.

Feuilleter cette anthologie c'est parcourir un itinéraire dans le temps, c'est aussi assister à des métamorphoses. La poésie est un témoignage. Les poètes sont les témoins de l'évolution de la langue française et on admire aussi qu'ils ont, au fil des siècles, libéré lentement mais sûrement hors des tabous, des préjugés, des règles strictes, héritages de la poésie grecque et de la poésie latine, la poésie française.

Comment, d'autre part, ne pas s'étonner et même admirer que pendant une époque où le matérialisme semble dominer les hommes et les femmes du XXᵉ siècle, la poésie n'a jamais connu un aussi éclatant épanouissement ! Jamais, en effet, les poètes français n'ont été aussi nombreux ni aussi prolifiques. C'est un phénomène qui mérite réflexion. Ces nombreux poètes sont trop souvent dédaignés et parfois méprisés et moqués. Le moins qu'on puisse les qualifier : des rêveurs, des illuminés et ainsi de suite... En vérité, ce sont les interprètes des aspirations inconscientes des femmes et des hommes qui, eux, sont incapables de s'exprimer.

Il était donc nécessaire de décrire les différentes tendances et de montrer les transformations du langage poétique. Le mystère reste entier. Le sortilège demeure.

Ainsi en comparant les poètes on arrive à les connaître, c'est-à-dire à les aimer. Et les souvenirs seront des illuminations. Chaque lecteur de cette anthologie peut choisir ce qui l'émeut, ce qui le révolte, ce qu'il ne pourra plus jamais oublier. Un poème ou même seulement un vers peut être un compagnon pour toute une vie.

Une anthologie est donc un livre qui doit résumer et éclairer le trésor poétique d'un pays et d'une culture en même temps qu'il se propose de justifier la sensibilité historique d'une époque.

*Philippe Soupault*

# Avertissement

Nous avons souhaité un livre dont la présentation, l'illustration soient une invitation à la poésie, un livre qu'on ait plaisir à feuilleter, à lire, à relire, à garder. Certes, toute anthologie a ses limites, puisqu'elle implique des choix difficiles et toujours contestables. C'est pourtant un cadre favorable à la découverte la plus large possible des divers aspects de la création poétique et une incitation à recourir aux recueils complets.

Notre principal objectif, dans cet ouvrage, a été de montrer l'essor et l'évolution de la poésie lyrique durant les deux derniers siècles.

• Le Moyen Age et la Renaissance, avènement de notre poésie et source à laquelle viendront puiser les poètes du XIX<sup>e</sup> et du XX<sup>e</sup> siècles sont présentés à travers les formes poétiques qu'ils ont créées, ciselées.

• Les XVII<sup>e</sup> et XVIII<sup>e</sup> siècles, qui se sont contentés le plus souvent d'exploiter l'héritage des siècles précédents sans véritable innovation, sont laissés de côté, y compris La Fontaine dont l'œuvre, essentiellement narrative et satirique, échappe à notre projet.

• Les poètes du XIX<sup>e</sup> et du XX<sup>e</sup> siècles (jusqu'aux années quarante) ont été situés par rapport aux grands mouvements qui ont marqué ces époques : nous avons cherché à faire apparaître la diversité de leurs manières, de leurs thèmes, indépendamment de tout choix esthétique personnel ; enfin, nous avons présenté les tendances de la poésie française jusqu'aux environs des années soixante.

Il n'est pas question de chercher l'originalité à tout prix : figurent donc ici certains poèmes bien connus qui méritent de hanter les mémoires. Mais une place relativement importante est accordée à des poètes longtemps jugés mineurs.

Des introductions générales présentent les grands mouvements poétiques ; des biographies donnent pour chaque poète les éléments qui peuvent aider à la compréhension de leur œuvre. Il nous a semblé utile, pour certains auteurs très représentatifs ou particulièrement difficiles, de proposer un "guide de lecture" qui attire l'attention sur tel ou tel aspect significatif, aide au "déchiffrage" ou suggère des rapprochements. Enfin, nous avons eu le souci de donner une image exacte de chaque œuvre poétique ; nous avons respecté la structure des recueils ; chaque fois que nous avons dû donner un extrait, et non un poème complet, nous l'avons indiqué nettement ; nous avons cependant renoncé à donner en langue originale les poèmes les plus anciens du Moyen Age d'accès très difficile pour le lecteur d'aujourd'hui.

Les auteurs.

# Formes poétiques du Moyen Age et de la Renaissance

## Des troubadours à François Villon

### Langue d'oc et langue d'oil

La littérature du Moyen Age reste longtemps une littérature de clercs, d'érudits qui, s'inspirant de la littérature latine, écrivent en latin. C'est seulement en 842 que la langue romane est reconnue officiellement : elle sert à rédiger les *Serments de Strasbourg* qu'échangent Charles le Chauve et Louis le Germanique, fils de Louis le Pieux. Il faut attendre le XI<sup>e</sup> siècle pour qu'apparaisse une littérature de langue "française", telle *La vie de saint Alexis*, en 125 quintils de décasyllabes assonancés ; mais toutes les œuvres de cette époque restent très proches des œuvres latines et imprégnées d'inspiration religieuse.

Ce n'est que vers la fin du XI<sup>e</sup> siècle et au XII<sup>e</sup> siècle que va naître la littérature française profane : si la France du Nord, qui est celle des dialectes de langue d'oil (picard, wallon, lorrain, bourguignon, anglo-normand et francien, dialecte de l'Ile-de-France, d'où procède le français d'aujourd'hui) voit se multiplier les chansons de geste, celle du Midi, terre de langue d'oc, qui regroupe le Limousin, l'Auvergne, l'Aquitaine et la Provence, voit fleurir la poésie lyrique des troubadours. Les thèmes de cette poésie lyrique gagneront au début du XIII<sup>e</sup> siècle le nord de la France où ils enrichiront une poésie lyrique déjà existante qui s'épanouira à la fin du XIII<sup>e</sup>, aux XIV<sup>e</sup> et XV<sup>e</sup> siècles.

### La chanson de geste

Pour ce qui est de la chanson de geste, nous nous contenterons de signaler qu'elle chante les exploits d'un héros dans un univers féodal caractérisé par l'effacement du pouvoir central et l'engagement qui lie vassal et suzerain. Elle reflète, avec ses problèmes, la société de son temps. C'est un récit en décasyllabes assonancés, groupés en strophes (ou laisses), rythmés par des refrains ou des rappels de vers. La plus célèbre est la *Chanson de Roland,* qui date de 1065.

L'inspiration épique n'est pas absente des pays de langue d'oc mais très vite elle est supplantée par l'inspiration romanesque, le goût des récits d'aventure hérités des romans hellénistiques.

### Les troubadours

Si la forme narrative (épique ou romanesque) a exercé peu d'influence sur la poésie future, il en va tout autrement de la poésie lyrique des troubadours, dont le rayonnement, considérable à son époque, a marqué de son empreinte la poésie et le comportement amoureux de l'Occident jusqu'à nos jours.

Elle se développe dans les cours féodales (ou royales) du Midi : cour de Ventadour dans le Limousin, cour du comte de Poitiers, duc d'Aquitaine (devenue cour royale après le mariage d'Eléonore d'Aquitaine avec le roi d'Angleterre Henri Plantagenêt), cour des comtes de Toulouse...

Il est difficile de connaître la biographie des troubadours, car leur vie est vite devenue légendaire. Ils sont très nombreux (400 environ) et leur origine sociale très diverse : le plus ancien est le duc de Poitiers, duc d'Aquitaine, Guillaume IX ; Jaufré Rudel était, sans doute, prince de Blaye ; mais Bernard de Ventadour était d'origine très modeste : "homme de pauvre lignage, fils d'un serviteur qui était fournier, qui chauffait le four pour cuire le pain du château" ; Marcabru était enfant trouvé, ce qu'évoque son premier surnom Panperdut (Pain perdu). Mais quelle que fût leur origine sociale, la noblesse que leur confère leur qualité de troubadour les fait accueillir partout avec le même empressement.

Les premiers troubadours sont originaires de Poitiers (Guillaume IX, Cercamon); Rudel est bordelais; Bertrand de Born et Bernard de Ventadour sont limousins. La Provence a connu Raimbaut d'Orange, Barral des Baux, Folquet de Marseille et Raimbaut de Vaqueiras, qui sera un impitoyable agent de répression contre les Albigeois. Peire Vidal est originaire de Toulouse. Ce ne sont là que quelques-uns parmi les plus célèbres.

Un troubadour est à la fois poète et compositeur : on dirait de nos jours "auteur-compositeur" : en effet il compose le texte et sa musique, par opposition au jongleur qui est un simple exécutant (ce qui n'empêche pas certains troubadours d'avoir interprété eux-mêmes leurs œuvres et certains jongleurs d'avoir composé des chansons).

La musique était essentielle : certaines mélodies ont connu une célébrité telle que certains poètes allemands de l'époque ont composé des paroles sur elles, que d'autres se sont transmises de siècle en siècle. Mais il est très difficile aujourd'hui de se faire une idée exacte de ces mélodies dont seule est notée la hauteur des notes sans aucune indication ni de durée ni de rythme; de plus on ignore de quel instrument s'accompagnait le troubadour.

Certes les troubadours se font l'écho du monde contemporain : ils chantent leur foi, exaltent le départ pour la croisade contre l'Islam, dénoncent l'écrasement des Cathares et la mainmise des seigneurs du Nord (les Français) sur le Midi. Mais les Croisés n'ont plus pour seules occupations les activités guerrières : ils ont découvert les splendeurs et le raffinement du monde byzantin et la prospérité économique va flatter leur goût nouveau pour le faste et le luxe. Un nouvel art de vivre naît; tout est prétexte à fêtes; on fait étalage de ses richesses par sa générosité, par la splendeur avec laquelle on s'habille : autant de manifestations de prestige. Dans cette société qui découvre les plaisirs de la vie, la femme occupe une place grandissante : l'amour courtois apparaît.

Car c'est là le thème de prédilection des troubadours. Jadis, la femme, humble adoratrice d'un chevalier, attendait en silence le jour où celui-ci reviendrait de la guerre, couvert de gloire; cette attente reste sa seule raison de vivre et elle est incapable de survivre à la mort de son chevalier; ainsi en fut-il de la belle Aude, la fiancée de Roland, dont un vers unique évoque la mort (alors qu'il en a fallu 138 pour évoquer celle de Roland). Maintenant c'est l'homme qui aime, languit, soupire. C'est lui qui, respectueux de sa Dame, comme le vassal de son suzerain (il l'appelle souvent "Mi Dons", Monseigneur), lui fait la cour pour la conquérir. Un seul regard a suffi le plus souvent pour pénétrer d'amour le cœur du poète ébloui qui chante la force de son désir amoureux, la joie que lui donnera l'union de leurs corps au terme d'une longue attente amoureuse marquée par le respect, la délicatesse, une adoration presque religieuse. Cette "joy" à laquelle il aspire représente le bonheur parfait qui naît de l'amour de deux êtres qui s'aiment et qui éprouvent l'un pour l'autre estime, respect et passion. Le décor de cet amour est généralement le printemps, et les oiseaux (l'alouette et le rossignol) en sont les messagers. Le poète garde jalousement le secret sur l'identité de la bien-aimée, d'abord parce que le bonheur ne se communique pas, ensuite parce que la femme aimée est toujours une femme mariée à un autre : le poète lui donne un nom symbolique, le "senhal".

Les trouvères

Cette poésie qui chante l'amour courtois va exercer une grande influence sur la France du Nord : durant le XIIᵉ siècle y avait fleuri une multitude de petits poèmes anonymes, chansons de toile, pastourelles, motets et virelais. Une nouvelle poésie s'épanouit au XIII<sup>e</sup> siècle, en particulier à la cour de Marie de Champagne, fille d'Eléonore d'Aquitaine. Elle doit son éclat à Thibaut de Champagne (1201-1253), comte de Champagne, roi de Navarre, Conon de Béthune, gentilhomme né en 1150, mort avant 1224, Colin Muset (milieu du XIII<sup>e</sup>) pauvre hère toujours de bonne humeur, vivant dans l'entourage des seigneurs champenois et lorrains, Rutebeuf (1245-1280), qui vécut à Paris sous le règne de Saint Louis et de Philippe le Hardi; toujours à court d'argent, malheureux en ménage, joueur invétéré, ce trouvère mena la vie d'un jongleur. Son œuvre est un miroir de son temps : il y évoque les pauvres hères que sont ses compagnons de misère. Il n'utilise aucune forme fixe mais ses poèmes, sortes de complaintes, où il exprime ses sentiments personnels, nous touchent par leur verve et le souffle de l'inspiration.

Rayonnement de la poésie courtoise

On a tenté de chercher les sources de la poésie courtoise. Plusieurs hypothèses ont été formulées dont aucune n'est vraiment convaincante, qu'il s'agisse de l'influence hispano-arabe, celtique, folklorique... Ce qui est plus important, c'est le rayonnement de cette poésie à travers l'espace et le temps : non seulement elle a influencé la poésie des trouvères du nord de la France, mais elle a gagné l'Angleterre, la cour des rois de Castille et d'Aragon, le Portugal, l'Italie où les troubadours écrivaient en provençal et même l'Allemagne avec les Minnesänger (les chanteurs d'amour); elle a inspiré la *Vita nuova* de Dante, puis la poésie de Pétrarque, lequel à son tour influencera les poètes français de la Renaissance. Les romantiques redécouvriront les troubadours et certains chanteurs d'aujourd'hui retrouvent l'inspiration courtoise. Mais la poésie troubadour proprement dite, c'est-à-dire écrite par les poètes de langue d'oc, s'éteindra lentement après la croisade des Albigeois qui consacre la domination du Nord sur le Midi (1209-1229).

Nous allons présenter maintenant les différentes formes poétiques de cette période.

La **chanson** *(en provençal* canso *ou* vers*) est une chanson d'amour, poème clos, formé d'un nombre variable de strophes. La strophe initiale annonce la structure qui sera celle de toutes les strophes (nombre de vers, nature des vers, disposition des rimes) ainsi que la mélodie, essentielle pour les troubadours. Toutes les longueurs de vers, de un à quatorze pieds, sont possibles. Mais on constate la prédominance du décasyllabe, de l'octosyllabe et du vers de sept pieds. Il existe toutes sortes de façons de combiner les rimes, dont le troubadour joue avec virtuosité.*

*Le troubadour, celui qui "trouve", travaille sa chanson comme l'orfèvre un objet précieux. Au "trobar leu", ou style clair, s'oppose le "trobar clus", ou style fermé : le troubadour a recours à l'hermétisme pour chanter l'amour divin; le "trobar ric" tente de concilier les deux tendances, en recourant de façon systématique à des comparaisons empruntées au monde des animaux, de la mythologie et du roman.*

J'ai le cœur si plein de joie
que tout change de nature ;
fleur blanche vermeille et jaune
me paraît le froid ;
avec le vent, avec la pluie,
grandit mon bonheur ;
ainsi mon mérite augmente,
mon chant devient meilleur ;
tant j'ai au cœur d'amour,
10 de joie et de douceur
que le gel me semble fleur
et la neige verdure.

Je peux aller sans vêtement,
nu dans ma chemise,
car le pur amour me protège
de la froide bise ;
mais fou est qui perd mesure
et n'agit comme il faut ;
aussi ai-je pris grand soin de moi
20 depuis que je recherche
d'amour la plus belle ,
dont j'attends tant d'honneur,
qu'en échange d'un tel trésor
je ne voudrais Pise.

De son amitié elle m'écarte
mais j'ai confiance ;
j'ai au moins gagné qu'elle me fasse
bonne figure ;
je sens dans mon éloignement
30 tant de bonheur
que le jour où je la reverrai,
je ne souffrirai plus ;
mon cœur est saisi d'amour ;
mon esprit là-bas court,
mais mon corps est ailleurs
loin d'elle en France.

J'ai bonne espérance
ce qui m'aide bien peu;
elle me fait balancer
40 comme le bateau sur l'eau;
des mauvaises pensées qui me blessent
je ne sais où me cacher;
toute la nuit je tourne et m'agite
sur le bord du lit;
j'ai plus de peine et d'amour
que Tristan l'amoureux
qui souffrit tant de douleurs
pour Yseut la blonde.

Ah! que ne suis-je hirondelle
50 qui vole par l'air
et vient de la nuit profonde
là dans sa demeure;
douce dame en qui réside toute joie
je meurs votre amant;
j'ai peur que le cœur ne me fende
si cela dure encore;
dame, pour votre amour
je joins les mains et j'adore
la fraîcheur de votre beau corps;
60 vous me causez grande douleur.

Il n'y a affaire au monde
dont j'aie plus souci;
quand d'elle j'entends parler
mon cœur en est retourné
et mon visage s'éclaire;
tout ce que vous m'entendriez dire
vous ferait voir
que j'ai envie de rire;
je l'aime de tant d'amour
70 que souvent je pleure
parce que plus délicieux
en sont les soupirs.

Messager, va et cours
et dis à la plus belle
la peine et la douleur
dont je souffre, et mon martyre.

Bernard de Ventadour.

------------------------------

Lorsque les jours sont longs en mai
j'aime le doux chant des oiseaux, lointain;
et quand suis loin de là,
il me souvient d'un amour lointain;
je vais courbé et incliné, plein de désir,
si bien que chant et fleur d'aubépine
me plaisent moins qu'hiver gelé.

Certes je tiens le Seigneur pour vrai
par qui verrai l'amour lointain;
10 mais pour un bien qui m'en échoit
j'éprouve deux maux, tant il m'est lointain;
Ah! que ne suis-je là-bas pèlerin
pour que mon bourdon et mon esclavine
soient de ses beaux yeux contemplés.

Quelle sera ma joie, quand lui demanderai,
pour l'amour de Dieu, d'héberger l'amour lointain;
et s'il lui plaît serai son hôte
à elle, moi qui suis lointain;
alors ce sera le doux entretien
20 quand, amant lointain, je serai si proche
que de ses paroles je m'enivrerai.

Triste et joyeux le quitterai
quand le verrai, l'amour lointain;
mais ne sais quand le verrai,
car trop sont nos pays lointains
et tant il y a de passages et chemins;
et pour ce ne suis pas devin;
mais que tout soit comme il plaît à Dieu.

Jamais d'amour ne jouirai
30 si je ne jouis de cet amour lointain
car meilleure ni plus belle ne connais,
en nul lieu, proche ou lointain;
son mérite est si vrai et sûr
que, là-bas au royaume des Sarrasins,
pour elle je voudrais être appelé captif.

Que Dieu qui fit tout ce qui vient et va
et forma cet amour lointain,
me donne le pouvoir — j'ai ai le désir —
de bientôt voir l'amour lointain;
40 en telles demeures
que la chambre et le jardin
en tout temps me semblent palais.

Il dit vrai qui me dit avide
et désirant l'amour lointain;
car autre joie ne me plaît tant
que jouir de l'amour lointain;
mais ce que je veux m'est refusé
car ainsi m'a doté mon parrain
que j'aime et ne sois pas aimé.

50 Mais ce que je veux m'est refusé;
qu'il soit donc maudit le parrain
à qui je dois de n'être pas aimé.

Jaufré Rudel.

Le Maître des jardins d'amour (1445-1455?), *Le grand jardin d'amour*, dessin, vers 1450, détail. (Kunstbibliothek Staatliche Museum, Berlin.)

*Le* **sirventès** *(ou* serventois *des trouvères) emprunte sa forme à la* canso,
*mais il est d'inspiration politique, satirique ou philosophique.*

Me plaît le joyeux temps de Pâques
qui fait venir feuilles et fleurs
et j'ai plaisir quand j'entends la jubilation
des oiseaux qui font retentir
leur chant dans le bocage
et j'ai plaisir quand je vois sur les prés
tentes et pavillons dressés
et j'ai grande allégresse
quand je vois dans la campagne rangés
10 chevaliers et chevaux armés.

J'ai plaisir quand les éclaireurs
font fuir les gens portant leur bien ;
j'ai plaisir quand je vois derrière eux
une troupe de soldats accourir ;
j'ai plaisir en mon cœur
quand je vois châteaux forts assiégés,
remparts ruinés et effondrés
quand je vois l'armée sur la rive
derrière sa ceinture de fossés
20 et ses palissades de pieux forts et serrés.

J'ai plaisir aussi que le seigneur
soit le premier à l'attaque
à cheval, en armes, sans peur,
qu'il rende les siens audacieux
par sa vaillance et sa bravoure
et, quand vient la mêlée,
que chacun soit prêt
à le suivre ;
car nul n'est estimé
30 qui n'a reçu et donné de coups.

Masses d'armes, épées, heaumes colorés
et écus rompre et arracher
nous verrons dès le début du combat
et vassaux ensemble frapper ;
d'où s'en iront à l'aventure
les chevaux des morts et blessés ;
dès qu'il sera entré dans la mêlée
chaque homme de notre parage
ne doit penser à autre chose qu'à fendre têtes et bras
40 car mieux vaut être mort que de vivre vaincu.

Je dis que rien, ni manger, ni boire ni dormir
n'a tant de saveur
que d'entendre crier
des deux côtés et hennir
les chevaux des cavaliers dans l'ombre
et crier "A l'aide !"

et voir tomber dans les fossés
petits ou grands, dans l'herbe,
et voir les morts qui ont au flanc
50 le fer des lances avec les oriflammes.

Barons, mettez en gage
châteaux, villes et cités
plutôt que de cesser la guerre!

Petit poème, joyeusement
au seigneur Oui-et-Non va-t-en vite
dire qu'il est trop longtemps resté en repos.

Bertrand de Born.

---

Les clercs se font bergers
et ce sont des tueurs;
on dirait de grands saints
à leur vêtement;
et il me souvient soudain
que le seigneur Ysengrin, un jour,
voulut en un parc venir;
mais comme il craignait les chiens,
peau de mouton il vêtit;
10 ainsi il les trompa
puis mangea et engloutit
tout ce qui lui plut.

Rois et empereurs,
ducs, comtes et vicomtes,
et avec eux les chevaliers
régnaient sur le monde;
aujourd'hui je vois la seigneurie
aux mains des clercs
par vol, par trahison,
20 par hypocrisie,
par la force et le prêche;
et ils trouvent inacceptable
celui qui ne leur cède tout;
il le devra quoi qu'il fasse.

Plus ils sont grands
et moins ils valent;
et plus de bêtise ils ont
et moins de loyauté,
et plus de mensonge
30 et moins de fidélité
et plus de traîtrise
et moins de religion :
je parle de ces faux clercs;
jamais je n'ai entendu dire

qu'il y eût pire ennemi de Dieu
depuis les temps anciens.

Quand je suis au réfectoire,
je ne me sens pas honoré car
à la plus haute table je vois
40 les bandits s'asseoir
et les premiers se servir;
écoutez une grande vilenie :
ils osent y venir
et personne ne les chasse
et je n'ai jamais vu là
un bandit pauvre et mendiant
assis près d'un riche bandit :
de cette faute je les disculpe.

Qu'ils n'aient aucune crainte,
50 les Algais[1] et les Almassors[2],
ces abbés et ces prieurs
n'iront pas les envahir
ni leurs terres assaillir;
ce leur serait trop pénible;
mais ils cherchent
comment s'approprier le monde
et comment chasser Frédéric[3]
de son asile;
tel l'attaqua
60 qui n'en tira pas grande joie!

Clercs, celui qui vous croit
sans félonie ni injustice
s'est trompé dans ses comptes;
jamais pire engeance je ne vis.

Peire Cardenal.

1. Brigands célèbres. 2. Déformation de *Almanzor* ou *Al Mansour*, le victorieux, surnom
porté par des califes ou sultans musulmans. 3. Allusion au soulèvement de Naples où le
roi Frédéric II avait trouvé asile.

*Dans la poésie lyrique des trouvères, on retrouve la chanson d'amour;
mais des genres spécifiques y fleurissent : les romances ou chansons d'histoire
ou encore chansons de toile (car elles étaient destinées à être chantées par les
femmes à leur rouet); la pastourelle, le virelai. Les **romances** sont composées
de plusieurs strophes ponctuées par un refrain : elles content, en raccourci, des
drames sentimentaux. De même la **pastourelle** qui met généralement en scène
un chevalier faisant la cour à une bergère de rencontre, qui bien souvent
repousse ses avances. Enfin le **virelai**, primitivement danse villageoise, puis
chanson à danser, est construit sur deux rimes; au départ il comportait en tête
une strophe reprise partiellement ou en totalité comme refrain après chaque
strophe, au nombre de trois. Puis il comporta un nombre variable de strophes,
groupées par deux en fonction de la combinaison de leurs rimes (la rime domi-*

*née de la première strophe devenant la rime dominante de la seconde).* Ici le *virelai de Deschamps présente des strophes qui se groupent deux par deux, mais sans variation sur les rimes; par contre il y a variation sur le refrain.*

## GAYETTE ET ORIEUR (chanson de toile)

Le samedi au soir finit la semaine :
Gayette et Orieur, sœurs germaines,
la main dans la main, vont se baigner à la fontaine.
La brise vente, les rameaux se balancent :
que ceux qui s'aiment dorment en paix !

Le jeune Gérard revient de la quintaine;
il aperçoit Gayette au bord de la fontaine;
il l'a prise entre ses bras, il l'étreint doucement.
La brise vente, les rameaux se balancent :
10  que ceux qui s'aiment dorment en paix !

Orieur, quand tu auras puisé de l'eau,
retourne-t'en. Tu connais le chemin de la ville;
je resterai avec Gérard qui m'aime bien.
La brise vente, les rameaux se balancent :
que ceux qui s'aiment dorment en paix !

Orieur s'en va, pâle et triste;
elle s'en va en pleurant, son cœur soupire,
parce qu'elle n'emmène pas sa sœur Gayette.
La brise vente, les rameaux se balancent :
20  que ceux qui s'aiment dorment en paix !

« Hélas! fait Orieur, comme je suis née pour mon malheur!
J'ai laissé ma sœur dans la vallée;
le jeune Gérard l'emmène en sa contrée!»
La brise vente, les rameaux se balancent :
que ceux qui s'aiment dorment en paix !

Le jeune Gérard et Gayette s'en sont allés,
Ils se sont dirigés vers sa cité;
Aussitôt qu'il y fut venu, il l'a épousée.
La brise vente, les rameaux se balancent :
30  que ceux qui s'aiment dorment en paix !

Trad. A. Mary, Garnier - Flammarion éd.


## VIRELAI D'UNE PUCELLE

Sui je, sui je, sui je belle?

Il me semble, a mon avis,
Que j'ay beau front et doulz viz[1]
Et la bouche vermeillette.
Dittes moy se je suis belle.

J'ai vers yeulx, petits sourcis,
Le chief blont, le nez traitis[2]
Ront menton, blanche gorgette ;
Sui je, sui je, sui je belle ?

10 J'ay dur sein et hault assis,
Lons bras, gresles doys aussis
Et par le faulz[3] sui greslette ;
Dittes moy se je suis belle.

J'ai bonnes rains[4] ; ce m'est vis,
Bon dos, bon cœur de Paris,
Cuisses et jambes bien faites ;
Sui je, sui je, sui je belle ?

J'ay piez rondès et petiz,
Bien chaussans et biaux habis,
20 Je sui gaye et joliette ;
Dittes moy se je suis belle.

J'ay mantiaux fourrez de gris,
J'ay chapiaux, j'ay biaux proffis
Et d'argent mainte espinglette ;
Sui je, sui je, sui je belle ?

J'ay draps de soye et tabis,
J'ay draps d'or et blanc et bis,
J'ay mainte bonne chosette ;
Dittes moy se je suis belle.

30 Que quinze ans n'ay, je vous dis ;
Moult est mes trésors jolys,
J'en garderay la clavette ;
Sui je, sui je, sui je belle ?

Bien devra estre hardis
Cilz qui sera mes amis,
Qui ara tel demoiselle ;
Dittes moy se je suis belle.

Et par Dieu je li plevis[5]
Que tresloyal, se je vis,
40 Li seray, si ne chancelle ;
Sui je, sui je, sui je belle ?

Se courtois est et gentilz,
Vaillans après, bien apris,
Il gaignera sa querelle ;
Dittes moy se je sui belle.

C'est un mondain paradiz
Que d'avoir dame toudiz[6]
Ainsi fresche, ainsi nouvelle ;
Sui je, sui je, sui je belle ?

50 Entre vous acouardiz[7]
Pensez a ce que je diz;
Cy fine ma chansonnette;
Sui je, sui je, sui je belle?

Eustache Deschamps.

1. Visage. 2. Droit. 3. La ceinture. 4. Bons reins. 5. Garantis. 6. Toujours. 7. Timides.

## LA VIEILLE AMOUREUSE (chanson)

Jadis il advint dans un autre pays
qu'un chevalier aima une dame.
Tant que la dame fut à son avantage,
elle lui refusa son amour,
jusqu'au jour où elle lui dit : « Ami,
je vous ai longtemps amusé par mes paroles;
or votre amour est connu et prouvé,
désormais je serai toute à votre gré.»

Le chevalier la regarda bien en face,
10 il la vit pâle et décolorée.
« Dame, fait il, je n'ai pas de chance
que dès l'autre année, vous n'ayez eu cette pensée.
Votre beau visage qui ressemblait à la fleur de lis
me paraît avoir tellement changé de mal en pis
qu'il m'est avis que vous n'êtes plus la même à mes yeux.
Vous avez pris bien tard cette décision, madame.»

Quand la dame s'entendit railler de cette manière,
elle en eut honte, et elle dit étourdiment :
« Par Dieu, vassal, croyez-vous qu'on doive vous aimer
20 et que je parle sérieusement?
Cela ne m'est pas venu à l'esprit.
Jamais je n'aurais daigné vous aimer
vu que vous avez souvent plus grande envie
d'embrasser un bel adolescent.

– Madame, j'ai bien ouï parler
de votre beauté, mais ce n'est pas d'aujourd'hui.
J'ai ouï conter de Troie
que cette ville fut jadis de très grande puissance,
et maintenant on en trouve à peine l'emplacement.
30 Pour ce, je vous conseille d'excuser
que soient accusés de tricherie
ceux qui désormais ne voudront vous aimer.

– Vassal, vous avez eu une fâcheuse idée
de me reprocher mon âge;
si ma jeunesse est tout à fait passée,
je suis d'autre part riche et de haut parage;
on m'aimerait avec peu de beauté.
Il n'y a pas un mois

40 que le marquis m'envoya son messager
et le Barrois a jouté pour l'amour de moi.

— Par Dieu, dame, cela doit bien vous ennuyer
de regarder toujours à la haute situation.
On n'aime pas une dame pour sa parenté,
mais on l'aime quand elle est belle et sage;
vous en saurez un jour la vérité :
car il y en a bien cent qui ont jouté pour l'amour de vous,
qui, fussiez-vous la fille du roi de Carthage,
ne le voudraient plus aujourd'hui. »

Conon de Béthune. Trad. A. Mary, Garnier - Flammarion éd.

## LA TOUSETTE (pastourelle)

Par-dessous l'ombre d'un bois
je trouvai pastoure à mon goût.
Elle était bien garantie de l'hiver,
la fillette aux cheveux blonds.
Quand je la vis sans compagnie,
je laisse mon chemin, je vais à elle.
                    Aé!

La fillette n'avait compagnon,
hors son chien et son bâton.
10 A cause du froid, enveloppée de sa chape,
elle s'abritait sous un buisson;
sur sa flûte elle regrette
Garinet et Robichon.
                    Aé!

Quand je la vis solitaire,
j'allai vers elle et descendis de cheval;
et je lui dis : « Amie pastoure,
je me rends à vous de bon cœur :
faisons courtines de feuillage
20 et nous nous aimerons gentiment.»
                    Aé!

— Sire, tirez-vous de là,
j'ai déjà entendu tel discours.
Je ne m'abandonne pas
à tout un chacun qui dit : « Viens ça! »
Ce n'est pas pour votre selle dorée
que Garinet y perdra rien.
                    Aé!

— Pastourelle, s'il te plaît,
30 tu seras dame d'un château.
Enlève cette chape grise
et revêts ce manteau de vair;
tu ressembleras à la rose
nouvellement épanouie.
                    Aé!

— Sire, voilà une belle promesse;
mais bien folle est celle qui prend
d'un homme étranger de telle manière
manteau de vair ou parure,
40  si elle ne se rend à sa prière
et ne consent à son caprice.
                                    Aé!

— Pastourelle, sur ma foi,
parce que je te trouve belle,
si tu veux je ferai de toi
dame élégante, noble et fière.
Laisse l'amour des rustauds,
pour t'attacher entièrement à moi.
                                    Aé!

50  — Paix, seigneur, je vous en prie :
je n'ai pas le cœur si bas;
j'aime mieux petit contentement
sous la feuillée avec mon ami
qu'être dame en chambre peinte,
et qu'on ne se soucie pas de moi.
                                    Aé!

Jean de Braine. Trad. A. Mary, Garnier - Flammarion, éd.

La **fatrasie** était une fantaisie accumulant les images incohérentes et
saugrenues, mise à la mode au XIII<sup>e</sup> siècle. Les surréalistes l'apprécieront
beaucoup.

Le son d'un cornet
Mangeait au vinaigre
Le cœur d'un tonnerre
Quand un béquet mort
Prit au trébuchet
Le cours d'une étoile
En l'air il y eut un grain de seigle
Quand l'aboiement d'un brochet
Et le tronçon d'une toile
Ont trouvé foutu un pet
Ils lui ont coupé l'oreille.

Un ours emplumé
Fit semer un blé
De Douvres à Oissent.
Un oignon pelé
S'était apprêté
A chanter devant.
Quand sur un éléphant rouge
Vint un limaçon armé
Qui leur criait :
Fils de putains, arrivez!
Je versifie en dormant.

Jehan Bodel d'Arras.            Ibid.

Rutebeuf est passé maître dans l'art de la **complainte**, sorte de chanson plain-
tive, de forme très libre.

(...)
Maintenant ma femme a accouché d'un enfant,
mon cheval s'est brisé la jambe
sur une barrière,
et ma nourrice veut de l'argent :
elle me tourmente et m'écorche

pour nourrir l'enfant,
ou il reviendra crier dans mon logis. (...)
Si je m'épouvante, je n'en puis mais,
car à cette heure dans ma maison
10 je n'ai pas une douzaine, pas même une brassée
de bûches pour la saison.
Jamais homme ne fut aussi éperdu
que moi, vraiment,
car jamais, je n'eus moins d'argent.
Mon propriétaire m'en réclame
pour son logement,
et je l'ai presque entièrement vidé,
et mes flancs sont nus
contre l'hiver,
20 ce qui a changé beaucoup mes vers :
ces mots sont pour moi durs et cruels
en comparaison de l'an passé
à peu que je ne m'affole quand j'y songe...
Les maux ne savent pas venir seuls :
tout ce qui pouvait m'arriver
est arrivé.
Que sont devenus mes amis
que j'avais tenus si près de moi
et tant aimés ?
30 Je crois qu'ils sont très clairsemés :
ils ne furent pas bien semés
et ils n'ont pu lever.
De tels amis m'ont mal traité
car jamais, tant que Dieu m'a assailli
de maint côté,
je n'en vis un seul en ma maison :
je crois que le vent les a enlevés,
l'amour est mort,
ce sont amis qu'emporte le vent ;
40 il ventait devant ma porte
et il les emporta,
si bien que nul ne vint me consoler
et m'apporter quelque peu du sien.
Cela m'apprend
que celui qui a quelque chose le garde pour lui ;
mais il se repent trop tard,
celui qui a mis trop
de son avoir pour se faire des amis ;
il ne les trouve ni entiers, ni demi
50 pour le secourir.
Je laisserai donc courir la fortune,
et je songerai à me tirer d'affaire,
si je le puis.
Il convient que j'aille vers les prud'hommes
qui sont courtois et débonnaires
et qui m'ont nourri.
Mes autres amis sont tous pourris.

Rutebeuf. Trad. A. Mary, Garnier - Flammarion éd.

*La variété des formes poétiques antérieures disparaît au XIV$^e$ siècle qui privilégie au contraire de nouveaux types de poèmes étroitement codifiés : le rondeau, la ballade et le lai ou chanson à forme variable.* Guillaume de Machaut (1300-1377), chanoine de Reims, protégé par le roi de Navarre Charles le Mauvais puis par le duc de Berry, Eustache Deschamps (1346-1406?), d'origine champenoise, attaché d'abord à la cour des Valois, magistrat et diplomate, Christine de Pisan (morte en 1426), première femme contrainte après son veuvage à vivre de sa plume, Charles d'Orléans (mort en 1465), prisonnier vingt-cinq ans en Angleterre, deux fois veuf, mais toujours serein au milieu des pires épreuves et enfin François Villon, le mauvais garçon (1431-?) vont illustrer de façon éclatante ces nouveaux genres à forme fixe où s'épanchent leurs sentiments et leur personnalité.

Le **rondel** ou **rondeau ancien** a connu une grande vogue du XIV$^e$ au XVI$^e$ siècle. Il peut comporter 8, 9, 10, 12, 13 ou 15 vers. Le plus fréquent est celui de 13 vers : il est construit sur deux rimes, le premier et le deuxième vers reviennent en refrain après le sixième ; le premier revient comme refrain final : a$^o$ b$^o$ baaba$^o$ b$^o$ abbaa$^o$ ($^o$ : vers repris dans sa totalité). Mais quel que soit le nombre de vers, ils présentent, tous, deux rimes et le retour en refrain du premier ou des deux premiers vers. Disparu aux XVI$^e$, XVII$^e$ et XVIII$^e$ siècles, il sera redécouvert par les romantiques.

Se par amours n'amiez autrui ne moy,
Ma grief doulour en seroit assez mendre[1]
Car m'esperance aroye en bonne foy,
Se par amours n'amiez autrui ne moy.
Mais quant amer autre, et moy laissier voy[2],
C'est pis que mort. Pour ce vous fais entendre
Se par amours n'amiez autrui ne moy
Ma grief dolour en seroit assez mendre.

Guillaume de Machaut.

1. Moindre. 2. Je vous vois.

---

Vivent les gorgias[1] de court
Qui au col portent les coliers !
Non pas ces lourdaulx escoliers
Auxquieux souvent l'argent est court.

L'ung va le pas et l'autre court,
L'autre tient termes singuliers.
Vivent les gorgias de court !

Leur habit est ung peu trop lourt
Pour contrefaire les galiers[2]
Gens de court sont les vrays colliers[3]
Des dames, dont leur bien sourt.
Vivent les gorgias de court !

Anonyme.

1. Galants. 2. Coureurs de gala. 3. Portefaix.

Dieu qu'il la fait bon regarder
La gracieuse, bonne et belle!
Pour les grans biens qui sont en elle,
Chascun est prest de la louer.

Qui se pourroit d'elle lasser?
Tousjours sa beauté renouvelle.
Dieu, qu'il la fait bon regarder,
La gracieuse, bonne et belle!

Par deça ne dela la mer,
Ne sçay dame, ne damoiselle
Qui soit en tous biens parfais telle;
C'est un songe que d'y penser.
Dieu, qu'il la fait bon regarder!

Charles d'Orléans, *Rondeaux.*

---

Puis ça, puis la,
Et sus et jus,
De plus en plus,
Tout vient et va.

Tous on verra
Grans et menus,
Puis ça, puis la,
Et sus et jus.

Vieuls temps desja
S'en sont courus,
Et neufs venus,
Que dea! que dea!
Puis ça, puis la.

*Ibid.*

---

Ma seule amour, ma joye et ma maistresse,
Puisqu'il me fault loing de vous demorer,
Je n'ay plus riens, a me reconforter,
Qu'un souvenir pour retenir lyesse.

En allegant, par Espoir, ma destresse,
Me convendra le temps ainsi passer,
Ma seule amour, ma joye et ma maistresse,
Puisqu'il me fault loing de vous demourer.

Car mon las cueur, bien garny de tristesse,
S'en est voulu avecques vous aler,
Ne je ne puis jamais le recouvrer,
Jusques verray vostre belle jeunesse,
Ma seule amour, ma joye et ma maistresse.

*Ibid.*

*La **ballade** a fait son apparition au XIV<sup>e</sup> siècle. Elle comporte trois strophes et une demi-strophe ou envoi. Si elle est en octosyllabes, elle comporte trois strophes de huit vers et une de quatre; si elle est en décasyllabes, elle comporte trois strophes de dix vers et une de cinq. Toutes les strophes sont construites sur les mêmes rimes. Comme le rondeau, cette forme poétique disparaîtra aux XVI<sup>e</sup>, XVII<sup>e</sup> et XVIII<sup>e</sup> siècles. Les romantiques la redécouvriront.*

## BALLADE DE L'HOMME ÉGARÉ

En la forest d'Ennuyeuse Tristesse,
Un jour m'avint qu'a par moy cheminoye,
Si rencontray l'Amoureuse Deesse
Qui m'appela, demandant ou j'alloie.
Je respondy que, par Fortune, estoye
Mis en exil en ce bois, long temps a,
Et qu'a bon droit appeler me povoye
L'omme esgaré qui ne scet ou il va.

En sousriant, par sa tresgrant humblesse,
10 Me respondy : « Amy, se je savoye
Pourquoy tu es mis en ceste destresse,
A mon povoir voulentiers t'ayderoye;
Car, ja pieça¹, je mis ton cueur en voye
De tout plaisir, ne scay qui l'en osta;
Or me desplaist qu'a present je te voye
L'omme esgaré qui ne scet ou il va

Hélas, dis-je, souveraine Princesse,
Mon fait savez, pourquoy le vous diroye?
C'est par la Mort qui fait a tous rudesse,
20 Qui m'a tollu² celle que tant amoye,
En qui estoit tout l'espoir que j'avoye,
Qui me guidoit, si bien m'acompaigna
En son vivant que point ne me trouvoye
L'omme esgaré qui ne scet ou il va.

Aveugle suy, ne sçay ou aler doye ;
De mon baston, affin que ne forvoye,
Je vois tastant mon chemin ça et la ;
C'est grant pitié qu'il convient que je soye
L'omme esgaré qui ne scet ou il va.

Charles d'Orléans.

1. Jadis. 2. Enlevé.

## BALLADE

Seulete sui et seulete vueil estre,
seulete m'a mon douz ami laissiee,
seulete sui sanz compaignon ne maistre,
seulete sui dolente et courrouciee,
seulete sui en langueur mesaisiee,
seulete sui plus que nulle esgaree,
seulete sui sanz ami demouree.

Seulete sui a huis ou a fenestre,
seulete sui en un anglet muciee,
10 seulete sui pour moy de pleurs repaistre,
seulete sui dolente ou apaisiee,
seulete sui, riens n'est qui tant me siee,
seulcte sui en ma chambre enserree,
seulete sui sanz ami demouree.

Seulete sui partout et en tout estre,
seulete sui ou je voise[1] ou je siee ;
seulete sui plus qu'autre rien terrestre,
seulete sui de chascun delaissiee,
seulete sui durement abaissiee,
20 seulete sui souvent toute esplouree,
seulete sui sanz ami demouree.

Princes, or est ma douleur commenciee :
seulete sui de tout dueil menaciee,
seulete sui plus teinte que moree[2] :
seulete sui sanz ami demouree.

Christine de Pisan.

1. Où que j'aille. 2. Plus sombre que le brun.


## BALLADE DES DAMES DU TEMPS JADIS

Dictes moy ou, n'en quel pays
Est Flora la belle Rommaine ;
Archipiades ne Thaïs
Qui fut sa cousine germaine ;
Echo, parlant quant bruyt on maine
Dessus riviere ou sus estan,
Qui beaulté ot trop plus qu'humaine ?
Mais ou sont les neiges d'antan ?

Ou est la tres sage Heloïs
10 Pour qui chastré fut et puis moyne
Pierre Esbaillart a Saint Denis ?
Pour son amour ot ceste essoyne[1].
Semblablement, ou est la royne
Qui commanda que Buridan
Fut jecté en ung sac en Saine ?
Mais ou sont les neiges d'antan ?

La royne Blanche comme lis
Qui chantoit a voix de seraine,
Berthe au grant pié, Biétris, Alis,
20 Haremburgis qui tint le Maine,
Et Jehanne la bonne Lorraine
Qu'Englois brulerent a Rouan ;
Ou sont ilz, Vierge souveraine ?
Mais ou sont les neiges d'antan ?

Prince, n'enquerez de sepmaine[2]
Ou elles sont, ne de cest an,
Que ce reffrain ne vous remaine[3] :
Mais ou sont les neiges d'antan?

François Villon.

1. Epreuve. 2. Jamais. 3. Sans que ce refrain ne vous revienne à l'esprit.

## BALLADE DES PENDUS

Frères humains qui après nous vivez,
N'ayez les cuers contre nous endurcis,
Car, se pitié de nous povres avez,
Dieu en aura plus tost de vous mercis.
Vous nous voiez cy attachez cinq, six :
Quant de la chair, que trop avons nourrie,
Elle est pieça devoree et pourrie,
Et nous, les os, devenons cendre et pouldre.
De nostre mal personne ne s'en rie;
10 Mais priez Dieu que tous nous vueille absouldre!

Se frères vous clamons, pas n'en devez
Avoir desdaing, quoy que fusmes occis
Par justice. Toutesfois, vous sçavez
Que tous hommes n'ont pas bon sens rassis;
Excusez nous, puis que sommes transis[1],
Envers le fils de la Vierge Marie,
Que sa grace ne soit pour nous tarie,
Nous preservant de l'infernale fouldre.
Nous sommes mors, ame ne nous harie[2];
20 Mais priez Dieu que tous nous vueille absouldre!

La pluye nous a débuez et lavez,
Et le soleil dessechiez et noircis;
Pies, corbeaulx, nous ont les yeux cavez[3],
Et arrachié la barbe et les sourcis.
Jamais nul temps nous ne sommes assis;
Puis ça, puis la, comme le vent varie,
A son plaisir sans cesser nous charie,
Plus becquetez d'oyseaulx que dez a couldre.
Ne soiez donc de nostre confrairie;
30 Mais priez Dieu que tous nous vueille absouldre!

Prince Jhesus, qui sur tous a maistrie,
Garde qu'Enfer n'ait de nous seigneurie :
A luy n'ayons que faire ne que souldre[4].
Hommes, icy n'a point de mocquerie;
Mais priez Dieu que tous nous vueille absouldre!

*Ibid.*

1. Morts. 2. Tourmente. 3. Creusés. 4. Payer.

## Des Grands Rhétoriqueurs à Agrippa d'Aubigné

### Les Grands Rhétoriqueurs

Entre 1450 et 1550, la poésie est marquée par ceux qu'on appelle les Grands Rhétoriqueurs : poètes salariés, chroniqueurs et conseillers des princes de Bourgogne, puis de Bretagne et de France, ils se passionnent pour l'Antiquité et les recherches formelles; considérés par les uns comme des "moulins à paroles", par les autres comme "des magiciens du verbe", ils parviennent à une véritable virtuosité dans l'art du vers et de la rime, ouvrant ainsi la voie aux innovations de la Renaissance. Ils pratiquent l'épître (poème de forme libre sur des sujets variés, souvent familiers), le blason (petit poème consacré à vanter ou dénigrer un objet, une personne ou un détail), sans négliger toutes les formes poétiques du Moyen Age. Citons Jean Molinet (1435-1507), Jean Marot (le père de Clément), Jean Lemaire de Belges (1473-?) qui est à la fois le dernier de ces Grands Rhétoriqueurs et le premier poète de la Renaissance.

### Défense et illustration de la langue française (1549)

L'enthousiasme humaniste de la première moitié du XVIᵉ siècle insuffle un souffle nouveau à la poésie française. C'est Joachim du Bellay qui, en publiant *Défense et illustration de la langue française* (1549), formule l'art poétique des temps nouveaux : tout en professant une grande admiration pour les poètes grecs et latins, du Bellay affirme que les poètes modernes sont capables d'égaler les Anciens s'ils écrivent en français, langue qui est un aussi bon outil que le grec ou le latin. En fait la langue française est pauvre faute d'avoir été cultivée. Que faire pour l'enrichir ?

Suivre l'exemple des poètes latins qui enrichirent le latin "imitant les meilleurs auteurs grecs, se transformant en eux, les dévorant, et, après les avoir bien digérés, les convertissant en sang et nourriture : se proposant, chacun selon son naturel et l'argument qu'il voulait élire, le meilleur auteur, dont il observait diligemment toutes les plus rares et exquises vertus, et icelles comme greffes ainsi (...) entaient et appliquaient à leur langue." Il vante les vertus de l'imitation bien comprise, sorte "d'innutrition". "Mais entende celui qui voudra imiter que ce n'est pas chose facile que de bien suivre les vertus d'un bon auteur et quasi comme se transformer en lui..." Il condamne toute tentative d'une poésie écrite en latin, il rejette toutes les formes poétiques médiévales. "Lis donc et relis premièrement, ô poète futur, feuillette de main nocturne et journelle les exemplaires grecs et latins, puis me laisse toutes ces vieilles poésies françaises aux jeux floraux de Toulouse et au Puy de Rouen, comme rondeaux, ballades, virelais, chants royaux, chansons et autres telles épiceries, qui corrompent le goût de notre langue et ne servent sinon à porter témoignage de notre ignorance..."

Il faut cultiver l'épître, créée par les Grands Rhétoriqueurs et qui a trouvé sa perfection avec Clément Marot (1496-1544), l'élégie, forme particulière de l'épître qui s'inspire d'Ovide, Tibulle et Properce, l'églogue inspirée de Virgile : "Chante-moi ces Odes, inconnues encore de la Muse française, d'un luth bien accordé au son de la lyre grecque et romaine et qu'il n'y ait un vers où n'apparaisse quelque vestige de rare et authentique érudition." Mais surtout "Sonne-moi ces beaux sonnets, non moins docte et plaisante invention italienne, conforme de nom à l'Ode¹ et différente d'elle seulement pour ce que le sonnet a certains vers réglés et limités." En effet alors que l'ode est de forme très libre, comportant des strophes en nombre et de forme variables, le sonnet comporte deux quatrains et deux

---

1. *Ode,* en grec, signifie "chant" de même que *sonnetto* en italien (du provençal *sonet*).

École de Botticelli (XVᵉ-XVIᵉ siècle), *Tête de jeune femme*. dessin.
(Cabinet des dessins, Musée du Louvre, Paris.)

tercets généralement en décasyllabes ou alexandrins et présente le plus souvent la répartition des rimes sous la forme abba/abba/ccd/eed (on peut avoir la variante ccd/ede).

Créant une poésie nouvelle qui rivalise avec celle des Grecs et des Romains, le poète atteindra l'immortalité à condition de ne pas se contenter de l'inspiration : "Qui veut voler par les mains et bouches des hommes, doit longuement demeurer en sa chambre, et qui désire vivre en la mémoire de la postérité doit, comme mort en soi-même, suer et trembler maintes fois, et autant que nos poètes courtisans boivent, mangent et dorment à leur aise, endurer de faim, de soif, et de longues vigiles."

Ainsi une double influence s'est exercée sur les poètes de la Renaissance : influence des Anciens, influence de l'Italie, essentiellement de Pétrarque, auquel ils empruntent le sonnet, introduit en France par Marot et Mellin de Saint-Gelais. Sensible au niveau des formes poétiques, cette double influence se retrouve au niveau des thèmes : nymphes gracieuses, dieux de l'Olympe ou de la Rome antique peuplent une nature qui est souvent celle de la Touraine, patrie de Ronsard et de du Bellay. Ce sont les mêmes évocations mythologiques qui inspirent peinture et musique de l'époque. Mais le thème dominant est celui de l'amour chanté à la manière de Pétrarque : le *Canzoniere,* écrit en toscan, chante l'amour du poète dans une poésie où fleurissent comparaisons, métaphores et antithèses ; cet amour inspiré de la poésie des troubadours mais aussi fortement marqué par Platon, dont l'érudit florentin Marsile Ficin (1433-1499) a traduit récemment *Le banquet,* va exercer une forte influence sur les poètes de la Renaissance, dont la poésie amoureuse s'inscrit ainsi, sans qu'ils en aient conscience, dans la tradition de la poésie des troubadours. Au thème de l'amour se mêle souvent un épicurisme souriant, aspiration à profiter des joies et plaisirs de la vie, qu'avait exprimé un poète comme Horace.

Les poètes lyonnais

C'est par l'intermédiaire de Maurice Scève (1500?-1560?), le plus célèbre des poètes lyonnais, que l'influence de Pétrarque s'est exercée sur les poètes groupés autour de Ronsard et du Bellay ; pour A.M. Schmidt, ce sont les poètes lyonnais qui sont les véritables "inventeurs de la poésie personnelle" en France. En effet, ville frontière, Lyon est le théâtre d'une intense activité commerciale et financière propice à l'épanouissement de la vie intellectuelle. Héritier de la grande rhétorique, Maurice Scève, érudit solitaire, attentif aux nouveautés, chante dans son poème *Délie* (1544) son amour déçu, au long des 449 dizains de décasyllabes qui le composent. Méconnu pendant trois siècles, il apparaît aux yeux de nos contemporains par la densité, "l'obscurité" de sa poésie, comme un prédécesseur lointain de Mallarmé ou de Valéry. Comme Maurice Scève, Louise Labé (1524-1566) appartient à ce groupe de poètes : belle, musicienne, dévorée du feu de son amour, elle donne, dans ses poèmes, libre cours à la violence de sa passion.

La Pléiade

Mais c'est surtout avec les poètes de la Pléiade que la poésie de la Renaissance atteint une sorte de perfection : ils constituèrent d'abord la Brigade (1547) au temps où, au collège de Coqueret sur la Montagne Sainte-Geneviève à Paris, ils suivaient l'enseignement de Dorat qui les initiait à la littérature antique et plus particulièrement aux lyriques grecs. En 1553 Ronsard baptise le groupe "la Pléiade", car ils étaient alors sept comme les sept étoiles de la constellation, sept dont la liste variera d'ailleurs au cours des années. En 1566 elle regroupe Jodelle, de Baïf, Peletier, Belleau, Pontus de Tyard, du Bellay et Ronsard, le chef de file.

Les poètes baroques

La seconde moitié du XVI<sup>e</sup> siècle est marquée par l'horreur des guerres de religion. La poésie épicurienne et souriante de la Pléiade fait place à une poésie violente où abondent images et métaphores d'une rare intensité, antithèses dramatiques, où le heurt des couleurs fortement contrastées prend valeur de symbole. Cette poésie cultive le paroxysme des sentiments et des images, le goût de l'horrible. Ces poètes, appelés poètes baroques, se réunissaient dans le salon de la maréchale de Retz (1547-1603); les plus illustres représentants en sont Agrippa d'Aubigné (1552-1630) auteur de poèmes d'amour, mais surtout des *Tragiques,* épopée lyrique et satirique d'inspiration calviniste qu'il rédige de 1577 à 1617 et qui lui a été inspirée par l'horreur des guerres de religion, et Jean de Sponde (1557-1595) qui écrit des sonnets et des stances d'inspiration mystique.

A la poésie aimable du *Carpe diem* de Ronsard succède donc une poésie sombre et véhémente qui évoque l'immortalité du juste assis à la droite de Dieu.

Passons maintenant à la présentation des différentes formes poétiques de cette période.

*Les jeux sur le langage, l'**épître**, le **rondeau** caractérisent la poésie des Grands
Re oriqueurs.
Les **dizains** de la* Délie *de Maurice Scève appartiennent à la même tradition.*

## JUSTICE

(...)
Par les debas et les crueulx desroix[1]
Des roix
Trop roidz
Le monde se desroye
Tout est ravi par ravace[2] ou par roitz[3] ;
Parois,
Terrois
Sont mis au bout de roye[4] ;
L'ung ronge, l'autre roye[5],
10 L'ung froisse, l'autre froye[6],
L'ung charbon, l'autre croye[7] ;
Char et charoy
L'ung brise, l'autre broye ;
L'ung fiert[8], l'autre fourdroye,
L'ung pille et l'autre proye[9] :
C'est povre arroy[10].

Je suis couchié au lit de desconfort ;
Mon fort
Confort
20 Me laisse périssant,
Je vis envis[11], car mon espoir est mort,
La mort
Me mord
Et suis amenrissant[12] ;
J'amenris languissant,
Je languis gémissant,
Je gémis en plourant,
Je pleure en voye ;
Je voy en empirant,
30 J'empire en souspirant,
Je souspire en morant,
Mort me desvoye.
(...)

Jean Molinet.

1. Malheurs. 2. Cage d'osier pour la volaille. 3. Rets, filet de pêche ou de chasse. 4. Raie, sillon.
5. Raie (de rayer). 6. Brise. 7. Craie. 8. Frappe. 9. Ravage. 10. Train. 11. Contre mon gré.
12. Amoindri.

## ADIEU AUX DAMES DE LA COUR (épître)

Adieu la cour, adieu les dames,
Adieu les filles et les femmes,
Adieu vous dis pour quelque temps,

Adieu vos plaisants passetemps;
Adieu le bal, adieu la danse,
Adieu mesure, adieu cadence,
Tambourins, hautbois et violons,
Puisqu'à la guerre nous allons.
Adieu les regards gracieux,
10 Messagers des cœurs soucieux;
Adieu les profondes pensées,
Satisfaites ou offensées;
Adieu les harmonieux sons
De rondeaux, dizains et chansons;
Adieu piteux département,
Adieu regrets, adieu tourment,
Adieu la lettre, adieu le page,
Adieu la cour et l'équipage,
Adieu l'amitié si loyale,
20 Qu'on la pourrait dire royale,
Etant gardée en ferme foi
Par ferme cœur digne de roi.
Adieu ma mie la dernière,
En vertus et beauté première;
Je vous prie me rendre à présent
Le cœur dont je vous fis présent,
Pour, en la guerre où il faut être,
En faire service à mon maître.
Or quand de vous se souviendra,
30 L'aiguillon d'honneur l'époindra
Aux armes et vertueux faits:
Et s'il en sortait quelque effet
Digne d'une louange entière,
Vous en seriez seule héritière,
De votre cœur donc vous souvienne,
Car si Dieu veut que je revienne,
Je le rendrai en ce beau lieu.

Or je fais fin à mon adieu.

Clément Marot.


DE L'AMOUR DU SIÈCLE ANTIQUE (rondeau)


Au bon vieux temps un train d'amour régnait
Qui sans grand art et dons se démenait
Si qu'un bouquet donné d'amour profonde,
C'était donné toute la terre ronde,
Car seulement au cœur on se prenait.

Et si, par cas, à jouir on venait,
Savez-vous bien comme on s'entretenait?
Vingt ans, trente ans : cela durait un monde,
            Au bon vieux temps.

Or est perdu ce qu'amour ordonnoit :
Rien que pleurs feints, rien que change on n'oyt,
Qui voudra donc qu'à aimer je me fonde,
Il faut premier, que l'amour on refonde,
Et qu'on la mène ainsi qu'on la menait
Au bon vieux temps.

*Ibid.*

## DELIE (dizains)

### VI

Libre vivois en l'Avril de mon aage,
De cure exempt soubz celle adolescence,
Où l'œil, encor non expert de dommage,
Se veit surpris de la doulce presence,
Qui par sa haulte, et divine excellence
M'estonna l'Ame, et le sens tellement,
Que de ses yeulx l'archier tout bellement
Ma liberté luy a toute asservie :
Et des ce jour continuellement
En sa beaulté gist ma mort, et ma vie.

### CXLIV

En toy je vis, où que tu sois absente :
En moy je meurs, où que soye present.
Tant loing sois tu, tousjours tu es presente :
Pour pres que soye, encores suis je absent.
         Et si nature oultragee se sent
De me veoir vivre en toy trop plus, qu'en moy :
Le hault povoir qui, ouvrant[1] sans esmoy,
Infuse l'ame en ce mien corps passible,
La prevoyant sans son essence en soy,
En toy l'estend, comme en son plus possible.

Maurice Scève.

1. Œuvrant.

*"Chante-moi ces **Odes...**"*
*disait Du Bellay dans* Défense et illustration de la langue française.

## LA PIERRE AQUEUSE

C'estoit une belle brune
Filant au clair de la Lune,
Qui laissa choir son fuzeau
Sur le bord d'une fontaine,
Mais courant apres sa laine
Plonge la teste dans l'eau,

Et se noya la pauvrette :
Car à sa voix trop foiblette
Nul son desastre sentit :
10 Puis assez loin ses compagnes
Parmi les vertes campagnes
Gardoyent leur troupeau petit.

Hà trop cruelle adventure!
Hà mort trop fiere et trop dure!
Et trop cruel le flambeau
Sacré pour son Hymenee
Qui, l'attendant, l'a menee
Au lieu du lit, au tombeau,

Et vous Nymphes fontainieres,
20 Trop ingrates et trop fieres,
Qui ne vinstes au secours
De ceste jeune bergere,
Qui faisant la mesnagere
Noya le fil de ses jours.

Mais en souvenance bonne
De la bergere mignonne,
Esmeus de pitié les Dieux
En ces pierres blanchissantes
De larmes tousjours coulantes
30 Changent l'émail de ses yeux.

Non plus yeux, mais deux fontaines,
Dont la source et dont les veines
Sourdent du profond du cueur :
Non plus cœur, mais une roche
Qui lamente le reproche
D'Amour, et de sa rigueur.

Pierre tousjours larmoyante,
A petits flots ondoyante,
Seurs tesmoins de ses douleurs :
40 Comme le marbre en Sipyle
Qui se fond et se distille
Goute-à-goute en chaudes pleurs.

O chose trop admirable,
Chose vrayment non croyable,
Voir rouler dessus les bords
Une eau vive qui ruisselle,
Et qui de course eternelle
Va baignant ce petit corps.

Et pour le cours de cette onde
50 La pierre n'est moins feconde
Ny moins grosse, et vieillissant
Sa pesanteur ne s'altère :
Ains toujours demeure entiere
Comme elle estoit en naissant.

Mais est-ce que de nature
Pour sa rare contesture
Elle attire l'air voisin,
Ou dans soy qu'elle recelle
Ceste humeur qu'elle amoncelle
60 Pour en faire un magazin?

Elle est de rondeur parfaite,
D'une couleur blanche et nette
Agreable et belle à voir :
Pleine d'humeur qui ballotte
Au dedans, ainsi que flotte
La glaire en l'œuf au mouvoir.

Va pleureuse, et te souvienne
Du sang de la playe mienne
Qui coule et coule sans fin,
70 Et des plaintes espandues
Que je pousse dans les nues
Pour adoucir mon destin.

Rémy Belleau.


## ODE À CASSANDRE

Mignonne, allons voir si la rose
Qui ce matin avait déclose
Sa robe de pourpre au Soleil,
A point perdu cette vesprée
Les plis de sa robe pourprée
Et son teint au vôtre pareil.

Las! voyez comme en peu d'espace,
Mignonne, elle a dessus la place
Las! las! ses beautés laissé choir!
O vraiment marâtre Nature,
Puisqu'une telle fleur ne dure
Que du matin jusques au soir!

Donc, si vous me croyez, mignonne,
Tandis que votre âge fleuronne
En sa plus verte nouveauté,
Cueillez, cueillez votre jeunesse :
Comme à cette fleur la vieillesse
Fera ternir votre beauté.

Pierre de Ronsard, *Odes*, l. 17.

*"Sonne-moi ces beaux **sonnets**..."*
*ajoutait encore Du Bellay dans* Défense et illustration de la langue française.

## SONNET

Il n'est point tant de barques à Venise,
D'huîtres à Bourg, de lièvres en Champagne,
D'ours en Savoie et de veaux en Bretagne,
De cygnes blancs le long de la Tamise;

Ni tant d'amours se traitant en l'église,
Ni différends aux peuples d'Allemagne,
Ni tant de gloire à un seigneur d'Espagne,
Ni tant se trouve à la cour de feintise;

Ni tant y a de monstres en l'Afrique,
D'opinions en une République,
Ni de pardons à Rome un jour de fête;

Ni d'avarice aux hommes de pratique,
Ni d'arguments en une Sorbonnique,
Que ma mie a de lunes en la tête.

Mellin de Saint-Gelais.

---

Je vis, je meurs : je me brule et me noye.
J'ay chaut estreme en endurant froidure :
La vie m'est et trop molle et trop dure.
J'ai grans ennuis entremeslez de joye :

Tout à un coup je ris et je larmoye,
Et en plaisir maint grief tourment j'endure :
Mon bien s'en va, et à jamais il dure :
Tout en un coup je seiche et je verdoye.

Ainsi Amour inconstamment me meine :
Et, quand je pense avoir plus de douleur,
Sans y penser je me treuve hors de peine.

Puis, quand je croy ma joye estre certeine,
Et estre au haut de mon désiré heur[1],
Il me remet en mon premier malheur.

Louise Labé.

1. Bonheur.

Une beauté de quinze ans enfantine,
Un or frisé de maint crêpe annelet,
Un front de rose, un teint demoiselet,
Un ris qui l'Ame aux astres achemine ;

Une vertu de telle beauté digne,
Un col de neige, une gorge de lait,
Un cœur ja mûr en un sein verdelet,
En Dame humaine une beauté divine ;

Un œil puissant de faire jours les nuits,
Une main douce à forcer les ennuis,
Qui tient ma vie en ses doigts enfermée ;

Avec un chant découpé doucement,
Or' d'un souris, or' d'un gémissement,
De tels sorciers ma raison fut charmée.

Pierre de Ronsard, Premier livre des *Amours*.

---

Comme on voit sur la branche au mois de mai la rose,
En sa belle jeunesse, en sa première fleur,
Rendre le ciel jaloux de sa vive couleur,
Quand l'Aube de ses pleurs au point du jour l'arrose ;

La grâce dans sa feuille, et l'amour se repose,
Embaumant les jardins et les arbres d'odeur ;
Mais battue ou de pluie, ou d'excessive ardeur,
Languissante elle meurt, feuille à feuille déclose.

Ainsi en ta première et jeune nouveauté,
Quand la Terre et le Ciel honoraient ta beauté,
La Parque t'a tuée, et cendre tu reposes.

Pour obsèques reçois mes larmes et mes pleurs,
Ce vase plein de lait, ce panier plein de fleurs,
Afin que vif et mort ton corps ne soit que roses.

*Ibid., Amours de Marie.*

---

Quand vous serez bien vieille, au soir, à la chandelle,
Assise auprès du feu, dévidant et filant,
Direz chantant mes vers, en vous émerveillant :
Ronsard me célébrait du temps que j'étais belle.

Lors vous n'aurez servante oyant telle nouvelle,
Déjà sous le labeur à demi sommeillant,
Qui au bruit de mon nom ne s'aille réveillant,
Bénissant votre nom, de louange immortelle.

Je serai sous la terre et, fantôme sans os,
Par les ombres myrteux je prendrai mon repos ;
Vous serez au foyer une vieille accroupie,

Regrettant mon amour et votre fier dédain.
Vivez, si m'en croyez, n'attendez à demain :
Cueillez dès aujourd'hui les roses de la vie.

*Ibid., Amours d'Hélène.*

---

Il faut laisser maisons, et vergers et jardins,
Vaisselles et vaisseaux que l'artisan burine,
Et chanter son obsèque en la façon du cygne,
Qui chante son trépas sur les bords méandrins.

C'est fait ! J'ai dévidé le cours de mes destins,
J'ai vécu, j'ai rendu mon nom assez insigne ;
Ma plume vole au ciel pour être quelque signe,
Loin des appas mondains qui trompent les plus fins.

Heureux qui ne fut onc, plus heureux qui retourne
En rien comme il était, plus heureux qui séjourne,
D'homme fait nouvel ange, auprès de Jésus-Christ,

Laissant pousser ça-bas sa dépouille de boue,
Dont le sort, la fortune et le destin se joue,
Franc des liens du corps, pour n'être qu'un esprit.

*Ibid., Derniers sonnets.*

---

Déjà la nuit en son parc amassait
Un grand troupeau d'étoiles vagabondes,
Et pour entrer aux cavernes profondes,
Fuyant le jour, ses noirs chevaux chassait.

Déjà le ciel aux Indes rougissait,
Et l'Aube encor de ses tresses tant blondes
Faisant grêler mille perlettes rondes,
De ses trésors les prés enrichissait :

Quand d'occident, comme une étoile vive,
Je vis sortir dessus ta verte rive,
O fleuve mien ! une Nymphe en riant.

Alors, voyant cette nouvelle Aurore,
Le jour honteux d'un double teint colore
Et l'Angevin et l'Indique orient.

Joachim Du Bellay, *L'olive.*

Comme souvent des prochaines fougères
Le feu s'attache aux buissons, et souvent
Jusques aux blés, par la fureur du vent,
Pousse le cours de ses flammes légères ;

Et comme encor ces flammes passagères
Par tout le bois traînent, en se suivant,
Le feu qu'au pied d'un chêne auparavant
Avaient laissé les peu cautes[1] bergères ;

Ainsi l'amour d'un tel commencement
Prend bien souvent un grand accroissement.
Il vaut donc mieux ma plume ici contraindre

Que d'imiter un homme sans raison
Qui, se jouant de sa propre maison,
Y met un feu qui ne se peut éteindre.

*Ibid., Les amours.*

1. Peu prudentes.

---

Je ne veux point fouiller au sein de la nature,
Je ne veux point chercher l'esprit de l'univers,
Je ne veux point sonder les abîmes couverts,
Ni dessiner du ciel la belle architecture.

Je ne peins mes tableaux de si riche peinture,
Et si hauts arguments ne recherche à mes vers,
Mais, suivant de ce lieu les accidents divers,
Soit de bien, soit de mal, j'écris à l'aventure.

Je me plains à mes vers, si j'ai quelque regret :
Je me ris avec eux, je leur dis mon secret,
Comme étant de mon cœur les plus sûrs secrétaires.

Aussi ne veux-je tant les peigner et friser,
Et de plus braves noms ne les veux déguiser,
Que de papiers journaux, ou bien de commentaires.

*Ibid., Les regrets.*

---

Las où est maintenant ce mépris de Fortune ?
Où est ce cœur vainqueur de toute adversité,
Cet honnête désir de l'immortalité,
Et cette honnête flamme au peuple non commune ?

Où sont ces doux plaisirs, qu'au soir sous la nuit brune
Les Muses me donnaient, alors qu'en liberté

École de Fontainebleau (XVIᵉ siècle), Niccolo dell' Abbate (1509/1512-1571?),
*Zéphir et Psyché*, dessin. (Ashmolean Museum, Oxford.)

Dessus le vert tapis d'un rivage écarté
Je les menais danser aux rayons de la Lune ?

Maintenant la Fortune est maîtresse de moi,
Et mon cœur qui soulait[1] être maître de soi,
Est serf de mille maux et regrets qui m'ennuient.

De la postérité je n'ai plus de souci,
Cette divine ardeur, je ne l'ai plus aussi,
Et les Muses de moi, comme étranges, s'enfuient.

*Ibid.*

1. Avait coutume.

*Et pour achever la présentation des formes poétiques du XVI<sup>e</sup> siècle, voici un
exemple de **poésie baroque.***

## JUGEMENT DERNIER

C'est fait. Dieu vient régner, de toute prophétie
Se voit la période à ce point accomplie.
La terre ouvre son sein, du ventre des tombeaux
Naissent des enterrés les visages nouveaux :
Du pré, du bois, du champ, presque de toutes places
Sortent les corps nouveaux et les nouvelles faces.
Ici, les fondements des châteaux rehaussés
Par les ressuscitants promptement sont percés;
Ici, un arbre sent des bras de sa racine
10 Grouiller un chef vivant, sortir une poitrine;
Là l'eau trouble bouillonne, et puis, s'éparpillant
Sent en soi des cheveux et un chef s'éveillant.
Comme un nageur venant du profond de son plonge,
Tous sortent de la mort comme l'on sort d'un songe.
Les corps par les tyrans autrefois déchirés
Se sont en un moment à leurs corps asserrés,
Bien qu'un bras ait vogué par la mort écumeuse.
De l'Afrique brûlée en Tyle froiduleuse
Les cendres des brûlés volent de toutes parts;
20 Les brins, plutôt unis qu'ils ne furent épars,
Viennent à leur poteau en cette heureuse place,
Riants au ciel riant d'une agréable audace.
Le curieux s'enquiert si le vieux et l'enfant
Tels qu'ils sont jouiront de l'état triomphant,
Leurs corps n'étant parfaits ou défaits en vieillesse :
De quoi, la plus hardie ou plus haute sagesse
Ose présupposer que la perfection
Veut en l'âge parfait son élévation,
Et la marquent au point des trente-trois années
30 Qui étaient en Jésus closes et terminées,
Quand il quitta la terre, et changea, glorieux,

La croix et le sépulcre au tribunal des cieux.
Venons de cette douce et pieuse pensée
A celle qui nous est aux saints écrits laissée.
    Voici le fils de l'homme et du grand Dieu le fils,
Le voici arrivé à son terme préfix.
Déjà l'air retentit et la trompette sonne,
Le bon prend assurance et le méchant s'étonne...

Agrippa d'Aubigné, *Les tragiques*, VII.

Le XVIIe siècle prolonge le mouvement baroque dans une inspiration naturaliste; puis, avec la préciosité, la poésie tend à devenir divertissement de salon. La poésie lyrique reste aux XVIIe et XVIIIe siècles un genre mineur alors que dans le même temps triomphe la poésie de genre narratif (La Fontaine) ou philosophique (Voltaire). Seuls les élégiaques du XVIIIe (l'abbé Jacques Delille, Evariste Parny, Léonard, le Marquis de Saint Lambert) avant André Chénier préludent à la renaissance poétique du XIXe siècle.

## André Chénier (1762-1794)

Imprégné de la culture et de l'esthétique de la Grèce antique, il tente, dans une prosodie de forme classique, d'exprimer ses sentiments comme les connaissances de son siècle : "Sur des pensers nouveaux, faisons des vers antiques!"
*Les essais modernes; Les élégies; Les idylles ou bucoliques; Les iambes* (publications posthumes).

## LA JEUNE TARENTINE

Pleurez, doux alcyons, ô vous, oiseaux sacrés,
Oiseaux chers à Thétis, doux alcyons, pleurez.
Elle a vécu Myrto[1], la jeune Tarentine.
Un vaisseau, la portait aux bords de Camarine[2].
Là, l'hymen, les chansons, les flûtes, lentement
Devaient la reconduire au seuil de son amant.
Une clef vigilante a pour cette journée
Sous le cèdre enfermé sa robe d'hyménée,
Et l'or dont au festin ses bras seraient parés,
10 Et pour ses blonds cheveux les parfums préparés.
Mais seule sur la proue invoquant les étoiles,
Le vent impétueux qui soufflait dans les voiles
L'enveloppe. Etonnée, et loin des matelots,
Elle crie, elle tombe, elle est au sein des flots.

Elle est au sein des flots la jeune Tarentine.
Son beau corps a roulé sous la vague marine.
Thétis, les yeux en pleurs, dans le creux d'un rocher
Aux monstres dévorants eut soin de le cacher.
Par son ordre bientôt les belles Néréides
20 L'élèvent au-dessus des demeures humides,
Le portent au rivage, et dans ce monument
L'ont au cap du Zéphyr[3] déposé mollement.
Et de loin à grands cris appelant leurs compagnes,
Et les Nymphes des bois, des sources, des montagnes,
Toutes, frappant leur sein, et traînant un long deuil,
Répétèrent *hélas* autour de son cercueil.
Hélas! chez ton amant tu n'es point ramenée.
Tu n'as point revêtu ta robe d'hyménée.
L'or autour de tes bras n'a point serré de nœuds.
30 Les doux parfums n'ont point coulé sur tes cheveux.

André Chénier, *Idylles ou bucoliques.*

1. Nom emprunté à Théocrite. 2. Port de Sicile. 3. Cap à mi-chemin entre Tarente et Camarine.

Jean-Baptiste Isabey (1767-1855), *Arcade du Colisée*, gravure, 1822.
(Bibliothèque Nationale, Paris.)

# Les poètes romantiques

## Le mouvement romantique : 1820-1850

### La première génération romantique : romantisme royaliste et romantisme libéral (1820-1830)

La première génération romantique se partage entre deux courants de pensée : l'un d'inspiration chrétienne et monarchique attire autour de Chateaubriand ceux qui rêvent de trouver dans une monarchie idéalisée le régime propice à l'épanouissement et à la réalisation de leurs aspirations : le *Génie du christianisme* (1802) est leur ouvrage de référence ; l'autre, d'inspiration libérale, exalte la liberté de l'individu et celle des peuples à disposer d'eux-mêmes : il est né à Coppet, en Suisse, autour de Madame de Staël, l'auteur de *De l'Allemagne* (1813) qui est l'ouvrage de référence des libéraux.

D'abord attiré par la tendance royaliste, Victor Hugo va peu à peu prendre ses distances par rapport à la monarchie et, se rapprochant, peut-être sous l'influence de Sainte-Beuve, du courant libéral, il va favoriser la fusion des deux tendances en ouvrant à tous les portes de son salon de la rue Notre-Dame-des-Champs à partir de 1824.

### La deuxième génération romantique : le romantisme bohème

Après les événements de 1830 les poètes de la première génération (Lamartine, Hugo, Vigny) vont poursuivre leur route, admis dans les salons de la bourgeoisie triomphante ; pendant ce temps la nouvelle génération (Gautier, Nerval, O'Neddy, Borel, Bertrand), en révolte contre l'ordre bourgeois, vit en marge d'une société d'où ils se sentent et se veulent exclus : le groupe des Jeune France recherche l'excentricité du vêtement, cultive le frénétique (*cf.* p. 49) et le macabre ou, au contraire, le style "flamboyant" ; le groupe des bousingots (ainsi nommés du nom du chapeau de marin en cuir bouilli qu'ils portent) tapageur, débraillé, lui succède et représente la première bohème.

### Les influences étrangères

Tous ces écrivains ont été ouverts aux influences des littératures étrangères, essentiellement allemande et anglaise.

Ainsi Madame de Staël a-t-elle suscité l'intérêt pour la littérature allemande : la génération de 1820 a pu découvrir une épopée chrétienne avec *La messiade* de Klopstock (1724-1803), le retour aux sources populaires avec Herder (1744-1803), le goût pour un Moyen Age riche en légendes avec Bürger (1747-1794).

Quant à la génération de 1830, elle s'intéresse aux mêmes auteurs, ainsi qu'au *Werther* de Goethe (1794) ; elle se passionne pour le *Faust* de ce dernier, traduit par Nerval (en 1828 pour le premier *Faust,* et en 1840 pour le second), pour Schiller, dont les poésies sont traduites en 1821, pour Heine, exilé politique en France et surtout pour Hoffmann, dont les *Contes fantastiques* parus en 1829 et 1833 déchaînent un enthousiasme unanime.

L'influence de la littérature anglaise n'est pas moindre : Milton (1608-1674) avec le *Paradis perdu* propose un exemple d'épopée chrétienne ; *Clarisse Harlowe* de Richardson (1689-1761) est le type même du roman sentimental ; Walter Scott (1771-1832) déchaîne l'enthousiasme par ses romans historiques dont les premières traductions paraissent en 1816/ 1818 ; Shelley, Thomas Moore et les poètes lakistes (ainsi nommés car, entre 1805 et 1830, ils résidaient dans la région des lacs au nord de l'Angleterre, tels Southey, Wordsworth, Coleridge)... offrent une poésie qui mêle déjà tous les thèmes romantiques.

Mais c'est surtout Byron (1788-1824) qui apparaît aux yeux de tous comme le héros et le poète romantique par excellence : son personnage de dandy adulé par les femmes, son caractère passionné, son orgueil, son comportement anticonformiste, son dévouement à la cause de la liberté des peuples qu'illustre surtout sa participation à la guerre de libération de la Grèce, sa fécondité littéraire fascinent ses contemporains. Ses œuvres complètes paraissent en traduction dès 1818.

Ajoutons à ces deux influences celle de *La divine comédie* de Dante, traduite en 1829, et celle du *Romancero*, recueil espagnol de textes du XVe siècle écrits en octosyllabes, qui reprend les histoires héroïques et chevaleresques de l'Espagne (en particulier celle du Cid).

## Les poètes et la société

Si l'on observe la place et le rôle des poètes dans la société entre 1820 et 1848, on constate une profonde différence entre la génération de 1820 et celle de 1830.

Ainsi la génération de 1820, qui a vécu trois changements de régime (chute de l'Empire, Restauration, Monarchie de Juillet), a pris conscience de l'importance de la politique dans la vie de l'individu ; considérés, grâce à leur rapide succès littéraire, comme des vedettes à qui l'on écrit pour demander conseil, les poètes veulent jouer un rôle social ; enfin, témoins de la misère des ouvriers, qui, laissés-pour-compte de la révolution industrielle, s'entassent dans des villes où ils crèvent de faim, ils aspirent à promouvoir le progrès social. Ils sont tous d'origine noble ou bourgeoise, d'où leur attachement initial, parfois fragile, aux traditions monarchiques et religieuses ; pleins d'énergie et d'illusions ils s'intègrent à cette société bourgeoise où ils ont l'espoir de pouvoir jouer le rôle de guide et cet espoir restera le leur, même après 1830 ; mais au fur et à mesure qu'ils découvrent les problèmes sociaux, on les voit évoluer vers une attitude critique et libérale : Lamartine, Vigny, Hugo tenteront de faire une carrière politique et solliciteront les suffrages des électeurs.

Par contre la génération suivante sort à peine de l'adolescence en 1830 : leurs espoirs en une révolution populaire ayant été déçus, ils se désintéressent totalement de la vie politique où, devant le pouvoir croissant de la grande bourgeoisie d'affaires, ils se sentent incapables d'agir. Ils vivent en marge de la société, cultivant leurs rêves, la recherche esthétique ou aspirant à une poésie des profondeurs.

## Le rôle de la presse

Le développement considérable de la presse écrite va d'autre part marquer cette période de création littéraire. En effet, grâce à la publicité, le prix de vente des journaux baisse, ce qui permet d'élargir considérablement le public des lecteurs ; pour l'accroître encore, les directeurs de journaux avisés tentent d'enrichir le contenu du journal en ouvrant leurs colonnes à tous les écrivains romantiques, romanciers mais aussi poètes : ainsi le poète ne touche plus seulement les trois cents lecteurs que pouvait atteindre le tirage moyen de ses œuvres mais un public large, divers, difficile à cerner par sa diversité même.

Avant 1830 les journaux sont encore pour la plupart spécialisés : *Le conservateur littéraire* (1819), *La muse française* (1823-1824) pour le courant monarchiste, *Le globe* (1823) pour le courant libéral restent des journaux littéraires.

Mais après 1830 Buloz ouvre la *Revue des deux mondes* – consacrée jusque là à la découverte des pays étrangers et aux récits de voyages – aux écrivains ; Emile de Girardin crée *La presse* (1836). Ainsi Vigny publie-t-il en 1843 *La sauvage, La mort du loup, La flûte, Le mont des oliviers* dans la *Revue des deux mondes* à laquelle, par ailleurs, Musset réservera la primeur de toutes ses œuvres.

## Perspectives de la poésie romantique

"Imagination, reine des facultés..."

Les bouleversements politiques ont créé un sentiment de rupture avec le passé : la nouvelle génération rejette les modèles gréco-latins, les codes néo-classiques et redécouvre le patrimoine national délaissé par l'âge classique. Le Moyen Age, quelque peu popularisé par le genre troubadour et Chateaubriand, va enchanter les imaginations : pittoresque un peu clinquant des ballades de Hugo, tableaux puissants de *Notre-Dame de Paris*, forêts, donjons fantastiques de *La légende des siècles*, scènes ou rêveries de *Gaspard de la nuit* ; peu importe que la vérité historique n'y trouve pas toujours son compte. Les poètes de la Renaissance, que Sainte-Beuve fait découvrir en 1827-1828 dans son *Tableau de la poésie française*, par la variété de leurs rythmes, vont contribuer à assouplir l'outil poétique. C'est aussi le trésor des légendes et des chansons populaires que Lamennais, Nerval ou Sand, après Chateaubriand, contribuent à exhumer, même si les Français sont en retard sur les Allemands et les Scandinaves, qui ont déjà redécouvert leur folklore.

La quête des origines se retrouve dans l'intérêt pour les grands livres religieux : la *Bible* est familière à Lamartine, Vigny, Hugo ; la *Revue des deux mondes* et les sociétés savantes font connaître l'Orient ; en 1840-1841 on publie le *Coran*, les *Védas* et les *Upanishads* (ensemble des textes sacrés de la religion brahmanique).

Le goût du dépaysement, la curiosité pour d'autres civilisations, le désir de retour aux sources vont assez souvent pousser nos poètes sur les routes des provinces françaises, d'Italie, d'Espagne, du Moyen-Orient où, après Chateaubriand, se rendront Lamartine et Nerval, de la Grèce surtout, symbole de liberté depuis sa guerre d'indépendance contre les Turcs. Certes ces "ailleurs" sont vus à travers les livres, et certain exotisme facile suscitera des clichés dont Musset se moquera dans *Contes d'Espagne et d'Italie*. Mais la poésie y gagne en pittoresque : alors que les classiques cherchaient l'abstrait, l'universel, les romantiques cherchent le concret, la diversité, ce qui les conduit aussi à s'intéresser à la vérité des conditions, des métiers : la poésie commence à parler de la ville, du monde du travail ; une poésie réaliste est en germe.

Mais l'apport des souvenirs, de documentations et de lectures parfois énormes, est rebrassé par l'imagination de nos poètes, soumis au mouvement de leur méditation ou de leurs fantasmes ; sur l'historique et le réel ce sont leurs visions et leurs mythes personnels qu'ils projettent.

Et quel "opéra fabuleux" que leur univers poétique : la nature entière y participe, du jardin d'enfance ou du vallon familier aux forêts fantastiques et aux terres lointaines ; de l'aube de l'humanité aux temps modernes, les mythes et l'histoire délèguent leurs monstres et leurs sauveurs : le légendaire hante le réel.

Libération de la parole poétique

La primauté donnée à l'imagination et à la sensibilité renouvelle l'attitude à l'égard du langage et l'esthétique. Les romantiques ouvrent les chemins modernes de la poésie par la création d'un langage docile au mouvement intérieur, à la dynamique des images ou des visions.

Certes la révolution de l'instrument poétique n'est pas complète : la syntaxe et la morphologie ne se transforment guère. Les périphrases néo-classiques, les termes "nobles" ne sont pas rares chez Lamartine, Hugo,

Vigny. C'est à grand renfort de rhétorique que les "méditations" se développent. Persuadés de la fonction civilisatrice de la poésie, les "grands" romantiques n'ont pas renoncé à la pensée discursive. Attendons Nerval, Baudelaire et Verlaine pour "tordre le cou" à l'éloquence. Mais le vocabulaire est renouvelé, enrichi : "J'ai mis un bonnet rouge au vieux dictionnaire", revendique Hugo. Redécouvrant le Moyen Age, le XVI$^e$ siècle, on retrouve des mots, des sens disparus; la couleur locale italienne, espagnole, orientale est créée par des termes exotiques; les termes populaires, techniques accèdent à la dignité poétique, en même temps que les réalités quotidiennes. Par la recherche du pittoresque, le concret l'emporte sur la langue abstraite avec l'emploi du mot propre, de l'adjectif de couleur, chez Hugo, Musset, Gautier.

Les formes littéraires varient selon le mouvement interne de la rêverie ou le sujet : les poèmes, sans règles fixes, de longueur variable, lyriques, narratifs ou épiques sont très fréquents. Les vastes fresques épiques ne sont plus divisées en "chants" mais en "journées" ou en "visions"; Vigny et Hugo préféreront les petites épopées groupées en cycles. Les poèmes courts et à forme fixe sont rares : Nerval et Baudelaire restaureront les vertus de la densité. Pourtant le goût pour le Moyen Age, la découverte de la poésie de la Renaissance, l'intérêt porté à la chanson populaire expliquent la surprenante floraison de ballades, chansons et rondeaux chez Hugo, Musset, où la légèreté du sujet (amours passagères, baisers volés, jolies grisettes,...) permet la liberté des rythmes et la variété des strophes.

Le vers reste privilégié pour sa prosodie : l'alexandrin s'assouplit, l'enjambement devient pratique courante, le hiatus est toléré, le rythme ternaire relaie la césure à l'hémistiche. Mais le poème en prose apparaît, avec l'*Album d'un pessimiste* de Rabbe (1835), *Le Centaure* de Maurice de Guérin (1840) et surtout *Gaspard de la nuit* d'Aloysius Bertrand (1842). C'est moins dans la technique de versification que dans l'emploi du langage que s'opèrent les changements. Vouloir suivre l'émotion poétique devait conduire à la recherche de l'harmonie. Autant et plus que par son sens, le mot va compter pour sa sonorité, la phrase pour son rythme, son pouvoir suggestif. Le poète, "archet divin", "âme vibrante", "harpe éolienne", à l'écoute d'un chant intérieur, perçoit la musique de l'univers.

Le romantisme inaugure une esthétique de l'émotion : il ne s'agit plus de divertir ou de plaire, mais d'arracher le lecteur à lui-même, de l'émouvoir, de le provoquer et de le faire frémir (ce sera la voie des "frénétiques"). L'image est reine : allégories plus ou moins nouvelles, symboles parfois insistants chez Vigny, métaphores éclatantes chez Hugo, surgissement d'images oniriques chez Forneret ou Nerval; la poésie romantique a un caractère profondément visuel, suggestif, pittoresque ou fantastique.

### Intimité, spiritualité, aspiration à l'infini

Les aspirations spirituelles et l'inquiétude d'une jeunesse ardente ne sont pas satisfaites par le conformisme moral et religieux de l'époque : les romantiques vont chercher dans la solitude, le repli sur soi, à sonder les mystères de leur cœur et du monde. C'est l'âge d'or du lyrisme personnel qui tend à vaincre "le temps aux lèvres de lime" et à échapper au malheur d'une conscience séparée : tension intérieure du poème qui prolonge l'émotion par la méditation affective ou fait revivre les souvenirs, volonté de privilégier les moments forts de la vie, extase ou désespoir, communion avec la nature, le poème opère son miracle : ce qui fut ne meurt pas.

Le regard du poète s'attache aux décors et aux réalités quotidiennes : les vies humiliées des quartiers pauvres des villes apparaissent dans *Les rayons jaunes* de Sainte-Beuve. Amorce d'une poésie réaliste et moderne, la poésie romantique veut témoigner pour les plus humbles (Hugo parle pour les enfants victimes des événements ou de l'industrie naissante, des femmes perdues, avant de défendre les vaincus de la Commune.

Mais c'est surtout "la pente de la rêverie" que vont suivre les romantiques, voie royale vers une poésie des profondeurs. La nature joue ici un rôle important. La poésie part du concret, des paysages familiers et pittoresques : la méditation lamartinienne s'imprègne des horizons vallonnés, du bercement des eaux du lac avant de s'élancer vers l'infini. Si pour Vigny la nature est indifférente à l'homme, elle n'est pas moins un refuge, un cadre favorable à sa pensée. Chez Hugo, la magie d'un coucher de soleil, une fleur sur la grève, le tumulte de l'océan sont l'occasion d'un continuel échange entre l'homme et les choses, ou le point de départ de visions fantastiques.

La nature est souvent considérée comme réservoir d'"universelle analogie" : pour Lamartine, les beautés de la nature reflètent une beauté supérieure ; les théories occultistes (de Maistre, Ballanche) diffusent l'idée d'une analogie entre l'univers visible et l'invisible ; la nature recèle un message que le poète doit déchiffrer. Entre l'homme et la nature se noue un réseau de correspondances : la poésie baudelairienne et symboliste se prépare. Retrouver l'unité perdue de l'homme avec le monde : la poésie se fait l'instrument d'une quête existentielle, tendance manifeste surtout après 1840.

A "se pencher sur le puits" de leur âme, certains découvriront des fleurs plus étranges, préfigurant le surnaturalisme. Le sens du mystère, l'abandon à la rêverie, favorisent l'irruption de fantasmes. On s'intéresse aux manifestations de l'esprit qui échappent au contrôle de la raison avec l'espoir d'appréhender l'invisible. Hoffmann, traduit en 1829, renouvelle le goût du fantastique ; Nodier décrit des rêves, tout comme Forneret, et réhabilite la folie. Il sera donné à Nerval d'aller plus loin, au-delà "des portes d'ivoire ou de corne".

## Religiosité et spiritualité

Cette tendance est sensible dès le début du siècle chez Chateaubriand. Bien que partiellement héritiers du XVIII<sup>e</sup> siècle, les poètes romantiques, tous d'éducation chrétienne, déçus par leur époque, dénoncent un rationalisme jugé desséchant ainsi que l'athéisme : avant 1840 Hugo voit en Voltaire l'ennemi de la religion, l'incarnation de Satan ; il découvrira plus tard le passionné de justice et de liberté. Le Rolla de Musset l'accusera d'avoir enfanté des générations désespérées. Mais ce n'est pas le catholicisme qui fournira des réponses suffisantes.

D'autres influences sont plus stimulantes : Lamennais redécouvre un langage de justice et d'amour. Les courants illuministes foisonnent en cette première moitié de XIX<sup>e</sup> siècle. De Maistre, Ballanche, Ampère prophétisent un rajeunissement du christianisme ; la pensée des réformateurs sociaux, Saint-Simon, Fourier, se double d'une mystique. Pierre Leroux rêve de fonder une "religion de l'humanité". Les adeptes du magnétisme, de l'hypnotisme y voient un moyen d'entrer en relation avec les absents ou les morts...

Aucun de nos poètes ne se contente des "réponses" de telle ou telle secte ou église. Mais les "questions" métaphysiques les hantent constamment. Ils sondent inlassablement le mystère de la vie, de la mort. Une floraison de "poèmes", de "méditations" philosophiques ou religieuses, d'"harmonies" poétiques et religieuses, de "contemplations" témoignent de cette quête, disent les espérances, les doutes ou les révoltes.

Le recours au mythe reflète leur effort pour intégrer l'homme dans une perspective métaphysique, comprendre la présence du mal en l'homme et dans l'histoire.

Le plus souvent, ils reprennent de vieux mythes, chacun les infléchissant selon sa propre sensibilité. Le thème de la chute exprime fréquemment le mystère de la destinée humaine : au pessimisme d'*Eloa* de Vigny, s'oppose la perspective de réintégration lumineuse de *La chute d'un ange* de Lamartine, ou de *La fin de Satan* de Hugo. Les figures mythiques abondent : figures de révoltés chargés de la révolte métaphysique ou sociale des poètes – Don Juan, Faust, Satan surtout, qui dans *Eloa* prend le parti des hommes contre Dieu, ou qui chez Esquiros incarne, avant Maldoror, la fascination du mal ; figures symboliques positives : le Moïse de Vigny incarne le guide de l'humanité ; le Satan de Hugo prophétise la marche des hommes vers la lumière et la liberté.

La poésie d'un Hugo se caractérisera de plus en plus par son pouvoir de création mythique : les éléments du monde réel sont animés, dramatisés. Il contribue à élaborer des mythes modernes : celui du peuple, ou de la ville ; celui de Napoléon incarnant l'énergie et la gloire devenues impossibles.

Frénésie, spleen et révolte

Vision dramatique de la vie, mais foi en Dieu, en l'homme, et dans le pouvoir du Verbe : les ténors du romantisme témoignent d'un solide optimisme, même s'il leur arrive de douter, de chercher l'évasion ou de cultiver la mélancolie.

Dans la génération de 1830, les voix discordantes se font plus nombreuses. Celle de Musset est souvent désespérée. La vie de "l'enfant gâté du romantisme" sera tôt ravagée par ce sentiment d'être "venu trop tard dans un monde trop vieux".

Ceux que l'on appelle les "petits" romantiques, anti bourgeois, anticléricaux, "brigands de la pensée", "lycanthropes", "frénétiques", choisissent la révolte ; leur écriture est liée à un mode d'être, et leur destinée fut souvent tragique.

Le genre frénétique avait été à la mode de 1820 à 1826, héritage du roman "noir" du XVIIIᵉ siècle, de Laclos, de Sade, relayés par Byron, Lewis (*Le moine*) et Maturin (*Melmoth*). A l'heure où Hugo écrit *Han d'Islande*, une littérature de la cruauté se peuple d'êtres démoniaques, sorciers, moines criminels et vampires, incarnant le désir et l'orgueil humains. En 1830, chez les bousingots et Jeune France du Petit Cénacle, Pétrus Borel, Lassailly, O'Neddy, Esquiros, l'humour noir s'ajoute souvent à la cruauté ; le ton est celui du blasphème et de la profanation.

Révolte sociale contre une société incapable d'offrir un motif d'espérance – "Et malédiction sur la mère-patrie" s'exclame O' Neddy, tandis que Pétrus Borel, dans *Madame Putiphar*, annonce l'Apocalypse : l'ange exterminateur viendra sous la forme d'une "écrevisse de mer gigantesque", "homard n'ayant pas de sang dans les veines, mais une carapace couleur de sang répandu". Révolte métaphysique contre les bornes de l'être et de l'existence : par les "désirs immodérés" (Rabbe), la recherche de l'extase frénétique, ils tentent un dépassement de l'être. "Ne plus sentir qu'on vit, être au ciel, être Dieu", rêve Esquiros. La poésie devient prométhéenne.

Quand cesse la transe, c'est l'angoisse, le spleen, la "désespérante conviction de notre néant" (Esquiros), ou le défi satanique : "S'il était un Dieu qui lançât la foudre, je le défierais ! Qu'il me lance sa foudre, ce Dieu puissant qui entend tout, je le défie !.. Tiens, je crache contre le ciel !" (P. Borel).

On retrouvera ce ton et cette révolte chez Baudelaire, et Lautréamont se souviendra de ce pouvoir subversif du langage, ce qui les fera saluer comme des maîtres par les dadaïstes et les surréalistes, les premiers à les sauver de l'oubli.

## Le poète et l'histoire

Sous la pression des événements, vers 1830, les "grands" du romantisme se convainquent peu à peu de leur "mission" sociale. Ils subissent aussi l'influence des théories nouvelles qui se diffusent rapidement : christianisme social de Lamennais et de ses disciples de *L'avenir,* en lutte contre le conservatisme bourgeois, au nom de la liberté et du peuple ; théoriciens socialistes : Saint-Simon, Enfantin, Blanqui, Pierre Leroux. Dès 1831, Lamartine se lance dans la politique active, prône une poésie sociale et populaire, suivant le progrès moral de l'humanité. La poésie "doit se faire peuple, et devenir populaire comme la religion, la raison et la philosophie...". Hugo, jusqu'en 1840, refuse par souci de sa liberté de poète, de se lancer dans le combat politique. Mais depuis 1829, il lutte contre la peine de mort, veut être "l'écho sonore de son temps", parler au nom de tous, dénoncer les misères, les injustices, lutter pour un idéal de liberté et d'amour. Ce "rôle civilisateur" du poète, Hugo le proclame dans la "Fonction du poète", en 1840 (*Les rayons et les ombres*) :

"Le poète en des jours impies
Vient préparer des jours meilleurs.
Il est l'homme des utopies,
Les pieds ici, les yeux ailleurs."

Volonté de mettre l'art au service du progrès humain, conviction d'avoir à éclairer les hommes, à infléchir la société, foi en l'avenir : la poésie se fait engagée, la plume devient instrument de combat, pour dénoncer, ou esquisser un monde neuf.

Le poète romantique, relativement intégré à la société bourgeoise qu'il semonce, ne transige avec sa conscience ni dans sa vie, ni à la tribune. Hugo préférera vingt ans d'exil à la résignation, jusqu'à devenir le symbole vivant des libertés humaines.

## Renouveau de l'épopée

Violence des secousses historiques, passion de l'époque pour l'histoire, sentie comme évolution permanente et progressiste (Guizot, Quinet, Michelet) ; sentiment romantique d'avoir à repenser, à réinventer le monde : les poètes rêvent du "grand poème de l'Homme", "entre Eden et les Ténèbres", capable de ressaisir toute l'évolution humaine en une vision synthétique. Car l'épopée est bien "l'œuvre somme" où le Poète intègre l'apport de l'histoire, des religions, sa conception du passé et ses rêves d'avenir, unissant poésie, philosophie et religion.

Après les *Martyrs* de Chateaubriand, Quinet tente avec *Ahasvérus* de retracer le progrès incessant de l'humanité. Lamartine nourrit la même ambition dans la vaste fresque inachevée des *Visions,* dont il détache *La chute d'un ange* (1838) et *Jocelyn* (1836). Les poèmes de Vigny où "une pensée philosophique est mise en scène sous une forme épique ou dramatique" esquissent de même une fresque épique plus fragmentaire.

La réussite est inégale. Il faudra la puissance visionnaire de Hugo pour animer les tableaux humains des "petites épopées" de *La légende des siècles.* Vision mythique de l'histoire humaine, animée de forces obscures, mais guidée par un dessein providentiel vers la lumière : la poésie épique romantique donne la mesure de l'espérance des poètes.

## Peintres et musiciens romantiques

Libération de la forme, effusion lyrique de l'âme, règne de l'imagination, ouverture à l'histoire et au mythe, aspiration à l'infini : tous ces caractères se retrouvent dans la peinture avec Boulanger (1806-1867), Devéria (1800-1857), Delacroix (1798-1863), Ingres (1780-1867), et Géricault (1781-1824), en France comme à l'étranger avec Friedrich en Allemagne ou les Anglais Turner (1775-1851), Constable (1776-1837); de même en musique avec Chopin, arrivé à Paris en 1830 et Berlioz dont la *Symphonie fantastique* est exécutée la même année. Ajoutons l'influence de Beethoven (mort en 1827) et la vogue de l'opéra (représentation de *Robert le diable* de Meyerbeer en 1835 et des *Huguenots* du même auteur en 1836 ; *La Norma* de Bellini, le *Freischütz* de Weber en 1831, le *Fidelio* de Beethoven en 1829); en Allemagne c'est l'époque de Schumann, Mendelsohn, Schubert, Liszt.

## L'art pour l'art

Il apparaît comme le développement d'une des tendances du romantisme : la recherche du pittoresque, de la couleur, qu'un Hugo illustrait dès 1829 avec les *Orientales,* ou en proclamant la liberté de l'art : "Tout relève de l'art... Il n'y a ni bons ni mauvais sujets, mais de bons et de mauvais poètes". Mais c'est après 1830, contre les tenants d'un art social, que Gautier et ses amis, Banville, Arsène Houssaye (qui dirigera la revue *L'artiste* en 1840) définissent ce mouvement. Il s'agit non d'une école, mais d'un groupe d'individualités, fort dissemblables au demeurant, que rapprochent des tendances communes.

En marge de la société, peintres et poètes du Petit Cénacle et du Doyenné constituent un îlot, une communauté fraternelle, "bohème galante" amoureuse de mystifications, de fêtes, et surtout d'art. Car c'est là l'ultime refuge et l'unique valeur : "L'art est ce qui console le mieux de vivre", dit Gautier. On en proclame violemment l'autonomie, contre l'utilitarisme bourgeois, contre ceux qui voudraient le mettre au service du Progrès, que l'on nie, ou d'un quelconque enseignement. Ecoutons Gautier, dans la Préface d'*Albertus,* 1832 : "A quoi cela sert-il? – Cela sert à être beau – N'est-ce pas assez? Comme les fleurs, comme les parfums, comme les oiseaux, comme tout ce que l'homme n'a pu détourner et dépraver à son image.

En général, dès qu'une chose devient utile, elle cesse d'être belle. Elle rentre dans la vie positive, de poésie elle devient prose, de libre, esclave. Tout l'art est là – L'art, c'est la liberté, le luxe, l'efflorescence. C'est l'épanouissement de l'âme dans l'oisiveté. Il y a et il y aura toujours des âmes artistes à qui les tableaux d'Ingres et de Delacroix, les aquarelles de Boulanger et de Decamps sembleront plus utiles que les chemins de fer et les bateaux à vapeur".

Culte de la beauté : la poésie se rapproche des arts plastiques. "Pas de réflexion, de verbiage et d'idées, mais la chose, la chose et toujours la chose!" (Gautier). Le souci de perfection formelle, la recherche de difficultés prosodiques, de la couleur se font prioritaires.

On salue les âges marqués par le souci de perfection : l'Antiquité classique, la Grèce surtout et sa beauté marmoréenne, "rêve de pierre"; la Renaissance et ses poèmes à formes fixes, aux savants jeux rythmiques.

La tendance de l'art pour l'art dure peu et va être condamnée dès 1851 par Baudelaire, qui pourtant admirait Gautier, "le Poète impeccable", à qui il dédie *Les fleurs du mal;* elle le sera par Hugo, au nom de l'Art pour le Progrès. Elle exercera néanmoins une grande influence sur les jeunes poètes, futurs collaborateurs du *Parnasse contemporain.*

## Marceline Desbordes-Valmore (1786-1859)

La vie de Marceline Desbordes-Valmore est placée sous le signe du malheur : adolescente, elle perd sa mère à la Guadeloupe, où cette dernière l'avait entraînée, espérant y faire fortune ; revenue en France, elle rencontre l'amour, mais est abandonnée par l'homme qu'elle aime passionnément et dont elle taira toujours le nom ; épouse du comédien Valmore, elle connaît une existence précaire ; la fin de sa vie est marquée par des deuils cruels (mort de ses deux filles, de ses amis les plus chers...).

Ayant abandonné dès 1823 sa carrière de cantatrice, elle trouve dans l'écriture poétique un moyen de se délivrer de ses souffrances ; elle est le poète de l'amour, de la maternité, de l'amitié, de la tendresse et de la foi. Elle rencontre naturellement la poésie : "la musique roulait dans ma tête malade" disait-elle. Elle a ouvert la voie à Verlaine et aux symbolistes ; elle a déjà des accents qui seront ceux de Péguy, d'Eluard, voire d'Aragon.

Tous ses grands contemporains l'ont profondément admirée. Sainte-Beuve disait : "...elle a chanté comme l'oiseau chante, comme la tourterelle gémit, sans autre science que l'émotion du cœur, sans autre moyen que la note naturelle..."

*Elégies et poésies nouvelles* (1825) ; *Poésies* (1830) ; *Les pleurs* (1833) ; *Pauvres fleurs* (1839) ; *Bouquets et prières* (1843)...

## QU'EN AVEZ-VOUS FAIT ?

Vous aviez mon cœur,
Moi, j'avais le vôtre :
Un cœur pour un cœur,
Bonheur pour bonheur !

Le vôtre est rendu,
Je n'en ai plus d'autre ;
Le vôtre est rendu,
Le mien est perdu !

10 La feuille et la fleur
Et le fruit lui-même,
La feuille et la fleur,
L'encens, la couleur,

Qu'en avez-vous fait,
Mon maître suprême ?
Qu'en avez-vous fait,
De ce doux bienfait ?

Comme un pauvre enfant
Quitté par sa mère,
Comme un pauvre enfant
20 Que rien ne défend,

Vous me laissez là
Dans ma vie amère,
Vous me laissez là,
Et Dieu voit cela !

Savez-vous qu'un jour
L'homme est seul au monde ?
Savez-vous qu'un jour
Il revoit l'Amour ?

Vous appellerez,
30 Sans qu'on vous réponde,
Vous appellerez,
Et vous songerez !..

Vous viendrez rêvant
Sonner à ma porte,
Ami comme avant,
Vous viendrez rêvant,

Et l'on vous dira :
« Personne !.. elle est morte. »
On vous le dira,
40 Mais, qui vous plaindra ?

*Élégies.*

# DANS LA RUE

*Par un jour funèbre de Lyon.*

Nous n'avons plus d'argent pour enterrer nos morts.
Le prêtre est là marquant le prix des funérailles.
Et les corps étendus, troués par les mitrailles,
Attendent un linceul, une croix, un remords.

Le meurtre se fait roi. Le vainqueur siffle et passe.
Où va-t-il? Au Trésor toucher le prix du sang.
Il en a bien versé... mais sa main n'est pas lasse;
Elle a, sans le combattre, égorgé le passant.

Dieu l'a vu. Dieu cueillait comme des fleurs froissées
10 Les femmes, les enfants qui s'envolaient aux cieux.
Les hommes... les voilà dans le sang jusqu'aux yeux.
L'air n'a pu balayer tant d'âmes courroucées.

Elles ne veulent pas quitter leurs membres morts.
Le prêtre est là, marquant le prix des funérailles;
Et les corps étendus, troués par les mitrailles,
Attendent un linceul, une croix, un remords.

Les vivants n'osent plus se hasarder à vivre.
Sentinelle soldée, au milieu du chemin,
La mort est un soldat qui vise et qui délivre
20 Le témoin révolté qui parlerait demain...

*DES FEMMES*

Prenons nos rubans noirs, pleurons toutes nos larmes;
On nous a défendu d'emporter nos meurtris;
Ils n'ont fait qu'un monceau de leurs pâles débris :
Dieu! bénissez-les tous : ils étaient tous sans armes!

*Mélanges.* Lyon, le 4 avril 1834.


# LES SÉPARÉS

N'écris pas. Je suis triste, et je voudrais m'éteindre.
Les beaux étés sans toi, c'est la nuit sans flambeau.
J'ai refermé mes bras qui ne peuvent t'atteindre,
Et frapper à mon cœur, c'est frapper au tombeau.
          N'écris pas!

N'écris pas. N'apprenons qu'à mourir à nous-mêmes.
Ne demande qu'à Dieu... qu'à toi, si je t'aimais!
Au fond de ton absence écouter que tu m'aimes,
C'est entendre le ciel sans y monter jamais.
10          N'écris pas!

N'écris pas. Je te crains; j'ai peur de ma mémoire;
Elle a gardé ta voix qui m'appelle souvent.
Ne montre pas l'eau vive à qui ne peut la boire.
Une chère écriture est un portrait vivant.
                    N'écris pas!

N'écris pas ces doux mots que je n'ose plus lire :
Il semble que ta voix les répand sur mon cœur;
Que je les vois brûler à travers ton sourire;
Il semble qu'un baiser les empreint sur mon cœur.
20                   N'écris pas!

*Poésies posthumes.*


## LA COURONNE EFFEUILLÉE

J'irai, j'irai porter ma couronne effeuillée
Au jardin de mon père où revit toute fleur;
J'y répandrai longtemps mon âme agenouillée :
Mon père a des secrets pour vaincre la douleur.

J'irai, j'irai lui dire, au moins avec mes larmes :
« Regardez, j'ai souffert... » il me regardera
Et sous mes jours changés, sous mes pâleurs sans charmes,
Parce qu'il est mon père il me reconnaîtra.

Il dira : « C'est donc vous, chère âme désolée!
10  La terre manque-t-elle à vos pas égarés?
Chère âme, je suis Dieu : ne soyez plus troublée;
Voici votre maison, voici mon cœur, entrez! »

O clémence! ô douceur! ô saint refuge! ô Père!
Votre enfant qui pleurait vous l'avez entendu!
Je vous obtiens déjà puisque je vous espère
Et que vous possédez tout ce que j'ai perdu.

Vous ne rejetez pas la fleur qui n'est plus belle,
Ce crime de la terre au ciel est pardonné.
Vous ne maudirez pas votre enfant infidèle,
20  Non d'avoir rien vendu, mais d'avoir tout donné.

*Ibid.*

---

(p. 52-54)
**1.** Quels sont les thèmes chantés par Marceline Desbordes-Valmore? Quelles images sont associées à chacun d'eux?
**2.** L'expression musicale : choix des formes poétiques, des vers, des sonorités, du vocabulaire, de la syntaxe. En quoi consiste l'originalité du poème *Dans la rue?*

Théodore Chasseriau (1819-1856), *Étude pour Sapho*, dessin, vers 1849.
(Musée des Beaux-Arts, Orléans.)

## Alphonse de Lamartine (1790-1869)

Une famille attachée à l'ancienne monarchie, une enfance vécue au contact de la nature à Milly dans le Mâconnais, une éducation profondément religieuse auprès d'une mère généreuse et sensible marqueront à jamais la personnalité de Lamartine. En 1816 il s'éprend de Julie Charles mais la mort de cette dernière en 1817 brisera cet amour.

Son premier recueil de poèmes, *Les méditations poétiques,* paru en 1820, reçut un accueil enthousiaste : il répondait à l'attente de la jeunesse de l'époque qui prit alors conscience de l'avènement d'une nouvelle forme de poésie qui correspondait à sa sensibilité.

Par la suite, Lamartine mènera de front la publication de ses œuvres et une carrière d'homme public. Après une carrière diplomatique (1820-1830), il est élu député en 1833 et le restera jusqu'aux événements de 1848. La révolution de 1789 suscite ses sympathies : mais s'il se sent proche des Girondins, en revanche il condamne les Montagnards, qui sont à ses yeux les responsables des massacres par leur intransigeance. Lors de la révolution de 1848 il joue un rôle important : il fait voter la république, dirige de fait le gouvernement provisoire en tant que ministre des Affaires étrangères, mais ayant pris position contre l'émeute populaire de juin 1848, il voit sa popularité s'effondrer; il est battu aux élections présidentielles de 1851. Il termine sa vie dans la misère, écrivant sans relâche pour payer ses dettes.

Si les *Méditations,* les *Harmonies* (1830), *La vigne et la maison* (1857) et les *Recueillements* (1839) offrent une poésie personnelle, Lamartine s'est essayé dans *Jocelyn* (1836) au genre épique : le héros symbolise l'humanité que la souffrance et une morale évangélique amènent progressivement à la spiritualisation.

## L'ISOLEMENT

Souvent sur la montagne, à l'ombre du vieux chêne,
Au coucher du soleil, tristement je m'assieds;
Je promène au hasard mes regards sur la plaine,
Dont le tableau changeant se déroule à mes pieds.

Ici, gronde le fleuve aux vagues écumantes,
Il serpente, et s'enfonce en un lointain obscur;
Là, le lac immobile étend ses eaux dormantes
Où l'étoile du soir se lève dans l'azur.

Au sommet de ces monts couronnés de bois sombres,
10 Le crépuscule encor jette un dernier rayon,
Et le char vaporeux de la reine des ombres
Monte, et blanchit déjà les bords de l'horizon.

Cependant, s'élançant de la flèche gothique,
Un son religieux se répand dans les airs,
Le voyageur s'arrête, et la cloche rustique
Aux derniers bruits du jour mêle de saints concerts.

Mais à ces doux tableaux mon âme indifférente
N'éprouve devant eux ni charme, ni transport,
Je contemple la terre, ainsi qu'une ombre errante :
20 Le soleil des vivants n'échauffe plus les morts.

De colline en colline en vain portant ma vue,
Du sud à l'aquilon, de l'aurore au couchant,
Je parcours tous les points de l'immense étendue,
Et je dis : nulle part le bonheur ne m'attend.

Que me font ces vallons, ces palais, ces chaumières?
Vains objets dont pour moi le charme est envolé;
Fleuves, rochers, forêts, solitudes si chères,
Un seul être vous manque, et tout est dépeuplé.

Que le tour du soleil ou commence ou s'achève,
30  D'un œil indifférent je le suis dans son cours;
En un ciel sombre ou pur qu'il se couche ou se lève,
Qu'importe le soleil? je n'attends rien des jours.

Quand je pourrais le suivre en sa vaste carrière,
Mes yeux verraient partout le vide et les déserts;
Je ne désire rien de tout ce qu'il éclaire,
Je ne demande rien à l'immense univers.

Mais peut-être au-delà des bornes de sa sphère,
Lieux où le vrai soleil éclaire d'autres cieux,
Si je pouvais laisser ma dépouille à la terre,
40  Ce que j'ai tant rêvé paraîtrait à mes yeux?

Là, je m'enivrerais à la source où j'aspire,
Là, je retrouverais et l'espoir et l'amour,
Et ce bien idéal que toute âme désire
Et qui n'a pas de nom au terrestre séjour!

Que ne puis-je, porté sur le char de l'aurore,
Vague objet de mes vœux, m'élancer jusqu'à toi;
Sur la terre d'exil pourquoi resté-je encore?
Il n'est rien de commun entre la terre et moi.

Quand la feuille des bois tombe dans la prairie,
50  Le vent du soir se lève et l'arrache aux vallons;
Et moi, je suis semblable à la feuille flétrie :
Emportez-moi comme elle, orageux aquilons!

*Méditations poétiques.*

## LE LAC

Ainsi, toujours poussés vers de nouveaux rivages,
Dans la nuit éternelle emportés sans retour,
Ne pourrons-nous jamais sur l'océan des âges
      Jeter l'ancre un seul jour?

O lac! l'année à peine a fini sa carrière,
Et près des flots chéris qu'elle devait revoir,
Regarde! Je viens seul m'asseoir sur cette pierre
      Où tu la vis s'asseoir!

Tu mugissais ainsi sous ces roches profondes;
10 Ainsi tu te brisais sur les flancs déchirés;
Ainsi le vent jetait l'écume de tes ondes
Sur ses pieds adorés.

Un soir, t'en souvient-il? nous voguions en silence;
On n'entendait au loin, sur l'onde et sous les cieux,
Que le bruit des rameurs qui frappaient en cadence
Tes flots harmonieux.

Tout à coup des accents inconnus à la terre
Du rivage charmé frappèrent les échos;
Le flot fut attentif, et la voix qui m'est chère
20         Laissa tomber ces mots :

« O temps, suspends ton vol! et vous, heures propices,
        Suspendez votre cours!
Laissez-nous savourer les rapides délices
        Des plus beaux de nos jours!

« Assez de malheureux ici-bas vous implorent :
        Coulez, coulez pour eux;
Prenez avec leurs jours les soins qui les dévorent;
        Oubliez les heureux.

« Mais je demande en vain quelques moments encore,
30         Le temps m'échappe et fuit;
Je dis à cette nuit : « Sois plus lente »; et l'aurore
        Va dissiper la nuit.

« Aimons donc, aimons donc! de l'heure fugitive,
        Hâtons-nous, jouissons!
L'homme n'a point de port, le temps n'a point de rive;
        Il coule, et nous passons!»

Temps jaloux, se peut-il que ces moments d'ivresse,
Où l'amour à longs flots nous verse le bonheur,
S'envolent loin de nous de la même vitesse
40         Que les jours de malheur?

Hé quoi! n'en pourrons-nous fixer au moins la trace?
Quoi! passés pour jamais? quoi! tout entiers perdus?
Ce temps qui les donna, ce temps qui les efface,
        Ne nous les rendra plus?

Eternité, néant, passé, sombres abîmes,
Que faites-vous des jours que vous engloutissez?
Parlez : nous rendrez-vous ces extases sublimes
        Que vous nous ravissez?

O lac! rochers muets! grottes! forêt obscure!
50 Vous que le temps épargne ou qu'il peut rajeunir,
Gardez de cette nuit, gardez, belle nature,
        Au moins le souvenir!

Qu'il soit dans ton repos, qu'il soit dans tes orages,
Beau lac, et dans l'aspect de tes riants coteaux,
Et dans ces noirs sapins, et dans ces rocs sauvages
    Qui pendent sur tes eaux!

Qu'il soit dans le zéphyr qui frémit et qui passe,
Dans les bruits de tes bords par tes bords répétés,
Dans l'astre au front d'argent qui blanchit ta surface
60      De ses molles clartés!

Que le vent qui gémit, le roseau qui soupire,
Que les parfums légers de ton air embaumé,
Que tout ce qu'on entend, l'on voit ou l'on respire,
    Tout dise : « Ils ont aimé!»

*Ibid.*


## L'OCCIDENT

Et la mer s'apaisait comme une urne écumante
Qui s'abaisse au moment où le foyer pâlit,
Et, retirant du bord sa vague encor fumante,
Comme pour s'endormir, rentrait dans son grand lit;

Et l'astre qui tombait de nuage en nuage
Suspendait sur les flots un orbe sans rayon,
Puis plongeait la moitié de sa sanglante image,
Comme un navire en feu qui sombre à l'horizon;

Et la moitié du ciel pâlissait, et la brise
10 Défaillait dans la voile, immobile et sans voix,
Et les ombres couraient, et sous leur teinte grise
Tout sur le ciel et l'eau s'effaçait à la fois;

Et dans mon âme aussi, pâlissant à mesure,
Tous les bruits d'ici-bas tombaient avec le jour,
Et quelque chose en moi, comme dans la nature,
Pleurait, priait, souffrait, bénissait tour à tour.

Et, vers l'occident seul, une porte éclatante
Laissait voir la lumière à flots d'or ondoyer,
Et la nue empourprée imitait une tente
20 Qui voile sans l'éteindre un immense foyer;

Et les ombres, les vents, et les flots de l'abîme,
Vers cette arche de feu, tout paraissait courir,
Comme si la nature et tout ce qui l'anime
En perdant la lumière avait craint de mourir.

La poussière du soir y volait de la terre,
L'écume à blancs flocons sur la vague y flottait;
Et mon regard long, triste, errant involontaire,
Les suivait, et de pleurs sans chagrin s'humectait.

Et tout disparaissait; et mon âme oppressée
30 Restait vide et pareille à l'horizon couvert;
Et puis il s'élevait une seule pensée,
Comme une pyramide au milieu du désert.

O lumière! où vas-tu? Globe épuisé de flamme,
Nuages, aquilons, vagues, où courez-vous?
Poussière, écume, nuit; vous, mes yeux; toi, mon âme,
Dites, si vous savez, où donc allons-nous tous?

A toi, grand Tout, dont l'astre est la pâle étincelle,
En qui la nuit, le jour, l'esprit vont aboutir!
Flux et reflux divin de vie universelle,
40 Vaste océan de l'Etre où tout va s'engloutir!..

*Harmonies poétiques et religieuses.*

---

(p. 56-60)
**1.** Mettre en évidence le mouvement ternaire de la méditation lamartinienne en étudiant les procédés rhétoriques et syntaxiques.
**2.** Les éléments visuels et auditifs : leur description et leur modification progressive (relever les verbes et adjectifs révélateurs); les images de "fluidité".
**3.** Dans *L'isolement,* montrer les rapports du "je" et de la nature; dans *L'Occident,* montrer que le "je" est devenu reflet du monde; en quoi ce poème est-il un exemple de poésie symbolique? Dans *Le lac,* étudier le lien entre paysage et réminiscence, et le symbolisme de l'eau.
**4.** Quels sentiments la contemplation du paysage fait-elle naître successivement dans l'âme du poète (dans chacun des poèmes)?
**5.** Quelle issue chaque méditation esquisse-t-elle? Dans *L'isolement,* relever les images de verticalité et d'évasion, les oppositions entre la terre et l'idéal; dans *Le lac,* étudier le mouvement final d'éternisation de l'homme dans la nature (horizontalité de la rêverie, "évaporation" du paysage); dans *L'Occident,* les images finales sont-elles rassurantes ou angoissantes?
**6.** Chercher tout ce qui fait la musicalité de cette poésie (choix du vers, rythmes, rimes, sonorités). Relever les périphrases (procédé néo-classique).

---

## JOCELYN

*Extrait du journal de Jocelyn qui assiste au départ des soldats de la Révolution.*

(...)
La caravane humaine un jour était campée
Dans les forêts bordant une rive escarpée,
Et, ne pouvant pousser sa route plus avant,
Les chênes l'abritaient du soleil et du vent;
Les tentes, aux rameaux enlaçant leurs cordages,
Formaient autour des troncs des cités, des villages,
Et les hommes, épars sur des gazons épais,
Mangeaient leur pain à l'ombre et conversaient en paix.
Tout à coup, comme atteints d'une rage insensée,
10 Ces hommes, se levant à la même pensée,
Portent la hache au tronc, font crouler à leurs pieds
Ces dômes, où les nids s'étaient multipliés;
Et les brutes des bois, sortant de leurs repaires,

Et les oiseaux, fuyant les cimes séculaires,
Contemplaient la ruine avec un œil d'horreur,
Ne comprenaient pas l'œuvre, et maudissaient du cœur
Cette race stupide acharnée à sa perte,
Qui détruit jusqu'au ciel l'ombre qui l'a couverte.
Or, pendant qu'en leur nuit les brutes des forêts
20 Avaient pitié de l'homme et séchaient de regrets,
L'homme, continuant son ravage sublime,
Avait jeté les troncs en arche sur l'abîme;
Sur l'arbre de ses bords gisant et renversé,
Le fleuve était partout couvert et traversé,
Et poursuivant en paix son éternel voyage,
La caravane avait conquis l'autre rivage.
C'est ainsi que le temps, par Dieu même conduit,
Passe pour avancer sur ce qu'il a détruit.
Esprit saint! conduis-les, comme un autre Moïse,
30 Par des chemins de paix à la terre promise!!!
(...)

«Huitième époque» (v. 5580-5609).

---

(p. 60-61)
1. La narration épique : le procédé de la parabole; la caravane comme personnage
collectif; le caractère exemplaire de la situation; les réminiscences bibliques; le
rythme du passage; les éléments du merveilleux épique
2. Le double aspect de l'industrie humaine : providence et progrès. Comparer ce
texte à l'extrait de *La vision d'où est sorti ce livre* de Victor Hugo (p. 122)

## Alfred de Vigny (1797-1863)

Comme Lamartine, Vigny est issu d'une famille noble vouée au culte du passé. Dès ses études – qui furent brillantes – il a du mal à s'intégrer aux autres. Déçu dans ses ambitions militaires, il se tourne en 1824 vers le métier d'écrivain et fréquente l'Arsenal et le Cénacle. Acceptant mal la chute de Charles X, il se retire en Augoumois, dans sa propriété du Maine-Giraud, où il rédige plusieurs œuvres de prose mettant en scène des êtres solitaires et incompris de la société. Il revient à la poésie en 1838 et publiera successivement dans la *Revue des deux mondes* la plupart des poèmes qui seront réunis après sa mort dans le recueil des *Destinées*.

Vigny refusa la poésie personnelle et voulut créer une œuvre où l'on sente la volonté de transposition, le refus de la facilité, la recherche de l'épopée.

*Poèmes antiques et modernes* (1826); *Les destinées* (1863). Signalons parmi ses œuvres en prose le roman de *Stello* (1832) : Stello rêve d'être poète; son ami, le Docteur noir, tente de l'en dissuader en lui contant la vie tragique de trois jeunes poètes, Gilbert, André Chénier, Chatterton. En 1835, Vigny met en scène, dans sa pièce *Chatterton*, le destin tragique de ce dernier.

## MOÏSE

*Parvenu au seuil de Chanaan, la terre promise, Moïse, l'homme de Dieu, suivi des yeux par le peuple hébreu entonnant l'hymne du Roi des Rois, gravit le mont Nébo "pour trouver le Seigneur" (v. 1-44).*

(...)
Et, debout devant Dieu, Moïse ayant pris place,
Dans le nuage obscur lui parlait face à face.

Il disait au Seigneur : « Ne finirai-je pas?
Où voulez-vous encor que je porte mes pas?
Je vivrai donc toujours puissant et solitaire?
Laissez-moi m'endormir du sommeil de la terre.
Que vous-ai donc fait pour être votre élu?
J'ai conduit votre peuple où vous avez voulu.
Voilà que son pied touche à la terre promise.
10  De vous à lui qu'un autre accepte l'entremise,
Au coursier d'Israël qu'il attache le frein;
Je lui lègue mon livre et la verge d'airain.

« Pourquoi vous fallut-il tarir mes espérances,
Ne pas me laisser homme avec mes ignorances,
Puisque du mont Horeb jusques au mont Nébo
Je n'ai pas pu trouver le lieu de mon tombeau?

Hélas! vous m'avez fait sage parmi les sages!
Mon doigt du peuple errant a guidé les passages.
J'ai fait pleuvoir le feu sur la tête des rois;
20  L'avenir à genoux adorera mes lois;
Des tombes des humains j'ouvre la plus antique,
La mort trouve à ma voix une voix prophétique,

Je suis très grand, mes pieds sont sur les nations,
Ma main fait et défait les générations. –
Hélas! je suis, Seigneur, puissant et solitaire,
Laissez-moi m'endormir du sommeil de la terre!

« Hélas! je sais aussi tous les secrets des cieux,
Et vous m'avez prêté la force de vos yeux.
Je commande à la nuit de déchirer ses voiles;
30  Ma bouche par leur nom a compté les étoiles,
Et, dès qu'au firmament mon geste l'appela,
Chacune s'est hâtée en disant : "Me voilà."
J'impose mes deux mains sur le front des nuages
Pour tarir dans leurs flancs la source des orages;
J'engloutis les cités sous les sables mouvants;
Je renverse les monts sous les ailes des vents;
Mon pied infatigable est plus fort que l'espace;
Le fleuve aux grandes eaux se range quand je passe,
Et la voix de la mer se tait devant ma voix.
40  Lorsque mon peuple souffre, ou qu'il lui faut des lois,
J'élève mes regards, votre esprit me visite;
La terre alors chancelle et le soleil hésite,
Vos anges sont jaloux et m'admirent entre eux. –
Et cependant, Seigneur, je ne suis pas heureux;
Vous m'avez fait vieillir puissant et solitaire,
Laissez-moi m'endormir du sommeil de la terre!
(...)

*Poèmes antiques et modernes* (v. 45-90).

## LE MONT DES OLIVIERS

### I

Alors il était nuit, et Jésus marchait seul,
Vêtu de blanc ainsi qu'un mort de son linceul :
Les disciples dormaient au pied de la colline.
Parmi les oliviers, qu'un vent sinistre incline,
Jésus marche à grands pas en frissonnant comme eux,
Triste jusqu'à la mort, l'œil sombre et ténébreux,
Le front baissé, croisant les deux bras sur sa robe
Comme un voleur de nuit cachant ce qu'il dérobe;
Connaissant les rochers mieux qu'un sentier uni,
10  Il s'arrête en un lieu nommé Gethsémani.
Il se courbe à genoux, le front contre la terre;
Puis regarde le ciel en appelant : « Mon père! »
– Mais le ciel reste noir, et Dieu ne répond pas.
Il se lève étonné, marche encore à grands pas,
Froissant les oliviers qui tremblent. Froide et lente
Découle de sa tête une sueur sanglante.
Il recule, il descend, il crie avec effroi :
« Ne pouviez-vous prier et veiller avec moi? »
Mais un sommeil de mort accable les apôtres.
20  Pierre à la voix du maître est sourd comme les autres.
Le Fils de l'Homme alors remonte lentement;
Comme un pasteur d'Egypte, il cherche au firmament

Si l'Ange ne luit pas au fond de quelque étoile.
Mais un nuage en deuil s'étend comme le voile
D'une veuve, et ses plis entourent le désert.
Jésus, se rappelant ce qu'il avait souffert
Depuis trente-trois ans, devint homme, et la crainte
Serra son cœur mortel d'une invincible étreinte.
Il eut froid. Vainement il appela trois fois :
30   « Mon père! » – Le vent seul répondit à sa voix.
Il tomba sur le sable assis, et, dans sa peine,
Eut sur le monde et l'homme une pensée humaine.
– Et la terre trembla, sentant la pesanteur
Du Sauveur qui tombait aux pieds du Créateur.

*Dans la seconde partie, le Christ implore Dieu.*

## III

Ainsi le divin Fils parlait au divin Père.
Il se prosterne encor, il attend, il espère,
Mais il renonce et dit : « Que votre volonté
Soit faite et non la mienne, et pour l'éternité! »
Une terreur profonde, une angoisse infinie
40   Redoublent sa torture et sa lente agonie.
Il regarde longtemps, longtemps cherche sans voir.
Comme un marbre de deuil tout le ciel était noir;
La Terre, sans clartés, sans astre et sans aurore,
Et sans clartés de l'âme ainsi qu'elle est encore
Frémissait. – Dans le bois il entendit des pas,
Et puis il vit rôder la torche de Judas.

*LE SILENCE*

S'il est vrai qu'au Jardin sacré des Ecritures,
Le Fils de l'homme ait dit ce qu'on voit rapporté;
Muet, aveugle et sourd au cri des créatures,
50   Si le Ciel nous laissa comme un monde avorté,
Le juste opposera le dédain à l'absence
Et ne répondra plus que par un froid silence
        Au silence éternel de la Divinité.

*Les destinées* (v. 1-34; 131-149).

---

(p. 62-64)
**1.** "Le vrai Moïse peut avoir regardé au-delà de la tombe mais le mien n'est pas celui des Juifs. Ce grand nom ne sert que de masque à un homme de tous les siècles et plus moderne qu'antique : l'homme de génie las de son éternel veuvage et désespéré de voir sa solitude plus vaste et plus aride à mesure qu'il grandit..." écrit Vigny. La mise en œuvre du symbole : quels sont les attributs de l'homme de génie dans *Moïse*? Quelle image de l'homme symbolise Jésus?
**2.** Solitude tragique du "médiateur" : étudier les images qui caractérisent les rapports d'une part entre Moïse et Dieu, d'autre part entre Moïse et les hommes et la terre; faire le même travail à propos de Jésus en repérant notamment la thématique de la pesanteur et du voile.
**3.** Le stoïcisme final du *Mont des Oliviers* vous paraît-il compatible avec le dogme de l'incarnation (*cf. Evangile selon Saint Mathieu :* "A Gethsémani" 26, 36; *Evangile selon Saint Marc* 14, 32)?

# LA MAISON DU BERGER

A Eva

## I

Si ton cœur, gémissant du poids de notre vie,
Se traîne et se débat comme un aigle blessé,
Portant comme le mien, sur son aile asservie,
Tout un monde fatal, écrasant et glacé ;
S'il ne bat qu'en saignant par sa plaie immortelle,
S'il ne voit plus l'amour, son étoile fidèle,
Eclairer pour lui seul l'horizon effacé ;

Si ton âme enchaînée, ainsi que l'est mon âme,
Lasse de son boulet et de son pain amer,
10 Sur sa galère en deuil laisse tomber la rame,
Penche sa tête pâle et pleure sur la mer,
Et cherchant dans les flots une route inconnue,
Y voit, en frissonnant, sur son épaule nue,
La lettre sociale écrite avec le fer ;

Si ton corps, frémissant des passions secrètes,
S'indigne des regards, timide et palpitant ;
S'il cherche à sa beauté de profondes retraites
Pour la mieux dérober au profane insultant ;
Si ta lèvre se sèche au poison des mensonges,
20 Si ton beau front rougit de passer dans les songes
D'un impur inconnu qui te voit et t'entend,

Pars courageusement, laisse toutes les villes ;
Ne ternis plus tes pieds aux poudres du chemin ;
Du haut de nos pensers vois les cités serviles
Comme les rocs fatals de l'esclavage humain.
Les grands bois et les champs sont de vastes asiles,
Libres comme la mer autour des sombres îles.
Marche à travers les champs une fleur à la main.

La Nature t'attend dans un silence austère ;
30 L'herbe élève à tes pieds son nuage des soirs,
Et le soupir d'adieu du soleil à la terre
Balance les beaux lis comme des encensoirs.
La forêt a voilé ses colonnes profondes,
La montagne se cache, et sur les pâles ondes
Le saule a suspendu ses chastes reposoirs.

Le crépuscule ami s'endort dans la vallée,
Sur l'herbe d'émeraude et sur l'or du gazon,
Sous les timides joncs de la source isolée
Et sous le bois rêveur qui tremble à l'horizon,
40 Se balance en fuyant dans les grappes sauvages,
Jette son manteau gris sur le bord des rivages,
Et des fleurs de la nuit entr'ouvre la prison.

Il est sur ma montagne une épaisse bruyère
Où les pas du chasseur ont peine à se plonger,
Qui plus haut que nos fronts lève sa tête altière,
Et garde dans la nuit le pâtre et l'étranger.
Viens y cacher l'amour et ta divine faute;
Si l'herbe est agitée ou n'est pas assez haute,
J'y roulerai pour toi la Maison du Berger.

50 Elle va doucement avec ses quatre roues,
Son toit n'est pas plus haut que ton front et tes yeux;
La couleur du corail et celle de tes joues
Teignent le char nocturne et ses muets essieux.
Le seuil est parfumé, l'alcôve est large et sombre,
Et, là, parmi les fleurs, nous trouverons dans l'ombre,
Pour nos cheveux unis un lit silencieux.

Je verrai, si tu veux, les pays de la neige,
Ceux où l'astre amoureux dévore et resplendit,
Ceux que heurtent les vents, ceux que la mer assiège,
60 Ceux où le pôle obscur sous sa glace est maudit.
Nous suivrons du hasard la course vagabonde.
Que m'importe le jour, que m'importe le monde?
Je dirai qu'ils sont beaux quand tes yeux l'auront dit.
(...)

*Puis Vigny évoque les voyages en chemin de fer et conclut :*

La distance et le temps sont vaincus. La science
Trace autour de la terre un chemin triste et droit.
Le Monde est rétréci par notre expérience,
Et l'équateur n'est plus qu'un anneau trop étroit.
Plus de hasard. Chacun glissera sur sa ligne,
Immobile au seul rang que le départ assigne,
70 Plongé dans un calcul silencieux et froid.

Jamais la Rêverie amoureuse et paisible
N'y verra sans horreur son pied blanc attaché;
Car il faut que ses yeux sur chaque objet visible
Versent un long regard, comme un fleuve épanché,
Qu'elle interroge tout avec inquiétude,
Et, des secrets divins se faisant une étude,
Marche, s'arrête et marche avec le col penché.

*Vigny célèbre la poésie, "perle de la pensée", qu'il oppose aux vains discours de l'arène politique (II).*

III

(...)
Viens donc! le ciel pour moi n'est plus qu'une auréole
Qui t'entoure d'azur, t'éclaire et te défend;
80 La montagne est ton temple et le bois sa coupole;
L'oiseau n'est sur la fleur balancé par le vent,
Et la fleur ne parfume et l'oiseau ne soupire
Que pour mieux enchanter l'air que ton sein respire;
La terre est le tapis de tes beaux pieds d'enfant.

Eva, j'aimerai tout dans les choses créées,
Je les contemplerai dans ton regard rêveur
Qui partout répandra ses flammes colorées,
Son repos gracieux, sa magique saveur :
Sur mon cœur déchiré viens poser ta main pure,
90 Ne me laisse jamais seul avec la Nature,
Car je la connais trop pour n'en pas avoir peur.

Elle me dit : « Je suis l'impassible théâtre
Que ne peut remuer le pied de ses acteurs;
Mes marches d'émeraude et mes parvis d'albâtre,
Mes colonnes de marbre ont les dieux pour sculpteurs.
Je n'entends ni vos cris ni vos soupirs; à peine
Je sens passer sur moi la comédie humaine
Qui cherche en vain au ciel ses muets spectateurs.

Je roule avec dédain, sans voir et sans entendre,
100 A côté des fourmis les populations;
Je ne distingue pas leur terrier de leur cendre,
J'ignore en les portant les noms des nations,
On me dit une mère, et je suis une tombe,
Mon hiver prend vos morts comme son hécatombe,
Mon printemps ne sent pas vos adorations.

Avant vous, j'étais belle et toujours parfumée,
J'abandonnais au vent mes cheveux tout entiers :
Je suivais dans les cieux ma route accoutumée,
Sur l'axe harmonieux des divins balanciers,
110 Après vous, traversant l'espace où tout s'élance,
J'irai seule et sereine, en un chaste silence
Je fendrai l'air du front et de mes seins altiers. »

C'est là ce que me dit sa voix triste et superbe,
Et dans mon cœur alors je la hais, et je vois
Notre sang dans son onde et nos morts sous son herbe
Nourrissant de leurs sucs la racine des bois.
Et je dis à mes yeux qui lui trouvaient des charmes :
« Ailleurs tous vos regards, ailleurs toutes vos larmes,
Aimez ce que jamais on ne verra deux fois. »

120 Oh! qui verra deux fois ta grâce et ta tendresse,
Ange doux et plaintif qui parle en soupirant?
Qui naîtra comme toi portant une caresse
Dans chaque éclair tombé de ton regard mourant,
Dans les balancements de la tête penchée,
Dans ta taille dolente et mollement couchée,
Et dans ton pur sourire amoureux et souffrant?

Vivez, froide Nature, et revivez sans cesse
Sous nos pieds, sur nos fronts, puisque c'est votre loi;
Vivez et dédaignez, si vous êtes déesse,
130 L'homme, humble passager, qui dût vous être un roi;
Plus que tout votre règne et que ses splendeurs vaines,
J'aime la majesté des souffrances humaines;
Vous ne recevrez pas un cri d'amour de moi.

Mais toi, ne veux-tu pas, voyageuse indolente,
Rêver sur mon épaule, en y posant ton front?
Viens du paisible seuil de la maison roulante
Voir ceux qui sont passés et ceux qui passeront.
Tous les tableaux humains qu'un Esprit pur m'apporte
S'animeront pour toi quand devant notre porte
140 Les grands pays muets longuement s'étendront.

Nous marcherons ainsi, ne laissant que notre ombre
Sur cette terre ingrate où les morts ont passé;
Nous nous parlerons d'eux à l'heure où tout est sombre,
Où tu te plais à suivre un chemin effacé,
A rêver, appuyée aux branches incertaines,
Pleurant comme Diane au bord de ses fontaines,
Ton amour taciturne et toujours menacé.

*Ibid.* (v. 1-63; v. 120-133; 267-336).

---

(p. 65-68)
**1.** Vers 1-28; pesanteur et libération à travers la structure syntaxique et le mouvement rythmique. Le pessimisme social du poète : antithèse ville-nature (vocabulaire et rimes significatives).
**2.** Vers 29-63; la nature asile : correspondances (formes, mouvement, lumière, parfums); divinisation de la femme; religiosité de l'évocation (vocabulaire et musicalité); symbolisme du paysage. La maison refuge : les images de l'intimité.
**3.** Vers 78-147; la prosopopée : relever les termes évoquant le double aspect de la nature, beauté plastique et impassibilité. L'antithèse nature/Eva. Reprise et développement du thème du regard; le jeu des pronoms dans le poème; le rôle de la femme auprès du poète. La contemplation finale du poète : le triomphe des images apaisées de l'horizontalité; la valeur suggestive du rythme et des sonorités.

---

# Alfred de Musset (1810-1857)

Né à Paris, il eut une enfance et une adolescence heureuses, dans une famille éprise de littérature et de XVIII$^e$ siècle, qui entoura d'une affection indulgente un enfant délicat. Des études brillantes au lycée Henri IV, assez de noblesse pour être admis au Jockey Club et mener une vie mondaine, assez de ressources pour pouvoir décider à dix-huit ans de se vouer à la poésie : tout semble facile au jeune Musset. En 1828, il fréquente le Cénacle romantique, l'Arsenal de Nodier, admire Vigny, Hugo.

A dix-neuf ans, en 1830, il devient "l'enfant prodige" du romantisme, par le succès de ses *Contes d'Espagne et d'Italie,* où il joue avec brio et humour des thèmes et des procédés romantiques : exotisme outrancier, passions criminelles, pastiches impertinents, prouesses rythmiques; l'œuvre témoigne du plaisir d'écrire et de la virtuosité du jeune poète.

Dix ans plus tard, l'homme est prématurément usé, il n'écrira plus que quelques comédies de la vie privée, quelques contes et poésies légères, chansons tristes ou douces. Reçu à l'Académie en 1852, il mourra dans l'obscurité en 1857. Entre-temps, une œuvre importante, dont l'essentiel est écrit entre 1830 et 1836. Pourquoi ce tarissement de l'inspiration, quelle fêlure a transformé une vie pleine de promesses en destinée tragique?

Dès 1830, se dessine le drame existentiel de Musset. L'auteur de la *Confession d'un enfant du siècle* (1836) est peut-être celui qui a le plus profondément vécu la crise de valeurs de l'époque, et d'abord l'écroulement des rêves d'accomplissement humain, de gloire, de liberté. Goût de vivre et dandysme, recherche et lassitude du plaisir, attrait et dégoût de la débauche, besoin d'aimer et scepticisme face à l'amour, donjuanisme, soif d'idéal et impuissance à croire, tentation lucide et désespérée pour assumer du moins le mal et la souffrance : la vie de Musset est déchirement.

La mort du père en 1832 accentue la crise. Les déceptions de la quête amoureuse vont y contribuer. Expérience précoce de la "perfidie féminine" comme le suggère la *Confession,* influence du scepticisme libertin du XVIII$^e$ siècle, ou recherche inconsciente de l'échec et de la souffrance, dès 1832, Musset prête à ses "doubles", au Franck de la *Coupe et les lèvres* (1832), au Don Juan de *Namouna,* comme à Rolla, la même soif d'un amour absolu, que les rencontres vécues ne peuvent satisfaire.

Sa liaison tumultueuse avec George Sand, de 1833 à 1835, et son échec, vont prendre pour Musset valeur de symbole; grâce à l'expérience unifiante de la souffrance et du souvenir, Musset a le sentiment de pouvoir accéder à une poésie authentique où l'être et le dire se rejoignent. Le cœur seul est poète, la souffrance est créatrice : ce "dolorisme" va notamment inspirer les "grands" poèmes des *Nuits* (1835-1837), la *Lettre à Lamartine* (1836), *Souvenir* (1841) : "Les plus désespérés sont les chants les plus beaux / Et j'en sais d'immortels qui sont de purs sanglots".

Certes la sincérité n'est pas gage de qualité poétique, et un Baudelaire ne pardonnera guère à Musset de confondre "sanglot" et poésie. Une tradition bourgeoise et universitaire, qui a ramené Musset à cette "poésie du cœur", ne lui a pas rendu service.

Car l'écriture de Musset n'est pas si simple. Ce "paresseux" a souvent trouvé dans le travail un grand consolateur : "Jours de travail, seuls jours où j'ai vécu". Et l'art est resté valeur-refuge privilégiée. Les grands poèmes déjà cités ne sont pas simples confidences, mais supposent une élaboration de l'expérience ou des expériences vécues, avec un souci très "classique" de dépasser l'anecdote pour en dégager l'essentiel. *L'Impromptu* (1839) le montre conscient de la silencieuse alchimie qui mue la rêverie en poème.

Il abandonne les audaces rythmiques, admire la solidité d'un Molière *(Une soirée perdue* - 1840), privilégie un idéal d'harmonie, esquissé dans

*Sur trois marches de marbre rose* et la brièveté des poèmes à forme fixe, stances, rondeaux, sonnets, chansons. Qualité ou limite, son intelligence critique ne désarme pas.

Ce souci d'art se manifeste aussi bien par sa défiance pour les outrances et facilités romantiques, "Mais je hais les pleurards, les rêveurs à nacelles, / Les amants de la nuit, des lacs, des cascatelles" (Dédicace de *La coupe et les lèvres,* 1832), que par son attachement au classicisme, proclamé dès 1830 par Rafaël : "Racine, rencontrant Shakespeare sur ma table, / S'endort près de Boileau qui leur a pardonné".

Pudeur de Musset : le moi réel ne se confond pas avec le "je" du discours lyrique ; il se camoufle sous les "doubles", se dépersonnalise dans maint poème à travers le choix de la narration lyrique. Et très souvent Musset "se moque pour ne pas pleurer" : la distance à soi est marquée par l'ironie et l'humour. Musset renoncera : les derniers poèmes tendrement railleurs ou nostalgiques montrent "le vieil enfant du doute et du blasphème" mal résigné. Du moins

> "Quand on perd, par triste occurrence,
> Son espérance
> Et sa gaîté,
> Le remède au mélancolique
> C'est la musique
> Et la beauté."

*Contes d'Espagne et d'Italie* (1830) ; *Nuits* (1835-1837) ; *Poésies complètes* 1840) ; *Poésies nouvelles* (1850) rééditées en 1854...

## ROLLA

### I

Regrettez-vous le temps où le ciel sur la terre
Marchait et respirait dans un peuple de dieux ;
Où Vénus Astarté, fille de l'onde amère,
Secouait, vierge encor, les larmes de sa mère,
Et fécondait le monde en tordant ses cheveux ?
Regrettez-vous le temps où les Nymphes lascives
Ondoyaient au soleil parmi les fleurs des eaux,
Et d'un éclat de rire agaçaient sur les rives
Les Faunes indolents couchés dans les roseaux ?
10 Où les sources tremblaient des baisers de Narcisse ?
Où, du nord au midi, sur la création
Hercule promenait l'éternelle justice,
Sous son manteau sanglant, taillé dans un lion ;
Où les Sylvains moqueurs, dans l'écorce des chênes,
Avec les rameaux verts se balançaient au vent,
Et sifflaient dans l'écho la chanson du passant ;
Où tout était divin, jusqu'aux douleurs humaines ;
Où le monde adorait ce qu'il tue aujourd'hui ;
Où quatre mille dieux n'avaient pas un athée ;
20 Où tout était heureux, excepté Prométhée,
Frère aîné de Satan, qui tomba comme lui ?
– Et quand tout fut changé, le ciel, la terre et l'homme,
Quand le berceau du monde en devint le cercueil,
Quand l'ouragan du Nord sur les débris de Rome
De sa sombre avalanche étendit le linceul, –

Regrettez-vous le temps où d'un siècle barbare
Naquit un siècle d'or, plus fertile et plus beau ?
Où le vieil univers fendit avec Lazare
De son front rajeuni la pierre du tombeau ?
30  Regrettez-vous le temps où nos vieilles romances
Ouvraient leurs ailes d'or vers leur monde enchanté ?
Où tous nos monuments et toutes nos croyances
Portaient le manteau blanc de leur virginité ?
Où, sous la main du Christ, tout venait de renaître ?
   (...)

*Le poète déplore le scepticisme de l'époque contemporaine, héritage du
XVIII<sup>e</sup> siècle : "D'un siècle sans espoir naît un siècle sans crainte."*

II

De tous les débauchés de la ville du monde
Où le libertinage est à meilleur marché,
De la plus vieille en vice et de la plus féconde,
Je veux dire Paris, – le plus grand débauché
Etait Jacques Rolla. – Jamais, dans les tavernes,
40  Sous les rayons tremblants des blafardes lanternes,
Plus indocile enfant ne s'était accoudé
Sur une table chaude ou sur un coup de dé.
Ce n'était pas Rolla qui gouvernait sa vie,
C'étaient ses passions ; – il les laissait aller
Comme un pâtre assoupi regarde l'eau couler.
Elles vivaient ; – son corps était l'hôtellerie
Où s'étaient attablés ces pâles voyageurs ;
Tantôt pour y briser les lits et les murailles,
Pour s'y chercher dans l'ombre, et s'ouvrir les entrailles,
50  Comme des cerfs en rut et des gladiateurs ;
Tantôt pour y chanter, en s'enivrant ensemble,
Comme de gais oiseaux qu'un coup de vent rassemble,
Et qui, pour vingt amours, n'ont qu'un arbuste en fleurs.
   (...)

Jacques était grand, loyal, intrépide et superbe.
L'habitude, qui fait de la vie un proverbe,
Lui donnait la nausée. – Heureux ou malheureux,
Il ne fit rien comme elle, et garda pour ses dieux
L'audace et la fierté, qui sont ses sœurs aînées.

Il prit trois bourses d'or, et, durant trois années,
60  Il vécut au soleil sans se douter des lois ;
Et jamais fils d'Adam, sous la sainte lumière,
N'a, de l'est au couchant, promené sur la terre
Un plus large mépris des peuples et des rois.

Seul il marchait tout nu dans cette mascarade
Qu'on appelle la vie, en y parlant tout haut.
Tel que la robe d'or du jeune Alcibiade,
Son orgueil indolent, du palais au ruisseau,
Traînait derrière lui comme un royal manteau.

Ce n'était pour personne un objet de mystère
70 Qu'il eût trois ans à vivre et qu'il mangeât son bien.
Le monde souriait en le regardant faire,
Et lui, qui le faisait, disait à l'ordinaire
Qu'il se ferait sauter quand il n'aurait plus rien.

*Chants III et IV : le jeune libertin se rend dans un lieu de plaisir où il veut
"flamber" ses dernières heures en une fête désespérée, en compagnie de quelque courtisane; il découvre Marie, "une enfant de 15 ans", endormie, et tombe
dans une rêverie profonde. Le poète met en cause le scepticisme et le culte du
progrès matériel des temps modernes qui ont tué tout idéal dans les cœurs
jeunes : "Tout est grand, tout est beau, mais on meurt dans votre air."*

V

Quand Rolla sur les toits vit le soleil paraître,
Il alla s'appuyer au bord de la fenêtre.
De pesants chariots commençaient à rouler.
Il courba son front pâle, et resta sans parler.
En longs ruisseaux de sang se déchiraient les nues;
Tel, quand Jésus cria, des mains du ciel venues
80 Fendirent en lambeaux le voile aux plis sanglants.

Un groupe délaissé de chanteurs ambulants
Murmurait sur la place une ancienne romance.
Ah! comme les vieux airs qu'on chantait à douze ans
Frappent droit dans le cœur aux heures de souffrance!
Comme ils dévorent tout! comme on se sent loin d'eux!
Comme on baisse la tête en les trouvant si vieux!
Sont-ce là tes soupirs, noir Esprit des ruines?
Ange des souvenirs, sont-ce là tes sanglots?
Ah! comme ils voltigeaient, frais et légers oiseaux,
90 Sur le palais doré des amours enfantines!
Comme ils savent rouvrir les fleurs des temps passés,
Et nous ensevelir, eux qui nous ont bercés!
(...)

Vous qui volez là-bas, légères hirondelles,
Dites-moi, dites-moi, pourquoi vais-je mourir?
Oh! l'affreux suicide! oh! si j'avais des ailes,
Par ce beau ciel si pur je voudrais les ouvrir!
Dites-moi, terre et cieux, qu'est-ce donc que l'aurore?
Qu'importe un jour de plus à ce vieil univers?
Dites-moi, verts gazons, dites-moi, sombres mers,
100 Quand des feux du matin l'horizon se colore,
Si vous n'éprouvez rien, qu'avez-vous donc en vous
Qui fait bondir le cœur et fléchir les genoux?
Ô terre! à ton soleil qui donc t'a fiancée?
Que chantent tes oiseaux? que pleure ta rosée?
Pourquoi de tes amours viens-tu m'entretenir?
Que me voulez-vous tous, à moi qui vais mourir?
Et pourquoi donc *aimer?* Pourquoi ce mot terrible
Revenait-il sans cesse à l'esprit de Rolla?
Quels étranges accords, quelle voix invisible
110 Venaient le murmurer, quand la mort était là?
(...)

Jean-Baptiste Corot (1796-1875), *La toilette*, dessin, 1859.
(Cabinet des dessins, Musée du Louvre, Paris.)

C'est ainsi qu'aujourd'hui s'éveillent tes pensées,
Ô Rolla! c'est ainsi que bondissent tes fers,
Et que devant tes yeux des torches insensées
Courent à l'infini, traversant des déserts.
Ecrase maintenant les débris de ta vie :
Ecorche tes pieds nus sur tes flacons brisés;
Et dans le dernier toast de ta dernière orgie,
Etouffe le néant dans tes bras épuisés.
Le néant! le néant! vois-tu son ombre immense
120 Qui ronge le soleil sur son axe enflammé?
L'ombre gagne! il s'éteint, — l'éternité commence.
Tu n'aimeras jamais, toi qui n'as point aimé.

*La tendresse naïve et généreuse de Marie achève d'ébranler l'orgueil de
Rolla. Il couronnera par le suicide le gâchis de sa vie, du moins l'amour avait-
il eu raison de la dureté de son cœur.*

---

(p. 70-74)
**1.** Nostalgie d'un âge d'or perdu : périodes évoquées; images et thématique associées à chacune d'elles dans les vers 1 à 34. Thème de l'enfance et de la jeunesse de
Rolla; thème de l'aube et images qui s'y rattachent.
**2.** Le héros : esquisser le portrait de Rolla et la façon dont il se définit en face de son
siècle. Comment s'expliquent sa débauche et son suicide? Comparer Rolla à
Lorenzaccio, Faust (Goethe), Raphaël *(La peau de chagrin,* Balzac).

---

## LA NUIT DE DÉCEMBRE

*LE POÈTE*

Du temps que j'étais écolier,
Je restais un soir à veiller
Dans notre salle solitaire.
Devant ma table vint s'asseoir
Un pauvre enfant vêtu de noir,
Qui me ressemblait comme un frère.

Son visage était triste et beau :
A la lueur de mon flambeau,
Dans mon livre ouvert il vint lire.
10 Il pencha son front sur sa main,
Et resta jusqu'au lendemain,
Pensif, avec un doux sourire.

Comme j'allais avoir quinze ans
Je marchais un jour, à pas lents,
Dans un bois, sur une bruyère.
Au pied d'un arbre vint s'asseoir
Un jeune homme vêtu de noir,
Qui me ressemblait comme un frère.

Je lui demandai mon chemin;
20  Il tenait un luth d'une main,
De l'autre un bouquet d'églantine.
Il me fit un salut d'ami,
Et, se détournant à demi,
Me montra du doigt la colline.

A l'âge où l'on croit à l'amour,
J'étais seul dans ma chambre un jour,
Pleurant ma première misère.
Au coin de mon feu vint s'asseoir
Un étranger vêtu de noir,
30  Qui me ressemblait comme un frère.

Il était morne et soucieux;
D'une main il montrait les cieux,
Et de l'autre il tenait un glaive.
De ma peine il semblait souffrir,
Mais il ne poussa qu'un soupir,
Et s'évanouit comme un rêve.

A l'âge où l'on est libertin,
Pour boire un toast en un festin,
Un jour je soulevais mon verre.
40  En face de moi vint s'asseoir
Un convive vêtu de noir,
Qui me ressemblait comme un frère.

Il secouait sous son manteau
Un haillon de pourpre en lambeau,
Sur sa tête un myrte stérile.
Son bras maigre cherchait le mien,
Et mon verre, en touchant le sien,
Se brisa dans ma main débile.

Un an après, il était nuit;
50  J'étais à genoux près du lit
Où venait de mourir mon père.
Au chevet du lit vint s'asseoir
Un orphelin vêtu de noir,
Qui me ressemblait comme un frère.

Ses yeux étaient noyés de pleurs;
Comme les anges de douleurs,
Il était couronné d'épine;
Son luth à terre était gisant,
Sa pourpre de couleur de sang,
60  Et son glaive dans sa poitrine.

Je m'en suis si bien souvenu,
Que je l'ai toujours reconnu
A tous les instants de ma vie.
C'est une étrange vision,
Et cependant, ange ou démon,
J'ai vu partout cette ombre amie.
(...)

Qui donc es-tu, spectre de ma jeunesse,
    Pèlerin que rien n'a lassé?
Dis-moi pourquoi je te trouve sans cesse
70      Assis dans l'ombre où j'ai passé.
Qui donc es-tu, visiteur solitaire,
    Hôte assidu de mes douleurs?
Qu'as-tu donc fait pour me suivre sur terre?
Qui donc es-tu, qui donc es-tu, mon frère,
    Qui n'apparais qu'au jour des pleurs?

*LA VISION*

    — Ami, notre père est le tien.
Je ne suis ni l'ange gardien,
Ni le mauvais destin des hommes.
Ceux que j'aime, je ne sais pas
80 De quel côté s'en vont leurs pas
Sur ce peu de fange où nous sommes.

Je ne suis ni dieu ni démon,
Et tu m'as nommé par mon nom
Quand tu m'as appelé ton frère;
Où tu vas, j'y serai toujours,
Jusques au dernier de tes jours,
Où j'irai m'asseoir sur ta pierre.

Le ciel m'a confié ton cœur.
Quand tu seras dans la douleur,
90 Viens à moi sans inquiétude.
Je te suivrai sur le chemin;
Mais je ne puis toucher ta main;
Ami, je suis la Solitude.

(v. 1-66; 190-216)

---

**1.** Les visions : à quels moments de la vie et à quels moments psychologiques se produisent-elles? Les métamorphoses du double; son attitude à l'égard du poète. Quel est pour Musset le rôle de la solitude dans la vie humaine? Comparer avec *Lorenzaccio* II, 1.
**2.** La composition : comment le climat de mystère est-il créé et conservé?
**3.** L'émotion maîtrisée (*cf. L'impromptu* p. 76 ); étudier ce qui donne à ce poème son allure de chanson (structure strophique, refrain), la rupture produite par le changement de rythme et le pathétique des interrogations du poète.

---

## IMPROMPTU

En réponse à cette question : Qu'est-ce que la poésie?

Chasser tout souvenir et fixer la pensée,
Sur un bel axe d'or la tenir balancée,
Incertaine, inquiète, immobile pourtant;
Eterniser peut-être un rêve d'un instant;
Aimer le vrai, le beau, chercher leur harmonie;
Ecouter dans son cœur l'écho de son génie;
Chanter, rire, pleurer, seul, sans but, au hasard;

D'un sourire, d'un mot, d'un soupir, d'un regard
Faire un travail exquis, plein de crainte et de charme,
　　　Faire une perle d'une larme :
Du poète ici-bas voilà la passion,
Voilà son bien, sa vie et son ambition.

*Poésies nouvelles.*


## CONSEILS À UNE PARISIENNE


Oui, si j'étais femme, aimable et jolie,
　　　Je voudrais, Julie,
　　　Faire comme vous;
Sans peur ni pitié, sans choix ni mystère,
　　　A toute la terre
　　　Faire les yeux doux.

Je voudrais n'avoir de soucis au monde
　　　Que ma taille ronde,
　　　Mes chiffons chéris,
10　Et de pied en cap être la poupée
　　　La mieux équipée
　　　De Rome à Paris.

Je voudrais garder pour toute science
　　　Cette insouciance
　　　Qui vous va si bien;
Joindre, comme vous, à l'étourderie
　　　Cette rêverie
　　　Qui ne pense à rien.

Je voudrais pour moi qu'il fût toujours fête,
20　　　Et tourner la tête
　　　Aux plus orgueilleux;
Etre en même temps de glace et de flamme,
　　　La haine dans l'âme,
　　　L'amour dans les yeux.

Je détesterais, avant toute chose,
　　　Ces vieux teints de rose
　　　Qui font peur à voir.
Je rayonnerais, sous ma tresse brune,
　　　Comme un clair de lune
30　　　En capuchon noir.

Car c'est si charmant et c'est si commode,
　　　Ce masque à la mode,
　　　Cet air de langueur!
Ah! que la pâleur est d'un bel usage!
　　　Jamais le visage
　　　N'est trop loin du cœur.

Je voudrais encore avoir vos caprices,
Vos soupirs novices,
Vos regards savants.
40 Je voudrais enfin, tant mon cœur vous aime,
Etre en tout vous-même...
Pour deux ou trois ans...

Il est un seul point, je vous le confesse,
Où votre sagesse
Me semble en défaut.
Vous n'osez pas être assez inhumaine.
Votre orgueil vous gêne ;
Pourtant il en faut.

Je ne voudrais pas, à la contredanse,
50 Sans quelque prudence
Livrer mon bras nu ;
Puis, au cotillon, laisser ma main blanche
Traîner sur la manche
Du premier venu.

Si mon fin corset, si souple et si juste,
D'un bras trop robuste
Se sentait serré,
J'aurais, je l'avoue, une peur mortelle
Qu'un bout de dentelle
60 N'en fût déchiré.

Chacun, en valsant, vient sur votre épaule
Réciter son rôle
D'amoureux transi ;
Ma beauté, du moins, sinon ma pensée,
Serait offensée
D'être aimée ainsi.

Je ne voudrais pas, si j'étais Julie,
N'être que jolie
Avec ma beauté.
70 Jusqu'au bout des doigts je serais duchesse.
Comme ma richesse,
J'aurais ma fierté.

Voyez-vous, ma chère, au siècle où nous sommes,
La plupart des hommes
Sont très inconstants.
Sur deux amoureux pleins d'un zèle extrême,
La moitié vous aime
Pour passer le temps.

Quand on est coquette, il faut être sage.
80 L'oiseau de passage
Qui vole à plein cœur

Ne dort pas en l'air comme une hirondelle,
Et peut, d'un coup d'aile,
Briser une fleur.

*Ibid.*

(p. 77-79)
Etudier ce qui fait d'un poème une chanson (thème, rythme, musicalité, etc.).

---

## RAPPELLE-TOI
*VERGISS MEIN NICHT*

Paroles faites sur la musique de Mozart[1]

Rappelle-toi, quand l'Aurore craintive
Ouvre au Soleil son palais enchanté;
Rappelle-toi, lorsque la nuit pensive
Passe en rêvant sous son voile argenté;
A l'appel du plaisir lorsque ton sein palpite,
Aux doux songes du soir lorsque l'ombre t'invite,
Ecoute au fond des bois
Murmurer une voix :
Rappelle-toi.

10     Rappelle-toi, lorsque les destinées
M'auront de toi pour jamais séparé,
Quand le chagrin, l'exil et les années
Auront flétri ce cœur désespéré;
Songe à mon triste amour, songe à l'adieu suprême!
L'absence ni le temps ne sont rien quand on aime.
Tant que mon cœur battra,
Toujours il te dira :
Rappelle-toi.

20     Rappelle-toi, quand sous la froide terre
Mon cœur brisé pour toujours dormira;
Rappelle-toi, quand la fleur solitaire
Sur mon tombeau doucement s'ouvrira.
Je ne te verrai plus; mais mon âme immortelle
Reviendra près de toi comme une sœur fidèle.
Ecoute, dans la nuit,
Une voix qui gémit :
Rappelle-toi.

*Ibid.*

---

1. C'est en réalité un certain Lorenzo Schneider qui avait mis en musique les vers d'un auteur germanique inconnu, dont Musset donne une adaptation. *Vergiss mein nicht :* ne m'oublie pas (nom allemand du myosotis).

## SONNET[1]

Quand, par un jour de pluie, un oiseau de passage
Jette au hasard un cri dans un chemin perdu,
Au fond des bois fleuris, dans son nid de feuillage,
Le rossignol pensif a parfois répondu.

Ainsi fut mon appel de votre âme entendu,
Et vous me répondez dans notre cher langage.
Ce charme triste et doux, tant aimé d'un autre âge,
Ce pur toucher du cœur, vous me l'avez rendu.

Etait-ce donc bien vous? Si bonne et si jolie,
Vous parlez de regrets et de mélancolie.
— Et moi peut-être aussi, j'avais un cœur blessé.

Aimer n'importe quoi, c'est un peu de folie.
Qui nous rapportera le bouquet d'Ophélie
De la rive inconnue où les flots l'ont laissé?

*Ibid.*

1. Dédié à Marie Nodier.

---

(p. 79-80)
La recherche de l'harmonie (choix de poèmes courts ; voir la variété des genres, des strophes). Variations nostalgiques : dialogue intérieur ou avec l'âme sœur. Comment s'entrelacent ou se développent les thèmes des rêves d'amour ou du regret? L'expression musicale de la nostalgie (jeu des reprises, sonorités et rimes intérieures, allitérations).

---

## TRISTESSE

J'ai perdu ma force et ma vie,
Et mes amis et ma gaîté ;
J'ai perdu jusqu'à la fierté
Qui faisait croire à mon génie.

Quand j'ai connu la Vérité,
J'ai cru que c'était une amie ;
Quand je l'ai comprise et sentie,
J'en étais déjà dégoûté.

Et pourtant elle est éternelle,
Et ceux qui se sont passés d'elle
Ici-bas ont tout ignoré.

Dieu parle, il faut qu'on lui réponde.
Le seul bien qui me reste au monde
Est d'avoir quelquefois pleuré.

*Revue des deux mondes,* 1841.

# Victor Hugo (1802-1885)

Né en 1802, mort en 1885, Hugo est un personnage exemplaire par sa longévité – qui lui a permis d'être témoin ou acteur durant tout le XIX<sup>e</sup> siècle –, et par la richesse prodigieuse de son œuvre : polémiste, homme de théâtre, romancier et poète, Hugo est un écrivain complet, sans compter une œuvre graphique et picturale qui, à elle seule, aurait pu assurer sa célébrité.

Son enfance fut marquée par la mésentente de ses parents. Son père, général d'empire, changeait souvent de résidence et sa famille ne le suivait pas toujours. Victor et ses deux frères, élevés par leur mère, prirent le parti de cette dernière contre un père qui leur apparaissait comme tyrannique. Hugo fut profondément affecté par cette mésentente, ce qui explique la place qu'il accorde, dès ses premiers recueils, aux thèmes de la famille, de la paternité, des enfants. D'autre part, sa rivalité avec son frère Eugène (devenu fou le soir même du mariage de Victor avec Adèle Foucher qu'il aimait lui aussi secrètement) explique le thème si fréquent chez lui des frères ennemis.

Il épouse au départ les opinions monarchistes maternelles. Mais, dès son mariage, il se rapproche peu à peu de son père, et l'on voit apparaître quelques poèmes qui célèbrent le mythe napoléonien. Puis une lente évolution, favorisée par la situation sociale et politique de l'époque, peut-être aussi par l'amitié de Sainte-Beuve, conduit Hugo vers le libéralisme. Sous la monarchie de Juillet le poète s'intègre au régime en place, poursuivant une ascension sociale et politique brillante, jusqu'au moment où, révolté par les agissements du prince-président Louis Napoléon Bonaparte, il se trouvera acculé à l'exil.

En fait, dans la vie de Hugo, la date de 1843 marque l'amorce d'une rupture qui sera consommée en 1851 par le départ du poète pour l'exil : 1843, c'est l'année où, après l'échec des *Burgraves,* Hugo renonce définitivement au théâtre ; c'est surtout l'année où sa fille Léopoldine se noie avec son mari à Villequier. Le poète, s'il ne cesse pas d'écrire, cesse de publier et se jette dans l'arène politique, poursuivant la "carrière des honneurs".

Avant 1843, Hugo, après avoir fait – avec succès – ses premiers pas de poète, avait trouvé sa propre identité : sa notoriété grandissante l'avait fait reconnaître comme le chef de l'école romantique, dont le Cénacle de la rue Notre-Dame-des-Champs était le lieu de rencontre privilégié. Avec les *Odes* (1822) Hugo avait donné un recueil d'inspiration monarchiste que les éditions successives enrichiront de textes de plus en plus proches du libéralisme. En 1828 il leur adjoindra les *Ballades,* dans le style "troubadour", qui invitent à un dépaysement dans le temps. En 1829 les *Orientales* apportent le dépaysement dans l'espace : Hugo y cultive le pittoresque, annonçant "l'art pour l'art". Avec les recueils suivants (*Les feuilles d'automne, Les chants du crépuscule, Les voix intérieures, Les rayons et les ombres*) Hugo explore les voies d'un lyrisme intérieur.

La mort de Léopoldine puis l'exil vont mûrir la pensée du poète. A Jersey puis à Guernesey, il médite face à l'océan, seul ; il trouve enfin le loisir de se consacrer entièrement à son œuvre. De plus il s'adonne avec passion à des expériences de spiritisme en compagnie d'amis : on fait tourner les tables, on consigne scrupuleusement le "dialogue" des participants avec les esprits, ceux de Shakespeare, Voltaire, Eschyle, l'Océan, l'Ombre du Sépulcre, et même Jésus-Christ. Ces expériences prirent fin le jour où l'un des membres du groupe faillit sombrer dans la folie. Mais elles ont contribué à libérer le génie visionnaire du poète, jouant un rôle analogue à certaines techniques des surréalistes qui chercheront par tous les moyens possibles à libérer les forces de l'inconscient.

Après avoir ridiculisé Napoléon III dans *Les châtiments* (1853), Hugo publie coup sur coup deux chefs-d'œuvre : *Les contemplations* (1856) et les premiers poèmes de *La légende des siècles* (1859), début d'une épopée de l'humanité que, de tous les poètes du XIX$^e$ siècle, Hugo fut le seul capable de créer.

Après son retour d'exil en 1871, Hugo s'éloigna très vite de l'arène politique : il a encore beaucoup de poèmes en chantier dont il poursuivra la publication jusqu'à sa mort : poésie intimiste et quotidienne des *Chansons des rues et des bois*, de *L'art d'être grand-père* ; suite de *La légende des siècles*. Bien des poèmes seront encore inédits à sa mort, en particulier les longs poèmes de *Dieu* et de *La fin de Satan* qui auraient dû encadrer *La légende*.

Depuis l'exil se construisait le personnage légendaire de Hugo, poète populaire, défenseur des opprimés, tenant tête au tyran, patriarche qu'une foule immense accompagna au Panthéon lors de ses funérailles nationales. Tous les poètes du XIX$^e$ siècle se sont sentis les héritiers de Hugo, même ceux qui ne se réclamaient pas du romantisme. La variété de son génie est telle qu'on peut y trouver en germe toutes les tendances de la poésie du XIX$^e$ comme du XX$^e$ siècle.

*ODES ET BALLADES (1828)*

## A UN PASSANT

Au soleil couchant
Toi qui vas cherchant
    Fortune,
Prends garde de choir;
La terre, le soir,
    Est brune,
L'océan trompeur
Couvre de vapeur
    La dune.
Vois; à l'horizon;
Aucune maison;
    Aucune!

Maint voleur te suit;
La chose est, la nuit,
    Commune.
Les dames des bois
Nous gardent parfois
    Rancune.
Elles vont errer;
Crains d'en rencontrer
    Quelqu'une.
Les lutins de l'air
Vont danser au clair
    De lune.

*La chanson du fou*


Voyageur, qui, la nuit, sur le pavé sonore
De ton chien inquiet passes accompagné,
Après le jour brûlant, pourquoi marcher encore?
Où mènes-tu si tard ton cheval résigné?

La nuit! – Ne crains-tu pas d'entrevoir la stature
Du brigand dont un sabre a chargé la ceinture?
Ou qu'un de ces vieux loups, près des routes rôdant,
Qui du fer des coursiers méprisent l'étincelle,
D'un bond brusque et soudain s'attachant à ta selle,
10  Ne mêle à ton sang noir l'écume de ses dents?

Ne crains-tu pas surtout qu'un follet à cette heure
N'allonge sous tes pas le chemin qui te leurre,
Et ne te fasse, hélas! ainsi qu'aux anciens jours,
Rêvant quelque logis dont la vitre scintille
Et le faisan, doré par l'âtre qui pétille,
Marcher vers des clartés qui reculent toujours?

Crains d'aborder la plaine où le sabbat s'assemble,
Où les démons hurlants viennent danser ensemble;
Ces murs maudits par Dieu, par Satan profanés,
20  Ce magique château dont l'enfer sait l'histoire,
Et qui, désert le jour, quand tombe la nuit noire,
Enflamme ses vitraux dans l'ombre illuminés!

Voyageur isolé, qui t'éloignes si vite,
De ton chien inquiet la nuit accompagné,
Après le jour brûlant, quand le repos t'invite,
Où mènes-tu si tard ton cheval résigné?

22 octobre 1825.

## LES ORIENTALES *(1829)*

L'imagination de Hugo a esquissé un Moyen Age légendaire dans les *Odes et ballades.* Ici, c'est par la magie d'un Orient fantastique et coloré qu'il s'éloigne d'une "littérature tirée au cordeau".

Certes l'Orient fait partie des préoccupations du temps, depuis la guerre d'indépendance des Grecs contre les Turcs, et l'exemple de Byron. Mais la poésie de l'Orient hante Hugo depuis longtemps : ses lectures l'inspirent ; il y associe ses souvenirs d'enfance, de "ces belles villes espagnoles..." avec "leur mosquée orientale... épanouie au soleil comme une large fleur pleine de parfums".

Aussi l'imagination visuelle de Hugo s'y déploie-t-elle avec audace, associant couleurs, mouvements et bruits en tableaux sonores. Aussi voit-on poindre, dans certains poèmes, le futur guetteur de l'invisible : "Mes yeux plongeaient plus loin que le monde réel".

Mode frénétique ou libération des fantasmes à la faveur de ce cadre exotique, la poésie des *Orientales* est souvent chargée de violence ; la couleur noire, les images de sang, y abondent comme dans les romans hugoliens de l'époque, *Bug-Jargal, Le dernier jour d'un condamné.*

Plaisir de rêver, plaisir de créer : dans la préface de l'édition originale, Hugo défend la gratuité de l'œuvre et la liberté de l'art : "...il n'y a en poésie ni bons ni mauvais sujets, mais de bons et mauvais poètes ; tout relève de l'art ; tout a droit de cité en poésie... Examinons comment vous avez travaillé , non sur quoi et pourquoi.

Hors de là, la critique n'a pas de raison à demander, le poète n'a pas de compte à rendre. L'art n'a que faire des lisières, des menottes, des bâillons ; il vous dit : Va ! et vous lâche dans ce grand jardin de poésie, où il n'y a pas de fruit défendu. L'espace et le temps sont au poète...

Si donc aujourd'hui quelqu'un lui demande à quoi bon ces *Orientales ?* Que signifie ce livre inutile de pure poésie, jeté au milieu des préoccupations graves du public ?.. Il répondra qu'il n'en sait rien, que c'est une idée qui lui a pris, et qui lui a pris de façon assez ridicule, l'été passé, en allant voir coucher le soleil..."

## L'ENFANT[1]

O horror! horror! horror!
Shakespeare, *Macbeth.*

Les Turcs ont passé là. Tout est ruine et deuil.
Chio, l'île des vins, n'est plus qu'un sombre écueil,
      Chio, qu'ombrageaient les charmilles,
Chio, qui dans les flots reflétait ses grands bois,
Ses coteaux, ses palais, et le soir quelquefois
      Un chœur dansant de jeunes filles.

Tout est désert. Mais non ; seul près des murs noircis,
Un enfant aux yeux bleus, un enfant grec, assis,
      Courbait sa tête humiliée ;
10  Il avait pour asile, il avait pour appui
Une blanche aubépine, une fleur, comme lui
      Dans le grand ravage oubliée.

Ah! pauvre enfant, pieds nus sur les rocs anguleux!
Hélas! pour essuyer les pleurs de tes yeux bleus
      Comme le ciel et comme l'onde,

Pour que dans leur azur, de larmes orageux,
Passe le vif éclair de la joie et des jeux,
　　　Pour relever ta tête blonde,

Que veux-tu? Bel enfant, que te faut-il donner
20　Pour rattacher gaîment et gaîment ramener
　　　En boucles sur ta blanche épaule
Ces cheveux, qui du fer n'ont pas subi l'affront,
Et qui pleurent épars autour de ton beau front,
　　　Comme les feuilles sur le saule?

Qui pourrait dissiper tes chagrins nébuleux?
Est-ce d'avoir ce lys, bleu comme tes yeux bleus,
　　　Qui d'Iran borde le puits sombre?
Ou le fruit du tuba[2], de cet arbre si grand,
Qu'un cheval au galop met, toujours en courant,
30　　　Cent ans à sortir de son ombre?

Veux-tu, pour me sourire, un bel oiseau des bois,
Qui chante avec un chant plus doux que le hautbois,
　　　Plus éclatant que les cymbales?
Que veux-tu? fleur, beau fruit, ou l'oiseau merveilleux?
— Ami, dit l'enfant grec, dit l'enfant aux yeux bleus,
　　　Je veux de la poudre et des balles.

8-10 juin 1828.

1. *Les massacres de Scio (sic)* de Delacroix a été exposé au Salon de 1824. Par ailleurs, les philhel-
lènes français s'intéressaient au sort des enfants grecs, héros ou victimes des événements.
2. Arbre du paradis islamique.

# NOURMAHAL LA ROUSSE[1]

No es bestia que non fus hy trobado[2].
Joan Lorenzo Segura de Astorga

Entre deux rocs d'un noir d'ébène
Voyez-vous ce sombre hallier
Qui se hérisse dans la plaine
Ainsi qu'une touffe de laine
Entre les cornes du bélier?

Là, dans une ombre non frayée,
Grondent le tigre ensanglanté,
La lionne, mère effrayée,
Le chacal, l'hyène rayée,
10　Et le léopard tacheté.

Là, des monstres de toute forme
Rampent : — le basilic rêvant,
L'hippopotame au ventre énorme,
Et le boa, vaste et difforme,
Qui semble un tronc d'arbre vivant.

L'orfraie aux paupières vermeilles,
Le serpent, le singe méchant,
Sifflent comme un essaim d'abeilles;
L'éléphant aux larges oreilles
20 Casse les bambous en marchant.

Là, vit la sauvage famille
Qui glapit, bourdonne et mugit.
Le bois entier hurle et fourmille.
Sous chaque buisson un œil brille,
Dans chaque antre une voix rugit.

Eh bien! seul et nu sur la mousse,
Dans ce bois-là je serais mieux
Que devant Nourmahal-la-Rousse,
Qui parle avec une voix douce
30 Et regarde avec de doux yeux.

25 novembre 1828.

1. Nom qui, selon Hugo, vient d'un mot arabe signifiant "lumière de la maison". 2. "Pas de bête
fauve qui ne s'y trouvât."

## RÊVERIE

Lo giorno se n' andava, e l'aer bruno
Toglieva gli animai che sono 'n terra,
Dalle fatiche loro[1].
Dante

Oh! laissez-moi! c'est l'heure où l'horizon qui fume
Cache un front inégal sous un cercle de brume,
L'heure où l'astre géant rougit et disparaît.
Le grand bois jaunissant dore seul la colline :
On dirait qu'en ces jours où l'automne décline,
Le soleil et la pluie ont rouillé la forêt.

Oh! qui fera surgir soudain, qui fera naître,
Là-bas, − tandis que seul je rêve à la fenêtre
Et que l'ombre s'amasse au fond du corridor, −
Quelque ville mauresque, éclatante, inouïe,
Qui, comme la fusée en gerbe épanouie,
Déchire ce brouillard avec ses flèches d'or!

Qu'elle vienne inspirer, ranimer, ô génies!
Mes chansons, comme un ciel d'automne rembrunies,
Et jeter dans mes yeux son magique reflet,
Et longtemps, s'éteignant en rumeurs étouffées,
Avec les mille tours de ses palais de fées,
Brumeuse, denteler l'horizon violet!

5 septembre 1828.

1. "Le jour s'en allait et la pénombre délivrait les animaux de la terre de leurs fatigues."

## EXTASE

Et j'entendis une grande voix.
*Apocalypse*

J'étais seul près des flots, par une nuit d'étoiles.
Pas un nuage aux cieux, sur les mers pas de voiles.
Mes yeux plongeaient plus loin que le monde réel.
Et les bois, et les monts, et toute la nature,
Semblaient interroger dans un confus murmure
Les flots des mers, les feux du ciel.

Et les étoiles d'or, légions infinies,
A voix haute, à voix basse, avec mille harmonies,
Disaient, en inclinant leurs couronnes de feu ;
Et les flots bleus, que rien ne gouverne et n'arrête,
Disaient, en recourbant l'écume de leur crête :
    — C'est le Seigneur, le Seigneur Dieu !

25 novembre 1828.

---

(p. 83-87)
1. Histoires d'autrefois et d'ailleurs. Quels sont les thèmes privilégiés de ces légendes ou histoires moyenâgeuses et orientales ? Montrer l'art du "narrateur" : effroi *(A
un passant)*, fantastique et cruauté *(Nourmahal la rousse)* ; dans *L'enfant* montrer
comment la composition et les antithèses mettent en valeur le dénouement.
2. Thématique de l'Orient.
3. Les différents types de rêveries, exotisme, vision fantastique *(Nourmahal)* ; rêverie compensatrice *(Rêverie)*, contemplative *(Extase)*. Dans *Rêverie* montrer comment la métamorphose du paysage s'opère par le jeu des couleurs. Comparer et
opposer *Rêverie* et *Extase*.

---

## LES RECUEILS D'AVANT L'EXIL

*Les feuilles d'automne* (1831); *Les chants du crépuscule* (1835); *Les voix intérieures* (1837); *Les rayons et les ombres* (1840).

Malgré certaines constantes, on voit à travers ces recueils Hugo approfondir sa conception du poète et devenir ce rêveur visionnaire que les œuvres d'après l'exil manifesteront.

Il répugne encore à s'engager : bien que conscient de "la gravité du moment politique", il pense devoir "se maintenir au-dessus du tumulte, inébranlable, austère, bienveillant... La puissance du poète est faite d'indépendance". (préface des *Voix intérieures*.)

La pensée sociale reste timide : si le premier recueil évoque parfois le "peuple" à l'héroïsme admirable, les autres insistent plus souvent sur la "foule rampante", "l'informe bloc des sombres multitudes" prompt à l'émeute. Pour celui qui en 1840 chante "l'ordre saint et la foi triomphante" et se rapproche de la famille d'Orléans, la conscience de la misère ne débouche que sur des appels à la charité pour les riches, à la patience vertueuse pour les pauvres des "chaumières", victimes du sort. Les théories mystiques et sociales du temps sont "systèmes affreux, échafaudés dans l'ombre"; "partis" rime avec "petits".

C'est sur un autre plan que le poète se sent investi d'une "mission sérieuse". D'une part ses vers concernent tous les hommes : "Ce sont des vers sereins et paisibles, des vers comme tout le monde en fait ou en rêve, des vers de la famille, du foyer domestique, de la vie privée, des vers de l'intérieur de l'âme", dit la préface des *Feuilles d'automne*. D'autre part, le poète a besoin de la solitude, du silence, du repliement sur soi, pour déboucher sur l'universel et apporter une parole utile aux hommes. Olympio, le rêveur, honni par la foule, le double du poète, apparaît dans *Les voix intérieures,* qui regarde "le monde invisible". La fonction du poète s'amplifie : la préface des *Voix intérieures* parle de sa "fonction civilisatrice". Depuis *Les chants du crépuscule,* le poète est assimilé au prophète, "redoutable envoyé" investi de la mission de guider les hommes.

A la source de cette évolution, le "rêver, songer, penser" du solitaire. Il se fait "regard" et se met "à l'écoute" pour explorer à la fois l'univers intérieur et la nature, devenir la "voix de l'invisible". La poésie se fait connaissance et entreprend de nommer ce qui n'a pas de nom. L'ombre prend une place croissante dans la poésie hugolienne, signe de la découverte simultanée des profondeurs de la conscience et du côté mystérieux, obscur de la nature.

Dans le recueil de 1831, l'automne est saison mentale. L'amour ébranlé, les deuils récents (morts de sa mère, de son père, d'un fils), la démence de son frère, mènent le poète à une rêverie sombre, aux limites de l'innommé : présence des morts, vie souterraine; des abîmes s'ouvrent sous les yeux du guetteur de l'invisible, abîmes de l'océan, du ciel, de l'avenir. Sous l'égide de Dante ou de Piranèse, les schémas organisateurs de la rêverie hugolienne apparaissent avec la double spirale vertigineuse de Babel et du gouffre.

*Les chants du crépuscule* regroupent des poèmes écrits de 1830 à 1835, les deux dernières années coïncidant avec l'amour heureux pour Juliette Drouet et la foi retrouvée. L'inspiration se fait plus sereine, le poète guette dans la nature les échos de Dieu, "ce grand nom qu'on retrouve au fond de toute voix". Pourtant le titre met le recueil sous le signe de l'ambiguïté; le crépuscule du matin ou du soir tantôt laisse deviner le jour, tantôt désigne l'incertitude.

La préface des *Voix intérieures* définit la poésie comme ce "chant intime et secret" de la nature et de l'homme. L'histoire, la famille, l'enfant, l'amour sont présents, mais surtout la nature, l'océan, la forêt. Olympio "regarde", "rêve", "contemple", "songe". Regard adorant devant la beauté de l'univers ou terreur sacrée devant ses mystères, la vision débouche toujours sur la communion avec le divin :

> « Tout verbe est déchiffré. Notre esprit éperdu,
> Chaque jour, en lisant dans le livre des choses,
> Découvre à l'univers un sens inattendu. »

Dire l'indicible ; Hugo invente peu à peu le vocabulaire de l'innommé, et se tissent entre le visible et l'invisible des réseaux de correspondances : "Tout objet dont le bois se compose, répond / A quelque objet pareil dans la forêt de l'âme."

Dans *Les rayons et les ombres,* "peut-être l'horizon est-il plus élargi, le ciel plus bleu, le calme plus profond". En dix ans, le poète est allé de l'angoisse à la sérénité, de l'interrogation à la certitude de "l'homme qui voit Dieu" ; la création est "l'immense figure" que le poète doit déchiffrer ; "Entends sous chaque objet sourdre la parabole. / Sous l'être universel, vois l'éternel symbole." Préludes des grands poèmes métaphysiques, apparaissent les "je crus voir...", "il me sembla soudain qu'il sortait une voix...", où le rêveur visionnaire devient écho de quelque communication surnaturelle. La poésie des *Contemplations* est déjà là. Plus d'une vingtaine de pièces écrites durant ces quatre dernières années y trouveront d'ailleurs leur place, ainsi que dans *Toute la lyre.* Ainsi le choix de la solitude, de "l'exil moral", a-t-il permis au poète d'approfondir ses facultés visionnaires. L'exil réel approfondira sa compréhension de l'histoire et sa communion avec l'univers.

## LA PENTE DE LA RÊVERIE

Obscuritate rerum verba sæpe obscurantur[1].
Gervasius Tilberiensis

Amis, ne creusez pas vos chères rêveries ;
Ne fouillez pas le sol de vos plaines fleuries ;
Et quand s'offre à vos yeux un océan qui dort,
Nagez à la surface ou jouez sur le bord ;
Car la pensée est sombre ! Une pente insensible
Va du monde réel à la sphère invisible ;
La spirale est profonde, et quand on y descend,
Sans cesse se prolonge et va s'élargissant,
Et pour avoir touché quelque énigme fatale,
10 De ce voyage obscur souvent on revient pâle !

L'autre jour, il venait de pleuvoir, car l'été,
Cette année, est de bise et de pluie attristé,
Et le beau mois de mai dont le rayon nous leurre,
Prend le masque d'avril qui sourit et qui pleure.
J'avais levé le store aux gothiques couleurs.
Je regardais au loin les arbres et les fleurs.
Le soleil se jouait sur la pelouse verte
Dans les gouttes de pluie, et ma fenêtre ouverte
Apportait du jardin à mon esprit heureux
20 Un bruit d'enfants joueurs et d'oiseaux amoureux.
Paris, les grands ormeaux, maison, dôme, chaumière,
Tout flottait à mes yeux dans la riche lumière
De cet astre de mai dont le rayon charmant
Au bout de tout brin d'herbe allume un diamant !
Je me laissais aller à ces trois harmonies,

Printemps, matin, enfance, en ma retraite unies ;
La Seine, ainsi que moi, laissait son flot vermeil
Suivre nonchalamment sa pente, et le soleil
Faisait évaporer à la fois sur les grèves
30 L'eau du fleuve en brouillards et ma pensée en rêves !
Alors, dans mon esprit, je vis autour de moi
Mes amis, non confus, mais tels que je les vois
Quand ils viennent le soir, troupe grave et fidèle,
Vous avec vos pinceaux dont la pointe étincelle,
Vous, laissant échapper vos vers au vol ardent,
Et nous tous écoutant en cercle, ou regardant.
Ils étaient bien là tous, je voyais leurs visages,
Tous, même les absents qui font de longs voyages.
Puis tous ceux qui sont morts vinrent après ceux-ci,
40 Avec l'air qu'ils avaient quand ils vivaient aussi.
Quand j'eus, quelques instants, des yeux de ma pensée,
Contemplé leur famille à mon foyer pressée,
Je vis trembler leurs traits confus, et par degrés
Pâlir en s'effaçant leurs fronts décolorés,
Et tous, comme un ruisseau qui dans un lac s'écoule,
Se perdre autour de moi dans une immense foule.
Foule sans nom ! chaos ! des voix, des yeux, des pas.
Ceux qu'on n'a jamais vus, ceux qu'on ne connaît pas.
Tous les vivants ! – cités bourdonnant aux oreilles
50 Plus qu'un bois d'Amérique ou des ruches d'abeilles,
Caravanes campant sur le désert en feu,
Matelots dispersés sur l'océan de Dieu,
Et, comme un pont hardi sur l'onde qui chavire,
Jetant d'un monde à l'autre un sillon de navire,
Ainsi que l'araignée entre deux chênes verts
Jette un fil argenté qui flotte dans les airs !

Les deux pôles ! le monde entier ! la mer, la terre,
Alpes aux fronts de neige, Etnas au noir cratère,
Tout à la fois, automne, été, printemps, hiver,
60 Les vallons descendant de la terre à la mer
Et s'y changeant en golfe, et des mers aux campagnes
Les caps épanouis en chaînes de montagnes,
Et les grands continents, brumeux, verts ou dorés,
Par les grands océans sans cesse dévorés,
Tout, comme un paysage en une chambre noire
Se réfléchit avec ses rivières de moire,
Ses passants, ses brouillards flottant comme un duvet,
Tout dans mon esprit sombre allait, marchait, vivait !
Alors, en attachant, toujours plus attentives,
70 Ma pensée et ma vue aux mille perspectives
Que le souffle du vent ou le pas des saisons
M'ouvrait à tous moments dans tous les horizons,
Je vis soudain surgir, parfois du sein des ondes,
A côté des cités vivantes des deux mondes,
D'autres villes aux fronts étranges, inouïs,
Sépulcres ruinés des temps évanouis,
Pleines d'entassements, de tours, de pyramides,
Baignant leurs pieds aux mers, leur tête aux cieux humides.
Quelques-unes sortaient de dessous des cités

Victor Hugo (1802-1885), *Burg en ruines*, Guernesey 1858, dessin.
(Maison de Victor Hugo, Paris.)

80 Où les vivants encor bruissent agités,
Et des siècles passés jusqu'à l'âge où nous sommes
Je pus compter ainsi trois étages de Romes.
Et tandis qu'élevant leurs inquiètes voix,
Les cités des vivants résonnaient à la fois
Des murmures du peuple ou du pas des armées,
Ces villes du passé, muettes et fermées,
Sans fumée à leurs toits, sans rumeurs dans leurs seins,
Se taisaient, et semblaient des ruches sans essaims.

J'attendais. Un grand bruit se fit. Les races mortes
90 De ces villes en deuil vinrent ouvrir les portes,
Et je les vis marcher ainsi que les vivants,
Et jeter seulement plus de poussière aux vents.
Alors, tours, aqueducs, pyramides, colonnes,
Je vis l'intérieur des vieilles Babylones,
Les Carthages, les Tyrs, les Thèbes, les Sions,
D'où sans cesse sortaient des générations.

Ainsi j'embrassais tout : et la terre, et Cybèle ;
La face antique auprès de la face nouvelle ;
Le passé, le présent ; les vivants et les morts ;
100 Le genre humain complet comme au jour du remords.
Tout parlait à la fois, tout se faisait comprendre,
Le pélage d'Orphée et l'étrusque d'Evandre[2]
Les ruines d'Irmensul[3], le sphinx égyptien,
La voix du nouveau monde aussi vieux que l'ancien.

Or, ce que je voyais, je doute que je puisse
Vous le peindre : c'était comme un grand édifice
Formé d'entassements de siècles et de lieux ;
On n'en pouvait trouver les bords ni les milieux ;
A toutes les hauteurs, nations, peuples, races,
110 Mille ouvriers humains, laissant partout leurs traces,
Travaillaient nuit et jour, montant, croisant leurs pas,
Parlant chacun leur langue et ne s'entendant pas ;
Et moi je parcourais, cherchant qui me réponde,
De degrés en degrés cette Babel du monde.
La nuit avec la foule, en ce rêve hideux,
Venait, s'épaississant ensemble toutes deux,
Et, dans ces régions que nul regard ne sonde,
Plus l'homme était nombreux, plus l'ombre était profonde.
Tout devenait douteux et vague, seulement
120 Un souffle qui passait de moment en moment,
Comme pour me montrer l'immense fourmilière,
Ouvrait dans l'ombre au loin des vallons de lumière,
Ainsi qu'un coup de vent fait sur les flots troublés
Blanchir l'écume, ou creuse une onde dans les blés.

Bientôt autour de moi les ténèbres s'accrurent,
L'horizon se perdit, les formes disparurent,
Et l'homme avec la chose et l'être avec l'esprit
Flottèrent à mon souffle, et le frisson me prit.
J'étais seul. Tout fuyait. L'étendue était sombre.
130 Je voyais seulement au loin, à travers l'ombre,

Comme d'un océan les flots noirs et pressés,
Dans l'espace et le temps les nombres entassés!
Oh! cette double mer du temps et de l'espace
Où le navire humain toujours passe et repasse,
Je voulus la sonder, je voulus en toucher
Le sable, y regarder, y fouiller, y chercher,
Pour vous en rapporter quelque richesse étrange,
Et dire si son lit est de roche ou de fange.
Mon esprit plongea donc sous ce flot inconnu,
140 Au profond de l'abîme il nagea seul et nu,
Toujours de l'ineffable allant à l'invisible...
Soudain il s'en revint avec un cri terrible,
Ebloui, haletant, stupide, épouvanté,
Car il avait au fond trouvé l'éternité.

28 mai 1830.
*Les feuilles d'automne*, XXIX.

1. "C'est l'obscurité des choses qui rend souvent les mots obscurs." Hugo semble revendiquer le droit à une relative obscurité de la poésie visionnaire. 2. Hugo imagine qu'Orphée parlait le pélage - les Pélasges étant un ancien peuple de la Grèce -, et qu'Evandre, qui régnait sur le Latium avant l'arrivée d'Enée, parlait l'étrusque. 3. Dieu des anciens Scandinaves, qui gravaient sur leurs pierres des signes d'écriture runique.

## SOLEIL COUCHANT

Le soleil s'est couché ce soir dans les nuées;
Demain viendra l'orage, et le soir, et la nuit;
Puis l'aube, et ses clartés de vapeurs obstruées;
Puis les nuits, puis les jours, pas du temps qui s'enfuit!

Tous ces jours passeront; ils passeront en foule
Sur la face des mers, sur la face des monts,
Sur les fleuves d'argent, sur les forêts où roule
Comme un hymne confus des morts que nous aimons.

Et la face des eaux, et le front des montagnes,
Ridés et non vieillis, et les bois toujours verts
S'iront rajeunissant; le fleuve des campagnes
Prendra sans cesse aux monts le flot qu'il donne aux mers.

Mais moi, sous chaque jour courbant plus bas ma tête,
Je passe, et, refroidi sous ce soleil joyeux,
Je m'en irai bientôt, au milieu de la fête,
Sans que rien manque au monde, immense et radieux!

22 avril 1829.

*Ibid.*, XXXV, 6.

---

Oh! n'insultez jamais une femme qui tombe!
Qui sait sous quel fardeau la pauvre âme succombe!
Qui sait combien de jours sa faim a combattu!

Quand le vent du malheur ébranlait leur vertu,
Qui de nous n'a pas vu de ces femmes brisées
S'y cramponner longtemps de leurs mains épuisées!
Comme au bout d'une branche on voit étinceler
Une goutte de pluie où le ciel vient briller,
Qu'on secoue avec l'arbre et qui tremble et qui lutte,
Perle avant de tomber et fange après sa chute!

La faute en est à nous; à toi, riche! à ton or!
Cette fange d'ailleurs contient l'eau pure encor.
Pour que la goutte d'eau sorte de la poussière,
Et redevienne perle en sa splendeur première,
Il suffit, c'est ainsi que tout remonte au jour,
D'un rayon de soleil ou d'un rayon d'amour!

6 septembre 1835.
*Les chants du crépuscule*, XIV.

## UNE NUIT QU'ON ENTENDAIT
## LA MER SANS LA VOIR

Quels sont ces bruits sourds?
Ecoutez vers l'onde
Cette voix profonde
Qui pleure toujours
Et qui toujours gronde,
Quoiqu'un son plus clair
Parfois l'interrompe... –
Le vent de la mer
Souffle dans sa trompe.

10 Comme il pleut ce soir!
N'est-ce pas, mon hôte?
Là-bas, à la côte,
Le ciel est bien noir,
La mer est bien haute!
On dirait l'hiver;
Parfois on s'y trompe... –
Le vent de la mer
Souffle dans sa trompe.

Oh! marins perdus!
20 Au loin, dans cette ombre,
Sur la nef qui sombre,
Que de bras tendus
Vers la terre sombre!
Pas d'ancre de fer
Que le flot ne rompe. –
Le vent de la mer
Souffle dans sa trompe.

Nochers imprudents!
Le vent dans la voile
30 Déchire la toile
Comme avec les dents!
Là-haut pas d'étoile!
L'un lutte avec l'air,
L'autre est à la pompe. –
Le vent de la mer
Souffle dans sa trompe.

C'est toi, c'est ton feu
Que le nocher rêve,
Quand le flot s'élève,
40 Chandelier que Dieu
Pose sur la grève,
Phare au rouge éclair
Que la brume estompe! –
Le vent de la mer
Souffle dans sa trompe.

17 juillet 1836.
*Les voix intérieures*, XXIV.

[1]Puits[2] de l'Inde! tombeaux! monuments constellés!
Vous dont l'intérieur n'offre aux regards troublés
Qu'un amas tournoyant de marches et de rampes,
Froids cachots, corridors où rayonnent des lampes,
Poutres où l'araignée a tendu ses longs fils,
Blocs ébauchant partout de sinistres profils,
Toits de granit, troués comme une frêle toile,
Par où l'œil voit briller quelque profonde étoile,
Et des chaos de murs, de chambres, de paliers,
10 Où s'écroule au hasard un gouffre d'escaliers!
Cryptes qui remplissez d'horreur religieuse
Votre voûte sans fin, morne et prodigieuse!
Cavernes où l'esprit n'ose aller trop avant!
Devant vos profondeurs j'ai pâli bien souvent
Comme sur un abîme ou sur une fournaise,
Effrayantes Babels que rêvait Piranèse!


Entrez si vous l'osez!
                    Sur le pavé dormant
Les ombres des arceaux se croisent tristement;
La dalle par endroits, pliant sous les décombres,
20 S'entr'ouvre pour laisser passer des degrés sombres
Qui fouillent, vis de pierre, un souterrain sans fond;
D'autres montent là-haut et crèvent le plafond.
Où vont-ils? Dieu le sait. Du creux d'une arche vide
Une eau qui tombe envoie une lueur livide.
Une voûte au front vert s'égoutte dans un puits.
Dans l'ombre un lourd monceau de roches sans appuis
S'arrête retenu par des ronces grimpantes;
Une corde qui pend d'un amas de charpentes
S'offre, mystérieuse, à la main du passant.
30 Dans un caveau, penché sur un livre, et lisant,
Un vieillard surhumain, sous le roc qui surplombe,
Semble vivre oublié par la mort dans sa tombe.
Des sphinx, des bœufs d'airain, sur l'étrave accroupis,
Ont fait des chapiteaux aux piliers décrépits;
L'aspic à l'œil de braise, agitant ses paupières,
Passe sa tête plate aux crevasses des pierres.
Tout chancelle et fléchit sous les toits entr'ouverts.
Le mur suinte, et l'on voit fourmiller à travers
De grands feuillages roux, sortant d'entre les marbres,
40 Des monstres qu'on prendrait pour des racines d'arbres.
Partout, sur les parois du morne monument,
Quelque chose d'affreux rampe confusément;
Et celui qui parcourt ce dédale difforme,
Comme s'il était pris par un polype énorme,
Sur son front effaré, sous son pied hasardeux,
Sent vivre et remuer l'édifice hideux!


Aux heures où l'esprit, dont l'œil partout se pose,
Cherche à voir dans la nuit le fond de toute chose,
Dans ces lieux effrayants mon regard se perdit.
50 Bien souvent je les ai contemplés, et j'ai dit :

– O rêves de granit! grottes visionnaires!
Cryptes! palais! tombeaux, pleins de vagues tonnerres!
Vous êtes moins brumeux, moins noirs, moins ignorés,
Vous êtes moins profonds et moins désespérés
Que le destin, cet antre habité par nos craintes,
Où l'âme entend, perdue en d'affreux labyrinthes,
Au fond, à travers l'ombre, avec mille bruits sourds,
Dans un gouffre inconnu tomber le flot des jours! –

14 avril 1839.
*Les rayons et les ombres*, XIII.

1. Titre envisagé : *Le destin.* 2. Symbole en Extrême-Orient de l'abîme et de l'enfer.

---

(p. 89-96)
**1.** La rêverie heureuse : la thématique de la lumière et du rayonnement dans le début de *La pente de la rêverie.*
**2.** L'attrait du gouffre *(La pente de la rêverie, Puits de l'Inde...)* : composition de *La pente de la rêverie;* le passage de la poésie familière à la rêverie surnaturaliste et les métamorphoses de la vision. "Un poète est un monde enfermé dans un homme" *(Légende des siècles) :* montrer l'ampleur de la vision et la progression de l'angoisse du rêveur. Faire voir l'invisible : dans les deux poèmes, relever les adjectifs, les verbes et les images obsédantes qui suggèrent le monde de la vision.

---

## SAGESSE

### III

Pourquoi devant mes yeux revenez-vous sans cesse,
O jours de mon enfance et de mon allégresse?
Qui donc toujours vous rouvre en nos cœurs presque éteints,
O lumineuse fleur des souvenirs lointains?

Oh! que j'étais heureux! oh, que j'étais candide!
En classe, un banc de chêne, usé, lustré, splendide,
Une table, un pupitre, un lourd encrier noir,
Une lampe, humble sœur de l'étoile du soir,
M'accueillaient gravement et doucement. Mon maître,
10  Comme je vous l'ai dit souvent, était un prêtre
A l'accent calme et bon, au regard réchauffant,
Naïf comme un savant, malin comme un enfant,
Qui m'embrassait, disant, car un éloge excite :
– Quoiqu'il n'ait que neuf ans, il explique Tacite. –
Puis près d'Eugène, esprit qu'hélas! Dieu submergea,
Je travaillais dans l'ombre, – et je songeais déjà.
Tandis que j'écrivais, – sans peur, mais sans système,
Versant le barbarisme à grands flots sur le thème,
Inventant aux auteurs des sens inattendus,
20  Le dos courbé, le front touchant presque au Gradus[1], –
Je croyais, car toujours l'esprit de l'enfant veille,
Ouïr confusément, tout près de mon oreille,
Les mots grecs et latins, bavards et familiers,
Barbouillés d'encre, et gais comme des écoliers,

Chuchoter, comme font les oiseaux dans une aire,
Entre les noirs feuillets du lourd dictionnaire.
Bruits plus doux que le bruit d'un essaim qui s'enfuit,
Souffles plus étouffés qu'un soupir de la nuit,
Qui faisaient par instants, sous les fermoirs de cuivre,
30 Frissonner vaguement les pages du vieux livre!

Le devoir fait, légers comme de jeunes daims,
Nous fuyions à travers les immenses jardins,
Eclatant à la fois en cent propos contraires.
Moi, d'un pas inégal je suivais mes grands frères;
Et les astres sereins s'allumaient dans les cieux,
Et les mouches volaient dans l'air silencieux,
Et le doux rossignol, chantant dans l'ombre obscure,
Enseignait la musique à toute la nature,
Tandis qu'enfant jaseur aux gestes étourdis,
40 Jetant partout mes yeux ingénus et hardis
D'où jaillissait la joie en vives étincelles,
Je portais sous mon bras, noués par trois ficelles,
Horace et les festins, Virgile et les forêts,
Tout l'Olympe, Thésée, Hercule, et toi, Cérès,
La cruelle Junon, Lerne et l'hydre enflammée,
Et le vaste lion de la roche Némée.
(...)

*Les rayons et les ombres*, XLIV.

1. *Gradus* ad Parnassum (degrés pour monter au Parnasse), dictionnaire de prosodie, d'expressions poétiques.

## TRISTESSE D'OLYMPIO

Les champs n'étaient point noirs, les cieux n'étaient pas mornes;
    Non, le jour rayonnait dans un azur sans bornes
        Sur la terre étendu,
L'air était plein d'encens et les prés de verdures
Quand il revit ces lieux où par tant de blessures
        Son cœur s'est répandu!

L'automne souriait; les coteaux vers la plaine
Penchaient leurs bois charmants qui jaunissaient à peine;
        Le ciel était doré;
10 Et les oiseaux, tournés vers celui que tout nomme,
Disant peut-être à Dieu quelque chose de l'homme,
        Chantaient leur chant sacré!

Il voulut tout revoir, l'étang près de la source,
La masure où l'aumône avait vidé leur bourse,
        Le vieux frêne plié,
Les retraites d'amour au fond des bois perdues,
L'arbre où dans les baisers leurs âmes confondues
        Avaient tout oublié!

Il chercha le jardin, la maison isolée,
20 La grille d'où l'œil plonge en une oblique allée,
        Les vergers en talus.
Pâle, il marchait. – Au bruit de son pas grave et sombre
Il voyait à chaque arbre, hélas! se dresser l'ombre
        Des jours qui ne sont plus!

Il entendait frémir dans la forêt qu'il aime
Ce doux vent qui, faisant tout vibrer en nous-même,
        Y réveille l'amour,
Et, remuant le chêne ou balançant la rose,
Semble l'âme de tout qui va sur chaque chose
30       Se poser tour à tour!

Les feuilles qui gisaient dans le bois solitaire,
S'efforçant sous ses pas de s'élever de terre,
        Couraient dans le jardin;
Ainsi, parfois, quand l'âme est triste, nos pensées
S'envolent un moment sur leurs ailes blessées,
        Puis retombent soudain.

Il contempla longtemps les formes magnifiques
Que la nature prend dans les champs pacifiques;
        Il rêva jusqu'au soir;
40 Tout le jour il erra le long de la ravine,
Admirant tour à tour le ciel, face divine,
        Le lac, divin miroir!

Hélas! se rappelant ses douces aventures,
Regardant, sans entrer, par-dessus les clôtures,
        Ainsi qu'un paria,
Il erra tout le jour. Vers l'heure où la nuit tombe,
Il se sentit le cœur triste comme une tombe,
        Alors il s'écria :

– « O douleur! j'ai voulu, moi dont l'âme est troublée,
50 Savoir si l'urne encor conservait la liqueur,
Et voir ce qu'avait fait cette heureuse vallée
De tout ce que j'avais laissé là de mon cœur!

« Que peu de temps suffit pour changer toutes choses!
Nature au front serein, comme vous oubliez!
Et comme vous brisez dans vos métamorphoses
Les fils mystérieux où nos cœurs sont liés!

« Nos chambres de feuillage en halliers sont changées;
L'arbre où fut notre chiffre est mort ou renversé;
Nos roses dans l'enclos ont été ravagées
60 Par les petits enfants qui sautent le fossé!

« Un mur clôt la fontaine où, par l'heure échauffée,
Folâtre, elle buvait en descendant des bois;
Elle prenait de l'eau dans sa main, douce fée,
Et laissait retomber des perles de ses doigts!

« On a pavé la route âpre et mal aplanie,
Où, dans le sable pur se dessinant si bien,
Et de sa petitesse étalant l'ironie,
Son pied charmant semblait rire à côté du mien !

« La borne du chemin, qui vit des jours sans nombre,
70 Où jadis pour m'entendre elle aimait à s'asseoir,
S'est usée en heurtant, lorsque la route est sombre,
Les grands chars gémissants qui reviennent le soir.

« La forêt ici manque et là s'est agrandie.
De tout ce qui fut nous presque rien n'est vivant ;
Et, comme un tas de cendre éteinte et refroidie,
L'amas des souvenirs se disperse à tout vent !

« N'existons-nous donc plus ? Avons-nous eu notre heure ?
Rien ne la rendra-t-il à nos cris superflus ?
L'air joue avec la branche au moment où je pleure ;
80 Ma maison me regarde et ne me connaît plus.

« D'autres vont maintenant passer où nous passâmes.
Nous y sommes venus, d'autres vont y venir ;
Et le songe qu'avaient ébauché nos deux âmes,
Ils le continueront sans pouvoir le finir !

« Car personne ici bas ne termine et n'achève ;
Les pires des humains sont comme les meilleurs ;
Nous nous réveillons tous au même endroit du rêve.
Tout commence en ce monde et tout finit ailleurs.

« Oui, d'autres à leur tour viendront, couples sans tache,
90 Puiser dans cet asile heureux, calme, enchanté,
Tout ce que la nature à l'amour qui se cache
Mêle de rêverie et de solennité !

« D'autres auront nos champs, nos sentiers, nos retraites.
Ton bois, ma bien-aimée, est à des inconnus.
D'autres femmes viendront, baigneuses indiscrètes,
Troubler le flot sacré qu'ont touché tes pieds nus !

« Quoi donc ! c'est vainement qu'ici nous nous aimâmes !
Rien ne nous restera de ces coteaux fleuris
Où nous fondions notre être en y mêlant nos flammes !
100 L'impassible nature a déjà tout repris.

« Oh ! dites-moi, ravins, frais ruisseaux, treilles mûres,
Rameaux chargés de nids, grottes, forêts, buissons,
Est-ce que vous ferez pour d'autres vos murmures ?
Est-ce que vous direz à d'autres vos chansons ?

« Nous vous comprenions tant ! doux, attentifs, austères,
Tous nos échos s'ouvraient si bien à votre voix !
Et nous prêtions si bien, sans troubler vos mystères,
L'oreille aux mots profonds que vous dites parfois !

« Répondez, vallon pur, répondez, solitude,
110 O nature abritée en ce désert si beau,
Lorsque nous dormirons tous deux dans l'attitude
Que donne aux morts pensifs la forme du tombeau ;

« Est-ce que vous serez à ce point insensible
De nous savoir couchés, morts avec nos amours,
Et de continuer votre fête paisible,
Et de toujours sourire et de chanter toujours ?

« Est-ce que, nous sentant errer dans vos retraites,
Fantômes reconnus par vos monts et vos bois,
Vous ne nous direz pas de ces choses secrètes
120 Qu'on dit en revoyant des amis d'autrefois ?

« Est-ce que vous pourriez, sans tristesse et sans plainte,
Voir nos ombres flotter où marchèrent nos pas,
Et la voir m'entraîner, dans une morne étreinte,
Vers quelque source en pleurs qui sanglote tout bas ?

« Et s'il est quelque part, dans l'ombre où rien ne veille,
Deux amants sous vos fleurs abritant leurs transports,
Ne leur irez-vous pas murmurer à l'oreille :
– "Vous qui vivez, donnez une pensée aux morts !"

« Dieu nous prête un moment les prés et les fontaines,
130 Les grands bois frissonnants, les rocs profonds et sourds,
Et les cieux azurés et les lacs et les plaines,
Pour y mettre nos cœurs, nos rêves, nos amours !

« Puis il nous les retire. Il souffle notre flamme.
Il plonge dans la nuit l'antre où nous rayonnons
Et dit à la vallée, où s'imprima notre âme,
D'effacer notre trace et d'oublier nos noms.

« Eh bien ! oubliez-nous, maison, jardin, ombrages !
Herbe, use notre seuil ! ronce, cache nos pas !
Chantez, oiseau ! ruisseaux, coulez ! croissez, feuillages !
140 Ceux que vous oubliez ne vous oublieront pas.

« Car vous êtes pour nous l'ombre de l'amour même !
Vous êtes l'oasis qu'on rencontre en chemin !
Vous êtes, ô vallon, la retraite suprême
Où nous avons pleuré nous tenant par la main !

« Toutes les passions s'éloignent avec l'âge,
L'une emportant son masque et l'autre son couteau,
Comme un essaim chantant d'histrions en voyage
Dont le groupe décroît derrière le coteau.

« Mais toi, rien ne t'efface, Amour ! toi qui nous charmes !
150 Toi qui, torche ou flambeau, luis dans notre brouillard !
Tu nous tiens par la joie, et surtout par les larmes ;
Jeune homme on te maudit, on t'adore vieillard.

« Dans ces jours où la tête au poids des ans s'incline,
Où l'homme, sans projets, sans but, sans visions,
Sent qu'il n'est déjà plus qu'une tombe en ruine
Où gisent ses vertus et ses illusions ;

« Quand notre âme en rêvant descend dans nos entrailles,
Comptant dans notre cœur, qu'enfin la glace atteint,
Comme on compte les morts sur un champ de batailles,
160 Chaque douleur tombée et chaque songe éteint,

« Comme quelqu'un qui cherche en tenant une lampe,
Loin des objets réels, loin du monde rieur,
Elle arrive à pas lents par une obscure rampe
Jusqu'au fond désolé du gouffre intérieur ;

« Et là, dans cette nuit qu'aucun rayon n'étoile,
L'âme, en un repli sombre où tout semble finir,
Sent quelque chose encor palpiter sous un voile...
C'est toi qui dors dans l'ombre, ô sacré souvenir !»

21 octobre 1837.

*Ibid.*, XXXIV.

---

(p. 97-101)
**1.** Quelle est la structure générale du poème ? celle de la méditation ? noter les procédés stylistiques qui les soulignent (jeu des temps verbaux, des pronoms, rhétorique...).
**2.** Comparer la mise en œuvre du thème du souvenir dans *Tristesse d'Olympio* et dans *Harmonie du soir* de Baudelaire (p. 203).
**3.** Le sentiment de la nature dans *Tristesse d'Olympio (cf. Soleil couchant* p. 93). Comparer les rapports de l'homme et de la nature ici, dans *Le lac* de Lamartine (p. 57) et *La maison du berger* de Vigny (p. 65).

## LES CONTEMPLATIONS (1856)

La composition du recueil est le fruit d'une longue élaboration : encadrant l'ouvrage, un court poème liminaire, et un long poème final "A celle qui est restée en France". Les cent cinquante-six poèmes se répartissent en un vaste dyptique :

Tome I

"Autrefois" 1830-1843 (en trois livres) : "Aurore" (29 poèmes); "L'âme en fleur" (28 poèmes); "Les luttes et les rêves" (30 poèmes).

Tome II

"Aujourd'hui" 1843-1855 (en trois livres également) : "Pauca meae" (17 poèmes); "En marche" (26 poèmes); "Au bord de l'infini" (26 poèmes).

La préface présente l'œuvre comme "les mémoires d'une âme" et en souligne, de façon quasi classique, l'universalité : "Vingt-cinq années sont dans ces deux volumes... L'auteur a laissé, pour ainsi dire, ce livre se faire en lui. La vie, en filtrant goutte à goutte les événements et les souffrances, l'a déposé dans son cœur. Ceux qui s'y pencheront retrouveront leur propre image dans cette eau profonde et triste qui s'est lentement amassée là, au fond d'une âme... Ah! insensé qui crois que je ne suis pas toi!"

La mort est le thème organisateur : "Nous venons de le dire, c'est une âme qui se raconte dans ces deux volumes : *Autrefois, Aujourd'hui*. Un abîme les sépare, le tombeau."

Tombeau de Léopoldine bien sûr; de sa mort en 1843 datent la grande secousse et l'effort du poète pour affronter l'abîme. Celle de Claire Pradier, fille de Juliette Drouet, en 1846, renouvelle le deuil. Mais le poète – Orphée se considère lui-même comme mort : "Ce livre doit être lu comme on lirait le livre d'un mort" : 19 poèmes datent de 1845-46, période où le poète, attaqué publiquement, se replie sur lui-même. L'exil de 1851 parachève la coupure. "L'exil ne m'a pas seulement détaché de la France, écrit-il à Villemain le 9 mai 1856, il m'a presque détaché de la terre, et il y a des instants où je me sens comme mort et où il me semble que je vis déjà de la grande et sublime vie intérieure." "J'habite l'ombre" : de la maison d'exil "adossée au mur de la ville des tombes", le poète, mort au monde, médite sa vie.

La composition antithétique reflète l'évolution : "On ne s'étonnera pas de voir, nuance à nuance, ces deux volumes s'assombrir pour arriver cependant, à l'azur d'une vie meilleure. *Autrefois* chante rétrospectivement la vie, les images frémissantes de l'amour, de l'enfant, de la nature, "les amours dans les bois près des nids palpitants"; le regard s'enivre de la diversité harmonieuse de l'immense univers. Dans *Aujourd'hui*, le monde sensible s'efface; la méditation "choisit la verticalité de l'abîme et de l'angoisse, la plongée dans une nuit profonde", hantée par la présence divine, et se veut connaissance. Echos des voix mystérieuses des tables tournantes, certains poèmes, comme "La bouche d'ombre", "révèlent" quelque peu du mystère. Mais la nuit demeure : le poème final, plus humble, dédie l'œuvre au tombeau et restaure l'énigme :

« Le contemplateur, triste et meurtri, mais serein
Mesure le problème aux murailles d'airain,
Cherche à distinguer l'aube à travers les prodiges,
Se penche frémissant, au puits des grands vertiges,
Suit de l'œil des blancheurs qui passent, alcyons,
Et regarde, pensif, s'étoiler de rayons,
De clartés, de lueurs, vaguement enflammées
Le gouffre monstrueux plein d'énormes fumées. »

Un jour je vis, debout au bord des flots mouvants,
  Passer, gonflant ses voiles,
Un rapide navire enveloppé de vents,
  De vagues et d'étoiles;

Et j'entendis, penché sur l'abîme des cieux,
  Que l'autre abîme touche,
Me parler à l'oreille une voix dont mes yeux
  Ne voyaient pas la bouche :

« Poète, tu fais bien! Poète au triste front,
  Tu rêves près des ondes,
Et tu tires des mers bien des choses qui sont
  Sous les vagues profondes!

La mer, c'est le Seigneur, que, misère ou bonheur,
  Tout destin montre et nomme;
Le vent, c'est le Seigneur; l'astre, c'est le Seigneur;
  Le navire, c'est l'homme. »

Juin 1839.


## MES DEUX FILLES

Dans le frais clair-obscur du soir charmant qui tombe,
L'une pareille au cygne et l'autre à la colombe,
Belles, et toutes deux joyeuses, ô douceur!
Voyez, la grande sœur et la petite sœur
Sont assises au seuil du jardin, et sur elles
Un bouquet d'œillets blancs aux longues tiges frêles,
Dans une urne de marbre agité par le vent,
Se penche, et les regarde, immobile et vivant,
Et frissonne dans l'ombre, et semble, au bord du vase,
Un vol de papillons arrêté dans l'extase.

La Terrasse, près d'Enghien, juin 1842.
I, 3.

---

Réel et invisible. Montrer comment l'impressionnisme (avant la lettre) de la description (voir les verbes, adjectifs, images, le rythme) suggère une présence invisible.

---

## VIEILLE CHANSON DU JEUNE TEMPS

Je ne songeais pas à Rose;
Rose au bois vint avec moi;
Nous parlions de quelque chose,
Mais je ne sais plus de quoi.

J'étais froid comme les marbres;
Je marchais à pas distraits;
Je parlais des fleurs, des arbres;
Son œil semblait dire : « Après? »

La rosée offrait ses perles,
10 Le taillis ses parasols;
J'allais; j'écoutais les merles,
Et Rose les rossignols.

Moi, seize ans, et l'air morose.
Elle vingt; ses yeux brillaient.
Les rossignols chantaient Rose
Et les merles me sifflaient.

Rose, droite sur ses hanches,
Leva son beau bras tremblant
Pour prendre une mûre aux branches;
20 Je ne vis pas son bras blanc.

Une eau courait, fraîche et creuse,
Sur les mousses de velours;
Et la nature amoureuse
Dormait dans les grands bois sourds.

Rose défit sa chaussure,
Et mit, d'un air ingénu,
Son petit pied dans l'eau pure;
Je ne vis pas son pied nu.

Je ne savais que lui dire;
30 Je la suivais dans le bois,
La voyant parfois sourire
Et soupirer quelquefois.

Je ne vis qu'elle était belle
Qu'en sortant des grands bois sourds.
« Soit; n'y pensons plus! » dit-elle.
Depuis, j'y pense toujours.

Paris, juin 1831.
I, 19.

---

Elle était déchaussée, elle était décoiffée,
Assise, les pieds nus, parmi les joncs penchants;
Moi qui passais par là, je crus voir une fée,
Et je lui dis : Veux-tu t'en venir dans les champs?

Elle me regarda de ce regard suprême
Qui reste à la beauté quand nous en triomphons,
Et je lui dis : Veux-tu, c'est le mois où l'on aime,
Veux-tu nous en aller sous les arbres profonds?

Elle essuya ses pieds à l'herbe de la rive;
Elle me regarda pour la seconde fois,
Et la belle folâtre alors devint pensive.
Oh! comme les oiseaux chantaient au fond des bois!

Comme l'eau caressait doucement le rivage!
Je vis venir à moi, dans les grands roseaux verts,.
La belle fille heureuse, effarée et sauvage,
Ses cheveux dans ses yeux, et riant au travers.

Mont-L'Am., juin 183...
I, 21.

---

(p. 103-105)
1. Chanson ou vision : deux poèmes sur un même thème. Comparer la structure narrative de la chanson et celle du poème (durée ou instantanéité, choix de la strophe et du vers, importance relative des personnages).
2. La fille sauvage : l'accord de la jeune fille et de la nature; nature et sensualité.

---

## MELANCHOLIA

Écoutez. Une femme au profil décharné,
Maigre, blême, portant un enfant étonné,
Est là qui se lamente au milieu de la rue.
La foule, pour l'entendre, autour d'elle se rue.
Elle accuse quelqu'un, une autre femme, ou bien
Son mari. Ses enfants ont faim. Elle n'a rien ;
Pas d'argent ; pas de pain ; à peine un lit de paille.
L'homme est au cabaret pendant qu'elle travaille.
Elle pleure, et s'en va. Quand ce spectre a passé,
10   O penseurs, au milieu de ce groupe amassé,
Qui vient de voir le fond d'un cœur qui se déchire,
Qu'entendez-vous toujours? Un long éclat de rire.

(...)
Où vont tous ces enfants dont pas un seul ne rit?
Ces doux êtres pensifs que la fièvre maigrit ?
Ces filles de huit ans qu'on voit cheminer seules?
Ils s'en vont travailler quinze heures sous des meules ;
Ils vont, de l'aube au soir, faire éternellement
Dans la même prison le même mouvement.
Accroupis sous les dents d'une machine sombre,
20   Monstre hideux qui mâche on ne sait quoi dans l'ombre,
Innocents dans un bagne, anges dans un enfer,
Ils travaillent. Tout est d'airain, tout est de fer.
Jamais on ne s'arrête et jamais on ne joue.
Aussi quelle pâleur! la cendre est sur leur joue.
Il fait à peine jour, ils sont déjà bien las.
Ils ne comprennent rien à leur destin, hélas!
Ils semblent dire à Dieu : « Petits comme nous sommes,
Notre père, voyez ce que nous font les hommes! »
O servitude infâme imposée à l'enfant!
30   Rachitisme! travail dont le souffle étouffant
Défait ce qu'a fait Dieu; qui tue, œuvre insensée,
La beauté sur les fronts, dans les cœurs la pensée,
Et qui ferait — c'est là son fruit le plus certain! —
D'Apollon un bossu, de Voltaire un crétin! —
Travail mauvais qui prend l'âge tendre en sa serre,

Qui produit la richesse en créant la misère,
Qui se sert d'un enfant ainsi que d'un outil!
Progrès dont on demande : « Où va-t-il? que veut-il?»
Qui brise la jeunesse en fleur! qui donne, en somme,
40 Une âme à la machine et la retire à l'homme!
Que ce travail, haï des mères, soit maudit!
Maudit comme le vice où l'on s'abâtardit,
Maudit comme l'opprobre et comme le blasphème!
O Dieu! qu'il soit maudit au nom du travail même,
Au nom du vrai travail, sain, fécond, généreux,
Qui fait le peuple libre et qui rend l'homme heureux!
(...)

III, 2.

L'indignation du poète : comment est-elle rendue sensible par les procédés de style,
le rythme, le vocabulaire, les images ? Comment cette dénonciation d'un scandale
se concilie-t-elle avec l'optimisme fondamental de Hugo ?

Demain, dès l'aube, à l'heure où blanchit la campagne,
Je partirai. Vois-tu, je sais que tu m'attends.
J'irai par la forêt, j'irai par la montagne.
Je ne puis demeurer loin de toi plus longtemps.

Je marcherai les yeux fixés sur mes pensées,
Sans rien voir au dehors, sans entendre aucun bruit,
Seul, inconnu, le dos courbé, les mains croisées,
Triste, et le jour pour moi sera comme la nuit.

Je ne regarderai ni l'or du soir qui tombe,
Ni les voiles au loin descendant vers Harfleur,
Et quand j'arriverai, je mettrai sur ta tombe
Un bouquet de houx vert et de bruyère en fleur.

3 septembre 1847
IV, 14.

## MORS

Je vis cette faucheuse. Elle était dans son champ.
Elle allait à grands pas moissonnant et fauchant,
Noir squelette laissant passer le crépuscule.
Dans l'ombre où l'on dirait que tout tremble et recule,
L'homme suivait des yeux les lueurs de la faulx.
Et les triomphateurs sous les arcs triomphaux
Tombaient; elle changeait en désert Babylone,
Le trône en échafaud et l'échafaud en trône,
Les roses en fumier, les enfants en oiseaux,
10 L'or en cendre, et les yeux des mères en ruisseaux.
Et les femmes criaient : – Rends-nous ce petit être.

Goya (1746-1828), *Mala Mujer (méchante femme)*, dessin.
(Cabinet des dessins, Musée du Louvre, Paris.)

Pour le faire mourir, pourquoi l'avoir fait naître ? —
Ce n'était qu'un sanglot sur terre, en haut, en bas ;
Des mains aux doigts osseux sortaient des noirs grabats ;
Un vent froid bruissait dans les linceuls sans nombre ;
Les peuples éperdus semblaient sous la faulx sombre
Un troupeau frissonnant qui dans l'ombre s'enfuit ;
Tout était sous ses pieds deuil, épouvante et nuit.
Derrière elle, le front baigné de douces flammes,
20  Un ange souriant portait la gerbe d'âmes.

Mars 1854.
IV, 16.

## PAROLES SUR LA DUNE

Maintenant que mon temps décroît comme un flambeau,
    Que mes tâches sont terminées ;
Maintenant que voici que je touche au tombeau
    Par les deuils et par les années,

Et qu'au fond de ce ciel que mon essor rêva,
    Je vois fuir, vers l'ombre entraînées,
Comme le tourbillon du passé qui s'en va,
    Tant de belles heures sonnées ;

Maintenant que je dis : — Un jour, nous triomphons ;
10      Le lendemain, tout est mensonge ! —
Je suis triste, et je marche au bord des flots profonds,
    Courbé comme celui qui songe.

Je regarde, au-dessus du mont et du vallon,
    Et des mers sans fin remuées,
S'envoler, sous le bec du vautour aquilon,
    Toute la toison des nuées ;

J'entends le vent dans l'air, la mer sur le récif,
    L'homme liant la gerbe mûre ;
J'écoute et je confronte en mon esprit pensif
20      Ce qui parle à ce qui murmure ;

Et je reste parfois couché sans me lever
    Sur l'herbe rare de la dune,
Jusqu'à l'heure où l'on voit apparaître et rêver
    Les yeux sinistres de la lune.

Elle monte, elle jette un long rayon dormant
    A l'espace, au mystère, au gouffre ;
Et nous nous regardons tous les deux fixement,
    Elle qui brille et moi qui souffre.

Où donc s'en sont allés mes jours évanouis ?
30      Est-il quelqu'un qui me connaisse ?
Ai-je encor quelque chose en mes yeux éblouis,
    De la clarté de ma jeunesse ?

Tout s'est-il envolé? Je suis seul, je suis las;
    J'appelle sans qu'on me réponde;
O vents! ô flots! ne suis-je aussi qu'un souffle, hélas!
    Hélas! ne suis-je aussi qu'une onde?

Ne verrai-je plus rien de tout ce que j'aimais?
    Au dedans de moi le soir tombe.
O terre, dont la brume efface les sommets,
40    Suis-je le spectre, et toi la tombe?

Ai-je donc vidé tout, vie, amour, joie, espoir?
    J'attends, je demande, j'implore;
Je penche tour à tour mes urnes pour avoir
    De chacune une goutte encore!

Comme le souvenir est voisin du remord!
    Comme à pleurer tout nous ramène!
Et que je te sens froide en te touchant, ô mort,
    Noir verrou de la porte humaine!

Et je pense, écoutant gémir le vent amer,
50    Et l'onde aux plis infranchissables;
L'été rit, et l'on voit sur le bord de la mer
    Fleurir le chardon bleu des sables.

5 août 1854, anniversaire de mon arrivée à Jersey.
V, 13.

## LE PONT

J'avais devant les yeux les ténèbres. L'abîme
Qui n'a pas de rivage et qui n'a pas de cime
Etait là, morne, immense; et rien n'y remuait.
Je me sentais perdu dans l'infini muet.
Au fond, à travers l'ombre, impénétrable voile,
On apercevait Dieu comme une sombre étoile.
Je m'écriai : − Mon âme, ô mon âme! il faudrait,
Pour traverser ce gouffre où nul bord n'apparaît,
Et pour qu'en cette nuit jusqu'à ton Dieu tu marches,
10 Bâtir un pont géant sur des millions d'arches.
Qui le pourra jamais? Personne! ô deuil! effroi!
Pleure! − Un fantôme blanc se dressa devant moi
Pendant que je jetais sur l'ombre un œil d'alarme,
Et ce fantôme avait la forme d'une larme;
C'était un front de vierge avec des mains d'enfant;
Il ressemblait au lys que la blancheur défend;
Ses mains en se joignant faisaient de la lumière.
Il me montra l'abîme où va toute poussière,
Si profond, que jamais un écho n'y répond,
20 Et me dit : − Si tu veux, je bâtirai le pont.
Vers ce pâle inconnu je levai ma paupière.
− Quel est ton nom? lui dis-je. Il me dit : − La prière.

Jersey, décembre 1852.
VI, 1.

# ÉCLAIRCIE

L'Océan resplendit sous sa vaste nuée.
L'onde, de son combat sans fin exténuée,
S'assouplit, et, laissant l'écueil se reposer,
Fait de toute la rive un immense baiser.
On dirait qu'en tous lieux, en même temps, la vie
Dissout le mal, le deuil, l'hiver, la nuit, l'envie,
Et que le mort couché dit au vivant debout :
Aime! et qu'une âme obscure, épanouie en tout,
Avance doucement sa bouche vers nos lèvres.
10  L'être, éteignant dans l'ombre et l'extase ses fièvres,
Ouvrant ses flancs, ses seins, ses yeux, ses cœurs épars,
Dans ses pores profonds reçoit de toutes parts
La pénétration de la sève sacrée.
La grande paix d'en haut vient comme une marée.
Le brin d'herbe palpite aux fentes du pavé ;
Et l'âme a chaud. On sent que le nid est couvé.
L'infini semble plein d'un frisson de feuillée.
On croit être à cette heure où la terre éveillée
Entend le bruit que fait l'ouverture du jour,
20  Le premier pas du vent, du travail, de l'amour,
De l'homme, et le verrou de la porte sonore,
Et le hennissement du blanc cheval aurore.
Le moineau d'un coup d'aile, ainsi qu'un fol esprit,
Vient taquiner le flot monstrueux qui sourit ;
L'air joue avec la mouche et l'écume avec l'aigle ;
Le grave laboureur fait ses sillons et règle
La page où s'écrira le poème des blés ;
Des pêcheurs sont là-bas sous un pampre attablés ;
L'horizon semble un rêve éblouissant où nage
30  L'écaille de la mer, la plume du nuage,
Car l'Océan est hydre et le nuage oiseau.
Une lueur, rayon vague, part du berceau
Qu'une femme balance au seuil d'une chaumière,
Dore les champs, les fleurs, l'onde, et devient lumière
En touchant un tombeau qui dort près du clocher.
Le jour plonge au plus noir du gouffre, et va chercher
L'ombre, et la baise au front sous l'eau sombre et hagarde.
Tout est doux, calme, heureux, apaisé ; Dieu regarde.

Marine-Terrace, juillet 1855.

VI, 10.

---

(p. 106-110)
**1.** L'itinéraire spirituel du deuil à l'espoir et à la réconciliation avec le monde : selon les divers genres – confidence, allégorie, méditation, vision - que désigne le "je"? quel est le mouvement intérieur de chaque poème? quels sont les rapports du poète et de la nature? quels sont les différents types de rêverie?
**2.** Images : comment le caractère visionnaire né de l'angoisse ou de l'espoir renouvelle-t-il le symbolisme traditionnel (*cf. Mors* et *Le pont*)? Dans *Eclaircie* montrer le double plan descriptif et symbolique du poème et la thématique de la vie à travers les images de lumière et de fécondité.

# CE QUE DIT LA BOUCHE D'OMBRE

*"L'homme en songeant descend au gouffre universel."* *Fragment d'une cosmogonie hugolienne que l'on retrouve dans* La fin de Satan *et* Dieu, *ce poème se présente comme la révélation faite au songeur solitaire par un spectre, "être sombre et tranquille". Le début du poème évoque l'unité vivante de l'univers.*

*Puis le spectre évoque la création, nécessairement imparfaite pour être distincte du créateur, l'apparition du mal, liée à la pesanteur de la matière et à l'éloignement du foyer de lumière originel.*

(...)
Faisons un pas de plus dans ces choses profondes.

Homme, tu veux, tu fais, tu construis et tu fondes,
Et tu dis : — Je suis seul, car je suis le penseur.
L'univers n'a que moi dans sa morne épaisseur.
En deçà, c'est la nuit; au delà, c'est le rêve.
L'idéal est un œil que la science crève.
C'est moi qui suis la fin et qui suis le sommet. —
Voyons : observes-tu le bœuf qui se soumet?
Ecoutes-tu le bruit de ton pas sur les marbres?
10  Interroges-tu l'onde? et, quand tu vois des arbres,
Parles-tu quelquefois à ces religieux?
Comme sur le versant d'un mont prodigieux,
Vaste mêlée aux bruits confus, du fond de l'ombre,
Tu vois monter à toi la création sombre.
Le rocher est plus loin, l'animal est plus près.
Comme le faîte altier et vivant, tu parais!
Mais, dis, crois-tu que l'être illogique nous trompe?
L'échelle que tu vois, crois-tu qu'elle se rompe?
Crois-tu, toi dont les sens d'en haut sont éclairés,
20  Que la création qui, lente et par degrés,
S'élève à la lumière, et, dans sa marche entière,
Fait de plus de clarté luire moins de matière
Et mêle plus d'instincts au monstre décroissant,
Crois-tu que cette vie énorme, remplissant
De souffles le feuillage et de lueurs la tête,
Qui va du roc à l'arbre et de l'arbre à la bête,
Et de la pierre à toi monte insensiblement,
S'arrête sur l'abîme à l'homme, escarpement?
Non, elle continue, invincible, admirable,
30  Entre dans l'invisible et dans l'impondérable,
Y disparaît pour toi, chair vile, emplit l'azur
D'un monde éblouissant, miroir du monde obscur,
D'êtres voisins de l'homme et d'autres qui s'éloignent,
D'esprits purs, de voyants dont les splendeurs témoignent,
D'anges faits de rayons comme l'homme d'instincts;
Elle plonge à travers les cieux jamais atteints,
Sublime ascension d'échelles étoilées,
Des démons enchaînés monte aux âmes ailées,
Fait toucher le front sombre au radieux orteil,
40  Rattache l'astre esprit à l'archange soleil,
Relie, en traversant des millions de lieues,

Les groupes constellés et les légions bleues,
Peuple le haut, le bas, les bords et le milieu,
Et dans les profondeurs s'évanouit en Dieu!

Cette échelle apparaît vaguement dans la vie
Et dans la mort. Toujours les justes l'ont gravie;
Jacob en la voyant[1], et Caton sans la voir.
Ses échelons sont deuil, sagesse, exil, devoir.
Et cette échelle vient de plus loin que la terre.
50  Sache qu'elle commence aux mondes du mystère,
Aux mondes des terreurs et des perditions;
Et qu'elle vient, parmi les pâles visions,
Du précipice où sont les larves et les crimes,
Où la création, effrayant les abîmes,
Se prolonge dans l'ombre en spectre indéfini.
Car, au-dessous du globe où vit l'homme banni,
Hommes, plus bas que vous, dans le nadir livide,
Dans cette plénitude horrible qu'on croit vide,
Le mal, qui par la chair, hélas! vous asservit,
60  Dégorge une vapeur monstrueuse qui vit!
Là sombre et s'engloutit, dans des flots de désastres,
L'hydre Univers tordant son corps écaillé d'astres;
Là, tout flotte et s'en va dans un naufrage obscur;
Dans ce gouffre sans bord, sans soupirail, sans mur,
De tout ce qui vécut pleut sans cesse la cendre;
Et l'on voit tout au fond, quand l'œil ose y descendre,
Au delà de la vie, et du souffle et du bruit,
Un affreux soleil noir d'où rayonne la nuit[2]!
(...)

VI, 26.

1. Allusion à la *Genèse,* XXVIII, 10-12. 2. L'image du "soleil noir" se trouve déjà dans *l'Apocalypse* (VI. 12), dans le poème de Gautier *Mélancholia* inspiré par Dürer (1834) et dans *El Desdichado* de Nerval (*cf.* p. 164).

(p. 111-112)
**1.** Par quels procédés Hugo évoque-t-il les deux infinis ?
**2.** Préciser les thématiques antithétiques des deux infinis.

## LES CHÂTIMENTS

En 1852, Hugo rêvait de faire "le pendant naturel" en vers de son pamphlet *Napoléon le petit,* publié la même année. Après avoir songé à en faire la deuxième partie des *Contemplations,* il réservera à un recueil autonome ces poèmes de la colère et de la vengeance. "La structure de l'œuvre s'édifie, écrit P. Albouy, avec "Nox", du 16 au 22 novembre, "L'expiation", du 25 au 30, et "Lux", du 16 au 20 décembre. Le mouvement qui conduit de l'un à l'autre de ces poèmes majeurs et qui constituent *Les châtiments* animera aussi bien les autres grandes œuvres de l'exil; il se traduit en effet par la formule Chute-Expiation-Rédemption."

L'ouvrage se divise en sept chapitres aux titres ironiques : "La société est sauvée"; "L'ordre est rétabli"; "La famille est restaurée"; "La religion est glorifiée"; "L'autorité est sacrée"; "La stabilité est assurée"; "Les sauveurs se sauveront".

> « Je serai sous le sac de cendres qui me couvre
> La voix qui dit : malheur! la bouche qui dit : non!»

Le poète exilé se sent investi d'un nouveau rôle, de justicier et de prophète. Contre celui qui asservit la France et ses complices, il multiplie invectives, satires, caricatures, anathèmes. Si l'histoire devient "cloaque" abject, "morne abîme", la parole prophétique annonce aussi "le rude et fatal châtiment", prélude de renouveau : "Mais ces jours effrayants seront des jours sublimes" (VII, 9). Le souffle de la liberté passe dans cette œuvre violente, qui sait trouver des tons simples - dans les chansons - ou plus fraternels pour évoquer la mort des enfants. Le poète d'*Ultima verba,* qui en 1859 refusera l'amnistie - "Et s'il n'en reste qu'un, je serai celui-là" - devient peu à peu, pour les opposants républicains et les jeunes, le symbole de l'esprit de résistance :

> « Je suis le caillou d'or et de feu que Dieu jette
> Comme une fronde au front noir de la nuit;
> Je suis ce qui renaît, quand un monde est détruit.
> O Nations! Je suis la poésie ardente" *(Stella)*

## L'EXPIATION

### I

Il neigeait. On était vaincu par sa conquête.
Pour la première fois l'aigle baissait la tête.
Sombres jours! l'empereur revenait lentement,
Laissant derrière lui brûler Moscou fumant.
Il neigeait. L'âpre hiver fondait en avalanche.
Après la plaine blanche une autre plaine blanche.
On ne connaissait plus les chefs ni le drapeau.
Hier la grande armée, et maintenant troupeau.
On ne distinguait plus les ailes ni le centre :
10  Il neigeait. Les blessés s'abritaient dans le ventre
Des chevaux morts; au seuil des bivouacs désolés
On voyait des clairons à leur poste gelés
Restés debout, en selle et muets, blancs de givre,
Collant leur bouche en pierre aux trompettes de cuivre.
Boulets, mitraille, obus, mêlés aux flocons blancs,
Pleuvaient; les grenadiers, surpris d'être tremblants,
Marchaient pensifs, la glace à leur moustache grise.

Il neigeait, il neigeait toujours ! la froide bise
Sifflait ; sur le verglas, dans des lieux inconnus,
20 On n'avait pas de pain et l'on allait pieds nus
Ce n'étaient plus des cœurs vivants, des gens de guerre ;
C'était un rêve errant dans la brume, un mystère,
Une procession d'ombres sous le ciel noir.
La solitude vaste, épouvantable à voir,
Partout apparaissait, muette vengeresse.
Le ciel faisait sans bruit avec la neige épaisse
Pour cette immense armée un immense linceul.
Et, chacun se sentant mourir, on était seul.
– Sortira-t-on jamais de ce funeste empire ?
30 Deux ennemis ! le Czar, le Nord. Le Nord est pire.
On jetait les canons pour brûler les affûts.
Qui se couchait, mourait. Groupe morne et confus,
Ils fuyaient ; le désert dévorait le cortège.
On pouvait, à des plis qui soulevaient la neige,
Voir que des régiments s'étaient endormis là.
O chutes d'Annibal ! Lendemains d'Attila !
Fuyards, blessés, mourants, caissons, brancards, civières,
On s'écrasait aux ponts pour passer les rivières.
On s'endormait dix mille, on se réveillait cent.
40 Ney, que suivait naguère une armée, à présent
S'évadait, disputant sa montre à trois cosaques.
Toutes les nuits, qui vive ! alerte, assauts ! attaques !
Ces fantômes prenaient leur fusil, et sur eux
Ils voyaient se ruer, effrayants, ténébreux,
Avec des cris pareils aux voix des vautours chauves,
D'horribles escadrons, tourbillons d'hommes fauves.
Toute une armée ainsi dans la nuit se perdait.
L'empereur était là, debout, qui regardait.
Il était comme un arbre en proie à la cognée.
50 Sur ce géant, grandeur jusqu'alors épargnée,
Le malheur, bûcheron sinistre, était monté ;
Et lui, chêne vivant, par la hache insulté,
Tressaillant sous le spectre aux lugubres revanches,
Il regardait tomber autour de lui ses branches.
Chefs, soldats, tous mouraient. Chacun avait son tour.
Tandis qu'environnant sa tente avec amour,
Voyant son ombre aller et venir sur la toile,
Ceux qui restaient, croyant toujours à son étoile,
Accusaient le destin de lèse-majesté,
60 Lui se sentit soudain dans l'âme épouvanté.
Stupéfait du désastre et ne sachant que croire,
L'empereur se tourna vers Dieu ; l'homme de gloire
Trembla ; Napoléon comprit qu'il expiait
Quelque chose peut-être, et, livide, inquiet,
Devant ses légions sur la neige semées :
– Est-ce le châtiment, dit-il, Dieu des armées ? –
Alors il s'entendit appeler par son nom
Et quelqu'un qui parlait dans l'ombre lui dit : non.
(...)

V, 13.

## CHANSON

Sa grandeur éblouit l'histoire.
   Quinze ans, il fut
Le dieu qui traînait la victoire
   Sur un affût;
L'Europe sous la loi guerrière
   Se débattit. –
Toi, son singe, marche derrière,
   Petit, petit.

   Napoléon dans la bataille,
10    Grave et serein,
Guidait à travers la mitraille
   L'aigle d'airain.
Il entra sur le pont d'Arcole,
   Il en sortit. –
Voici de l'or, viens, pille et vole,
   Petit, petit.

Berlin, Vienne, étaient ses maîtresses;
   Il les forçait,
Leste, et prenant les forteresses
20    Par le corset;
Il triompha de cent bastilles
   Qu'il investit. –
Voici pour toi, voici des filles,
   Petit, petit.

Il passait les monts et les plaines,
   Tenant en main
La palme, la foudre et les rênes
   Du genre humain;
Il était ivre de sa gloire
30    Qui retentit. –
Voici du sang, accours, viens boire,
   Petit, petit.

Quand il tomba, lâchant le monde,
   L'immense mer
Ouvrit à sa chute profonde
   Son gouffre amer;
Il y plongea, sinistre archange,
   Et s'engloutit. –
Toi, tu te noieras dans la fange,
40    Petit, petit.

Jersey, septembre 1853.
VII, 6.

## LE SOUTIEN DES EMPIRES[1]

Puisque ce monde existe, il sied qu'on le tolère.
Sachons considérer les êtres sans colère.
Cet homme est le bourgeois du siècle où nous vivons.
Autrefois il vendait des suifs et des savons,
Maintenant il est riche; il a prés, bois, vignobles.
Il déteste le peuple, il n'aime pas les nobles;
Etant fils d'un portier, il trouve en ce temps-ci
Inutile qu'on soit fils des Montmorency.
Il est sévère. Il est vertueux. Il est membre,
10 Ayant de bons tapis sous les pieds en décembre,
Du grand parti de l'ordre et des honnêtes gens.
Il hait les amoureux et les intelligents;
Il fait un peu l'aumône, il fait un peu l'usure;
Il dit du progrès saint, de la liberté pure,
Du droit des nations : je ne veux pas de ça!
Il a ce gros bon sens du cher Sancho Pança
Qui laisserait mourir à l'hôpital Cervantes;
Il admire Boileau, caresse les servantes,
Et crie, après avoir chiffonné Jeanneton,
20 A l'immoralité du roman feuilleton.
A la messe où sans faute il va chaque dimanche,
Il porte sous son bras Jésus doré sur tranche,
La crèche, le calvaire et le *Dies illa.*
– Non qu'entre nous je croie à ces bêtises-là,
Nous dit-il. – S'il y va, cela tient à sa gloire,
C'est que le peuple vil croira, le voyant croire,
C'est qu'il faut abrutir ces gens, car ils ont faim,
C'est qu'un bon Dieu quelconque est nécessaire enfin.
Là-dessus, rangez-vous, le suisse frappe, il entre,
30 Il étale au banc d'œuvre un majestueux ventre,
Fier de sentir qu'il prend, dans sa dévotion,
Le peuple en laisse et Dieu sous sa protection.

---

1. Texte non daté qui semble faire partie des portraits satiriques destinés à l'ensemble *Religions et religion* (vers 1870), inséré dans *Portefeuille poétique* ("Livre satirique", 7).

## L'ANNÉE TERRIBLE (1872)

Conçue initialement en février 1871 comme une chronique, *Paris assiégé,* c'est en juin de la même année que l'œuvre trouve sa forme et son titre définitifs. Hugo est alors réfugié au Luxembourg, à Vianden, après la lapidation de sa maison à Bruxelles (27  mai) et son expulsion de Belgique pour s'être opposé à la fermeture des frontières belges aux communards fuyant la répression versaillaise.

Face à la lutte fraticide qui a suivi l'humiliation et les misères de l'occupation, Hugo, s'il déplore la violence des deux camps, comprend la soif de dignité et de liberté qui soulève Paris insurgé et fidèle à son passé révolutionnaire, dénonce l'incendie de Paris, la répression sanglante des Versaillais. L'appel à la raison est doublé d'un appel à la justice. Derrière l'engrenage des violences, le poète dénonce les responsables, les partisans du pouvoir absolu, la misère sociale. L'"Epilogue" prophétise l'engloutissement du vieux monde : «Les vieilles lois, les vieux obstacles, les vieux freins,/ Ignorance, misère et néant, souterrains/ Où meurt le fol espoir, bagne profond de l'âme,/ L'ancienne autorité de l'homme sur la femme,/ Le grand banquet muré pour les déshérités,/ Les superstitions et les fatalités.»

## BÊTISE DE LA GUERRE

Ouvrière sans yeux, Pénélope imbécile,
Berceuse du chaos où le néant oscille,
Guerre, ô guerre occupée au choc des escadrons,
Toute pleine du bruit furieux des clairons,
Ô buveuse de sang, qui, farouche, flétrie,
Hideuse, entraînes l'homme en cette ivrognerie,
Nuée où le destin se déforme, où Dieu fuit,
Où flotte une clarté plus noire que la nuit,
Folle immense, de vent et de foudres armée,
A quoi sers-tu, géante, à quoi sers-tu, fumée,
Si tes écroulements reconstruisent le mal,
Si pour le bestial tu chasses l'animal,
Si tu ne sais, dans l'ombre où ton hasard se vautre,
Défaire un empereur que pour en faire un autre?

Janvier 1871.
III.

## LES FUSILLÉS

Guerre qui veut Tacite et qui repousse Homère!
La victoire s'achève en massacre sommaire.
Ceux qui sont satisfaits sont furieux; j'entends
Dire : — Il faut en finir avec les mécontents. —
Alceste est aujourd'hui fusillé par Philinte.
Faites.

Partout la mort. Eh bien, pas une plainte.
O blé que le destin fauche avant qu'il soit mûr!
O peuple!

On les amène au pied de l'affreux mur.
C'est bien. Ils ont été battus du vent contraire.
10 L'homme dit au soldat qui l'ajuste : Adieu, frère.
La femme dit : – Mon homme est tué. C'est assez.
Je ne sais s'il eut tort ou raison, mais je sais
Que nous avons traîné le malheur côte à côte;
Il fut mon compagnon de chaîne; si l'on m'ôte
Cet homme, je n'ai plus besoin de vivre. Ainsi
Puisqu'il est mort, il faut que je meure. Merci. –
Et dans les carrefours les cadavres s'entassent.
Dans un noir peloton vingt jeunes filles passent;
Elles chantent; leur grâce et leur calme innocent
20 Inquiètent la foule effarée; un passant
Tremble. – Où donc allez-vous? dit-il à la plus belle.
Parlez. – Je crois qu'on va nous fusiller, dit-elle.
Un bruit lugubre emplit la caserne Lobeau;
C'est le tonnerre ouvrant et fermant le tombeau.
Là des tas d'hommes sont mitraillés; nul ne pleure;
Il semble que leur mort à peine les effleure,
Qu'ils ont hâte de fuir un monde âpre, incomplet,
Triste, et que cette mise en liberté leur plaît.
Nul ne bronche. On adosse à la même muraille
30 Le petit-fils avec l'aïeul, et l'aïeul raille,
Et l'enfant blond et frais s'écrie en riant : Feu!

Ce rire, ce dédain tragique, est un aveu.
Gouffre de glace! énigme où se perd le prophète!
Donc ils ne tiennent pas à la vie; elle est faite
De façon qu'il leur est égal de s'en aller.
C'est en plein mois de mai; tout veut vivre et mêler
Son instinct ou son âme à la douceur des choses;
Ces filles-là devraient aller cueillir des roses;
L'enfant devrait jouer dans un rayon vermeil;
40 L'hiver de ce vieillard devrait fondre au soleil;
Ces âmes devraient être ainsi que des corbeilles
S'emplissant de parfums, de murmures d'abeilles,
De chants d'oiseaux, de fleurs, d'extase, de printemps!
Tous devraient être d'aube et d'amour palpitants.
Eh bien, dans ce beau mois de lumière et d'ivresse,
O terreur! c'est la mort qui brusquement se dresse,
La grande aveugle, l'Ombre implacable et sans yeux;
Oh! comme ils vont trembler et crier sous les cieux,
Sangloter, appeler à leur aide la ville,
50 La nation qui hait l'euménide civile,
Toute la France, nous, nous tous qui détestons
Le meurtre pêle-mêle et la guerre à tâtons!
Comme ils vont, l'œil en pleurs, bras tordus, mains crispées,
Supplier les canons, les fusils, les épées,
Se cramponner aux murs, s'attacher aux passants,
Et fuir, et refuser la tombe, frémissants;
Et hurler : On nous tue! au secours! grâce! grâce!
Non. Ils sont étrangers à tout ce qui se passe;
Ils regardent la mort qui vient les emmener.
60 Soit. Ils ne lui font pas l'honneur de s'étonner.

Ils avaient dès longtemps ce spectre en leur pensée,
Leur fosse dans leur cœur était toute creusée.
Viens, mort!
        Etre avec nous, cela les étouffait.
Ils partent. Qu'est-ce donc que nous leur avions fait?
O révélation! Qu'est-ce donc que nous sommes
Pour qu'ils laissent ainsi derrière eux tous les hommes,
Sans un cri, sans daigner pleurer, sans un regret?
Nous pleurons, nous. Leur cœur au supplice était prêt.
Que leur font nos pitiés tardives? Oh! quelle ombre!
70  Que fûmes-nous pour eux avant cette heure sombre?
Avons-nous protégé ces femmes? Avons-nous
Pris ces enfants tremblants et nus sur nos genoux?
L'un sait-il travailler et l'autre sait-il lire?
L'ignorance finit par être le délire;
Les avons-nous instruits, aimés, guidés enfin,
Et n'ont-ils pas eu froid? et n'ont-ils pas eu faim?
C'est pour cela qu'ils ont brûlé vos Tuileries.
Je le déclare au nom de ces âmes meurtries,
Moi, l'homme exempt des deuils de parade et d'emprunt,
80  Qu'un enfant mort émeut plus qu'un palais défunt.
C'est pour cela qu'ils sont les mourants formidables,
Qu'ils ne se plaignent pas, qu'ils restent insondables,
Souriants, menaçants, indifférents, altiers,
Et qu'ils se laissent presque égorger volontiers.
Méditons. Ces damnés, qu'aujourd'hui l'on foudroie,
N'ont pas de désespoir n'ayant pas eu de joie.
Le sort de tous se lie à leur sort. Il le faut.
Frères, bonheur en bas, sinon malheur en haut!
Hélas! faisons aimer la vie aux misérables.
90  Sinon, pas d'équilibre. Ordre vrai, lois durables,
Fortes mœurs, paix charmante et virile pourtant,
Tout, vous trouverez tout dans le pauvre content.
La nuit est une énigme ayant pour mot l'étoile.
Cherchons. Le fond du cœur des souffrants se dévoile.

Le sphinx, resté masqué, montre sa nudité.
Ténébreux d'un côté, clair de l'autre côté,
Le noir problème entr'ouvre à demi la fenêtre
Par où le flamboiement de l'abîme pénètre.
Songeons, puisque sur eux le suaire est jeté,
100  Et comprenons. Je dis que la société
N'est point à l'aise ayant sur elle ces fantômes,
Que leur rire est terrible entre tous les symptômes,
Et qu'il faut trembler tant qu'on n'aura pu guérir
Cette facilité sinistre de mourir.

Juin 1871.

XII.

(p. 113-119)
Le poète engagé : ce qu'il dénonce, ce qu'il défend. Etudier dans chaque poème les
rapports entre l'intention, le ton, la métrique, le genre (récit populaire, récit épique,
chanson et portrait satirique, chanson nostalgique).

## LA LÉGENDE DES SIÈCLES

L'épopée de l'homme : le projet a hanté le romantisme. Chez Hugo, le don de ressusciter le passé se manifeste dès les premières *Odes*. Il va s'épanouir en une vision globale, philosophique et cosmique de l'histoire humaine, dans ces "Mémoires de l'humanité" répondant aux "Mémoires d'une âme" qu'étaient *Les contemplations*.

Il cultive le projet de ses "petites épopées" depuis la fin de 1853. A Jersey, à l'époque des tables tournantes, outre *Les contemplations*, naîtront les vastes ébauches de poèmes philosophiques et apocalyptiques, – *La fin de Satan* (1854), *Solitudines Coeli* (1855) –. C'est à Guernesey, où Hugo à partir de 1855 retrouve un nouvel équilibre, et sur les conseils de son éditeur Hetzel, qu'il remet au premier plan le projet épique. La première série de recueils, devenu *La légende des siècles*, paraît en 1859 et comporte les pièces les plus remarquables, pour la plupart écrites depuis 1857. Une deuxième série paraît en 1877, une troisième en 1883, peu avant l'édition définitive où Hugo reclasse l'ensemble des poèmes selon l'ordre de 1859.

Vaste synthèse : "exprimer l'humanité dans une espèce d'œuvre cyclique ; la peindre successivement et simultanément sous tous ses aspects, histoire, fable, philosophie, religion, science, lesquels se résument en un seul et immense mouvement d'ascension vers la lumière ; faire apparaître dans une sorte de miroir sombre et clair... cette grande figure une et multiple, lugubre et rayonnante, fatale et sacrée, l'Homme ; voilà de quelle pensée, de quelle ambition si l'on veut, est sortie *La légende des siècles*".

La fragmentation en petites épopées s'imposait pour suivre l'évolution humaine depuis les origines *(Le sacre de la femme)* jusqu'au XIX^e siècle *(Les pauvres gens)*. Hugo pouvait éviter ainsi la monotonie des épopées classiques à récit continu et à rimes plates, varier les sujets, les tons, les rythmes.

L'unité de l'œuvre est donnée par le projet philosophique du poète : montrer le progrès moral de l'humanité - "ces poèmes divers par le sujet, mais inspirés par la même pensée, n'ont entre eux d'autre nœud qu'un fil, un fil qui s'atténue quelquefois au point de devenir invisible, mais qui ne casse jamais, le grand fil mystérieux du labyrinthe humain, le Progrès... L'épanouissement du genre humain de siècle en siècle, l'homme montant des ténèbres à l'idéal, la transfiguration paradisiaque de l'enfer terrestre, l'éclosion lente et suprême de la liberté, droit pour cette vie, responsabilité pour l'autre..."

Pas de héros unique, sauf "le genre humain, considéré comme un grand individu collectif", promis à une destinée de justice et d'amour. Hugo crée une mythologie nouvelle où les premiers rôles sont souvent joués par les petits, des inconnus, des obscurs : Aymerillot, Eviradnus, les pauvres gens ; le Satyre, faune moqué par les Olympiens, devient peu à peu un géant qui s'impose à eux.

La documentation historique, les souvenirs des immenses lectures de Hugo ne sont qu'un tremplin pour son imagination. Hugo intègre l'histoire et la légende, sachant bien le pouvoir des mythes, forgeant lui-même une histoire mythique. "Le genre humain, considéré comme un grand individu collectif accomplissant d'époque en époque une série d'actes sur la terre, a deux aspects : l'aspect historique et l'aspect légendaire. Le second n'est pas moins vrai que le premier ; le premier n'est pas moins conjectural que le second."

Le récit revêt constamment des dimensions surnaturelles : l'optimisme du dessein général s'allie au sens du drame, de la violence, du mystère, mystère de la nuit et des cœurs. Le goût du titanesque confère aux héros et à leurs combats une allure surhumaine sur fond d'infini. La mystique du progrès et de l'amour donne à chaque épisode une dimension symbolique. Une Providence mystérieuse se manifeste à travers la geste humaine. La nature participe à ce vaste mystère, les animaux parlent, le ciel pleure des larmes de sang sur le parricide. "Quelque chose" ou "quelqu'un" est là, présence diffuse de l'âme universelle ("L'Etre resplendissait. Un dans Tout. Tout dans Un") –, regard divin – ou regard visionnaire du poète.

Pour Hugo cependant, *La légende* n'était qu'une partie d'un vaste ensemble dépassant l'aventure humaine et terrestre : "le drame de la création éclairé par le visage du créateur". L'auteur "a esquissé dans la solitude une sorte de poème d'une certaine étendue où se réverbère le problème unique, l'Etre, sous sa triple face : l'Humanité, le Mal, l'Infini ; le progressif, le relatif, l'absolu ; en ce qu'on pourrait appeler trois chants, *La légende des siècles, La fin de Satan, Dieu.*" (Préface, 1859.) Hugo avait déjà annoncé les deux derniers poèmes en 1856 sur la couverture des *Contemplations.*

## LA FIN DE SATAN

Hugo ébauche *La fin de Satan* de janvier à avril 1854 ; il reprend son projet après la publication de *La légende,* de décembre 1859 à avril 1860 ; il entreprend alors *Les misérables* où la transfiguration du monstre en ange s'opère sur cette terre. Le grand poème restera inachevé, le plan définitif jamais établi.

Emule de Dante et de Milton, Hugo esquisse le drame de l'humanité en contrepoint d'un drame métaphysique au rythme ternaire : Chute-Repentir-Rédemption. Le drame se joue sur deux plans : hors de la terre et sur terre. A la chute de l'archange rebelle dans la nuit répond l'expansion du mal sur la terre, avec le crime et la guerre *(Le glaive) ;* au repentir de Satan dans la nuit correspond la régression du mal sur terre, avec la naissance de l'ange Liberté (fille de Satan et de Dieu, puisque née d'une plume de Satan touchée par la lumière divine), et la parole d'amour de l'évangile *(Le gibet) ;* quand Satan permet à l'ange d'aider les hommes dans leur lutte contre la tyrannie (1789, *La prison),* Dieu peut pardonner, "L'archange ressuscite et le démon finit."

Poème hugolien par excellence : dans le climat d'exaltation de Marine-Terrace à Jersey, Hugo a développé ses dons de visionnaire, décrit des chutes vertigineuses dans des gouffres fantastiques aux vagues pâleurs ou des métamorphoses lumineuses.

Plongée dans la nuit et les abîmes de l'imaginaire, le poème révèle l'angoisse du poète, l'effroi devant l'ombre, le néant, "l'horreur profonde" de la possible absence de Dieu. Le mal, c'est l'opacité froide de la matière, la privation d'amour. Satan dit "je". Solitaire, proscrit, maudit, c'est Satan et c'est le poète en des années d'épreuve. Tous deux ont besoin d'un intercesseur : l'âme de Léopoldine se confond avec l'ange Liberté.

L'optimisme l'emporte pourtant. Le mal, lié à la création, à la séparation, n'est pas absolu et la damnation de l'ange rebelle n'est pas éternelle. L'ange Liberté est fille de Satan et de Dieu : le mal et le bien sont nécessaires pour que s'affirme la liberté humaine. L'eschatologie rejoint la philosophie de l'histoire : la révolution de 1789 et les Droits de l'homme complètent l'Evangile. Amour et Liberté sont promesse de lumière, l'humanité et la création tout entière étant gouvernées par Dieu, Lumière et Bien infinis.

La troisième partie du triptyque, *Dieu,* avec ses 3710 vers, ne trouvera jamais sa structure définitive.

## LA VISION D'OÙ EST SORTI CE LIVRE

J'eus un rêve : le mur des siècles m'apparut.

C'était de la chair vive avec du granit brut,
Une immobilité faite d'inquiétude,
Un édifice ayant un bruit de multitude,
Des trous noirs étoilés par de farouches yeux,
Des évolutions de groupes monstrueux,
De vastes bas-reliefs, des fresques colossales;
Parfois le mur s'ouvrait et laissait voir des salles,
Des antres où siégeaient des heureux, des puissants,
10 Des vainqueurs abrutis de crime, ivres d'encens,
Des intérieurs d'or, de jaspe et de porphyre;
Et ce mur frissonnait comme un arbre au zéphyre;
Tous les siècles, le front ceint de tours ou d'épis,
Etaient là, mornes sphinx sur l'énigme accroupis;
Chaque assise avait l'air vaguement animée;
Cela montant dans l'ombre, on eût dit une armée
Pétrifiée avec le chef qui la conduit
Au moment qu'elle osait escalader la Nuit;
Ce bloc flottait ainsi qu'un nuage qui roule;
20 C'était une muraille et c'était une foule;
Le marbre avait le sceptre et le glaive au poignet,
La poussière pleurait et l'argile saignait,
Les pierres qui tombaient avaient la forme humaine.
Tout l'homme, avec le souffle inconnu qui le mène,
Eve ondoyante, Adam flottant, un et divers,
Palpitaient sur ce mur, et l'être, et l'univers,
Et le destin, fil noir que la tombe dévide.
Parfois l'éclair faisait sur la paroi livide
Luire des millions de faces tout à coup.
30 Je voyais là ce Rien que nous appelons Tout;
Les rois, les dieux, la gloire et la loi, les passages
Des générations à vau-l'eau dans les âges;
Et devant mon regard se prolongeaient sans fin
Les fléaux, les douleurs, l'ignorance, la faim,
La superstition, la science, l'histoire,
Comme à perte de vue une façade noire.

Et ce mur, composé de tout ce qui croula,
Se dressait, escarpé, triste, informe. Où cela?
Je ne sais. Dans un lieu quelconque des ténèbres.
(...)
40 De l'empreinte profonde et grave qu'a laissée
Ce chaos de la vie à ma sombre pensée,
De cette vision du mouvant genre humain,
Ce livre, où près d'hier on entrevoit demain,
Est sorti, reflétant de poème en poème
Toute cette clarté vertigineuse et blême;
Pendant que mon cerveau douloureux le couvait,
La légende est parfois venue à mon chevet,
Mystérieuse sœur de l'histoire sinistre;
Et toutes deux ont mis leur doigt sur ce registre.

50  Et qu'est-ce maintenant que ce livre, traduit
    Du passé, du tombeau, du gouffre et de la nuit?
    C'est la tradition tombée à la secousse
    Des révolutions que Dieu déchaîne et pousse;
    Ce qui demeure après que la terre a tremblé;
    Décombre où l'avenir, vague aurore, est mêlé;
    C'est la construction des hommes, la masure
    Des siècles, qu'emplit l'ombre et que l'idée azure,
    L'affreux charnier-palais en ruine, habité
    Par la mort et bâti par la fatalité,
60  Où se posent pourtant parfois, quand elles l'osent,
    De la façon dont l'aile et le rayon se posent,
    La liberté, lumière, et l'espérance, oiseau;
    C'est l'incommensurable et tragique monceau,
    Où glissent, dans la brèche horrible, les vipères
    Et les dragons, avant de rentrer aux repaires,
    Et la nuée avant de remonter au ciel;
    Ce livre, c'est le reste effrayant de Babel;
    C'est la lugubre Tour des Choses, l'édifice
    Du bien, du mal, des pleurs, du deuil, du sacrifice,
70  Fier jadis, dominant les lointains horizons,
    Aujourd'hui n'ayant plus que de hideux tronçons,
    Epars, couchés, perdus dans l'obscure vallée;
    C'est l'épopée humaine, âpre, immense, − écroulée.

Guernesey, avril 1857.

(v. 1-39 ; 207-240).


## BOOZ ENDORMI[1]


Booz s'était couché de fatigue accablé;
Il avait tout le jour travaillé dans son aire;
Puis avait fait son lit à sa place ordinaire;
Booz dormait auprès des boisseaux pleins de blé.

Ce vieillard possédait des champs de blés et d'orge;
Il était, quoique riche, à la justice enclin;
Il n'avait pas de fange en l'eau de son moulin;
Il n'avait pas d'enfer dans le feu de sa forge.

Sa barbe était d'argent comme un ruisseau d'avril.
10  Sa gerbe n'était point avare ni haineuse;
Quand il voyait passer quelque pauvre glaneuse :
« Laissez tomber exprès des épis », disait-il.

Cet homme marchait pur loin des sentiers obliques,
Vêtu de probité candide et de lin blanc;
Et, toujours du côté des pauvres ruisselant,
Ses sacs de grains semblaient des fontaines publiques.

Booz était bon maître et fidèle parent;
Il était généreux, quoiqu'il fût économe;
Les femmes regardaient Booz plus qu'un jeune homme,
20  Car le jeune homme est beau, mais le vieillard est grand.

Le vieillard, qui revient vers la source première,
Entre aux jours éternels et sort des jours changeants ;
Et l'on voit de la flamme aux yeux des jeunes gens,
Mais dans l'œil du vieillard on voit de la lumière.

Donc, Booz dans la nuit dormait parmi les siens,
Près des meules, qu'on eût prises pour des décombres,
Les moissonneurs couchés faisaient des groupes sombres ;
Et ceci se passait dans des temps très anciens.

Les tribus d'Israël avaient pour chef un juge ;
30  La terre, où l'homme errait sous la tente, inquiet
Des empreintes de pieds de géants qu'il voyait,
Etait mouillée encor et molle du déluge.

Comme dormait Jacob, comme dormait Judith,
Booz, les yeux fermés, gisait sous la feuillée ;
Or, la porte du ciel s'étant entrebâillée
Au-dessus de sa tête, un songe en descendit.

Et ce songe était tel, que Booz vit un chêne
Qui, sorti de son ventre, allait jusqu'au ciel bleu[2],
Une race y montait comme une longue chaîne ;
40  Un roi chantait en bas, en haut mourait un Dieu[3].

Et Booz murmurait avec la voix de l'âme :
« Comment se pourrait-il que de moi ceci vînt ?
Le chiffre de mes ans a passé quatre-vingts,
Et je n'ai pas de fils, et je n'ai plus de femme.

» Voilà longtemps que celle avec qui j'ai dormi,
O Seigneur ! a quitté ma couche pour la vôtre ;
Et nous sommes encor tout mêlés l'un à l'autre,
Elle à demi vivante et moi mort à demi.

» Une race naîtrait de moi ! Comment le croire ?
50  Comment se pourrait-il que j'eusse des enfants ?
Quand on est jeune on a des matins triomphants ;
Le jour sort de la nuit comme d'une victoire ;

» Mais vieux, on tremble ainsi qu'à l'hiver le bouleau ;
Je suis veuf, je suis seul, et sur moi le soir tombe,
Et je courbe, ô mon dieu ! mon âme vers la tombe,
Comme un bœuf ayant soif penche son front vers l'eau. »

Ainsi parlait Booz dans le rêve et l'extase,
Tournant vers Dieu ses yeux par le sommeil noyés ;
Le cèdre ne sent pas une rose à sa base,
60  Et lui se sentait pas une femme à ses pieds.

Pendant qu'il sommeillait, Ruth, une moabite,
S'était couchée aux pieds de Booz, le sein nu,

Espérant on ne sait quel rayon inconnu,
Quand viendrait du réveil la lumière subite.

Booz ne savait point qu'une femme était là,
Et Ruth ne savait point ce que Dieu voulait d'elle.
Un frais parfum sortait des touffes d'asphodèle;
Les souffles de la nuit flottaient sur Galgala[4].

L'ombre était nuptiale, auguste et solennelle;
70 Les anges y volaient sans doute obscurément,
Car on voyait passer dans la nuit, par moment,
Quelque chose de bleu qui paraissait une aile.

La respiration de Booz qui dormait
Se mêlait au bruit sourd des ruisseaux sur la mousse.
On était dans le mois où la nature est douce,
Les collines ayant des lys sur leur sommet.

Ruth songeait et Booz dormait; l'herbe était noire;
Les grelots des troupeaux palpitaient vaguement;
Une immense bonté tombait du firmament;
80 C'était l'heure tranquille où les lions vont boire.

Tout reposait dans Ur et dans Jérimadeth[5];
Les astres émaillaient le ciel profond et sombre;
Le croissant fin et clair parmi ces fleurs de l'ombre
Brillait à l'occident, et Ruth se demandait,

Immobile, ouvrant l'œil à moitié sous ses voiles,
Quel dieu, quel moissonneur de l'éternel été,
Avait, en s'en allant, négligemment jeté
Cette faucille d'or dans le champ des étoiles.

*D'Eve à Jésus*, VI.

1. *Cf. Livre de Ruth* IV, 2-8. 2. Evocation de l'arbre de Jessé, qui, au Moyen Age, figurait la généalogie du Christ. Selon la Bible, Jessé est le petit-fils de Booz et de Ruth. 3. Le roi est David ; "un Dieu" désigne Jésus-Christ. 4. Collines voisines de Bethléem. 5. Calembour pour "J'ai rime à *dait*" ou bien altération de Jerahmeel, tribu de Judée.

# LE SATYRE

*"Le faune inconnu", "songeur velu, fait de fange et d'azur", à "l'innocence impudique", qui "débraillait" la forêt de l'Olympe, amené devant les dieux pour avoir surpris Psyché au bain, déclenche leurs rires. Invité par dérision à chanter, il va peu à peu se métamorphoser, "dressé debout dans le délire / Des rêves, des frissons, des aurores, des cieux, / Avec deux profondeurs splendides dans les yeux," à la fois double de Prométhée avec "dans l'œil l'éclair du feu volé", esprit du poète-voyant, et image du principe de vie de l'univers.*
*Il chante la "terre monstrueuse", le sourd travail de la vie dans les entrailles de la terre, puis l'émergence de l'âme sortant du chaos, l'apparition de*

*l'homme, les premiers temps heureux, puis les temps d'esclavage, la tyrannie des rois, des dieux, des guerres, l'espérance défaillante, la Fatalité triomphante. Il prophétise enfin les jours où l'homme relèvera la tête, créera "le saint ordre de paix, d'amour et d'unité".*

(...)
Il reprit :

« Sous le poids hideux qui l'étouffait,
Le réel renaîtra, dompteur du mal immonde.
Dieux, vous ne savez pas ce que c'est que le monde;
Dieux, vous avez vaincu, vous n'avez pas compris.
Vous avez au-dessus de vous d'autres esprits,
Qui, dans le feu, la nue, et l'onde et la bruine,
Songent en attendant votre immense ruine.
Mais qu'est-ce que cela me fait à moi qui suis
La prunelle effarée au fond des vastes nuits!
10 Dieux, il est d'autres sphinx que le vieux sphinx de Thèbe.
Sachez ceci, tyrans de l'homme et de l'Erèbe,
Dieux qui versez le sang, dieux, dont on voit le fond :
Nous nous sommes tous faits bandits sur ce grand mont
Où la terre et le ciel semblent en équilibre,
Mais vous pour être rois et moi pour être libre.
Pendant que vous semez haine, fraude et trépas,
Et que vous enjambez tout le crime en trois pas,
Moi je songe. Je suis l'œil fixe des cavernes.
Je vois. Olympes bleus et ténébreux Avernes,
20 Temples, charniers, forêts, cités, aigle, alcyon,
Sont devant mon regard la même vision;
Les dieux, les fléaux, ceux d'à présent, ceux d'ensuite,
Traversent ma lueur et sont la même fuite.
Je suis témoin que tout disparaît. Quelqu'un est.
Mais celui-là, jamais l'homme ne le connaît.
L'humanité suppose, ébauche, essaye, approche;
Elle façonne un marbre, elle taille une roche,
Et fait une statue, et dit : Ce sera lui.
L'homme reste devant cette pierre ébloui;
30 Et tous les à-peu-près, quels qu'ils soient, ont des prêtres.
Soyez les Immortels, faites! broyez les êtres,
Achevez ce vain tas de vivants palpitants,
Régnez; quand vous aurez, encore un peu de temps,
Ensanglanté le ciel que la lumière azure,
Quand vous aurez, vainqueurs, comblé votre mesure,
C'est bien, tout sera dit, vous serez remplacés
Par ce noir dieu final que l'homme appelle Assez!
Car Delphe et Pise sont comme des chars qui roulent,
Et les choses qu'on crut éternelles s'écroulent
40 Avant qu'on ait le temps de compter jusqu'à vingt.»
Tout en parlant ainsi, le satyre devint
Démesuré : plus grand d'abord que Polyphème,
Puis plus grand que Typhon qui hurle et qui blasphème,
Et qui heurte ses poings ainsi que des marteaux,
Puis plus grand que Titan, puis plus grand que l'Athos;
L'espace immense entra dans cette forme noire;
Et, comme le marin voit croître un promontoire,

Goya (1746-1828), *Le colosse*, gravure, vers 1810-1817.
(Bibliothèque Nationale, Paris.)

Les dieux dressés voyaient grandir l'être effrayant;
Sur son front blêmissait un étrange orient;
50 Sa chevelure était une forêt; des ondes,
Fleuves, lacs, ruisselaient de ses hanches profondes,
Ses deux cornes semblaient le Caucase et l'Atlas;
Les foudres l'entouraient avec de sourds éclats;
Sur ses flancs palpitaient des prés et des campagnes,
Et ses difformités s'étaient faites montagnes.
Les animaux, qu'avaient attirés ses accords,
Daims et tigres, montaient tout le long de son corps;
Des avrils tout en fleurs verdoyaient sur ses membres;
Le pli de son aisselle abritait des décembres;
60 Et des peuples errants demandaient leur chemin,
Perdus au carrefour des cinq doigts de sa main;
Des aigles tournoyaient dans sa bouche béante;
La lyre, devenue en le touchant géante,
Chantait, pleurait, grondait, tonnait, jetait des cris;
Les ouragans étaient dans les sept cordes pris
Comme des moucherons dans de lugubres toiles;
Sa poitrine terrible était pleine d'étoiles.

Il cria :
        « L'avenir tel que les cieux le font,
C'est l'élargissement dans l'infini sans fond,
70 C'est l'esprit pénétrant de toutes parts la chose!
On mutile l'effet en limitant la cause;
Monde, tout le mal vient de la forme des dieux.
On fait du ténébreux avec le radieux;
Pourquoi mettre au-dessus de l'Etre des fantômes?
Les clartés, les éthers ne sont pas des royaumes.
Place au fourmillement éternel des cieux noirs,
Des cieux bleus, des midis, des aurores, des soirs!
Place à l'atome saint qui brûle ou qui ruisselle!
Place au rayonnement de l'âme universelle!
80 Un roi c'est de la guerre, un dieu c'est de la nuit.
Liberté, vie et foi sur le dogme détruit!
Partout une lumière et partout un génie!
Amour! tout s'entendra, tout étant l'harmonie!
L'azur du ciel sera l'apaisement des loups.
Place à Tout! Je suis Pan; Jupiter! à genoux.»

"Seizième siècle", XXII (v. 642-726).


*LA FIN DE SATAN*

## ET NOX FACTA EST

## II

La chute du damné recommença. − Terrible,
Sombre, et percé de trous lumineux comme un crible,
Le ciel plein de soleils s'éloignait, la clarté
Tremblait, et dans la nuit le grand précipité,
Nu, sinistre, et tiré par le poids de son crime,
Tombait, et, comme un coin, sa tête ouvrait l'abîme.

Plus bas! plus bas! toujours plus bas! Tout à présent
Le fuyait; pas d'obstacle à saisir en passant,
Pas un mont, pas un roc croulant, pas une pierre,
10 Rien, l'ombre! et d'épouvante il ferma sa paupière.

Et quand il la rouvrit, trois soleils seulement
Brillaient, et l'ombre avait rongé le firmament.
Tous les autres soleils étaient morts.

III
                              Une roche
Sortait du noir brouillard comme un bras qui s'approche.
Il la prit, et ses pieds touchèrent des sommets.

Alors l'être effrayant qui s'appelle Jamais
Songea. Son front tomba dans ses mains criminelles.
Les trois soleils, de loin, ainsi que trois prunelles,
Le regardaient, et lui ne les regardait pas.
20 L'espace ressemblait aux plaines d'ici-bas,
Le soir, quand l'horizon qui s'enfonce et recule
Noircit sous les yeux blancs du spectre crépuscule.
De longs rayons rampaient aux pieds du grand banni.
Derrière lui son ombre emplissait l'infini.
Les cimes du chaos se confondaient entre elles.

Tout à coup il se vit pousser d'horribles ailes;
Il se vit devenir monstre, et que l'ange en lui
Mourait, et le rebelle en sentit quelque ennui.
Il laissa son épaule, autrefois lumineuse,
30 Frémir au froid hideux de l'aile membraneuse,
Et croisant ses deux bras, et relevant son front,
Ce bandit, comme s'il grandissait sous l'affront,
Seul dans ces profondeurs que la ruine encombre,
Regarda fixement la caverne de l'ombre.
Les ténèbres sans bruit croissaient dans le néant.
L'opaque obscurité fermait le ciel béant;
Et, faisant, au delà du dernier promontoire,
Une triple fêlure à cette vitre noire,
Les trois soleils mêlaient leurs trois rayonnements.
40 Après quelque combat dans les hauts firmaments,
D'un char de feu brisé l'on eût dit les trois roues.
Les monts hors du brouillard sortaient comme des proues.
– Eh bien, cria Satan, soit! je puis encor voir!
Il aura le ciel bleu, moi j'aurai le ciel noir.
Croit-il pas que j'irai sangloter à sa porte ?
Je le hais. Trois soleils, c'est assez. Que m'importe!
Je hais le jour, l'azur, le rayon, le parfum! –

Soudain il tressaillit; il n'en restait plus qu'un.

VIII

Le soleil était là qui mourait dans l'abîme.

50 L'astre, au fond du brouillard, sans air qui le ranime,

Se refroidissait, morne et lentement détruit.
On voyait sa rondeur sinistre dans la nuit;
Et l'on voyait décroître, en ce silence sombre,
Ses ulcères de feu sous une lèpre d'ombre.
Charbon d'un monde éteint! flambeau soufflé par Dieu!
Ses crevasses montraient encore un peu de feu,
Comme si par les trous du crâne on eût vu l'âme.
Au centre palpitait et rampait une flamme
Qui par instants léchait les bords extérieurs,
60 Et de chaque cratère il sortait des lueurs
Qui frissonnaient ainsi que de flamboyants glaives,
Et s'évanouissaient sans bruit comme des rêves.
L'astre était presque noir. L'archange était si las
Qu'il n'avait plus de voix et plus de souffle, hélas!
Et l'astre agonisait sous ses regards farouches.
Il mourait, il luttait. Avec ses sombres bouches
Dans l'obscurité froide il lançait par moments
Des flots ardents, des blocs rougis, des monts fumants,
Des rocs tout écumants de sa clarté première :
70 Comme si ce géant de vie et de lumière,
Englouti par la brume où tout s'évanouit,
N'eût pas voulu mourir sans insulter la nuit
Et sans cracher sa lave à la face de l'ombre.
Autour de lui le temps et l'espace et le nombre
Et la forme et le bruit expiraient, en créant
L'unité formidable et noire du néant.
Le spectre Rien levait sa tête hors du gouffre.

Soudain, du cœur de l'astre, un âpre jet de soufre,
Pareil à la clameur du mourant éperdu,
80 Sortit, brusque, éclatant, splendide, inattendu,
Et découpant au loin mille formes funèbres,
Énorme, illumina, jusqu'au fond des ténèbres,
Les porches monstrueux de l'infini profond.
Les angles que la nuit et l'immensité font
Apparurent. Satan, égaré, sans haleine,
La prunelle éblouie et de cet éclair pleine,
Battit de l'aile, ouvrit les mains, puis tressaillit
Et cria : − Désespoir! le voilà qui pâlit! −

Et l'archange comprit, pareil au mât qui sombre
90 Qu'il était le noyé du déluge de l'ombre;
Il reploya son aile aux ongles de granit,
Et se tordit les bras. Et l'astre s'éteignit.

"Hors de la terre", I, 2, 3, 8.

***

(p. 122-130).
1. Le caractère dramatique du récit ou de la description (*Le satyre. La fin de Satan*).
2. Du merveilleux au surnaturalisme : étudier les procédés et les images qui créent une vision, merveilleuse ou fantastique, voire un univers visionnaire.
3. L'univers mythique de Hugo : dégagez-en les symboles. Quels sont ceux qui étaient déjà apparus dans les œuvres antérieures ?
4. D'après *La vision...*, *Le satyre, La fin de Satan*, dégager l'itinéraire spirituel qui conduit Hugo d'une vision sombre de l'humanité à une vision optimiste.

## DERNIERS RECUEILS LYRIQUES

Dès ses débuts, Hugo a écrit des chansons, poésie simple, concrète, portée par des rythmes souples et variés : amour du vivant et du jeu poétique, imagination heureuse s'y rejoignent. Cette veine se libère à partir de 1859, sans que le poète se détourne pour autant de ses grands projets poétiques ; les divers livres du *Portefeuille poétique,* non publiés de son vivant, en offrent de nombreux exemples.

En 1865 il publie les *Chansons des rues et des bois;* sur les soixante-douze pièces du recueil, cinquante-quatre ont été composées dans l'été 1859, au cours des "vacances" du poète avec Juliette à l'île de Sercq, respiration entre l'achèvement de *La légende* et la reprise de *La fin de Satan.* Reprenant la tradition de Virgile, Théocrite et Anacréon, des jeux rustiques de la Pléiade, Hugo transforme l'idylle ancienne en idylle moderne, populaire, rustique et banlieusarde, d'un paganisme souriant; Juana, Denise, Rosita, lavandières et grisettes se mêlent aux nymphes sous les yeux de Silène. Partis de choses vues, de croquis notés au fil des promenades, ces poèmes du bonheur de vivre et d'aimer se développent en poèmes légers, souvent courts, aux rythmes variés (de 3 à 8 pieds), en cortège d'images aux couleurs fraîches ou d'un impressionnisme parfois surprenant. Le poète muse et s'amuse.

Peut-être entrait-il dans le projet une part de mode : les chansons populaires sont en vogue, et les traductions de Heine, les joailleries préparnassiennes de Gautier, Banville, les *Vignes folles* de Glatigny. Mais Hugo reste Hugo : il y a connivence entre les joyeux ébats des hommes et de la nature ; la thématique amoureuse des filles-nymphes et des eaux est adhésion à l'ordre du monde. "Socialisme et naturalisme mêlés dans ce recueil", avait-il noté sur une feuille du reliquat des *Misérables* : toute une série de poèmes bannit ce qui brise l'harmonie (les guerres, le fanatisme patriotique) et chante "l'ascension humaine".

> "Va, chante ce qu'on n'ose écrire,
> Ris, et qu'on devine, ô chanson,
> Derrière la marque du rire
> Le visage de la raison."

C'est aussi une poésie des heures claires, des jours sereins, des lentes promenades que celle de *L'art d'être grand-père* (1<sup>re</sup> édition : 1877) : soixante et onze pièces, la plupart écrites entre 1870 et 1876. Mais l'inspiration épicurienne fait ici place à la "sublime innocence" de l'enfance. Le poète écoute les éclats de rire ou le "dialogue obscur" de l'enfant et du monde. Comme jadis Léopoldine au bord de l'infini, Georges et Jeanne sont intercesseurs vers une sagesse sereine pénétrée de la tendresse du monde ; mais aussi de ce sentiment de "fraternité", de "pitié suprême" ou de justice à l'égard de ce que l'on méprise, le peuple bafoué, le roseau, les faibles, dont le droit à vivre est sacré.

Paix intérieure, plénitude de l'instant, douceur des choses : le poète devient "le bon semeur des fraîches allégresses". Les notations immédiates s'intègrent à une vision contemplative qui devine "le grand sourire" de l'infini enveloppant toute chose d'un frémissement lumineux. Dieu est là, immanent et familier – "et la création est une transparence".

Mon vers, s'il faut te le redire,
On veut te griser dans les bois.
Les faunes ont caché ta lyre
Et mis à sa place un hautbois.

Va donc. La fête est commencée;
L'oiseau mange en herbe le blé;
L'abeille est ivre de rosée;
Mai rit, dans les fleurs attablé.

Emmène tes deux camarades,
10 L'esprit gaulois, l'esprit latin;
Ne crois pas que tu te dégrades
Dans la lavande et le thym.

Sans être effronté, sois agile;
Entre gaîment dans le vallon;
Presse un peu le pas de Virgile,
Retiens par la manche Villon.

Tu devras boire à coupe pleine,
Et de ce soin Pan a chargé
La Jeanneton de La Fontaine
20 Qu'Horace appelait Lalagé.

On t'attend. La fleur est penchée
Dans les antres diluviens;
Et Silène, à chaque bouchée,
S'interrompt pour voir si tu viens.

17 juillet 1859.
*Chansons des rues et des bois, IV, 1.*


CHOSES ÉCRITES A CRÉTEIL

Sachez qu'hier, de ma lucarne,
J'ai vu, j'ai couvert de clins d'yeux
Une fille qui dans la Marne
Lavait des torchons radieux.

Près d'un vieux pont, dans les saulées,
Elle lavait, allait, venait;
L'aube et la brise étaient mêlées
A la grâce de son bonnet.

Je la voyais de loin. Sa mante
10 L'entourait de plis palpitants.
Aux folles broussailles qu'augmente
L'intempérance du printemps,

Aux buissons que le vent soulève,
Que juin et mai, frais barbouilleurs,
Foulant la cuve de la sève,
Couvrent d'une écume de fleurs,

Aux sureaux pleins de mouches sombres,
Aux genêts du bord, tous divers,
Aux joncs échevelant leurs ombres
20  Dans la lumière des flots verts,

Elle accrochait des loques blanches,
Je ne sais quels haillons charmants
Qui me jetaient, parmi les branches,
De profonds éblouissements.

Ces nippes, dans l'aube dorée,
Semblaient, sous l'aulne et le bouleau,
Les blancs cygnes de Cythérée
Battant de l'aile au bord de l'eau.

Des cupidons, fraîche couvée,
30  Me montraient son pied fait au tour;
Sa jupe semblait relevée
Par le petit doigt de l'amour.

On voyait, je vous le déclare,
Un peu plus haut que le genou.
Sous un pampre un vieux faune hilare
Murmurait tout bas : Casse-cou!

Je quittai ma chambre d'auberge,
En souriant comme un bandit;
Et je descendis sur la berge
40  Qu'une herbe, glissante, verdit.

Je pris un air incendiaire,
Je m'adossai contre un pilier,
Et je lui dis : − « O lavandière!
(Blanchisseuse étant familier)

« L'oiseau gazouille, l'agneau bêle,
Gloire à ce rivage écarté!
Lavandière, vous êtes belle
Votre rire est de la clarté.

« Je suis capable de faiblesses.
50  O lavandière, quel beau jour!
Les fauvettes sont des drôlesses
Qui chantent des chansons d'amour.

« Voilà six mille ans que les roses
Conseillent, en se prodiguant,
L'amour aux cœurs les plus moroses.
Avril est un vieil intrigant.

« Les rois sont ceux qu'adorent celles
Qui sont charmantes comme vous;
La Marne est pleine d'étincelles;
60  Femme, le ciel immense est doux.

« O laveuse à la taille mince,
Qui vous aime est dans un palais.
Si vous vouliez, je serais prince;
Je serais dieu, si tu voulais.» —

La blanchisscuse, gaie et tendre,
Sourit, et, dans le hameau noir,
Sa mère au loin cessa d'entendre
Le bruit vertueux du battoir.

Les vieillards grondent et reprochent,
70  Mais, ô jeunesse! il faut oser.
Deux sourires qui se rapprochent
Finissent par faire un baiser.

Je m'arrête. L'idylle est douce,
Mais ne veut pas, je vous le dis,
Qu'au delà du baiser on pousse
La peinture du paradis.

27 septembre 1859.
*Ibid.*, IV, 7.


## CHANSON

Proscrit, regarde les roses;
Mai joyeux, de l'aube en pleurs
Les reçoit toutes écloses;
Proscrit, regarde les fleurs.

— Je pense
Aux roses que je semai.
Le mois de mai sans la France,
Ce n'est pas le mois de mai.

Proscrit, regarde les tombes;
10  Mai, qui rit aux cieux si beaux,
Sous les baisers des colombes
Fait palpiter les tombeaux.

— Je pense
Aux yeux chers que je fermai.
Le mois de mai sans la France,
Ce n'est pas le mois de mai.

Proscrit, regarde les branches,
Les branches où sont les nids;
Mai les remplit d'ailes blanches
20  Et de soupirs infinis.

— Je pense
Aux nids charmants où j'aimai.
Le mois de mai sans la France,
Ce n'est pas le mois de mai.

18 mai 1854.
*Portefeuille poétique*, "Le livre lyrique".

# LE CHATEAU DE L'ARBRELLES

Danse en rond


## I

Va cueillir, villageoise,
La fraise et la framboise
Dans les champs, aux beaux jours.
A huit milles d'Amboise,
A deux milles de Tours,
Le château de l'Arbrelles,
Roi de ces alentours,
Se dresse avec ses tours,
Ses tours et ses tourelles.
10 Va cueillir aux beaux jours
La fraise et la framboise,
A huit milles d'Amboise,
A deux milles de Tours,
C'est là que sont les tours,
Les tours et les tourelles
Du château de l'Arbrelles
Bien connu des vautours.


## II

Cueillez, Jeanne et Thérèse,
La framboise et la fraise,
20 Rions, dansons, aimons,
Le ciel en est bien aise,
Moquons-nous des sermons.
Le château de l'Arbrelles,
Qu'en chantant nous nommons,
Dresse sur les vieux monts
Ses tours et ses tourelles.
Rions, dansons, aimons,
Cueillez, Jeanne et Thérèse,
La framboise et la fraise,
30 Moquons-nous des sermons.
Là-bas, sur les vieux monts
Se dressent les tourelles
Du château de l'Arbrelles
Bien connu des démons.


## III

Cueillez, filles d'Amboise,
La fraise et la framboise.
Les démons, les vautours,
Ont changé de figure
Depuis les anciens jours.
40 Tours de sinistre augure,

L'herbe croît dans vos cours,
Croulez, vilaines tours!
Le ciel en est bien aise.
Aimons, les ans sont courts,
Cueillez, Jeanne et Thérèse,
La framboise et la fraise.
O belles, nos amours,
Pour piller vos atours,
Pour vous emplir de flammes,
50 Les démons sont nos âmes,
Nos cœurs sont les vautours.

7 octobre 1876.

*Ibid.*, III, "Toute la lyre".


## JEANNE FAIT SON ENTRÉE

Jeanne parle; elle dit des choses qu'elle ignore;
Elle envoie à la mer qui gronde, au bois sonore,
A la nuée, aux fleurs, aux nids, au firmament,
A l'immense nature un doux gazouillement,
Tout un discours, profond peut-être, qu'elle achève
Par un sourire où flotte une âme, où tremble un rêve,
Murmure indistinct, vague, obscur, confus, brouillé.
Dieu, le bon vieux grand-père, écoute émerveillé.

Hauteville-House, 5 juillet 1870.

*L'art d'être grand-père,* I, 3.


## FENÊTRES OUVERTES

Le matin.- En dormant

J'entends des voix. Lueurs à travers ma paupière.
Une cloche est en branle à l'église Saint-Pierre.
Cris des baigneurs. Plus près! plus loin! non, par ici!
Non, par là! Les oiseaux gazouillent, Jeanne aussi.
Georges l'appelle. Chant des coqs. Une truelle
Racle un toit. Des chevaux passent dans la ruelle.
Grincement d'une faulx qui coupe le gazon.
Chocs. Rumeurs. Des couvreurs marchent sur la maison.
Bruits du port. Sifflement des machines chauffées.
Musique militaire arrivant par bouffées.
Brouhaha sur le quai. Voix françaises. Merci.
Bonjour. Adieu. Sans doute il est tard, car voici
Que vient tout près de moi chanter mon rouge-gorge.
Vacarme de marteaux lointains dans une forge.
L'eau clapote. On entend haleter un steamer.
Une mouche entre. Souffle immense de la mer.

*Ibid.,* I, 11.

## LE TROUBLE-FÊTE

Les belles filles sont en fuite
Et ne savent où se cacher.
Brune et blonde, grande et petite,
Elles dansaient près du clocher;

Une chantait, pour la cadence;
Les garçons aux fraîches couleurs
Accouraient au bruit de la danse,
Mettant à leurs chapeaux des fleurs;

En revenant de la fontaine,
10 Elles dansaient près du clocher.
J'aime Toinon, disait le chêne;
Moi, Suzon, disait le rocher.

Mais l'homme noir du clocher sombre
Leur a crié : – Laides! fuyez! –
Et son souffle brusque a dans l'ombre
Éparpillé ces petits pieds.

Toute la danse s'est enfuie,
Les yeux noirs avec les yeux bleus,
Comme s'envole sous la pluie
20 Une troupe d'oiseaux frileux

Et cette déroute a fait taire
Les grands arbres tout soucieux,
Car les filles dansant sur terre
Font chanter les nids dans les cieux.

– Qu'a donc l'homme noir ? disent-elles. –
Plus de chants; car le noir témoin
A fait bien loin enfuir les belles,
Et les chansons encor plus loin.

Qu'a donc l'homme noir ? – Je l'ignore,
30 Répond le moineau, gai bandit;
Elles pleurent comme l'aurore.
Mais un myosotis leur dit :

– Je vais vous expliquer ces choses.
Vous n'avez point pour lui d'appas;
Les papillons aiment les roses,
Les hiboux ne les aiment pas.

*Ibid.*, X, 4.

## ORA, AMA

Le long des berges court la perdrix au pied leste.

Comme pour l'entraîner dans leur danse céleste,
Les nuages ont pris la lune au milieu d'eux.
Petit Georges, veux-tu ? nous allons tous les deux
Nous en aller jouer là-bas sous le vieux saule.

La nuit tombe; on se baigne; et, la faulx sur l'épaule,
Le faucheur rentre au gîte, essuyant sa sueur.
Le crépuscule jette une vague lueur
Sur des formes qu'on voit rire dans la rivière.

10 Monsieur le curé passe et ferme son bréviaire;
Il est trop tard pour lire, et ce reste de jour
Conseille la prière à qui n'a plus l'amour.
Aimer, prier, c'est l'aube et c'est le soir de l'âme.

Et c'est la même chose au fond; aimer la femme,
C'est prier Dieu; pour elle on s'agenouille aussi.
Un jour tu seras homme et tu liras ceci.
En attendant, tes yeux sont grands, et je te parle,

Mon Georges, comme si je parlais à mon Charle.
Quand l'aile rose meurt, l'aile bleue a son tour.
20 La prière a la même audace que l'amour,
Et l'amour a le même effroi que la prière.

Il fait presque grand jour encor dans la clairière.
L'angélus sonne au fond de l'horizon bruni.
O ciel sublime! sombre édifice infini!
Muraille inexprimable, obscure et rayonnante!

Oh! comment pénétrer dans la maison tonnante ?
Le jeune homme est pensif, le vieillard est troublé,
Et devant l'inconnu, vaguement étoilé,
Le soir tremblant ressemble à l'aube frissonnante.

30 La prière est la porte et l'amour est la clé.

*Ibid.,* X, 5.

Victor Hugo (1802-1885), *Le phare des Casquets*, dessin, 1866.
(Maison de Victor Hugo, Paris.)

## Maurice de Guérin (1810-1849)

La prime jeunesse du châtelain du Cayla, près d'Albi, fut marquée par la mort de sa mère et la profonde influence de sa sœur Eugénie, comme lui éprise de religion et de poésie. Il songea à entrer dans les ordres, rejoignit en 1832 le groupe de Lamennais en Bretagne, avant de se marier, et de mener à Paris une vie mondaine. La tuberculose allait le ramener vers son domaine.

Terre bretonne et terre albigeoise : si le poète, comme le Centaure, connaît l'appel de la transcendance, il connaît non moins puissamment son appartenance à la nature, cherche à en atteindre les forces obscures et l'unité vivante.

Une nostalgie d'absolu sous-tend la prose musicale et vibrante de cet hymne à la beauté du monde qu'est le poème du *Centaure* : l'homme-cheval devenu vieux évoque la violence avec laquelle, jeune, il cherchait l'ivresse dionysiaque, puis sa vie en harmonie avec les rythmes cosmiques, dans l'attente du moment où il ira se "mêler aux fleuves qui coulent dans le vaste sein de la terre."

*Le cahier vert* (1832-1835) : journal intime ; *Sur la mort de Marie* (1835) ; *Le centaure* (1836) ; *La bacchante* (1837) : œuvres éditées après la mort du poète.

## LE CENTAURE

(...)
La jeunesse est semblable aux forêts verdoyantes tourmentées par les vents : elle agite de tous côtés les riches présents de la vie, et toujours quelque profond murmure règne dans son feuillage. Vivant avec l'abandon des fleuves, respirant sans cesse avec Cybèle, soit dans le lit des vallées, soit à la cime des montagnes, je bondissais partout comme une vie aveugle et déchaînée. Mais, lorsque la nuit, remplie du calme des dieux, me trouvait sur le penchant des monts, elle me conduisait à l'entrée des cavernes et m'y apaisait comme elle apaise les vagues de la mer, laissant en moi de légères ondulations qui écartaient le sommeil sans altérer mon repos. Couché sur le seuil de ma retraite, les flancs cachés dans l'antre et la tête sous le ciel, je suivais le spectacle des ombres. Alors la vie étrangère qui m'avait pénétré durant le jour se détachait de moi goutte à goutte, retournant au sein paisible de Cybèle, comme après l'ondée les débris de la pluie attachée aux feuillages font leur chute et rejoignent les eaux. On dit que les dieux marins quittent durant les ombres leurs palais profonds, et, s'asseyant sur les promontoires, étendent leurs regards vers les flots. Ainsi je veillais ayant à mes pieds une étendue de vie semblable à la mer assoupie. Rendu à l'existence distincte et pleine, il me paraissait que je sortais de naître, et que des eaux profondes et qui m'avaient conçu dans leur sein venaient de me laisser sur le haut de la montagne, comme un dauphin oublié sur les sirtes[1] par les flots d'Amphitrite.

Mes regards couraient librement et gagnaient les pointes les plus éloignées. Comme des rivages toujours humides, le cours des montagnes du couchant demeurait empreint de lueurs mal essuyées par les ombres. Là survivaient, dans les clartés pâles, des sommeils nus et purs. Là je voyais descendre tantôt le Dieu Pan

solitaire, tantôt le chœur des divinités secrètes, ou passer quelque nymphe des montagnes enivrée par la nuit. Quelquefois les aigles du Mont Olympe traversaient le haut du ciel et s'évanouissaient dans les constellations reculées ou sous les bois inspirés. L'esprit des dieux, venant à s'agiter, troublait soudainement le calme des vieux chênes.
(...)

1. Pour Syrtes.

1. Le mouvement du récit : en quoi la structure et le rythme des phrases, l'emploi de l'imparfait, font-ils de ce texte une sorte de "poème en prose"?
2. Les rapports du "je" avec la nature : étudier le passage de l'ivresse dionysiaque (fusion du "je" avec la nature) à la contemplation lucide – thème du regard et de la naissance. La thématique de l'eau; le pressentiment du sacré.

## Aloysius Bertrand (1807-1841)

Une vie sous le signe de la pauvreté, de la maladie et de la solitude. Son père, capitaine de l'armée napoléonienne, mène à Dijon où il se fixe en 1815, la vie exiguë des demi-soldes. La situation matérielle du poète sera toujours précaire : une première expérience de journalisme à Dijon en 1828, où il publie *Jacques les Andelys* dans *Le Provincial* dont il est directeur ; un essai raté de journalisme politique en 1830 ; à Paris, de 1828 à 1830, où il est bien accueilli au Cénacle et à l'Arsenal, puis à partir de 1833, il vit de travaux occasionnels et de secours, refusant tout emploi aliénant, tentant vainement sa chance au théâtre. A partir de 1836, les séjours dans les hôpitaux s'égrènent : la Pitié, Saint-Antoine, Necker, où il meurt à 34 ans. L'œuvre de sa vie, *Gaspard de la nuit,* qu'il cherchait à faire éditer depuis sept ans, ne sortira qu'après sa mort, en 1842, à Angers, chez Victor Pavie. Seule l'amitié de David d'Angers aura adouci ses dernières années.

Mais cette vie difficile, on dirait ratée, est tout entière marquée, dévorée par un rêve exigeant de beauté et d'art. Les premières esquisses de *Gaspard* datent de 1826. Sa vie durant, avec la passion et la patience d'un ciseleur, l'auteur en a façonné les 52 tableaux, "fantaisies à la manière de Rembrandt et de Callot".

"J'avais résolu, dit-il dans l'introduction, de chercher l'art comme au Moyen Age les Rose-Croix cherchèrent la pierre philosophale : l'art, cette pierre philosophale du XIX$^e$ siècle... Oui, monsieur, j'ai longtemps cherché l'art absolu!"

On y retrouve certes les thèmes et décors romantiques, la table des matières suffit à l'indiquer : "École flamande", "Le vieux Paris", "La nuit et ses prestiges", "Chroniques", "Espagne et Italie", "Silves" – Moyen Age, mystère, fantastique, sorcellerie, exotisme...

Mais l'imagination pétrit l'histoire, la légende, les souvenirs de l'enfant du vieux Dijon, les impressions gardées des peintres préférés, Brueghel, Dürer, Rembrandt... et l'artiste affine la recherche de l'image et du mot capables de susciter la vision. Si modeste dans sa vie, Bertrand fut conscient du caractère novateur de ce travail sur le langage, qu'un Mallarmé admirera. "Ce manuscrit vous dira combien d'instruments ont essayés mes livres avant d'arriver à celui qui rend la note pure et expressive, combien de pinceaux j'ai usés sur la toile avant d'y voir naître la vague aurore du clair-obscur. Là sont consignés divers procédés, nouveaux peut-être, d'harmonie et de couleur, seul résultat et seule récompense qu'aient obtenus mes élucubrations" (Introduction).

Le choix du poème en prose n'est pas moins novateur. Il est le premier à en faire un genre autonome, s'il n'a pas inventé la prose poétique. C'était, à ses yeux, une forme à la fois exigeante et souple, apte à rendre la "fantastique vision". G.E. Clancier, dans *Panorama de la poésie française,* met en parallèle l'invasion nervalienne de la vie réelle par le songe et l'invasion de la prose par la poésie. Ce faisant, Bertrand contribue à libérer la poésie des contraintes de la versification. Ecoutons l'hommage de Baudelaire : "C'est en feuilletant pour la vingtième fois au moins le fameux *Gaspard de la nuit* (...) que l'idée m'est venue de tenter quelque chose d'analogue et d'appliquer à la description de la vie moderne ou plutôt d'une vie moderne et plus abstraite, le procédé qu'il avait appliqué à la peinture de la vie ancienne, si étrangement pittoresque."

## LE CLAIR DE LUNE

Réveillez-vous, gens qui dormez,
Et priez pour les trépassés.
*Le cri du crieur de nuit.*

Oh! qu'il est doux, quand l'heure tremble au clocher, la nuit, de regarder la lune qui a le nez fait comme un carolus d'or!

Deux ladres se lamentaient sous ma fenêtre, un chien hurlait dans le carrefour, et le grillon de mon foyer vaticinait tout bas.

Mais bientôt mon oreille n'interrogea plus qu'un silence profond. Les lépreux étaient rentrés dans leurs chenils, aux coups de Jacquemart qui battait sa femme.

Le chien avait enfilé une venelle, devant les pertuisanes du guet enrouillé par la pluie et morfondu par la bise.

Et le grillon s'était endormi, dès que la dernière bluette avait éteint sa dernière lueur dans la cendre de la cheminée.

Et moi, il me semblait, – tant la fièvre est incohérente! – que la lune, grimant sa face, me tirait la langue comme un pendu!

*Gaspard de la nuit,* Livre III, "La nuit et ses prestiges".


## UN RÊVE

J'ai rêvé tant et plus, mais je n'y entends note.
*Pantagruel,* Livre III.

Il était nuit. Ce furent d'abord, – ainsi j'ai vu, ainsi je raconte, – une abbaye aux murailles lézardées par la lune, – une forêt percée de sentiers tortueux, – et le Morimont[1] grouillant de capes et de chapeaux.

Ce furent ensuite, – ainsi j'ai entendu, ainsi je raconte, – le glas funèbre d'une cloche auquel répondaient les sanglots funèbres d'une cellule, – des cris plaintifs et des rires féroces dont frissonnait chaque feuille le long d'une ramée, – et les prières bourdonnantes de pénitents noirs qui accompagnaient un criminel au supplice.

Ce furent enfin, – ainsi s'acheva le rêve, ainsi je raconte, – un moine qui expirait couché dans la cendre des agonisants, – une jeune fille qui se débattait pendue aux branches d'un chêne. – Et moi que le bourreau liait échevelé sur les rayons de la roue.

Dom Augustin, le prieur défunt, aura, en habit de cordelier, les honneurs de la chapelle ardente, et Marguerite, que son amant a tuée, sera ensevelie dans sa blanche robe d'innocence, entre quatre cierges de cire.

Mais moi, la barre du bourreau s'était, au premier coup, brisée comme un verre, les torches des pénitents noirs s'étaient éteintes sous des torrents de pluie, la foule s'était écoulée avec les ruisseaux débordés et rapides, – et je poursuivais d'autres songes vers le réveil.

1. C'est à Dijon, de temps immémorial, la place aux exécutions.

*Ibid.*

## ONDINE

... Je croyais entendre
Une vague harmonie enchanter mon sommeil,
Et près de moi s'épandre un murmure pareil
Aux chants entrecoupés d'une voix triste et tendre.

Ch. Brugnot, *Les deux Génies.*

«Écoute! – Écoute! – C'est moi, c'est Ondine qui frôle de ces gouttes d'eau les losanges sonores de la fenêtre illuminée par les mornes rayons de la lune; et voici en robe de moire, la dame châtelaine qui contemple à son balcon la belle nuit étoilée et le beau lac endormi.

Chaque flot est un ondin qui nage dans le courant, chaque courant est un sentier qui serpente vers mon palais, et mon palais est bâti fluide, au fond du lac, dans le triangle du feu, de la terre et de l'air.

Écoute! – Écoute! – Mon père bat l'eau coassante d'une branche d'aulne verte, et mes sœurs caressent de leurs bras d'écume les fraîches îles d'herbes, de nénuphars et de glaïeuls, ou se moquent du saule caduc et barbu qui pêche à la ligne!»

Sa chanson murmurée, elle me supplia de recevoir son anneau à mon doigt pour être l'époux d'une Ondine, et de visiter avec elle son palais pour être le roi des lacs.

Et comme je lui répondais que j'aimais une mortelle, boudeuse et dépitée, elle pleura quelques larmes, poussa un éclat de rire, et s'évanouit en giboulées qui ruisselèrent blanches le long de mes vitraux bleus.

*Ibid.*

## LES LÉPREUX

N'approche mie de ces lieux,
Cy est le chenil du lépreux.
*Le lai du lépreux.*

Chaque matin, dès que les ramées avaient bu l'aigail, roulait sur ses gonds la porte de la maladrerie, et les lépreux, semblables aux antiques anachorètes, s'enfonçaient tout le jour parmi le

Rodolphe Bresdin (1822-1885), *La baigneuse et le temps*, gravure, 1857, détail. (Bibliothèque Nationale, Paris.)

désert, vallées adamites, édens primitifs dont les perspectives lointaines, tranquilles, vertes et boisées ne se peuplaient que de biches broutant l'herbe fleurie, et que de hérons pêchant dans de clairs marécages.

Quelques-uns avaient défriché des courtils : une rose leur était plus odorante, une figue plus savoureuse, cultivées de leurs mains. Quelques autres courbaient des nasses d'osier, ou taillaient des hanaps de buis, dans des grottes de rocaille ensablées d'une source vive, et tapissées d'un liseron sauvage. C'est ainsi qu'ils cherchaient à tromper les heures si rapides pour la joie, si lentes pour la souffrance !

Mais il y en avait qui ne s'asseyaient même plus au seuil de la maladrerie. Ceux-là, exténués, élanguis, dolents, qu'avait marqués d'une croix la science des mires, promenaient leur ombre entre les quatre murailles d'un cloître, hautes et blanches, l'œil sur le cadran solaire dont l'aiguille hâtait la fuite de leur vie, et l'approche de leur éternité.

Et lorsqu'adossés contre les lourds piliers, ils se plongeaient en eux-mêmes, rien n'interrompait le silence de ce cloître, sinon les cris d'un triangle de cigognes qui labouraient la nue, le sautillement du rosaire d'un moine qui s'esquivait par un corridor, et le râle de la crécelle des veilleurs qui, le soir, acheminaient d'une galerie ces mornes reclus à leurs cellules.

*Ibid.,* Livre IV, "Les chroniques".


## JEAN DES TILLES

C'est le tronc du vieux saule et ses rameaux
penchants.

H. de Latouche, *Le roi des Aulnes.*

— « Ma bague ! ma bague ! » — Et le cri de la lavandière effraya dans la souche d'un saule un rat qui filait sa quenouille.

Encore un tour de Jean des Tilles, l'ondin malicieux et espiègle qui ruisselle, se plaint et rit sous les coups redoublés du battoir !

Comme s'il ne lui suffisait pas de cueillir, aux épais massifs de la rive des nèfles mûres qu'il noie dans le courant.

— « Jean le voleur ! Jean qui pêche et qui sera pêché ! Petit Jean friture que j'ensevelirai, blanc d'un linceul de farine, dans l'huile enflammée de la poêle. »

Mais alors des corbeaux qui se balançaient à la verte flèche des peupliers, croassèrent dans le ciel moite et pluvieux.

Et les lavandières, troussées comme des piqueurs d'ablettes,
enjambèrent le gué jonché de cailloux, d'écume, d'herbes et de
glaïeuls.

*Ibid.,* Livre VI, "Silves".

---

**1.** Dans *Clair de lune, Rêve,* et *Ondine* comment est créé le climat onirique ? Importance relative des éléments réels et des éléments fantastiques ? Etude du déroulement de la vision ; discontinuité et juxtaposition des tableaux ; les lumières ; étude des images, des notations auditives, et de leur évolution ; les fantasmes du rêveur ; sa situation lors du dénouement de la vision. **2.** Dans *Jean des Tilles, Les lépreux,* l'art du créateur : comment l'atmosphère médiévale est-elle créée ? La miniaturisation (composition des tableaux, art du détail, du dessin) ; l'effet de concentration (en comparant *Les lavandières* et *Jean des Tilles,* mettre en évidence la recherche de discontinuité et de concision).

Les Lavandières
A Monsieur Émile Deschamps
        Le soleil est arrivé au sommet de la voûte céleste : les lavandières, penchées au bord de l'Armançon, ont cru voir tout à coup une auréole dorée se jouer autour de leurs blonds cheveux et couronner leurs têtes dans les eaux.
        Et les jeunes filles qui étendent sur les herbes verdoyantes ou suspendent aux sureaux les blanches toiles, ont cru voir dans les prairies des rayons aériens voltiger comme des papillons de fleur en fleur.
        "C'est, disent les lavandières et les jeunes filles, c'est l'ondin de l'Armançon, qui se plaît à nous dérober nos anneaux, lorsque nos bras nus sont caressés par les ondes, qui danse et chante la nuit sur l'écume de la cascade, et qui, malicieux et vain, cueille et jette les fruits mûrs au courant des eaux."
        En ce moment, un pivert a passé sous les saules balancés par le vent ; ses ailes bleues ont rasé le limpide miroir de l'Armançon, et puis il s'est plongé dans la grotte murmurante et sombre où fleurissent et dorment ensemble les nénuphars jaunes sur les eaux.
        Les cloches du hameau tintaient jusque dans la montagne. C'était l'heure de la salutation angélique : les lavandières et les jeunes filles s'agenouillèrent et chantèrent *Alleluia* au bord des eaux.
        Les rayons s'éteignirent soudain sur les prairies et dans l'Armançon : l'oiseau bleu se tint caché jusqu'après le coucher du soleil ; et les lavandières et les jeunes filles, quand se leva la brise nocturne, entendirent avec effroi sous les saules comme la voix plaintive d'un enfant qui se noyait.
                                                                                                        11 avril 1828.

## Pétrus Borel (1809-1859)

Une belle figure de rebelle, d'une indépendance farouche, une personnalité forte, attractive, le plus célèbre de ces "bousingots" de 1830, familiers du Doyenné.

Il se disait "lycanthrope" : "l'homme-loup opposé à l'homme-chien, l'artiste fier et indépendant opposé au bourgeois ambitieux et servile", commente Valéry Larbaud. Révolté plus que révolutionnaire, il fut spectateur des journées de 1830, mais en percevra le symbole.

En 1832, ses *"Rhapsodies"* donnent la mesure de la révolte d'un cœur épris de vérité, de liberté, contre les hypocrisies bourgeoises, l'injustice et la tyrannie. Il s'y proclame républicain : "Oui, je suis républicain ! mais ce n'est pas le soleil de juillet qui a fait éclore en moi cette haute pensée ; je le suis d'enfance, mais non pas républicain à jarretière rouge ou bleue à ma carmagnole, pérorateur de hangars et planteur de peupliers ; je suis républicain comme l'entendrait le loup-cervier : mon républicanisme, c'est de la lycanthropie... Je suis républicain parce que je ne puis être caraïbe ; j'ai besoin d'une somme énorme de liberté".

Le ton surtout est nouveau : d'une âpre franchise dans la satire la plus directe, l'anathème ; un langage inégal, emphatique parfois, mais dense, exalté, imagé, baroque, qui acquiert un pouvoir destructeur que Breton et les surréalistes reconnaîtront.

Sous-jacente à la révolte sociale, la révolte contre la condition humaine et "l'ogre appelé dieu" : humour noir, visions angoissées, fascination du néant, hantise du suicide donnent à l'œuvre une coloration sombre, comme en témoignent les vers de la Notice de *Champavert* (1833), ou de la Préface de *Madame Putiphar* (1839), roman frénétique multipliant les scènes d'horreur ; "Quand finira la lutte, et qui m'aura pour proie / Dieu le sait / du Désert, du Monde, ou du Néant ?"

Après 1846, le poète se tait. L'ancien commis d'architecte se marie, demande et obtient, grâce à Gautier et à Madame de Girardin, un poste d'Inspecteur de la Colonisation en Algérie, à Mostaganem ; il achète un domaine, le "Castel de la Haulte Pensée", deviendra maire de Blad-Touaria.

Le lycanthrope est devenu philanthrope, bon administrateur, déployant un zèle de saint-simonien à lutter contre les épidémies, à créer des industries, une infirmerie, une école. Il cherche à réaliser un rêve humanitaire. Il garde sa fougue pour forcer les règlements d'une administration indifférente, ou dénoncer les profiteurs.., ce qui lui vaut d'être révoqué à deux reprises, et définitivement en 1854. Après quoi, il cultive son jardin. Cet excentrique trouvera une mort absurde ; lui qui avait dit : "Je ne me couvrirai pas la tête, la nature a bien fait ce qu'elle a fait ; ce n'est pas à moi de la corriger", meurt en juillet 1859 d'une insolation.

## HEUR ET MALHEUR

J'ai caressé la mort, riant au suicide,
Souvent et volontiers quand j'étais plus heureux ;
De ma joie ennuyé, je la trouvais aride,
J'étais las d'un beau ciel et d'un lit amoureux.
Le bonheur est pesant, il assoupit notre âme.
Il étreint notre cœur d'un cercle étroit de fer ;
Du bateau de la vie il amortit la rame ;
Il pose son pied lourd sur la flamme d'enfer,
Auréole, brûlant sur le front du poète,
10 Comme au pignon d'un temple un flambeau consacré ;

Car du cerveau du Barde, arabe cassolette,
Il s'élève un parfum dont l'homme est enivré. –
C'est un oiseau, le Barde! il doit rester sauvage;
La nuit, sous la ramure, il gazouille son chant;
Le canard tout boueux se pavane au rivage,
Saluant tout soleil ou levant ou couchant. –
C'est un oiseau, le Barde! il doit vieillir austère,
Sobre, pauvre, ignoré, farouche, soucieux,
Ne chanter pour aucun, et n'avoir rien sur terre
20 Qu'une cape trouée, un poignard et les Cieux!
Mais le barde aujourd'hui, c'est une voix de femme,
Un habit bien collant, un minois relavé,
Un perroquet juché chantonnant pour madame,
Dans une cage d'or un canari privé;
C'est un gras merveilleux versant de chaudes larmes
Sur des maux obligés après un long repas;
Portant un parapluie, et jurant par ses armes;
L'électuaire en main invoquant le trépas,
Joyaux, bals, fleurs, cheval, château, fine maîtresse,
30 Sont les matériaux de ses poèmes lourds :
Rien pour la pauvreté, rien pour l'humble en détresse;
Toujours les souffletant de ses vers de velours.
Par merci! voilez-nous vos airs autocratiques;
Heureux si vous cueillez les biens à pleins sillons!
Mais ne galonnez pas, comme vos domestiques,
Vos vers qui font rougir nos fronts ceints de haillons.
Eh! vous de ces soleils, moutonnier parélie!
De cacher vos lambeaux ne prenez tant de soin;
Ce n'est qu'à leur abri que l'esprit se délie;
40 Le barde ne grandit qu'enivré de besoin!
J'ai caressé la mort, riant au suicide,
Souvent et volontiers, quand j'étais plus heureux;
Maintenant je la hais, et d'elle suis peureux,
Misérable et miné par la faim homicide.

*Champavert, contes immoraux.*

## Philothée O'Neddy [1] (1811 - 1875)

Un des plus représentatifs des Jeune France du Petit Cénacle et du Doyenné. Dès l'adolescence, lycéen à Louis-le-Grand, il est acquis au romantisme, fait ses débuts poétiques. Encouragé par ses amis, il publie en 1833 *Feu et flamme;* tiré à 300 exemplaires, l'ouvrage passera à peu près inaperçu.

Œuvre frénétique et révoltée, la Préface est une déclaration de guerre à la société bourgeoise : "Comme vous (les poètes), je méprise de toute la hauteur de mon âme l'ordre social et l'ordre politique qui en est l'excrément; comme vous, je me moque des anciennistes et de l'académie; comme vous, je me pose incrédule et froid devant la magniloquence et les oripeaux des religions de la terre; comme vous, je n'ai de pieux élancements que vers la Poésie, cette sœur jumelle de Dieu..."

Les dix Nuits qui composent l'œuvre associent les thèmes romantiques (orientalisme, fantastique, Moyen Age) à des accents plus personnels : tableau exalté et humoristique des soirées du groupe, où, dans les vapeurs du punch et la tabagie, on projetait d'attaquer "sans scrupule, en son règne moral, la lâche iniquité de l'ordre social" (Nuits I) ; aspirations à l'Amour, à la Gloire, à la Liberté, impossible idéal; désespoir et éloge du suicide (IV "Nécropolis"); révolte contre la société et le destin; recherche spleenétique des "sourdes voluptés" et "vertiges" d'un dandysme aux résonances baudelairiennes (VII).

Les difficultés de la vie lui coupent les ailes. La mort de son père en 1832 le transforme en soutien de famille obligé de gagner sa vie au ministère des Finances. A peine s'il publie quelques romans et quelques vers dans les gazettes.

Mais dans la solitude et le secret, le poète-paria reste fidèle à la poésie, poésie sincère, qui gagne en gravité, qu'il chante son amour pour Vannina (*Mistica Biblion,* écrit de 1833 à 1846), ou son angoisse métaphysique. Havet, son ami, publiera en 1877 le livre des *Poésies posthumes* de celui qui ne voulait publier ses œuvres complètes que "lorsqu'il n'y aurait plus de bourgeois".

1. Théophile Dondey dit...

## NECROPOLIS

Sur la terre on est mal :
Sous la terre on est bien.
Pétrus Borel.

### I

Voici ce qu'un jeune squelette
Me dit les bras croisés, debout, dans son linceul,
Bien avant l'aube violette,
Dans le grand cimetière où je passais tout seul.

### II

Fils de la solitude, écoute!
Si le Malheur, sbire cruel,
Sans cesse apparaît dans ta route,

Pour t'offrir un lâche duel;
Si la maladive pensée
10  Ne voit, dans l'avenir lancée,
Qu'un horizon tendu de noir;
Si, consumé d'un amour sombre,
Ton sang réclame en vain, dans l'ombre,
Le philtre endormeur de l'espoir;
Si ton mal secret et farouche
De tes frères n'est pas compris;
Si tu n'aperçois sur leur bouche
Que le sourire du mépris;
Et si pour assoupir ton âme,
20  Pour lui verser un doux dictame,
Le Destin, geôlier rigoureux,
Ne t'a pas, dans ton insomnie,
Jeté la lyre du génie,
Hochet des grands cœurs malheureux;


Va, que la mort soit ton refuge!
A l'exemple du Rédempteur,
Ose à la fois être le Juge,
La victime et l'exécuteur.
Qu'importe si des fanatiques
30  Interdisent les saints portiques
A ton cadavre abandonné?
Qu'importe si, de mille outrages
Par l'éloquence des faux sages,
Ton nom vulgaire est couronné?


## III

Sous la tombe muette, oh! comme on dort tranquille!
Sans changer de posture, on peut, dans cet asile,
Des replis du linceul débarrassant sa main,
L'unir aux doigts poudreux du squelette voisin.
Il est doux de sentir des racines vivaces
40  Coudre à ses ossements leurs nœuds et leurs rosaces,
D'entendre les hourras du vent qui courbe et rompt
Les arbustes plantés au-dessus de son front.
C'est un ravissement quand la rosée amie,
Diamantant le sein de la côte endormie,
A travers le velours d'un gazon jeune et doux,
Bien humide et bien froide arrive jusqu'à vous.
Là silence complet; *far-niente* sans borne.
Plus de rages d'amour! Le cœur stagnant et morne
Ne se sent plus broyé sous la dent du remords.
50  — Certes, l'on est heureux dans les villas des morts!


1829.

*Feu et flamme,* "Nuit quatrième".

## SPLEEN

*Manfred*
La patience! toujours la patience!.. Ce mot a été créé pour les animaux serviles et
non pas pour l'oiseau de proie! Prêche la patience aux êtres formés de ta vile poussière! moi, je suis d'une autre espèce!

*Le chasseur des Alpes*
Merci Dieu! je ne voudrais pas être de la tienne pour toute la gloire de Guillaume
Tell!..
Lord Byron.

Oh! combien de mes jours le cercle monotone
Effare ma pensée et d'ennuis la couronne!
Que faire de mon âme et de ses saints transports,
Dans cet air étouffant qui pèse sur la ville,
Au milieu d'une foule insouciante et vile,
Où dort l'enthousiasme, où tous les cœurs sont morts!

Que faire, dites-moi, de ce culte funeste
Pour tout ce qui dans l'homme est grand, noble, céleste,
De ces fougues d'amour, de ces élans d'orgueil,
10 De ces bouillonnements, de cet intime orage,
Qui, de mes nerfs brûlés dévorant le courage,
Me font déjà rêver le repos du cercueil!

Est-ce éternellement que le sort me condamne
A dépérir ainsi dans ce climat profane ?
Oh! ne pourrai-je donc libéré de mes fers,
Pèlerin vagabond sur de nouvelles rives,
Promener quelque jour mes passions actives,
A travers l'Océan, à travers les déserts ?

Où donc est le vaisseau qui, dédaignant la côte,
20 Doit chercher avec moi la mer profonde et haute ?
Quand, nouveau Child-Harold[1], sur la poupe monté,
A l'heure du départ, libre, sauvage et sombre,
D'un sourire pareil au sourire d'une ombre
Enverrai-je l'insulte à ce bord détesté ?

Le bercement lascif de l'onde aventureuse
Peut-être assoupirait la fièvre sulfureuse
Qui m'arrache des pleurs et me tarit le sang :
Peut-être, avec l'aspect du sol que je renie,
S'en irait cet amour dont ma pâle atonie
30 Divulgue le pouvoir morbide et flétrissant.

Peut-être j'oublierais jusqu'à ce nom magique
Que tant de fois mon cœur, lyre mélancolique,
A modulé tout bas loin des cœurs importuns :
Et je ne verrais plus, dans mon sommeil morose,
Un fantôme trop cher, de sa main blanche et rose,
A ses cheveux d'ébène immiscer des parfums.

Toi l'oublier, esclave ? — Oh! non, je t'en défie.
— Un charme trop puissant fut jeté sur ta vie. —
Tant que de sa lueur un reste de raison
40 Eclaircira la nuit de ton âme déserte,
Toujours, dans ta pensée aux noirs chagrins ouverte,
Une voix sarcastique épèlera ce nom!

Eh bien! donc, si jamais, dans son pèlerinage,
Mon brick aventurier rencontrait une plage
Où s'ouvrît des combats le drame redouté :
Jetez l'ancre, dirai-je, allons! qu'on prenne terre!
J'aime le sang, la mort, le jeu du cimeterre,
Et je réclame ici ma part de volupté !

Un cheval, un cheval!.. et qu'à bride abattue
50 Je tombe au plus épais de ces rangs où l'on tue!
— Reçois, bruyant chaos, celui qui veut mourir...
Oh! l'éclair des cimiers! le spasme du courage!
La strideur des clairons, l'arôme du carnage! —
Quelle sublime fête à mon dernier soupir!!

Certes, jeune insensé, voilà d'orgueilleux songes.
Ta muse n'a jamais, pour d'aussi beaux mensonges,
Sur le clavier de l'âme improvisé des airs.
Mais ils sont vains les cris de ta bouillante audace!
Au conseil du Destin tu n'as pas trouvé grâce :
60 Sur son trône de bronze il rit de tes concerts.

Pleure : il faut te résoudre à languir dans les villes.
— Adieu l'enthousiasme. — En des travaux serviles
On t'ensevelira, comme en un froid linceul.
Ah! pleure — mais tout bas, de peur que l'ironie
De misère et d'orgueil n'accuse ton génie.
— Et point d'amis encore! — Il te faut pleurer seul.

*Ibid.,* "Mosaïque", Fragment premier.

1. *Cf.* le *Pèlerinage de Childe-Harold :* dans son héros Byron projette son spleen et sa désespérance.

## Xavier Forneret[1] (1809-1884)

Une personnalité excentrique. Né et mort à Beaune, dans une famille riche de vieille bourgeoisie, il ne quittera que pour quelques séjours décevants à Paris sa Bourgogne natale, où il défraie la chronique, logeant dans un donjon médiéval aux tapisseries ornées de larmes d'argent, jouant du stradivarius la nuit, couchant dans un cercueil d'ébène : narcissisme hautain et façon de cultiver la vertu de l'étonnement.

Des échecs au théâtre, un passage sans grandeur dans le journalisme en 1848-1850, où il soutient Lamartine, puis Cavaignac, des œuvres éditées à compte d'auteur en plaquettes de luxe : son siècle l'ignorera, quasiment. Solitude et pessimisme ; l'œuvre, disparate et mêlée "où le sublime le dispute au niais", dit Breton, témoigne pourtant d'une quête obstinée de quelque vérité surréelle, par le rêve et la poésie. "L'auteur comprend la poésie comme il ne pourra jamais la faire, c'est-à-dire grande, élevée, sublime, naïve, ardente, railleuse, fine, emportée, suave, mordante, mélancolique, soupirante, toute de jour, toute de nuit, brillante ou noire. Pour lui, dans ce monde, la poésie en tout, c'est son rêve. Quand il a écrit, c'est le réveil, et ce réveil l'accable..."

Tzara et les surréalistes le salueront comme précurseur et le sauveront de l'oubli. Les audaces de l'œuvre, de 1836 à 1840 surtout, le méritaient bien : humour noir ou violence révoltée ; sens du fantastique, dans la lignée du romantisme allemand ; onirisme ; images étonnantes surgissant à l'insu du créateur, préfigurant une sorte d'automatisme de l'écriture. Le poète n'ignorait pas la qualité de ses "bizarreries... qui ont pour elles une chose (une seule passable), une originalité sans étude, venue d'un seul jet et laissée existant telle qu'elle s'est fait sentir", lui qui se voulait instrument d'une force le dépassant : "Souvent, on n'est pas digne de la pensée qu'on a."

*Et la lune dormait et la rosée tombait* (1836) : conte ; *Vapeurs, ni vers, ni prose* (1838); *Sans titre, par un homme noir, blanc de visage* (1839); *Encore un an de sans titre* (1839); *Pièce de pièces, temps perdu* (1840); *Rêves* (1846); *Ombres de poésies* (1860); *Broussailles de la pensée* (1870).

1. Xavier Forneret dit "L'homme noir".

*Mars*
Le temps semble donner à l'homme une couche de boue.

Pour que la Conception et l'Exécution soient bonnes, elles doivent être l'Eclair et le Tonnerre.

*Mai*
L'Ennui s'habille à la mode.

La Mort est la soupape de la Vie.

Les rêves sans dormir sont les baisers de l'âme.

*Octobre*
Le cercueil est le salon des morts, ils y reçoivent des vers.

La Folie, c'est la Mort avec des veines chaudes.

*Sans titre, par un homme noir, blanc de visage.*

Les rêves sont les réalités de la vie.
Le Suicide est le Doute allant chercher le vrai.

*Broussailles.*


## ELLE

Vous ne savez son nom ? – Celle pour qui je chante
A vie d'amour de feu, puis après est mourante :
C'est un arbre en verdeur, un soleil en éclats,
Puis une nuit de rose ou languissants ébats.
C'est un torrent jeté par un trou de nuage ;
C'est le roi des lions dégarni de sa cage :
C'est l'enfant qui se roule et qui est tout en pleurs,
C'est la misère en cris, – c'est la richesse en fleurs.
C'est la terre qui tremble et la foudre qui tonne,
10  Puis le calme du soir, au doux bruit qui résonne :
C'est un choc qui renverse en tuant de frayeur,
Puis un pauvre qui donne, – ou le soupir qui meurt.
C'est un maître qui gronde, – un amant qui caresse ;
C'est la mort, désespoir, deuil, bonheur, allégresse.
C'est la brebis qui bêle en léchant son agneau,
Puis la brise aux parfums, ou le vent dans l'ormeau. –
Bien sûr elle a deux cœurs : l'un qui vit et palpite ;
L'autre, frappé, battu, qui dans un coin habite.

On pense que son pied ne la soutiendra pas,
20  Tant il se perd au sol, ne marquant point de pas.
Ses cheveux sont si beaux qu'on désire se pendre
Avec eux, si épais qu'on ne peut pas les prendre.
Si petite est la place où l'entoure un corset
Qu'on ne sait vraiment pas comment elle le met.
Quelque chose en sa voix arrête, étreint, essouffle.
Des âmes en douceur s'épurent dans son souffle.
Et quand au fond du cœur elle s'en va cherchant,
Ses baisers sont des yeux, sa bouche est leur *Voyant*.

Pour toi.
*Vapeurs, ni vers ni prose.*


## UN PAUVRE HONTEUX

Il l'a tirée
De sa poche percée,
L'a mise sous ses yeux ;
Et l'a bien regardée
En disant : « Malheureux ! »

Il l'a soufflée
De sa bouche humectée ;
Il avait presque peur

D'une horrible pensée
10 Qui vint le prendre au cœur.

Il l'a mouillée
D'une larme gelée
Qui fondit par hasard;
Sa chambre était trouée
Encore plus qu'un bazar.

Il l'a frottée,
Ne l'a pas réchauffée,
A peine il la sentait;
Car, par le froid pincée
20 Elle se retirait.

Il l'a pesée
Comme on pèse une idée,
En l'appuyant sur l'air.
Puis il l'a mesurée
Avec du fil de fer.

Il l'a touchée
De sa lèvre ridée. —
D'un frénétique effroi
Elle s'est écriée :
30 Adieu, embrasse-moi!

Il l'a baisée,
Et après l'a croisée
Sur l'horloge du corps,
Qui rendait, mal montée,
De mats et lourds accords.

Il l'a palpée
D'une main décidée
A la faire mourir. —
— Oui, c'est une bouchée
40 Dont on peut se nourrir.

Il l'a pliée,
Il l'a cassée,
Il l'a placée,
Il l'a coupée,
Il l'a lavée,
Il l'a portée,
Il l'a grillée,
Il l'a mangée.

— Quand il n'était pas grand, on lui avait dit : Si tu as faim,
mange une de tes mains.

*Ibid.*

## OMBRE D'OMBRE

L'HOMME pleure,
Et s'endort
Comme l'heure
Pour un mort;

Comme étoile
En la nuit,
Est sans voile
Après bruit. −

L'oiseau chante
10 Avec feu
Son amante,
Son bon Dieu.

Et l'eau coule
Doucement,
Se déroule
Vaguement.

Et la lune
En chemin,
La fortune
20 Du chagrin,

Nous fait face,
Va au cœur;
C'est la glace
Du penseur. −

La nature
En soupirs
Ne murmure
Que désirs.

Toi, mon âme,
30 Que veux-tu ? −
Une femme
La vertu ?

Rien. Je n'ose
Désirer
Cette chose, −
DÉTERRER.

*Ibid.*

## UN RÊVE

(...)

Il est deux heures moins un quart du matin. La chouette chante les cadavres sur l'appui de ma fenêtre. Son cri me met du froid partout. De l'eau coule sur moi. Je m'affaiblis. Je me rendors.
Et je vois
Du vert-de-gris au fond d'un vase.
Et je vois
Des lumières qui s'éteignent et se rallument comme des yeux qui se ferment et se rouvrent.
Et je vois,
Sous une rangée d'arbres verts, une rangée de corps sans tête qui pourtant ont l'air de tirer une langue dans une bouche sans dents.
J'arrive à une voûte où des étoiles se jouent et s'entrechoquent comme du verre qui se casse.
Et j'entends
Du fer frapper sur le bois à coups non mesurés comme le remuement du tonnerre.
Et je vois
De grandes choses pendues s'agitant et qui ressemblaient à des peaux humaines.
Et je sens
Une odeur qui m'étouffe...
Pourtant je reprends souffle et je recommence à voir.

Une femme s'approche de moi; son cœur est sur sa main.
Une épée sort et rentre dans la terre tout autour d'elle. On
dirait qu'il y a à cette épée des rubans et un œil qui regarde.
Tout à coup l'épée fait rouler vers moi la femme. J'ai peur. Je la
repousse. Elle se retourne, et j'entends du fer frapper sur du bois à
coups non mesurés comme un remuement de tonnerre.
Et j'entends des morceaux de paroles que la femme me jette.
Et je vois dans l'air
Quatre hommes à manteaux, avec chapeaux grands, avec
bâtons gros.
La femme s'élance vers eux et s'écrie : « La Bolivarde! la Boli-
varde! la Bolivarde! » Je ne sais pourquoi. (Je crois qu'elle voulait
dire la mort.)
Puis elle disparaît sous les manteaux des quatre hommes.
Alors je vois
Une bien jeune fille, à chevelure qui se balance et à larmes qui
tombent, courir après la femme et lui crier en me désignant :
« Mais, ma mère, qu'est-ce qu'il vous veut donc encore? — Plus
rien, répond la femme; dis-lui que JE L'ABANDONNE. »
A ces deux mots, qui résonnèrent comme une grosse cloche
d'église, je me réveille, et je vois, à la lueur de ma veilleuse :
Une longue ombre sans cheveux, à visage violet, avec deux
yeux blancs qui s'allongent. Elle se glisse, elle se glisse, et ses pas
sont comme du fer qui frapperait sur du bois.
Et quelque chose ainsi qu'un bras roide me jette hors de mon
lit.
Je cours à ma fenêtre – Je l'ouvre. Le jour donne, donne quoi?
Sa lumière.
La chouette chante encore, mais plus loin que moi.
Je cherche la place que l'oiseau vient de quitter.
A cette place, qui est chaude, il y a une de ses plumes.
La chouette chante toujours mais plus loin, plus loin;
Et cette plume a l'odeur qui m'étouffait dans mon rêve.

Si cela signifiait bien quelque chose, ce ne serait point un rêve.


*Pièce de pièces, temps perdu,* 1840.

# Gérard de Nerval (1808-1855)

"Je crois que l'imagination humaine n'a rien inventé qui ne soit vrai dans ce monde ou dans les autres". Avec Nerval, l'écriture, la poésie deviennent moyens d'une quête de connaissance, vouées à l'exploration de la mémoire, du rêve, des profondeurs de l'être, par-delà "ces portes d'ivoire ou de corne qui nous séparent du monde invisible". Bon compagnon, et toujours entouré d'amis fidèles, le poète connaîtra cependant une solitude morale grandissante, tandis que s'élaborent une mythologie et une symbolique personnelles complexes.

Il est né en mai 1808, à Paris, rue St-Martin, du Docteur Labrunie, affecté aux services de l'armée napoléonienne, et de Marie-Antoinette Laurent, fille de merciers parisiens d'origine valoise. Elle suivra son mari en Allemagne. L'enfant est mis en nourrice dans le Valois, à Loisy, et sera élevé à Mortefontaine chez son grand-oncle maternel, Antoine Boucher, qui sera pour Nerval l'image du père idéal, celui qui aurait révélé à l'enfant : "Dieu, c'est le soleil".

Période heureuse : pour l'homme en quête de son passé qui, à partir de 1849, multiplie les pèlerinages dans le Valois, écrit *Sylvie, Promenades et souvenirs,* cette province pétrie d'histoire et de légendes, ses paysans au cœur et au langage purs, c'est le "vert paradis" de l'enfance, des vacances, tout baigné d'une lumière rousseauiste. C'est là qu'il aperçut Sophie Dawes, la belle amazone blonde, baronne Adrien de Feuchères, le prototype de l'Adrienne de *Sylvie,* qui mourra en 1840.

Novembre 1810 : la mère de Gérard meurt en Silésie; la privation d'amour maternel est une des sources de la quête de l'éternel féminin, de la mère-épouse qui console et pardonne – Aurélia, Isis, Marie, autant d'images de la mère perdue. L'Allemagne où repose la mère deviendra terre sacrée et fatale.

En 1814, Gérard retrouve à Paris son père, rendu à la vie civile; un père autoritaire, devant lequel il sera toujours "enfant", humilié et coupable, et toujours en situation conflictuelle, qu'il s'agisse du choix du métier, ou des problèmes d'argent qui vont harceler le poète sa vie durant. Le pseudonyme qu'il choisit en 1850 est une façon de rejeter le père : Nerval est le nom d'un clos de la famille maternelle à Mortefontaine.

Pour l'heure, de 1822 à 1829, Gérard fait ses études secondaires au lycée Charlemagne; il y rencontre Gautier, l'ami de toujours. Très tôt, dès 1824, il écrit et publie sous des noms divers : sept plaquettes en 1826, *Elégies nationales, La France guerrière* (1827), exaltant l'image napoléonienne.

En 1827, sa traduction du premier *Faust* de Goethe, signée "Gérard", lui vaut une certaine notoriété. Pour la première fois, se manifeste le thème de la quête de la connaissance ; le mythe faustien ne lâchera pas Nerval; on le retrouvera notamment dans *L'alchimiste* (1839), *Les illuminés* (1852) *Les filles du feu* (1854). Il s'intéresse à l'Allemagne romantique, – il publie un recueil de *Poésies allemandes* en 1830 –, et à la France du XVIe siècle, *Choix de poésies de Ronsard, du Bellay, Baïf, Belleau...* (1830). Il fréquente Nodier, découvre Hoffmann, pour qui la poésie, le rêve, la folie sont des moyens d'accéder à l'invisible. Son intérêt pour les religions, les sciences occultes ira croissant.

En 1831-32, il est un habitué du Petit Cénacle, fréquente Gautier, Nanteuil, Borel; il est alors brillant causeur, curieux, passionné. Il abandonne en 1833 des études de médecine ébauchées un an plus tôt. En janvier 1834, la mort de son grand-père maternel lui laisse un héritage de 30 000 francs;

il fait un voyage dans le Midi et en Italie. Au retour, il s'installe dans le vieil hôtel du Doyenné : dix-huit mois d'amitiés, de ferveur artistique, de gaieté et de projets fous qu'il évoquera en 1852 dans *La bohème galante*. Le bal masqué qu'il offre en novembre 1835 est l'apogée de ce temps heureux. En avril, il a fondé une revue, *Le monde dramatique*, où il se ruine. La vie de Nerval s'assombrit : il va dès lors être obligé de multiplier la copie pour divers journaux. Commence aussi sa collaboration avec Dumas, pour des œuvres théâtrales communes, qu'ils signeront alternativement.

C'est aussi l'époque où Jenny Colon est entrée dans sa vie; depuis 1833 ou 1834, il admire cette actrice des *Variétés;* en 1837-38, une correspondance s'établit. Nerval, à travers la comédienne, poursuit un rêve. "Ah! Vous ne m'aimez pas!.. Vous cherchez un drame", s'exclamera la comédienne dans *Sylvie*. En 1838, fin de l'idylle : Jenny épouse un flûtiste; elle mourra en 1848 épuisée par les tournées et les maternités. "D'ailleurs, elle m'appartenait bien plus dans sa mort que dans sa vie" : elle sera une des composantes de la figure d'Aurélia.

1840, Nerval fait une troisième édition de *Faust* et traduit la partie du second *Faust* consacrée à Hélène. La préface souligne l'orientation mystique de ses préoccupations : "Le Génie véritable, même séparé longtemps de la pensée du ciel, y revient toujours, comme au but inévitable de toute science et de toute activité"... Il aspire "à la connaissance des choses surnaturelles et ne peut plus vivre dans le cercle borné des désirs humains". "Par le rêve, par le magnétisme ou par la contemplation ascétique", les vivants peuvent tenter la plongée vers l'invisible.

1841. Autre date marquante, celle de la première crise de folie et du premier internement du poète, qu'il évoquera quatorze ans plus tard dans *Aurélia*. Pour l'instant, il cherche à reprendre sa place dans la vie littéraire, par la vie mondaine, le théâtre, le journalisme, le labeur forcené; et à sortir de ses dettes. En 1843, il accomplit son voyage en Orient, surtout Egypte et Liban. Il se lie d'amitié avec Heine, qu'il traduit en 1848.

A partir de 1850, les œuvres sont signées "Nerval"; les dernières années sont marquées par une intense activité créatrice, entrecoupée de voyages. La détresse morale et matérielle s'aggrave, tandis que le rêveur est de plus en plus en proie à ses chimères. En 1852, les *Nuits d'octobre* évoquent une errance parisienne, "descente aux enfers" tournant à l'échec. Dans *Sylvie*, parue le 15 août 1853 dans *La revue des deux mondes*, la quête symbolique du héros s'achève dans la solitude : Adrienne la sainte est morte, Aurélie la comédienne est fille de l'enfer; Sylvie la paysanne se marie. Dix jours après la publication de *Sylvie,* une nouvelle crise exige un internement de deux mois; on installe les meubles du poète dans la clinique du Dr Blanche à Passy. Il y reviendra en août-octobre 1854 après son dernier voyage dans la patrie du romantisme ("On ne me trouve pas fou en Allemagne").

La recherche faustienne devient voyage intérieur : "Je me jugeais un héros vivant sous le regard des dieux", dit-il dans *Aurélia*. En 1854, il publie *Les filles du feu*, où il inclut *Les chimères*; il a consenti à y joindre *Sylvie*, destinée d'abord à être publiée à part, et les *Chansons et légendes du Valois*. Lui même se veut "vestal", "fils du feu".

*Aurélia* apparaît comme "le testament d'un illuminé". Le Dr Blanche lui avait conseillé de noter ses rêves. Il en fera le moyen d'explorer sa propre énigme : "Le rêve est une seconde vie". Commencée dès décembre 1853, reprise en 1854, où Aurélie devient Aurélia, la première partie de l'œuvre paraît le 1er janvier 1855 dans la *Revue de Paris;* la deuxième paraîtra le 15 février après la mort du poète.

Le 24 janvier, il laisse un mot chez sa tante : "Ne m'attends pas ce soir, car la nuit sera noire et blanche". Le 26 au matin, on retrouve le poète pendu, rue de la Vieille Lanterne : accident ou suicide? de désespéré ou d'illuminé ? Dernière étape énigmatique pour le marcheur aux frontières du surnaturel. — "Retrouvons la lettre perdue ou le signe effacé, recomposons la gamme dissonante, et nous prendrons force dans le monde des esprits",

*Le Marquis de Fayolle* (1849); *Les faux Saulniers* (1850); *Voyage en Orient* (1851); *Lorely, souvenirs d'Allemagne; Nuits d'octobre; La Bohème galante* (1852); *Petits châteaux de Bohème*; *Contes et facéties*; *Sylvie* (1853); *Les filles du feu*; *Les chimères*; *Promenades et souvenirs* (1854); *Aurélia* (1855).

*ODELETTES*

## UNE ALLÉE DU LUXEMBOURG

Elle a passé, la jeune fille
Vive et preste comme un oiseau :
A la main une fleur qui brille,
A la bouche un refrain nouveau.

C'est peut-être la seule au monde
Dont le cœur au mien répondrait,
Qui venant dans ma nuit profonde
D'un seul regard l'éclaircirait !

Mais non, − ma jeunesse est finie...
Adieu, doux rayon qui m'as lui, −
Parfum, jeune fille, harmonie...
Le bonheur passait, − il a fui !

## FANTAISIE

Il est un air pour qui je donnerais
Tout Rossini, tout Mozart et tout Weber[1],
Un air très vieux, languissant et funèbre,
Qui pour moi seul a des charmes secrets !

Or, chaque fois que je viens à l'entendre,
De deux cents ans mon âme rajeunit...
C'est sous Louis treize; et je crois voir s'étendre
Un coteau vert, que le couchant jaunit,

Puis un château de brique à coins de pierre,
Aux vitraux teints de rougeâtres couleurs,
Ceint de grands parcs, avec une rivière
Baignant ses pieds, qui coule entre des fleurs;

Puis une dame, à sa haute fenêtre,
Blonde aux yeux noirs, en ses habits anciens,
Que, dans une autre existence peut-être,
J'ai déjà vue... et dont je me souviens !

1. On prononce *Wèbre*.

## LES CYDALISES

Où sont nos amoureuses ?
Elles sont au tombeau :
Elles sont plus heureuses,
Dans un séjour plus beau !

Elles sont près des anges,
Dans le fond du ciel bleu,
Et chantent les louanges
De la mère de Dieu!

O blanche fiancée!
O jeune vierge en fleur!
Amante délaissée,
Que flétrit la douleur!

L'éternité profonde
Souriait dans vos yeux...
Flambeaux éteints du monde,
Rallumez-vous aux cieux!

---

(p. 162-163).
Trois rêveries sur le thème du temps et celui de l'amour :
**1.** musicalité du langage poétique;
**2.** point de départ de la rêverie; rapports réalité-rêve;
**3.** sublimation de l'image féminine dans chacun des poèmes;
**4.** la fin de chacun des poèmes suggère-t-elle l'échec ou la victoire du rêve?

## LES CHIMÈRES

"Ils perdraient de leur charme à être expliqués, si la chose était possible", dit Nerval de ses poèmes des *Chimères* dans la dédicace des *Filles du feu*. Les notes ne prétendent ni épuiser ces poèmes, ni imposer une interprétation biographique ou ésotérique, mais faire apparaître leur polyvalence et suggérer des réseaux de correspondances. "Alchimie poétique" s'il en est, les images, symboles, figures, provenant de la légende, des mythes, de l'astrologie, du tarot, de l'alchimie, apparaissent comme "une constellation de son être intérieur", intégrée à l'expérience intime, aux images de l'inconscient, à la rêverie, aux obsessions du poète.


El Desdichado[1]

Je suis le ténébreux, − le veuf, − l'inconsolé,
Le prince d'Aquitaine à la tour abolie[2] :
Ma seule *étoile*[3] est morte, − et mon luth constellé
Porte le *soleil noir* de la *Mélancolie*[4].

Dans la nuit du tombeau[5], toi qui m'as consolé,
Rends-moi le Pausilippe[6] et la mer d'Italie,
La *fleur* qui plaisait tant à mon cœur désolé,
Et la treille où le pampre à la rose s'allie.

Suis-je Amour ou Phébus, Lusignan ou Biron[7] ?
Mon front est rouge encor du baiser de la reine[8];
J'ai rêvé dans la grotte où nage la sirène...

Et j'ai deux fois vainqueur traversé l'Achéron[9],
Modulant tour à tour sur la lyre d'Orphée
Les soupirs de la sainte et les cris de la fée[10].

1. *Le Déshérité;* devise d'un héros d'*Ivanhoé* de Walter Scott, qui avait été dépossédé de son fief, et dont les amours furent contrariées par un père autoritaire. Autre titre envisagé : *Le Destin*. 2. Double onirique de Nerval qui prétendait descendre d'une illustre famille du Périgord, dont les armes auraient été trois tours d'argent ; sa famille aurait été apparentée aux Biron et à Lusignan, roi de Chypre, époux, d'après la légende, de la femme-fée Mélusine. *Tour abolie* est à rapprocher pour ses sonorités de *Labrunie*. C'est aussi l'arcane XVI du tarot : la Maison-Dieu, symbole de destruction et de résurrection. 3. Dans le tarot, symbole du guide spirituel ; évocation de J. Colon morte en 1842 et qui inspire la figure d'Adrienne (*cf. Sylvie* XVI ; *cf. constellé* v.3). 4. En accord avec la disposition mélancolique et saturnienne du poète ; inspiré par une gravure de Dürer, *Melancolia* elle-même inspirée au peintre par M. Ficin (1433-1499) qui appelle génie saturnien la disposition mélancolique qui précède l'effort spirituel et favorise les états exceptionnels comme les rêves et les visions. 5. Allusion à Mausole, roi légendaire de Carie, qui avait épousé sa sœur Artémise − son double. A sa mort la reine lui éleva un tombeau et but ses cendres, devenant ainsi corps-tombeau (*cf. Artémis*). 6. Nom du cap de la baie de Naples (qu'on peut rapprocher par sa sonorité du mot grec *pausilypos,* qui apaise le chagrin) où Nerval séjourna à deux reprises (1834, époque heureuse ; 1843) ; lieu de concentration mystique désigné par la présence d'un feu − le Vésuve − et patrie de Virgile. 7. Eros ne devait pas être vu de Psyché ; *Lusignan* ne devait pas voir le samedi la fée Mélusine ; dans les deux cas l'interdit fut enfreint et l'amour perdu. *Phébus* = Apollon qui aima la nymphe Daphné. *Byron* décapité, comme Montmorency en 1632, est assimilé à ce dernier qui aima Sylvie, sa veuve fidèle. Dans les quatre vers Nerval évoque donc des amours malheureuses. Le vers 8 pose la question : est-ce l'Aimé ou l'Aimée qui s'est éloigné et a brisé l'amour ? Lequel des deux est mortel ou dieu ? 8. Allusion à la reine de Saba, figure de la mère-épouse sacrée, le baiser symbolisant l'union mystique avec un dieu ou une déesse (*cf.* aussi Adrienne, descendante des Valois, évoquée dans *Sylvie* ). 9. Allusion aux deux crises de folie de 1841 et 1853 ; *cf. Aurélia :* "Je compare cette série d'épreuves que j'ai traversées à ce qui pour les anciens représentait l'idée d'une descente aux Enfers." 10. Recherche pour unir dans une même figure les images antithétiques de la *sainte* − Adrienne, Artémise − et de la *fée* − Mélusine.

Odilon Redon (1840-1916), *Profil de lumière*, gravure, vers 1881-1886.
(Bibliothèque Nationale, Paris.)

# MYRTHO[1]

Je pense à toi, Myrtho, divine enchanteresse,
Au Pausilippe altier[2], de mille feux brillant,
A ton front inondé des clartés d'Orient,
Aux raisins noirs mêlés avec l'or de ta tresse[3].

C'est dans ta coupe aussi que j'avais bu l'ivresse[4],
Et dans l'éclair furtif de ton œil souriant,
Quand aux pieds d'Iacchus on me voyait priant,
Car la Muse m'a fait l'un des fils de la Grèce[5].

Je sais pourquoi, là-bas, le volcan s'est rouvert[6]...
C'est qu'hier tu l'avais touché d'un pied agile[7],
Et de cendres soudain l'horizon s'est couvert.

Depuis qu'un duc normand brisa tes dieux d'argile[8],
Toujours, sous les rameaux du laurier de Virgile,
Le pâle Hortensia[9] s'unit au Myrte vert !

1. Le nom qui évoque le myrte consacré à Vénus devient symbole du paganisme et de ses mystères; c'est aussi le nom de la jeune Tarentine d'André Chénier (cf. p. 42). Une des versions du poème, intitulée A J-y. Colonna révèle comment l'image de celle-ci, intégrée à un paysage méditerranéen, s'est idéalisée.    2. Voir note 6 p. 164.    3. Assimilation du paysage et de la femme; les raisins évoquent aussi le culte de Iacchus-Dionysos associé aux mystères grecs (orphiques, éleusiniens, pythagoriciens) qui survivent dans le culte isiaque de l'Italie du Sud : les initiés y étaient plongés dans l'ivresse mystique.    4. Le poète est l'initié.    5. La poésie joue un rôle initiatique.    6. Dionysos, assimilé dans la basse Antiquité à Osiris, est un souverain du monde inférieur, ou royaume du feu.    7. Preuve du caractère divin de Myrtho (J. Colon) capable de provoquer la révélation du feu.    8. Allusion à la conquête de l'Italie du Sud par les Normands au XIᵉ siècle.    9. L'hortensia, fleur mauve, habituellement associé au mysticisme chrétien.

# DELFICA[1]

La connais-tu, Dafné[2], cette ancienne romance[3],
Au pied du sycomore, ou sous les lauriers blancs,
Sous l'olivier, le myrte, ou les saules tremblants,
Cette chanson d'amour... qui toujours recommence ?...

Reconnais-tu le Temple[4] au péristyle immense,
Et les citrons amers où s'imprimaient tes dents,
Et la grotte[5], fatale aux hôtes imprudents[6],
Où du dragon vaincu dort l'antique semence...

Ils reviendront, ces Dieux que tu pleures toujours !
Le temps va ramener l'ordre des anciens jours;
La terre a tressailli d'un souffle prophétique...

Cependant la sibylle au visage latin
Est endormie encor sous l'arc de Constantin[7] :
— Et rien n'a dérangé le sévère portique[8].

1. Evoque Delphes, sanctuaire le plus ancien d'Apollon ; certains des oracles qu'y proférait la Pythie annonçaient le retour vainqueur du dieu dont la Sibylle de Cumes révélait aussi les oracles.    2. Nymphe aimée d'Apollon ; pour lui échapper, elle obtint d'être changée en laurier, plante consacrée à Apollon.    3. Allusion à la chanson de Mignon, tirée du *Wilhem Meister* de Goethe, traduite par Nerval en 1840. ("Connais-tu le pays où fleurit l'oranger...").    4. Temple d'Isis à Pompéi (*cf.* la nouvelle intitulée *Isis*).    5. Grotte des Sirènes à Tivoli (*cf. El Desdichado*).    6. Peut-être une allusion au dragon vaincu par Jason, dont les dents semées par Cadmos donnèrent naissance à une race de géants ; ou bien encore (*cf. La légende dorée*) le dragon enfermé par le pape Saint Sylvestre, qui convertit l'empereur Constantin au christianisme, dans la cavité appelée l'*infernum* sous le temple de Vesta.    7. Constantin, premier souverain à porter un coup au paganisme antique.    8. Peut-être le portique des *Dii consentes* (les douze grands dieux) redécouvert en 1833, un an avant le voyage de Nerval.

# ARTÉMIS[1]

La Treizième revient[2]... C'est encor la première[3] ;
Et c'est toujours la Seule, — ou c'est le seul moment :
Car es-tu Reine[4], ô toi! la première ou dernière?
Es-tu Roi, toi le seul ou le dernier amant?..

Aimez qui vous aima du berceau dans la bière ;
Celle que j'aimai seul m'aime encor tendrement :
C'est la Mort — ou la Morte[5]... O délice! ô tourment!
La rose qu'elle tient, c'est la *Rose trémière*[6].

Sainte napolitaine aux mains pleines de feux[7],
Rose au cœur violet, fleur de sainte Gudule[8] :
As-tu trouvé ta Croix dans le désert des cieux?

Roses blanches, tombez! vous insultez nos dieux,
Tombez, fantômes blancs, de votre ciel qui brûle :
— La Sainte de l'abîme est plus sainte à mes yeux[9]!

1. *Artémis* ou *Ballet des heures,* titre de 1853. Dans ce poème, "la quête de la Femme se confond avec la quête du Divin". Diane-Artémis, déesse de la chasse, est aussi divinité infernale (souvenir de la déesse grecque Hécate). Elle pouvait être médiatrice de salut comme Isis ou la Vierge. Pour Nerval, Diane-Artémis semble être associée à Sophie Dawes, "l'amazone blonde", une des inspiratrices de la figure d'Aurélia ; une symbolique funèbre s'élaborerait à partir du souvenir des jeunes défuntes et de la mère morte. Rapprocher aussi d'Artémise, femme de Mausole (*cf.* p. 164, note 5). *Ballet des heures :* les *heures* ou *saisons* et les signes du zodiaque font partie soit des ornements, soit du cortège de Diane d'Ephèse. Peut-être Nerval se souvient-il aussi de l'opéra *Robert le diable* (de Scribe et Delavigne, musique de Meyerbeer), représenté à Bruxelles le 10 octobre 1833 avec J. Colon. Le décor sicilien représentait le tombeau de Sainte Rosalie, dans le cloître désert d'un monastère ; il pouvait y trouver aussi les thèmes de l'exil, de la rédemption par l'amour.    2. La treizième heure : Nerval a hantise du nombre 13 ; Artémis, déesse de la lune, évoque l'année qui comporte 13 lunaisons ; la réduction théosophique de 1840, date de la mort de S. Dawes, donne 13 (1 + 8 + 4) ; dans le tarot, l'arcane 13 est celle de la mort et de la résurrection.    3. *La Treizième heure* est à la fois fin d'un cycle et début d'un nouveau : elle est l'alpha et l'oméga ; on retrouve l'idée de la mort libératrice. *Cf. Octavie :* "La mort? Ce mot ne répand cependant rien de sombre dans ma pensée. Elle m'apparaît couronnée de roses pâles, comme la fin d'un festin ; j'ai rêvé quelquefois qu'elle m'attendait en souriant au chevet de la femme adorée."    4. *Cf.* p. 164, note 8.    5. Dans ce singulier Nerval confond symboliquement les femmes aimées : Sophie, Jenny, sa mère.    6. Associée à Aurélia (*cf.* p. 170). Dans un manuscrit ayant appartenu à Eluard, Nerval a inscrit à côté de ce vers "Philomène" : Sainte Philomème dont le nom signifie, si on le rapproche du grec, *aimée,* est morte percée de flèches pour avoir refusé l'amour de Dioclétien.    7. Sainte Rosalie, rapprochée par Nerval de Marie-Madeleine, pêcheresse au front et de l'amour mystique. Nerval évoque la figure de cette sainte napolitaine : "couronnée de roses violettes, [qui] semblait protéger plus loin le berceau d'un enfant endormi".    8. Patronne de Bruxelles où Nerval vit Jenny.    9. C'est à la fois Diane-Artémis, la morte devenue déesse, donc la figure salvatrice de la femme.

## VERS DORÉS

Eh quoi! tout est sensible!
Pythagore.

Homme, libre penseur! te crois-tu seul pensant
Dans ce monde où la vie éclate en toute chose?
Des forces que tu tiens la liberté dispose,
Mais de tous tes conseils l'univers est absent.

Respecte dans la bête un esprit agissant :
Chaque fleur est une âme à la Nature éclose;
Un mystère d'amour dans le métal repose;
« Tout est sensible! » Et tout sur ton être est puissant.

Crains, dans le mur aveugle, un regard qui t'épie :
A la matière même un verbe est attaché...
Ne la fais pas servir à quelque usage impie!

Souvent dans l'être obscur habite un Dieu caché;
Et comme un œil naissant couvert par ses paupières,
Un pur esprit s'accroît sous l'écorce des pierres!

---

(p. 164-168).

**1.** Relever systématiquement, dans chacun des cinq sonnets, ce qui désigne: le poète, les différentes figures féminines, les fleurs ou plantes, les paysages et les couleurs associés à chacune d'elles; repérer la double thématique christianisme/paganisme.

**2.** Relever les éléments qui évoquent une rupture ou la destruction d'un monde ancien.

**3.** La quête d'une unité spirituelle : relever ce qui exprime la permanence et/ou l'image cyclique du temps (à rapprocher de la conception pythagoricienne de l'univers exprimée dans *Vers dorés),* la quête victorieuse du passé; la recherche de communion avec la femme et le divin; la synthèse paganisme-christianisme; le pouvoir libérateur de l'art et de l'amour.

---

*AURÉLIA*

*(...)*
Un rêve que je fis encore me confirma dans cette pensée. Je me trouvai tout à coup dans une salle qui faisait partie de la demeure de mon aïeul. Elle semblait s'être agrandie seulement. Les vieux meubles luisaient d'un poli merveilleux, les tapis et les rideaux étaient comme remis à neuf, un jour trois fois plus brillant que le jour naturel arrivait par la croisée et par la porte, et il y avait dans l'air une fraîcheur et un parfum des premières matinées tièdes du printemps. Trois femmes travaillaient dans cette pièce et représentaient, sans leur ressembler absolument, des parentes et des amies de ma jeunesse. Il semblait que chacune eût les traits de plusieurs de ces personnes. Les contours de leurs figures variaient comme la flamme d'une lampe, et à tout moment quelque chose de l'une passait dans l'autre ; le sourire, la voix, la teinte des yeux, de la chevelure, la taille, les gestes familiers, s'échangeaient comme si elles eussent vécu de la même vie, et chacune était ainsi un composé de toutes, pareille à ces types que les peintres imitent de plusieurs modèles pour réaliser une beauté complète.

La plus âgée me parlait avec une voix vibrante et mélodieuse que je reconnaissais pour l'avoir entendue dans l'enfance, et je ne sais ce qu'elle me disait qui me frappait par sa profonde justesse. Mais elle attira ma pensée sur moi-même, et je me vis vêtu d'un petit habit brun de forme ancienne, entièrement tissé à l'aiguille de fils ténus comme ceux des toiles d'araignées. Il était coquet, gracieux et imprégné de douces odeurs. Je me sentais tout rajeuni et tout pimpant dans ce vêtement qui sortait de leurs doigts de fée, et je les remerciais en rougissant, comme si je n'eusse été qu'un petit enfant devant de grandes belles dames. Alors l'une d'elles se leva et se dirigea vers le jardin.

Chacun sait que dans les rêves on ne voit jamais le soleil, bien qu'on ait souvent la perception d'une clarté beaucoup plus vive. Les objets et les corps sont lumineux par eux-mêmes. Je me vis dans un petit parc où se prolongeaient des treilles en berceaux chargées de lourdes grappes de raisins blancs et noirs ; à mesure que la dame qui me guidait s'avançait sous ces berceaux, l'ombre des treillis croisés variait encore pour mes yeux ses formes et ses vêtements. Elle en sortit enfin, et nous nous trouvâmes dans un espace découvert. On y apercevait à peine la trace d'anciennes allées qui l'avaient jadis coupé en croix. La culture était négligée depuis de longues années, et des plants épars de clématites, de houblon, de chèvrefeuille, de jasmin, de lierre, d'aristoloche, étendaient entre des arbres d'une croissance vigoureuse leurs longues traînées de lianes. Des branches pliaient jusqu'à terre, chargées de fruits, et, parmi des touffes d'herbes parasites, s'épanouissaient quelques fleurs de jardin revenues à l'état sauvage.

De loin en loin s'élevaient des massifs de peupliers, d'acacias et de pins, au sein desquels on entrevoyait des statues noircies par le temps. J'aperçus devant moi un entassement de rochers couverts de lierre d'où jaillissait une source d'eau vive, dont le clapotement harmonieux résonnait sur un bassin d'eau dormante à demi voilée de larges feuilles de nénuphar.

La dame que je suivais, développant sa taille élancée dans un mouvement qui faisait miroiter les plis de sa robe en taffetas changeant, entoura gracieusement de son bras nu une longue tige de rose trémière, puis elle se mit à grandir sous un clair rayon de lumière, de telle sorte que peu à peu le jardin prenait sa forme, et les parterres et les arbres devenaient les rosaces et les festons de ses vêtements ; tandis que sa figure et ses bras imprimaient leurs contours aux nuages pourprés du ciel. Je la perdais ainsi de vue à mesure qu'elle se transfigurait, car elle semblait s'évanouir dans sa propre grandeur. « Oh! ne fuis pas! m'écriai-je... car la nature meurt avec toi! »

Disant ces mots, je marchais péniblement à travers les ronces, comme pour saisir l'ombre agrandie qui m'échappait; mais je me heurtai à un pan de mur dégradé, au pied duquel gisait un buste de femme. En le relevant, j'eus la persuasion que c'était *le sien*... Je reconnus des traits chéris, et, portant les yeux autour de moi, je vis que le jardin avait pris l'aspect d'un cimetière. Des voix disaient : « L'Univers est dans la nuit! »
(...)

I, 6.

## DOCUMENTS

*Le rêve exploré de façon volontaire, "l'épanchement du songe dans la vie réelle" effacent les bornes entre la veille et le sommeil, le monde visible et l'invisible. Nerval perçoit un univers où tout est correspondance entre l'âme humaine et l'univers, entre notre monde et l'univers spirituel. Tel un initié, il a le sentiment, du moins provisoire, des'éveiller à une "vita nuova" qui n'est pas sans annoncer le "point suprême" prôné par les surréalistes : "Tout porte à croire qu'il existe un certain point de l'esprit d'où la vie et la mort, le réel et l'imaginaire, le passé et le futur, le communicable et l'incommunicable, le haut et le bas cessent d'être perçus contradictoirement."* (Second manifeste du surréalisme).

Le rêve est une seconde vie. Je n'ai pu percer sans frémir ces portes d'ivoire ou de corne qui nous séparent du monde invisible. Les premiers instants du sommeil sont l'image de la mort; un engourdissement nébuleux saisit notre pensée, et nous ne pouvons déterminer l'instant précis où le *moi,* sous une autre forme, continue l'œuvre de l'existence. C'est un souterrain vague qui s'éclaire peu à peu, et où se dégagent de l'ombre et de la nuit les pâles figures gravement immobiles qui habitent le séjour des limbes. Puis le tableau se forme, une clarté nouvelle illumine et fait jouer ces apparitions bizarres; le monde des Esprits s'ouvre pour nous.
(...)

I, 1.

Ici a commencé pour moi ce que j'appellerai l'épanchement du songe dans la vie réelle. A dater de ce moment, tout prenait parfois un aspect double, − et cela sans que le raisonnement manquât jamais de logique, sans que la mémoire perdît les plus légers détails de ce qui m'arrivait. Seulement, mes actions, insensées en apparence, étaient soumises à ce que l'on appelle illusion, selon la raison humaine...

Cette idée m'est revenue bien des fois, que, dans certains moments graves de la vie, tel Esprit du monde extérieur s'incarnait tout à coup en la forme d'une personne ordinaire, et agissait ou tentait d'agir sur nous, sans que cette personne en eût la connaissance ou en gardât le souvenir.

(...)

I, 3.

---

(...) Du moment que je me fus assuré de ce point que j'étais soumis aux épreuves de l'initiation sacrée, une force invincible entra dans mon esprit. Je me jugeais un héros vivant sous le regard des dieux ; tout dans la nature prenait des aspects nouveaux, et des voix secrètes sortaient de la plante, de l'arbre, des animaux, des plus humbles insectes, pour m'avertir et m'encourager. Le langage de mes compagnons avait des tours mystérieux dont je comprenais le sens, les objets sans forme et sans vie se prêtaient eux-mêmes aux calculs de mon esprit ; – des combinaisons de cailloux, des figures d'angles, de fentes ou d'ouvertures, des découpures de feuilles, des couleurs, des odeurs et des sons, je voyais ressortir des harmonies jusqu'alors inconnues. « Comment, me disais-je, ai-je pu exister si longtemps hors de la nature et sans m'identifier à elle ? Tout vit, tout agit, tout se correspond ; les rayons magnétiques émanés de moi-même ou des autres traversent sans obstacle la chaîne infinie des choses créées ; c'est un réseau transparent qui couvre le monde, et dont les fils déliés se communiquent de proche en proche aux planètes et aux étoiles. Captif en ce moment sur la terre, je m'entretiens avec le chœur des astres, qui prend part à mes joies et à mes douleurs ! »

(...)

II, 6.

---

(...) C'est ainsi que je m'encourageais à une audacieuse tentative. Je résolus de fixer le rêve et d'en connaître le secret. « Pourquoi, me dis-je, ne point enfin forcer ces portes mystiques, armé de toute ma volonté, et dominer mes sensations au lieu de les subir ? N'est-il pas possible de dompter cette chimère attrayante et redoutable, d'imposer une règle à ces esprits des nuits qui se jouent de notre raison ? Le sommeil occupe le tiers de notre vie. Il est la consolation des peines de nos journées ou la peine de leurs plaisirs ; mais je n'ai jamais éprouvé que le sommeil fût un repos. Après un engourdissement de quelques minutes une vie nouvelle commence, affranchie des conditions du temps et de l'espace, et pareille sans doute à celle qui nous attend après la mort. Qui sait s'il n'existe pas un lien entre ces deux existences et s'il n'est pas possible à l'âme de le nouer dès à présent?» De ce moment, je m'appliquais à chercher le sens de mes rêves, et cette inquiétude influa sur mes réflexions de l'état de veille. Je crus comprendre qu'il existait entre le monde externe et le monde interne un lien; que l'inattention ou le désordre d'esprit en faussaient seuls les rapports apparents, – et qu'ainsi s'expliquait la bizarrerie de certains tableaux, semblables à ces reflets grimaçants d'objets réels qui s'agitent sur l'eau troublée.

Telles étaient les inspirations de mes nuits; mes journées se passaient doucement dans la compagnie des pauvres malades, dont je m'étais fait des amis. La conscience que désormais j'étais purifié des fautes de ma vie passée me donnait des jouissances morales infinies; la certitude de l'immortalité et de la coexistence de toutes les personnes que j'avais aimées m'était arrivée matériellement, pour ainsi dire, et je bénissais l'âme fraternelle qui, du sein du désespoir, m'avait fait rentrer dans les voies lumineuses de la religion.

(...)

"Mémorables".

## Théophile Gautier (1811-1872)

Après avoir rêvé de devenir peintre, Théophile Gautier, qui fut au lycée Charlemagne à Paris le condisciple de Gérard de Nerval, fréquente les cénacles romantiques et se tourne finalement vers la littérature. Avec ses amis bousingots, il participe à la bataille d'*Hernani* (1830), mais prend vite ses distances par rapport aux excès des romantiques dans *Albertus* (1832) et *Les "Jeune France"* (1833). On trouve toutefois dans *La comédie de la Mort* (1838), suite de poèmes macabres qui influencera Baudelaire, la fascination du macabre et l'angoisse métaphysique romantiques.

En 1836, dans la Préface de *Mademoiselle de Maupin,* il a proclamé que l'art n'a d'autre fin que lui-même et la recherche de la perfection formelle : avec *España* (1845) et *Emaux et camées* (1852), il créera cette poésie où seule compte la perfection de la forme et du rythme.

Il apparaît comme l'initiateur du Parnasse.

## CARMEN

Carmen est maigre, - un trait de bistre
Cerne son œil de gitana.
Ses cheveux sont d'un noir sinistre,
Sa peau, le diable la tanna.

Les femmes disent qu'elle est laide,
Mais tous les hommes en sont fous :
Et l'archevêque de Tolède
Chante la messe à ses genoux;

Car sur sa nuque d'ambre fauve
10  Se tord un énorme chignon
Qui, dénoué, fait dans l'alcôve
Une mante à son corps mignon.

Et, parmi sa pâleur, éclate
Une bouche aux rires vainqueurs;
Piment rouge, fleur écarlate,
Qui prend sa pourpre au sang des cœurs.

Ainsi faite, la moricaude
Bat les plus altières beautés,
Et de ses yeux la lueur chaude
20  Rend la flamme aux satiétés.

Elle a, dans sa laideur piquante,
Un grain de sel de cette mer
D'où jaillit, nue et provocante,
L'âcre Vénus du gouffre amer.

*España.*

## LA FONTAINE DU CIMETIÈRE

A la morne Chartreuse, entre des murs de pierre,
En place du jardin l'on voit un cimetière,
Un cimetière nu comme un sillon fauché,
Sans croix, sans monument, sans tertre qui se hausse :
L'oubli couvre le nom, l'herbe couvre la fosse ;
La mère ignorerait où son fils est couché.

Les végétations maladives du cloître
Seules sur ce terrain peuvent germer et croître,
Dans l'humidité froide à l'ombre des longs murs ;
10 Des morts abandonnés douces consolatrices,
Les fleurs n'oseraient pas incliner leurs calices
Sur le vague tombeau de ces dormeurs obscurs.

Au milieu, deux cyprès à la noire verdure
Profilent tristement leur silhouette dure,
Longs soupirs de feuillage élancés vers les cieux,
Pendant que du bassin d'une avare fontaine
Tombe en frange effilée une nappe incertaine,
Comme des pleurs furtifs qui débordent des yeux.

Par les saints ossements des vieux moines filtrée,
20 L'eau coule à flots si clairs dans la vasque éplorée,
Que pour en boire un peu je m'approchai du bord...
Dans le cristal glacé quand je trempai ma lèvre,
Je me sentis saisi par un frisson de fièvre :
Cette eau de diamant avait un goût de mort!

*Ibid.*


## L'ART

Oui, l'œuvre sort plus belle
D'une forme au travail
    Rebelle,
Vers, marbre, onyx, émail.

Point de contraintes fausses!
Mais que pour marcher droit
    Tu chausses,
Muse, un cothurne étroit.

Fi du rythme commode,
10 Comme un soulier trop grand,
    Du mode
Que tout pied quitte et prend!

Statuaire, repousse
L'argile que pétrit
    Le pouce,
Quand flotte ailleurs l'esprit;

Eugène Delacroix (1798-1863), *Tête de femme aux yeux baissés*, dessin, vers 1820-1822.
(Cabinet des dessins, Musée du Louvre, Paris.)

Lutte avec le carrare,
Avec le paros dur
    Et rare,
20 Gardiens du contour pur;

Emprunte à Syracuse
Son bronze où fermement
    S'accuse
Le trait fier et charmant;

D'une main délicate
Poursuis dans un filon
    D'agate
Le profil d'Apollon.

Peintre, fuis l'aquarelle
30 Et fixe la couleur
    Trop frêle
Au four de l'émailleur.

Fais les Sirènes bleues,
Tordant de cent façons
    Leurs queues,
Les monstres des blasons;

Dans son nimbe trilobe
La vierge et son Jésus,
    Le globe
40 Avec la croix dessus.

Tout passe. – L'art robuste
Seul a l'éternité;
    Le buste
Survit à la cité.

Et la médaille austère
Que trouve un laboureur
    Sous terre
Révèle un empereur.

Les dieux eux-mêmes meurent,
50 Mais les vers souverains
    Demeurent
Plus forts que les airains.

Sculpte, lime, cisèle;
Que ton rêve flottant
    Se scelle
Dans le bloc résistant!

*Emaux et camées.*

(p. 173-176)
**1.** Montrer ce qui, au niveau des thèmes et de leur traitement, appartient encore au romantisme dans la poésie de Gautier.
**2.** Influence des arts plastiques sur la poésie : comment la forme et les images illustrent-elles l'art poétique proclamé dans le poème *L'art?*

## Théodore de Banville (1823-1891)

La vie de Banville se confond avec l'histoire de son œuvre, abondante jusqu'à sa mort. Est-il le dernier des romantiques ? Est il le premier des parnassiens ? Ce qu'il y a de sûr, c'est qu'il reprend à son compte l'idée de Gautier : ce qui prime dans l'œuvre d'art, c'est la forme. Ciseleur du vers, poète "funambule", il ressuscite les genres poétiques anciens (ballades, rondels, odes,...), emprunte aux poètes de la Pléiade leurs procédés ; il crée une poésie charmante et variée, assouplit la langue poétique, ouvrant ainsi la voie aux générations à venir.

Dans son *Petit traité de versification* (1872), bible poétique de bien des poètes, il déclare : la poésie "est à la fois Musique, Statuaire, Peinture, Éloquence ; elle doit charmer l'oreille, enchanter l'esprit, représenter les sons, imiter les couleurs, rendre les objets visibles, et exciter en nous les mouvements qu'il lui plaît d'y produire ; aussi est-elle le seul art complet, nécessaire, et qui contienne tous les autres, comme elle préexiste à tous les autres. Ce n'est qu'au bout d'un certain temps d'existence que les peuples inventent *les autres* arts plastiques ; mais, dès qu'un groupe d'hommes est réuni, la Poésie lui est révélée d'une manière extra-humaine et surnaturelle, sans quoi il ne pourrait vivre". Pour lui, la rime est le fondement même de la poésie : "Dans le vers, pour peindre, pour évoquer des sons, pour susciter et fixer une impression, pour dérouler à nos yeux des spectacles grandioses, pour donner à une figure des contours plus purs et plus inflexibles que ceux du marbre et de l'airain, la Rime est seule et elle suffit. C'est pourquoi *l'imagination de la Rime* est, entre toutes, la qualité qui constitue le poète."

*Les cariatides* (1842) ; *Les stalactites* (1846) ; *Les odelettes* (1856) ; *Odes funambulesques* (1857) ; *Les exilés* (1867)...

Viens. Sur tes cheveux noirs jette un chapeau de paille.
Avant l'heure du bruit, l'heure où chacun travaille,
Allons voir le matin se lever sur les monts
Et cueillir par les prés les fleurs que nous aimons.
Sur les bords de la source aux moires assouplies,
Les nénufars dorés penchent des fleurs pâlies,
Il reste dans les champs et dans les grands vergers
Comme un écho lointain des chansons des bergers,
Et, secouant pour nous leurs ailes odorantes,
Les brises du matin, comme des sœurs errantes,
Jettent déjà vers toi, tandis que tu souris,
L'odeur du pêcher rose et des pommiers fleuris.

*Les stalactites.*

Nous n'irons plus au bois, les lauriers sont coupés.
Les Amours des bassins, les Naïades en groupe
Voient reluire au soleil en cristaux découpés
Les flots silencieux qui coulaient de leur coupe.
Les lauriers sont coupés, et le cerf aux abois
Tressaille au son du cor ; nous n'irons plus au bois,

Où des enfants charmants riait la folle troupe
Sous les regards des lys aux pleurs du ciel trempés,
Voici l'herbe qu'on fauche et les lauriers qu'on coupe.
Nous n'irons plus au bois, les lauriers sont coupés.

*Ibid.*

---

Sculpteur, cherche avec soin, en attendant l'extase,
Un marbre sans défaut pour en faire un beau vase;
Cherche longtemps sa forme et n'y retrace pas
D'amours mystérieux ni de divins combats.
Pas d'Héraklès vainqueur du monstre de Némée,
Ni de Cypris naissant sur la mer embaumée;
Pas de Titans vaincus dans leurs rébellions,
Ni de riant Bacchos attelant les lions
Avec un frein tressé de pampres et de vignes;
Pas de Léda jouant dans la troupe des cygnes
Sous l'ombre des lauriers en fleurs, ni d'Artémis
Surprise au sein des eaux dans sa blancheur de lys.
Qu'autour du vase pur, trop beau pour la Bacchante,
La verveine mêlée à des feuilles d'acanthe
Fleurisse, et que plus bas des vierges lentement
S'avancent deux à deux, d'un pas sûr et charmant,
Les bras pendant le long de leurs tuniques droites
Et les cheveux tressés sur leurs têtes étroites.

*Ibid.*

## LA LUNE

Avec ses caprices, la Lune
Est comme une frivole amante;
Elle sourit et se lamente,
Et vous fuit et vous importune.

La nuit, suivez-la sur la dune,
Elle vous raille et vous tourmente;
Avec ses caprices, la Lune
Est comme une frivole amante.

Et souvent elle se met une
Nuée en manière de mante;
Elle est absurde, elle est charmante;
Il faut adorer sans rancune,
Avec ses caprices, la Lune.

*Rondels*

---

Comment ces poèmes illustrent-ils l'art poétique de Banville exprimé dans son *Petit traité de versification* (*cf.* p. 177), et notamment les rapports poésie-musique?

# Les parnassiens

En 1867 paraît à Paris chez Alphonse Lemerre un recueil de vers nouveaux intitulé *Le Parnasse contemporain;* il sera suivi de deux autres recueils, l'un édité en 1869 mais dont la publication sera ajournée à 1871 en raison de la guerre, l'autre en 1876.

Si l'on regarde la table des matières de ces trois recueils, on y découvre des poètes aussi divers que Catulle Mendès et L. Xavier de Ricard (les deux initiateurs), Théophile Gautier, Baudelaire, Banville, Leconte de Lisle, Mallarmé, Léon Dierx, Sully Prudhomme, Villiers de l'Isle Adam, François Coppée, Verlaine et bien d'autres puisqu'ils furent trente-sept à collaborer au premier Parnasse, cinquante-six au deuxième (dont Anatole France et Charles Cros) et soixante-trois au troisième (dont seulement quatorze de ceux qui avaient collaboré au premier).

Comment expliquer la présence de personnalités aussi diverses dans un même recueil de vers ?

"Nous n'avions rien de commun, sinon la jeunesse et l'espoir, la haine du débraillé poétique et la chimère de la beauté parfaite. Et cette beauté chacun de nous la conçut selon son idéal personnel" écrit Catulle Mendès, et L. Xavier de Ricard ajoute : "Le Parnasse ne fut pas l'œuvre d'un seul groupe mais une sorte de rendez-vous où se retrouvèrent appelés autour d'un même idéal d'art des jeunes gens qui, en dehors de cette communion, avaient les conceptions les plus différentes de la vie et des choses."

Le Parnasse n'est donc ni un mouvement, ni une école littéraire : c'est la rencontre éphémère de jeunes poètes.

Il existait toutefois, avant même la publication du premier recueil, un esprit "parnassien" chez quelques jeunes poètes, nés à peu près tous aux alentours de 1840. Après avoir espéré trouver un chef de file en Gautier, puis en Banville, enfin en Baudelaire, ils se tournèrent finalement vers Leconte de Lisle chez qui ils se réunissaient chaque semaine : c'est donc Leconte de Lisle qui apparaît comme le "Maître" de ce groupe.

Mais on se réunissait aussi aux Batignolles, chez les parents de L. Xavier de Ricard (jeune aristocrate de gauche) ou chez Catulle Mendès, chez Virginie Ancelot, veuve d'un académicien, dont le salon vit passer toutes les célébrités littéraires du XIX⁵ siècle, de 1824 à 1875, date de sa mort. On se réunissait surtout, 47, passage Choiseul chez Alphonse Lemerre, qui fut le grand éditeur des parnassiens et de la poésie du XIX siècle en général. Chaque jour s'y tenaient de seize heures à dix-huit heures "les assises parnassiennes".

Catulle Mendès avait lancé en 1861 la *Revue fantaisiste* et L. Xavier de Ricard – après l'échec de la *Revue du progrès* – avait lancé *L'art,* revue hebdomadaire qui se vendait mal. Alors qu'ils cherchaient une fin honorable pour cette dernière publication, ils eurent l'idée de publier un recueil de vers contemporains ; au cours de discussions passionnées, quelqu'un lança le titre de "Parnasse contemporain", adopté à l'unanimité, qui rappelle le titre des recueils de vers de la Renaissance.

Mendès et de Ricard cherchèrent alors des collaborateurs et réunirent ainsi les textes qui firent l'objet de la première publication.

Avant d'être les parnassiens, ils étaient les Impassibles : "Nous voulions dire que la passion n'est pas une excuse à faire de mauvais vers, ni à commettre des fautes d'orthographe ou de syntaxe et que le devoir de l'artiste est de chercher consciencieusement sans lâcheté d'à peu près, la forme, le style, l'expression les plus capables de rendre et de faire valoir son sentiment, son idée ou sa vision."

Ce qui les unit, c'est le refus de la subjectivité romantique, un certain pessimisme politique et social; c'est la recherche d'une forme belle, impassible, fruit d'un travail comparable à celui du sculpteur : en cela ils sont les héritiers du pittoresque romantique *(Les orientales* de Hugo par exemple), de l'art pour l'art (Gautier et Banville). Mais ce qu'ils cherchent surtout c'est l'objectivité, ce qui se traduit par la minutie des descriptions et surtout par le choix des thèmes d'inspiration : sciences de la nature (Sully Prudhomme, *Le zénith* 1875), histoire comparée des religions, histoire ancienne (Hérédia), réalisme populaire (Coppée). Adeptes du positivisme, ils ont rêvé de réaliser l'alliance de la poésie et de la science à l'époque où le roman – réaliste puis naturaliste – réalisait l'alliance de la science et de la prose.

Le Parnasse connut encore une certaine gloire avec la publication d'une anthologie par Lemerre à la fin du siècle. Mais par son goût du rythme et des images, il avait ouvert la voie au mouvement symboliste, encore que celui-ci ait privilégié l'expression musicale de la pensée poétique, l'harmonie entre le mouvement intérieur et la parole.

## Leconte de Lisle (1818-1894)

Il est né à Saint-Paul de La Réunion où son père, d'origine bretonne, est installé ; il y vivra son adolescence, et la nostalgie qu'il garde des paysages colorés des îles et du paradis de l'enfance imprégnera certains de ses meilleurs poèmes. A Rennes, où il vient finir ses études, de 1836 à 1843, il se passionne pour la Grèce et l'histoire. En 1845, quand il se fixe à Paris, il partage la mystique révolutionnaire des groupes fouriéristes, collabore à leurs journaux – *La phalange* et *La démocratie pacifiste* – où il publie quelques poèmes ; il est renié par sa famille. L'échec de la révolution de 1848 le détourne de l'action. Il choisit l'isolement relatif de "la vie contemplative et savante". Sous l'Empire il mène la vie besogneuse d'un homme de lettres peu fortuné ; il traduit, de 1860 à 1885, les chefs-d'œuvre grecs et latins, Hésiode, Théocrite, Homère, les Tragiques, Horace...

Dès 1852, il prend ses distances par rapport au romantisme, refuse le lyrisme sentimental et s'oriente vers l'art pour l'art. "Bien que l'art puisse donner dans une certaine mesure un caractère de généralité à tout ce qu'il touche, il y a dans l'aveu public des angoisses du cœur et de ses voluptés non moins amères, une vanité et une profanation gratuite" (Préface des *Poèmes antiques).*

Ses trois principaux recueils, *Poèmes antiques* (1852), *Poèmes barbares* (1862), *Poèmes tragiques* (1884) forment un vaste triptyque : reprenant le projet épique de Vigny et Hugo, mais avec la volonté de faire, mieux qu'eux, œuvre d'historien objectif, il évoque en fresques précises, chargées d'érudition, les grands mythes religieux de l'Orient, de l'Occident et les civilisations qu'ils ont nourries. Si le poète tente d'unir l'art et la science dans une œuvre impersonnelle, celle-ci pourtant s'infléchit selon les passions ou angoisses profondes du créateur : pessimisme devant "ces flots de sang et cette haine" qu'est l'histoire des hommes, violence antichrétienne, nostalgie des époques primitives libres, ou de la religion du beau du paganisme grec, fascination pour l'Inde et sa philosophie de l'illusion.

Si les longues compositions descriptives ou oratoires déroutent le lecteur, la voix du poète sait, dans des œuvres courtes, creuser l'espace et le temps, susciter d'étranges horizons polaires, communiquer le sens du tragique de la vie, l'obsession du néant ou la nostalgie du bonheur. C'est que, avant d'être historien ou scientiste, Leconte de Lisle était un poète épris d'art, cherchant la précision du mot, la composition rigoureuse, la beauté plastique de l'image, la puissance du rythme et du vers, art élaboré et morale esthétique exigeante : "Si le poète est avant tout une nature riche de dons extraordinaires, il est aussi une volonté intelligente qui doit exercer une domination absolue et constante sur l'expression des idées et des sentiments, ne rien laisser au hasard, se posséder soi-même".

Pour les mêmes qualités, il sera honni par les uns, adoré par les autres ; il fut salué comme un maître par les jeunes poètes qui vers 1865 allaient collaborer au *Parnasse contemporain.*

## NIOBÉ[1]

(...)
Comme un grand corps taillé par une main habile,
Le marbre te saisit d'une étreinte immobile :
Des pleurs marmoréens ruissellent de tes yeux ;
La neige du Paros ceint ton front soucieux ;
En flots pétrifiés ta chevelure épaisse
Arrête sur ton cou l'ombre de chaque tresse ;
Et tes vagues regards où s'est éteint le jour,

Ton épaule superbe au sévère contour,
Tes larges flancs, si beaux dans leur splendeur royale
10 Qui brillaient à travers la pourpre orientale,
Et tes seins jaillissants, ces futurs nourriciers
Des vengeurs de leur mère et des Dieux justiciers,
Tout est marbre! La foudre a consumé ta robe,
Et plus rien désormais aux yeux ne te dérobe.

Que ta douleur est belle, ô marbre sans pareil!
Non, jamais corps divins dorés par le soleil,
Dans les cités d'Hellas jamais blanches statues
De grâce et de jeunesse et d'amour revêtues,
Du sculpteur inspiré songes harmonieux,
20 Muets à notre oreille et qui chantent aux yeux;
Jamais fronts doux et fiers où la joie étincelle,
N'ont valu ce regard et ce col qui chancelle,
Ces bras majestueux dans leur geste brisés,
Ces flancs si pleins de vie et d'efforts épuisés,
Ce corps où la beauté, cette flamme éternelle,
Triomphe de la mort et resplendit en elle!

On dirait à te voir, ô marbre désolé,
Que du ciseau sculpteur des larmes ont coulé.
Tu vis, tu vis encor! Sous ta robe insensible
30 Ton cœur est dévoré d'un songe indestructible.
Tu vois de tes grands yeux, vides comme la nuit,
Tes enfants bien aimés que la haine poursuit.
O pâle Tantalide, ô mère de détresse,
Leur regard défaillant t'appelle et te caresse...
Ils meurent tour à tour, et, renaissant plus beaux
Pour disparaître encor dans leurs sanglants tombeaux,
Ils lacèrent ton cœur mieux que les Euménides[2]
Ne flagellent les Morts aux demeures livides!
Oh! qui soulèvera le fardeau de tes jours?
Niobé, Niobé! Souffriras-tu toujours?

*Poèmes antiques.*

1. Fille de Tantale; fière de ses dix filles et de ses dix fils, elle avait raillé Lêto, qui n'avait que deux enfants, Apollon et Artémis. Ceux-ci, pour venger leur mère, massacrèrent les enfants de Niobé, qui se transforma en fontaine pétrifiée. Dans ce poème, primitivement orienté vers l'espérance (1852), Niobé devient (1858), le symbole de la souffrance humaine. 2. Déesses grecques de la vengeance.

## LA MORT DE VALMIKI[1]

Valmiki, le poète immortel, est très vieux.

Toute chose éphémère a passé dans ses yeux
Plus prompte que le bond léger de l'antilope.
Il a cent ans. L'ennui de vivre l'enveloppe.
Comme l'aigle, altéré d'un immuable azur,
S'agite et bat de l'aile au bord du nid obscur,
L'Esprit, impatient des entraves humaines,

Veut s'enfuir au delà des apparences vaines.
C'est pourquoi le chanteur des antiques héros
10 Médite le silence et songe au long repos,
Au terme du désir, du regret et du blâme,
A l'ineffable paix où s'anéantit l'âme,
Au sublime sommeil sans rêve et sans moment,
Sur qui l'Oubli divin plane éternellement.

Le temps coule, la vie est pleine, l'œuvre est faite.

Il a gravi le sombre Himavat jusqu'au faîte.
Ses pieds nus ont rougi l'âpre sentier des monts,
Le vent des hautes nuits a mordu ses poumons;
Mais, sans plus retourner ni l'esprit ni la tête,
20 Il ne s'est arrêté qu'où le monde s'arrête.
Sous le vaste Figuier[2] qui verdit respecté
De la neige hivernale et du torride été,
Croisant ses maigres mains sur le bâton d'érable,
Et vêtu de sa barbe épaisse et vénérable,
Il contemple, immobile, une dernière fois,
Les fleuves, les cités, et les lacs et les bois,
Les monts, piliers du ciel, et l'Océan sonore
D'où s'élance et fleurit le Rosier de l'aurore.

L'homme impassible voit cela, silencieux.

30 La lumière sacrée envahit terre et cieux;
Du zénith au brin d'herbe et du gouffre à la nue,
Elle vole, palpite, et nage et s'insinue,
Dorant d'un seul baiser clair, subtil, frais et doux,
Les oiseaux dans la mousse, et, sous les noirs bambous,
Les éléphants pensifs qui font frémir leurs rides
Au vol strident et vif des vertes cantharides,
Les Radjahs[3] et les chiens, Richis[4] et Parias,
Et l'insecte invisible et les Himalayas.
Un rire éblouissant illumine le monde.
40 L'arôme de la Vie inépuisable inonde
L'immensité du rêve énergique où Brahma
Se vit, se reconnut, resplendit et s'aima.

L'âme de Valmiki plonge dans cette gloire.

Quel souffle a dissipé le temps expiatoire?
O vision des jours anciens, d'où renais-tu?
O large chant d'amour, de bonté, de vertu,
Qui berces à jamais de ta flottante haleine
Le grand Daçarathide[5] et la Mytiléenne,
Les sages, les guerriers, les vierges et les Dieux,
50 Et le déroulement des siècles radieux,
Pourquoi, tout parfumé des roses de l'abîme,
Sembles-tu rejaillir de ta source sublime?
Ramayana[6]! L'esprit puissant qui t'a chanté
Suit ton vol au ciel bleu de la félicité,
Et, dans l'enivrement des saintes harmonies,
Se mêle au tourbillon des âmes infinies.

Le soleil grandit, monte, éclate, et brûle en paix.

Une muette ardeur, par effluves épais,
Tombe de l'orbe en flamme où tout rentre et se noie,
60 Les formes, les couleurs, les parfums et la joie
Des choses, la rumeur humaine et le soupir
De la mer qui halète et vient de s'assoupir.
Tout se tait. L'Univers embrasé se consume.
Et voici, hors du sol qui se gerce et qui fume,
Une blanche fourmi qu'attire l'air brûlant ;
Puis cent autres, puis mille et mille, et, pullulant
Toujours, des millions encore, qui, sans trêve,
Vont à l'assaut de l'homme absorbé dans son rêve,
Debout contre le tronc du vieil arbre moussu,
70 Et qui s'anéantit dans ce qu'il a conçu.

L'esprit ne sait plus rien des sens ni de soi-même.

Et les longues fourmis, traînant leur ventre blême,
Ondulent vers leur proie inerte, s'amassant,
Circulant, s'affaissant, s'enflant et bruissant
Comme l'ascension d'une écume marine.
Elles couvrent ses pieds, ses cuisses, sa poitrine,
Mordent, rongent la chair, pénètrent par les yeux
Dans la concavité du crâne spacieux,
S'engouffrent dans la bouche ouverte et violette,
80 Et de ce corps vivant font un roide squelette
Planté sur l'Himavat comme un Dieu sur l'autel,
Et qui fut Valmiki, le poète immortel,
Dont l'âme harmonieuse emplit l'ombre où nous sommes
Et ne se taira plus sur les lèvres des hommes.

*Ibid.*

1. Sage de l'Inde antique (Ve siècle av. J.-C. ?) et auteur présumé du *Rāmāyana* et du *Yogavā-shishtha*. Brigand repenti, il atteignit la sagesse après des années de méditation immobile, passées à répéter le nom de Rāmā, tandis que des fourmis recouvraient son corps. 2. Arbre de la science sous lequel le Bouddha aurait eu la révélation suprême. 3. Rois de l'Inde védique. 4. Le nom a d'abord désigné les auteurs du Rig-véda puis divers saints personnages. 5. Rāmā, fils de Daçaratha, 7e incarnation du dieu solaire Vishnū. 6. Terme désignant l'ensemble des épopées racontant la vie de Rāmā. Le poète semble utiliser le mot pour Rāmā.

## LE MANCHY

Sous un nuage frais de claire mousseline,
    Tous les dimanches au matin
Tu venais à la ville en manchy de rotin,
    Par les rampes de la colline.

La cloche de l'église alertement tintait ;
    Le vent de mer berçait les cannes ;
Comme une grêle d'or, aux pointes des savanes,
    Le feu du soleil crépitait.

Le bracelet aux poings, l'anneau sur la cheville,
10    Et le mouchoir jaune aux chignons,

Deux Telingas portaient, assidus compagnons,
    Ton lit aux nattes de Manille.

Ployant leur jarret maigre et nerveux, et chantant,
    Souples dans leurs tuniques blanches,
Le bambou sur l'épaule et les mains sur les hanches,
    Ils allaient le long de l'Etang.

Le long de la chaussée et des varangues basses
    Où les vieux créoles fumaient,
Par les groupes joyeux des Noirs, ils s'animaient
20    Au bruit des bobres Madécasses[1].

Dans l'air léger flottait l'odeur des tamarins;
    Sur les houles illuminées,
Au large, les oiseaux, en d'immenses traînées,
    Plongeaient dans les brouillards marins.

Et tandis que ton pied, sorti de la babouche,
    Pendait, rose, au bord du manchy,
A l'ombre des Bois-noirs touffus et du Letchi
    Aux fruits moins pourprés que ta bouche;

Tandis qu'un papillon, les deux ailes en fleur,
30    Teinté d'azur et d'écarlate,
Se posait par instants sur ta peau délicate
    En y laissant de sa couleur;

On voyait, au travers du rideau de batiste,
    Tes boucles dorer l'oreiller,
Et, sous leurs cils mi-clos, feignant de sommeiller,
    Tes beaux yeux de sombre améthyste.

Tu t'en venais ainsi, par ces matins si doux,
    De la montagne à la grand'messe,
Dans ta grâce naïve et ta rose jeunesse,
40    Au pas rythmé de tes Hindoux.

Maintenant, dans le sable aride de nos grèves,
    Sous les chiendents, au bruit des mers,
Tu reposes parmi les morts qui me sont chers,
    Ô charme de mes premiers rêves!

1. Synonyme ancien de malgache.

*Poèmes barbares.*

## LE SOMMEIL DU CONDOR

Par delà l'escalier des roides Cordillières,
Par delà les brouillards hantés des aigles noirs,
Plus haut que les sommets creusés en entonnoirs
Où bout le flux sanglant des laves familières,
L'envergure pendante et rouge par endroits,

Le vaste Oiseau, tout plein d'une morne indolence,
Regarde l'Amérique et l'espace en silence,
Et le sombre soleil qui meurt dans ses yeux froids.
La nuit roule de l'Est, où les pampas sauvages
10 Sous les monts étagés s'élargissent sans fin;
Elle endort le Chili, les villes, les rivages,
Et la mer Pacifique, et l'horizon divin;
Du continent muet elle s'est emparée :
Des sables aux coteaux, des gorges aux versants,
De cime en cime, elle enfle, en tourbillons croissants,
Le lourd débordement de sa haute marée.
Lui, comme un spectre, seul, au front du pic altier,
Baigné d'une lueur qui saigne sur la neige,
Il attend cette mer sinistre qui l'assiège :
20 Elle arrive, déferle, et le couvre en entier.
Dans l'abîme sans fond la Croix australe allume
Sur les côtes du ciel son phare constellé.
Il râle de plaisir, il agite sa plume,
Il érige son cou musculeux et pelé,
Il s'enlève en fouettant l'âpre neige des Andes,
Dans un cri rauque il monte où n'atteint pas le vent,
Et, loin du globe noir, loin de l'astre vivant,
Il dort dans l'air glacé, les ailes toutes grandes.

*Ibid.*

## L'ASTRE ROUGE

Il y aura, dans l'abîme du ciel, un grand Astre rouge nommé Sahil.
Le Rabbi Aben-Ezra.

Sur les Continents morts, les houles léthargiques
Où le dernier frisson d'un monde a palpité
S'enflent dans le silence et dans l'immensité;
Et le rouge Sahil, du fond des nuits tragiques,
Seul flambe, et darde aux flots son œil ensanglanté.

Par l'espace sans fin des solitudes nues,
Ce gouffre inerte, sourd, vide, au néant pareil,
Sahil, témoin suprême, et lugubre soleil
Qui fait la mer plus morne et plus noires les nues,
Couve d'un œil sanglant l'universel sommeil.

Génie, amour, douleur, désespoir, haine, envie,
Ce qu'on rêve, ce qu'on adore et ce qui ment,
Terre et Ciel, rien n'est plus de l'antique Moment.
Sur le songe oublié de l'Homme et de la Vie
L'Œil rouge de Sahil saigne éternellement.

*Poèmes tragiques.*

(p. 181-186)
**1.** L'art du peintre : comment le dépaysement dans le temps et l'espace est-il réalisé?
**2.** Le paysage mental du poète : décors privilégiés, images de verticalité, paysages minéraux ; avec quels êtres le poète s'identifie-t-il? attitude face au monde?
**3.** La beauté absurde et tragique. Quel symbole de l'art propose *Niobé*?

**Léon Dierx (1838-1912) :** né à la Réunion, mort à Paris. Rimbaud a sans doute lu son *Vieux solitaire*, paru en 1871 dans le *Deuxième Parnasse contemporain*. *Poèmes et poésies* (1864) ; *Les lèvres closes* (1867); *Les amants* (1869) ; *Poésies complètes* (1896)...

## LE VIEUX SOLITAIRE

Je suis tel qu'un ponton sans vergues et sans mâts,
Aventureux débris des trombes tropicales,
Et qui flotte, roulant des lingots dans ses cales,
Sur l'Océan sans borne et sous de froids climats.

Les vents sifflaient jadis dans ses mille poulies.
Vaisseau désemparé qui ne gouverne plus,
Il roule, vain jouet du flux et du reflux,
L'ancien explorateur de vertes Australies.

Il ne lui reste plus un seul des matelots
Qui chantaient sur la hune en dépliant sa toile.
Aucun phare n'allume au loin sa rouge étoile.
Il roule abandonné tout seul sur les grands flots.

La mer autour de lui se soulève et le roule,
Et chaque lame arrache une poutre à ses flancs.
Et les monstres marins suivent de leurs yeux blancs
Les mirages confus du cuivre sous la houle.

*Poèmes et poésies.*

**Léon Valade (1841-1883) :** une vie discrète, précocement interrompue, une poésie frémissante, qui annonce l'humour amer de Laforgue. *Avril, mai, juin* – en collaboration avec Mérat – (1863) ; *Nocturnes* – d'après Heine – (1863) ; *A mi-côte* (1864) ; *Poésies posthumes* (1890)...

## L'AVENUE

Nos âmes tant de fois s'oublièrent, bercées,
Sous les grands arbres noirs, de la chanson du vent!
Le long de ces vieux murs, elle et moi, si souvent
Nous avions vu glisser nos ombres enlacées!

Quand j'ai longé, suivant ses traces effacées,
L'avenue où moi seul irai dorénavant,
Tous mes chers souvenirs m'y guettaient, se levant
Au bruit sec de mes pas sur les feuilles froissées...

Mon cœur mélancolique aux jours passés rêvait :
Et quand la lune, ayant percé le fin duvet
Du nuage, blanchit par place le mur sombre

(Mes yeux cherchant l'absente et ne la trouvant pas),
Comme un autre amoureux plus pâle, sur mes pas,
Mon ombre avec regret semblait chercher son ombre.

## Sully Prudhomme (1839-1907)

Il fut de son vivant salué comme le poète le plus représentatif du Parnasse, et reçut le prix Nobel de littérature... Notre époque est plus sévère pour ce poète appliqué, plein de bons sentiments et de pensées banales. Si ses premiers recueils comportent des poèmes harmonieux, sa poésie sombrera dans le didactisme et le prosaïsme quand il voudra "faire entrer dans le domaine de la poésie les merveilleuses conquêtes de la science et les hautes synthèses de la spéculation moderne".

*Stances et poèmes* (1865) ; *Les épreuves* (1866) ; *Les solitudes* (1869) ; *Les destins* (1872) ; *Les vaines tendresses* (1875) ; *La justice* (1878) ; *Le prisme* (1886) ; *Le bonheur* (1888) ; *Les épaves* (1908)...

## LE CYGNE

Sans bruit, sous le miroir des lacs profonds et calmes,
Le cygne chasse l'ombre avec ses larges palmes,
Et glisse. Le duvet de ses flancs est pareil
A des neiges d'avril qui croulent au soleil;
Mais, ferme et d'un blanc mat, vibrant sous le zéphyre,
Sa grande aile l'entraîne ainsi qu'un lent navire.
Il dresse son beau col au-dessus des roseaux,
Le plonge, le promène allongé sur les eaux,
Le courbe gracieux comme un profil d'acanthe,
10  Et cache son bec noir dans sa gorge éclatante.
Tantôt le long des pins, séjour d'ombre et de paix,
Il serpente, et, laissant les herbages épais
Traîner derrière lui comme une chevelure,
Il va d'une tardive et languissante allure.
La grotte où le poète écoute ce qu'il sent,
Et la source qui pleure un éternel absent,
Lui plaisent; il y rôde; une feuille de saule
En silence tombée effleure son épaule.
Tantôt il pousse au large et, et, loin du bois obscur,
20  Superbe, gouvernant du côté de l'azur,
Il choisit, pour fêter sa blancheur qu'il admire,
La place éblouissante où le soleil se mire.
Puis, quand les bords de l'eau ne se distinguent plus,
A l'heure où toute forme est un spectre confus,
Où l'horizon brunit rayé d'un long trait rouge,
Alors que pas un jonc, pas un glaïeul ne bouge,
Que les rainettes font dans l'air serein leur bruit,
Et que la luciole au clair de lune luit,
L'oiseau, dans le lac sombre où sous lui se reflète
30  La splendeur d'une nuit lactée et violette,
Comme un vase d'argent parmi des diamants,
Dort, la tête sous l'aile, entre deux firmaments.

*Les solitudes.*

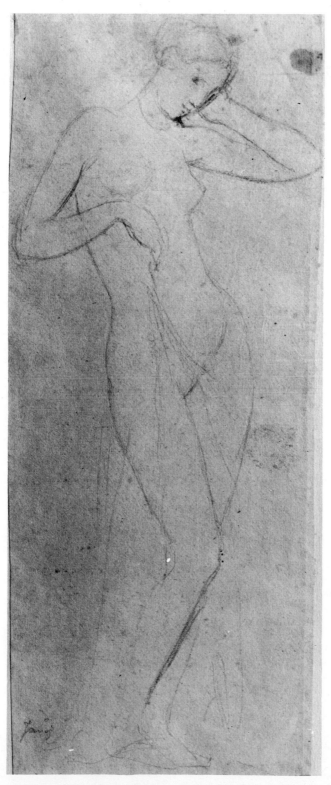

Jean-Auguste-Dominique Ingres (1780-1867), *Femme nue debout retenant une draperie*, dessin. (Musée Ingres, Montauban.)

## José Maria de Heredia (1842-1905)

Né à Cuba, mort en Seine-et-Oise. Les 118 sonnets des *Trophées* répartis en trois groupes ("Grèce et Sicile", "Rome et les Barbares", "Moyen Age et Renaissance") n'ont pas l'ambition romantique de montrer l'histoire de l'humanité. Mais leurs tableaux, parfois érudits, d'une concision extrême, ressuscitent souvent avec une singulière netteté les moments glorieux du passé. Œuvre "objective" s'il en est, où l'on devine pourtant le poète, fasciné par les paysages grandioses, les grandes figures du passé, l'omniprésence de la mort.

*Les trophées* (1893); *Poésies complètes,* (édition posthume, 1923; sonnets publiés dans *Le Parnasse contemporain* et diverses revues).

### SOLEIL COUCHANT

Les ajoncs éclatants, parure du granit,
Dorent l'âpre sommet que le couchant allume;
Au loin, brillante encor par sa barre d'écume,
La mer sans fin commence où la terre finit.

A mes pieds, c'est la nuit, le silence. Le nid
Se tait, l'homme est rentré sous le chaume qui fume;
Seul, l'Angélus du soir, ébranlé dans la brume,
A la vaste rumeur de l'Océan s'unit.

Alors, comme du fond d'un abîme, des traînes[1],
Des landes, des ravins, montent des voix lointaines
De pâtres attardés ramenant le bétail.

L'horizon tout entier s'enveloppe dans l'ombre,
Et le soleil mourant, sur un ciel riche et sombre,
Ferme les branches d'or de son rouge éventail.

*Les trophées.*

1. Lisières des forêts ou chemins creux.

### BRISE MARINE

L'HIVER a défleuri la lande et le courtil.
Tout est mort. Sur la roche uniformément grise
Où la lame sans fin de l'Atlantique brise,
Le pétale fané pend au dernier pistil.

Et pourtant je ne sais quel arôme subtil
Exhalé de la mer jusqu'à moi par la brise,
D'un effluve si tiède emplit mon cœur qu'il grise;
Ce souffle étrangement parfumé, d'où vient-il?

Ah! Je le reconnais. C'est de trois mille lieues
Qu'il vient, de l'Ouest, là-bas où les Antilles bleues
Se pâment sous l'ardeur de l'astre occidental;

Et j'ai, de ce récif battu du flot kymrique[1],
Respiré dans le vent qu'embauma l'air natal
La fleur jadis éclose au jardin d'Amérique.

*Ibid.*

1. Gallois.

# LES CONQUÉRANTS

Comme un vol de gerfauts hors du charnier natal,
Fatigués de porter leurs misères hautaines,
De Palos de Moguer[1], routiers et capitaines
Partaient, ivres d'un rêve héroïque et brutal.

Ils allaient conquérir le fabuleux métal
Que Cipango[2] mûrit dans ses mines lointaines,
Et les vents alizés inclinaient leurs antennes
Aux bords mystérieux du monde Occidental.

Chaque soir, espérant des lendemains épiques,
L'Azur phosphorescent de la mer des Tropiques
Enchantait leur sommeil d'un mirage doré ;

Ou penchés à l'avant des blanches caravelles,
Ils regardaient monter en un ciel ignoré
Du fond de l'Océan des étoiles nouvelles.

*Ibid.*

1. Christophe Colomb s'embarqua en 1492 à Palos, avant-port de Moguer, en Andalousie.
2. Terme qui désigne le Japon, but de l'expédition de Christophe Colomb.

Pouvez-vous, à partir de ces sonnets, formuler l'art poétique de Heredia ?

# "Les poètes maudits"

## Charles Baudelaire (1821-1867)

Baudelaire, né à Paris en 1821, eut le malheur de perdre son père à l'âge de sept ans. Très attaché à sa mère, il considérera toujours le remariage de celle-ci avec le colonel Aupick – en 1828 – comme une trahison. Toute sa vie sera marquée par les conflits qui l'opposeront à son beau-père.

Ayant commencé ses études secondaires à Lyon, il les acheva à Paris au collège Louis-le-Grand; en 1837 il avait obtenu le second prix de vers latins au concours général.

Dès sa sortie du collège, ses tendances à une vie facile et dissolue inquiètent ses parents qui l'embarquent en mai 1841 pour un long voyage qui le mènera à l'île Maurice, l'île Bourbon, et à la Réunion. Les souvenirs de ce voyage inspireront certaines de ses rêveries. A son retour, ses relations avec ses parents ne s'améliorent pas et aboutissent en 1844 à la mise en tutelle du poète, considéré comme incapable de gérer raisonnablement sa fortune. Il ressentira toujours cruellement cette humiliation.

Certes il menait une vie en marge de la morale bourgeoise, dépensant sans compter, recherchant le bonheur dans les paradis artificiels (il fréquente dès 1841 le club des Haschichins; c'est là qu'il puisera en partie le matériau des *Paradis artificiels*); il est le type même du dandy : "Ces êtres n'ont pas d'autre état que de cultiver l'idée du beau dans leur personne, de satisfaire leurs passions, de sentir et de penser... [le dandysme] c'est le besoin ardent de se faire une originalité, contenu dans les limites extérieures des convenances. C'est une espèce de culte de soi-même..."

Sa vie est marquée par des rencontres amoureuses : la mulâtresse Jeanne Duval, à qui il restera attaché jusqu'à sa mort, Apollonie Sabatier (la Présidente), Marie Daubrun, l'actrice aux yeux verts et d'autres encore qui ne furent que rencontres éphémères qu'évoquent un ou deux poèmes.

Baudelaire cependant a une activité créatrice intense : dès 1841-42, il a déjà composé un bon nombre de poèmes des *Fleurs du mal* que *L'artiste* publiera en partie en 1845. En juin 1855, la *Revue des deux mondes* publie dix-huit poèmes des *Fleurs du mal* (le poète avait envisagé successivement les titres de *Limbes*, puis *Les lesbiennes* avant celui des *Fleurs du mal*). En 1856 Baudelaire signe avec l'éditeur Auguste Poulet-Malassis un contrat pour la publication du recueil. La parution de cette première édition suscite un scandale qui aboutit à un procès, au terme duquel certaines pièces doivent être retirées du recueil. Une deuxième édition augmentée de nouveaux poèmes paraîtra en 1861.

Mais Baudelaire n'est pas seulement l'auteur des *Fleurs du mal* : très tôt il se passionne pour les questions d'esthétique et s'intéresse aussi bien à la peinture, à la sculpture, à la musique, qu'aux caricaturistes. Il publie en 1845 son premier *Salon* qui sera suivi du *Salon de 1846,* de *L'exposition universelle de 1855,* du *Salon de 1859*. Les *Curiosités esthétiques* regroupent des articles où Baudelaire s'interroge sur le peintre dans la vie moderne, étudie quelques caricaturistes français et étrangers. *L'Art romantique* regroupe toute une série d'études de critique littéraire et un article sur Wagner et *Tannhäuser* à Paris. Tout ceci prouve l'étendue de sa curiosité : il se passionne pour tout ce qui est création d'art, pour un Delacroix, un Wagner et rejette tout art bourgeois et académique.

En 1852, Baudelaire a découvert Edgar Poe dont il commencera à publier les premières traductions en 1854, dans *Le pays,* en attendant de faire paraître en 1857 la traduction des *Nouvelles histoires extraordinaires*.

En 1855, il avait publié quelques petits poèmes en prose. Il en publiera une seconde série en 1861 dans la *Revue fantaisiste*. Le projet de réunir en un recueil ses poèmes en prose se fait jour à la fin de l'année 1861. Après avoir pensé au titre *Le promeneur solitaire,* puis *Le rôdeur parisien,* puis *La lueur et la fumée,* il donne le titre *Spleen de Paris* en 1864. Une série paraîtra encore sous ce titre en 1865, la dernière en 1867, au moment même où Baudelaire, paralysé et aphasique, s'éteignait après une longue agonie. L'édition originale du *Spleen de Paris* ne paraîtra qu'en 1869.

## DOCUMENTS

(...) J'irai encore plus loin, n'en déplaise aux sophistes trop fiers qui ont pris leur science dans les livres, et, quelque délicate et difficile à exprimer que soit mon idée, je ne désespère pas d'y réussir. *Le Beau est toujours bizarre.* Je ne veux pas dire qu'il soit volontairement, froidement bizarre, car dans ce cas il serait un monstre sorti des rails de la vie. Je dis qu'il contient toujours un peu de bizarrerie, de bizarrerie naïve, non voulue, inconsciente, et que c'est cette bizarrerie qui le fait être particulièrement le Beau. C'est son immatriculation, sa caractéristique. (...)

*Curiosités esthétiques,* "Exposition universelle", 1855.

(...) C'est ici une belle occasion, en vérité, pour établir une théorie rationnelle et historique du beau, en opposition avec la théorie du beau unique et absolu, pour montrer que le beau est toujours, inévitablement, d'une composition double, bien que l'impression qu'il produit soit une; car la difficulté de discerner les éléments variables du beau dans l'unité de l'impression n'infirme en rien la nécessité de la variété dans sa composition. Le beau est fait d'un élément éternel, invariable, dont la quantité est excessivement difficile à déterminer, et d'un élément relatif, circonstanciel, qui sera, si l'on veut, tour à tour ou tout ensemble, l'époque, la mode, la morale, la passion. Sans ce second élément, qui est comme l'enveloppe amusante, titillante, apéritive, du divin gâteau, le premier élément serait indigestible, inappréciable, non adapté et non approprié à la nature humaine. Je défie qu'on découvre un échantillon quelconque de beauté qui ne contienne pas ces deux éléments. (...)

*Ibid.,* "Le peintre de la vie moderne".

Dans ces derniers temps nous avons entendu dire de mille manières différentes : « Copiez la nature ; ne copiez que la nature. Il n'y a pas de plus grande jouissance ni de plus beau triomphe qu'une copie excellente de la nature. » Et cette doctrine, ennemie de l'art, prétendait être appliquée non seulement à la peinture, mais à tous les arts, même au roman, même à la poésie. A ces doctrinaires si satisfaits de la nature, un homme imaginatif aurait certainement eu le droit de répondre : « Je trouve inutile et fastidieux de représenter ce qui est, parce que rien de ce qui est ne me satisfait. La nature est laide, et je préfère les monstres de ma fantaisie à la trivialité positive. » Cependant il eût été plus philosophique de demander aux doctrinaires en question, d'abord s'ils sont bien certains de l'existence de la nature extérieure, ou, si cette question eût paru trop bien faite pour réjouir leur causticité, s'ils sont bien sûrs de connaître *toute la nature,* tout ce qui est contenu dans la nature. Un oui eût été la plus fanfaronne et la plus extravagante des réponses.

Autant que j'ai pu comprendre ces singulières et avilissantes divagations, la doctrine voulait dire, je lui fais l'honneur de croire qu'elle voulait dire : L'artiste, le vrai artiste, le vrai poète, ne doit peindre que selon qu'il voit et qu'il sent. Il doit être *réellement* fidèle à sa propre nature. Il doit éviter comme la mort d'emprunter les yeux et les sentiments d'un autre homme, si grand qu'il soit; car alors les productions qu'il nous donnerait seraient, relativement à lui, des mensonges, et non des *réalités*. Or, si les pédants dont je parle (il y a de la pédanterie même dans la bassesse), et qui ont des représentants partout, cette théorie flattant également l'impuissance et la paresse, ne voulaient pas que la chose fût entendue ainsi, croyons simplement qu'ils voulaient dire : « Nous n'avons pas d'imagination, et nous décrétons que personne n'en aura. »

Mystérieuse faculté que cette reine des facultés : Elle touche à toutes les autres; elle les excite, elle les envoie au combat. Elle leur ressemble quelquefois au point de se confondre avec elles, et cependant elle est toujours bien elle-même, et les hommes qu'elle n'agite pas sont facilement reconnaissables à je ne sais quelle malédiction qui dessèche leurs productions comme le figuier de l'Evangile.

Elle est l'analyse, elle est la synthèse ; et cependant des hommes habiles dans l'analyse et suffisamment aptes à faire un résumé peuvent être privés d'imagination. Elle est cela, et elle n'est pas tout à fait cela. Elle est la sensibilité, et pourtant il y a des personnes très-sensibles, trop sensibles peut-être, qui en sont privées. C'est l'imagination qui a enseigné à l'homme le sens moral de la couleur, du contour, du son et du parfum. Elle a créé, au commencement du monde, l'analogie et la métaphore. Elle décompose toute la création, et, avec les matériaux amassés et disposés suivant des règles dont on ne peut trouver l'origine que dans le plus profond de l'âme, elle crée un monde nouveau, elle produit la sensation du neuf. Comme elle a créé le monde (on peut bien dire cela, je crois, même dans un sens religieux), il est juste qu'elle le gouverne. Que dit-on d'un guerrier sans imagination? Qu'il peut faire un excellent soldat, mais que, s'il commande des armées, il ne fera pas de conquêtes. (...)

L'imagination est la reine du vrai, et le possible est une des provinces du vrai. Elle est positivement apparentée avec l'infini. (...)

*Ibid.,* "Salon de 1859", III.

---

J'ai trouvé la définition du Beau, — de mon Beau. C'est quelque chose d'ardent et de triste, quelque chose d'un peu vague, laissant carrière à la conjecture. Je vais, si l'on veut, appliquer mes idées à un objet sensible, à l'objet, par exemple, le plus intéressant dans la société, à un visage de femme. Une tête séduisante et belle, une tête de femme, veux-je dire, c'est une tête qui fait rêver à la fois, — mais d'une manière confuse, — de volupté et de tristesse; qui comporte une idée de mélancolie, de lassitude, même de satiété, — soit une idée contraire, c'est-à-dire une ardeur, un désir de vivre, associés avec une amertume refluante, comme venant de privation ou de désespérance. Le mystère, le regret sont aussi des caractères du Beau.

Une belle tête d'homme n'a pas besoin de comporter, excepté peut-être, aux yeux d'une femme, — aux yeux d'un homme bien entendu, — cette idée de volupté, qui dans un visage de femme, est une provocation d'autant plus attirante que le visage est généralement plus mélancolique. Mais cette tête contiendra aussi quelque chose d'ardent et de triste, — des besoins spirituels, des ambitions ténébreusement refoulées, — l'idée d'une puissance grondante, et sans emploi, — quelquefois l'idée d'une insensibilité vengeresse (car le type idéal du Dandy n'est pas à négliger dans ce sujet), — quelquefois aussi, — et c'est l'un des caractères de beauté les plus intéressants, — le mystère, et enfin (pour que j'aie le courage d'avouer jusqu'à quel point je me sens moderne en esthétique), le *malheur*. — Je ne prétends pas que la Joie ne puisse pas s'associer avec la Beauté, mais je dis que la Joie [en] est un des ornements les plus vulgaires; — tandis que la Mélancolie en est pour ainsi dire l'illustre compagne, à ce point que je ne conçois guère (mon cerveau serait-il un miroir ensorcelé?) un type de Beauté où il n'y ait du *Malheur.* — Appuyé sur — d'autres diraient : obsédé par — ces idées, on conçoit qu'il me serait difficile de ne pas conclure que le plus parfait type de Beauté virile est *Satan,* — à la manière de Milton.

*Journaux intimes,* "Fusées", XVI.

## LES FLEURS DU MAL

Baudelaire a regroupé dans *Les fleurs du mal,* dédiées à Théophile Gautier et dont la première édition parut en 1857, des poèmes écrits au fil des années et dont certains avaient déjà été publiés. Mais il écrivait en 1851 à Vigny : "Le seul éloge que je sollicite pour ce livre est qu'on reconnaisse qu'il a un commencement et une fin." Le recueil est en fait la transposition de la tragédie de Baudelaire : les six parties qui le constituent sont chacune une étape de son itinéraire spirituel.

1) *Spleen et idéal :* écartelé entre les deux postulations opposées dont l'une l'entraîne vers Satan "le spleen", et l'autre l'attire vers Dieu "l'idéal", le poète ne peut y échapper ni dans son expérience d'artiste (I-XXI), ni dans celle de l'amour (XXII-LXIV), ni dans celle de la solitude (LXV-LXXXV).

Pour échapper à sa souffrance le poète fait successivement plusieurs tentatives :

2) *Tableaux parisiens :* il s'arrache à lui-même et se tourne vers autrui ;
3) *Le vin :* il a recours aux paradis artificiels ;
4) *Fleurs du mal :* il se jette dans la débauche ;
5) *Révolte :* il se révolte et blasphème.

Mais toutes ces tentatives ayant abouti à un échec, il se tourne pour finir vers la mort :

6) *La mort :* ultime recours.

Le recueil se clôt sur le poème du *Voyage,* sorte de conclusion qui reprend l'ensemble des thèmes traités et laisse présager la vanité de l'espoir que le poète garde dans la mort.

## ÉLÉVATION

Au-dessus des étangs, au-dessus des vallées,
Des montagnes, des bois, des nuages, des mers,
Par delà le soleil, par delà les éthers,
Par delà les confins des sphères étoilées,

Mon esprit, tu te meus avec agilité,
Et, comme un bon nageur qui se pâme dans l'onde,
Tu sillonnes gaiement l'immensité profonde
Avec une indicible et mâle volupté.

Envole-toi bien loin de ces miasmes morbides ;
10 Va te purifier dans l'air supérieur,
Et bois, comme une pure et divine liqueur,
Le feu clair qui remplit les espaces limpides.

Derrière les ennuis et les vastes chagrins
Qui chargent de leur poids l'existence brumeuse,
Heureux celui qui peut d'une aile vigoureuse
S'élancer vers les champs lumineux et sereins ;

Celui dont les pensers, comme des alouettes,
Vers les cieux le matin prennent un libre essor,
— Qui plane sur la vie, et comprend sans effort
20 Le langage des fleurs et des choses muettes!

"Spleen et idéal", 3.

## CORRESPONDANCES

La Nature est un temple où de vivants piliers
Laissent parfois sortir de confuses paroles;
L'homme y passe à travers des forêts de symboles
Qui l'observent avec des regards familiers.

Comme de longs échos qui de loin se confondent
Dans une ténébreuse et profonde unité,
Vaste comme la nuit et comme la clarté,
Les parfums, les couleurs et les sons se répondent.

Il est des parfums frais comme des chairs d'enfants,
Doux comme des hautbois, verts comme les prairies,
— Et d'autres, corrompus, riches et triomphants,

Ayant l'expansion des choses infinies,
Comme l'ambre, le musc, le benjoin et l'encens,
Qui chantent les transports de l'esprit et des sens.

*Ibid.*, 4.

## LA VIE ANTÉRIEURE

J'ai longtemps habité sous de vastes portiques
Que les soleils marins teignaient de mille feux,
Et que leurs grands piliers, droits et majestueux,
Rendaient parcils, le soir, aux grottes basaltiques.

Les houles, en roulant les images des cieux,
Mêlaient d'une façon solennelle et mystique
Les tout-puissants accords de leur riche musique
Aux couleurs du couchant reflété par mes yeux.

C'est là que j'ai vécu dans les voluptés calmes,
Au milieu de l'azur, des vagues, des splendeurs
Et des esclaves nus, tout imprégnés d'odeurs,

Qui me rafraîchissaient le front avec des palmes,
Et dont l'unique soin était d'approfondir
Le secret douloureux qui me faisait languir.

*Ibid.,* 12.

## LA BEAUTÉ

Je suis belle, ô mortels! comme un rêve de pierre,
Et mon sein, où chacun s'est meurtri tour à tour,
Est fait pour inspirer au poète un amour
Éternel et muet ainsi que la matière.

Je trône dans l'azur comme un sphinx incompris;
J'unis un cœur de neige à la blancheur des cygnes;
Je hais le mouvement qui déplace les lignes,
Et jamais je ne pleure et jamais je ne ris.

Les poètes, devant mes grandes attitudes,
Que j'ai l'air d'emprunter aux plus fiers monuments,
Consumeront leurs jours en d'austères études;

Car j'ai, pour fasciner ces dociles amants,
De purs miroirs qui font toutes choses plus belles :
Mes yeux, mes larges yeux aux clartés éternelles!

Publié en 1857.

*Ibid.*, 17.

## HYMNE À LA BEAUTÉ

Viens-tu du ciel profond ou sors-tu de l'abîme,
O Beauté? ton regard, infernal et divin,
Verse confusément le bienfait et le crime,
Et l'on peut pour cela te comparer au vin.

Tu contiens dans ton œil le couchant et l'aurore;
Tu répands des parfums comme un soir orageux;
Tes baisers sont un philtre et ta bouche une amphore
Qui font le héros lâche et l'enfant courageux.

Sors-tu du gouffre noir ou descends-tu des astres?
10 Le Destin charmé suit tes jupons comme un chien;
Tu sèmes au hasard la joie et les désastres,
Et tu gouvernes tout et ne réponds de rien.

Tu marches sur des morts, Beauté, dont tu te moques;
De tes bijoux l'Horreur n'est pas le moins charmant,
Et le Meurtre, parmi tes plus chères breloques,
Sur ton ventre orgueilleux danse amoureusement.

L'éphémère ébloui vole vers toi, chandelle,
Crépite, flambe et dit : Bénissons ce flambeau!
L'amoureux pantelant incliné sur sa belle
20 A l'air d'un moribond caressant son tombeau.

Que tu viennes du ciel ou de l'enfer, qu'importe,
O Beauté! monstre énorme, effrayant, ingénu!
Si ton œil, ton souris, ton pied, m'ouvrent la porte
D'un Infini que j'aime et n'ai jamais connu?

De Satan ou de Dieu, qu'importe? Ange ou Sirène,
Qu'importe, si tu rends, − fée aux yeux de velours,
Rhythme, parfum, lueur, ô mon unique reine! −
L'univers moins hideux et les instants moins lourds?

Publié en 1860.

*Ibid.*, 21.

---

(p. 196-199)
1. L'oppression du réel et du temps : relever les images et les rythmes significatifs dans *Élévation,* et *Hymne à la beauté.*
2. "Il y a dans tout homme, à toute heure, deux postulations simultanées, l'une vers Dieu, l'autre vers Satan." *(Mon cœur mis à nu).* Noter les variations sur le thème de la quête de l'infini :
a) le rêve de beauté immobile dans *La beauté;* ressemblances et différences avec *L'art* de Gautier, publié la même année (p. 175);
b) la quête spirituelle : étudier dans *Elévation* le mouvement, les images et les thèmes associés à la quête d'un monde idéal. Noter dans *Correspondances* la quête d'unité à travers un réseau de correspondances horizontales et verticales; comment la versification concourt-elle à suggérer ce jeu des correspondances? Comparer avec le poème *Vers dorés* de Nerval (p. 168);
c) "Les transports de l'esprit et des sens" : à travers *Correspondances* et *Hymne à la beauté* voir les analogies entre l'art, l'amour, le vin. Comparer avec *Enivrez-vous* (p.218).
3. Mise en œuvre du jeu des correspondances dans *Vie antérieure.*
4. Le "Beau" baudelairien à travers les images et les correspondances de l'*Hymne à la beauté* (reportez-vous aux documents, p. 193).

---

## PARFUM EXOTIQUE

Quand, les deux yeux fermés, en un soir chaud d'automne
Je respire l'odeur de ton sein chaleureux,
Je vois se dérouler des rivages heureux
Qu'éblouissent les feux d'un soleil monotone;

Une île paresseuse où la nature donne
Des arbres singuliers et des fruits savoureux;
Des hommes dont le corps est mince et vigoureux,
Et des femmes dont l'œil par sa franchise étonne.

Guidé par ton odeur vers de charmants climats,
Je vois un port rempli de voiles et de mâts
Encor tout fatigués par la vague marine,

Pendant que le parfum des verts tamariniers,
Qui circule dans l'air et m'enfle la narine,
Se mêle dans mon âme au chant des mariniers.

"Spleen et idéal", 22.

## LE SERPENT QUI DANSE

Que j'aime voir, chère indolente,
De ton corps si beau,
Comme une étoffe vacillante,
Miroiter la peau !

Sur ta chevelure profonde
Aux âcres parfums,
Mer odorante et vagabonde
Aux flots bleus et bruns,

Comme un navire qui s'éveille
10  Au vent du matin,
Mon âme rêveuse appareille
Pour un ciel lointain.

Tes yeux, où rien ne se révèle
De doux ni d'amer,
Sont deux bijoux froids où se mêle
L'or avec le fer.

A te voir marcher en cadence,
Belle d'abandon,
On dirait un serpent qui danse
20  Au bout d'un bâton.

Sous le fardeau de ta paresse
Ta tête d'enfant
Se balance avec la mollesse
D'un jeune éléphant,

Et ton corps se penche et s'allonge
Comme un fin vaisseau
Qui roule bord sur bord et plonge
Ses vergues dans l'eau.

Comme un flot grossi par la fonte
30  Des glaciers grondants,
Quand l'eau de ta bouche remonte
Au bord de tes dents,

Je crois boire un vin de Bohême,
Amer et vainqueur,
Un ciel liquide qui parsème
D'étoiles mon cœur !

*Ibid.*, 28.

Auguste Rodin (1840-1917), gravure pour *Les fleurs du mal*, éd. de 1918.
(Bibliothèque Nationale, Paris.)

REMORDS POSTHUME

Lorsque tu dormiras, ma belle ténébreuse,
Au fond d'un monument construit en marbre noir,
Et lorsque tu n'auras pour alcôve et manoir
Qu'un caveau pluvieux et qu'une fosse creuse;

Quand la pierre, opprimant ta poitrine peureuse
Et tes flancs qu'assouplit un charmant nonchaloir,
Empêchera ton cœur de battre et de vouloir,
Et tes pieds de courir leur course aventureuse,

Le tombeau, confident de mon rêve infini
(Car le tombeau toujours comprendra le poète),
Durant ces grandes nuits d'où le somme est banni,

Te dira : « Que vous sert, courtisane imparfaite,
De n'avoir pas connu ce que pleurent les morts? »
– Et le ver rongera ta peau comme un remords.

*Ibid.*, 33.

RÉVERSIBILITÉ

Ange plein de gaieté, connaissez-vous l'angoisse,
La honte, les remords, les sanglots, les ennuis,
Et les vagues terreurs de ces affreuses nuits
Qui compriment le cœur comme un papier qu'on froisse?
Ange plein de gaieté, connaissez-vous l'angoisse?

Ange plein de bonté, connaissez-vous la haine,
Les poings crispés dans l'ombre et les larmes de fiel,
Quand la Vengeance bat son infernal rappel,
Et de nos facultés se fait le capitaine?
10 Ange plein de bonté, connaissez-vous la haine?

Ange plein de santé, connaissez-vous les Fièvres,
Qui, le long des grands murs de l'hospice blafard,
Comme des exilés, s'en vont d'un pied traînard,
Cherchant le soleil rare et remuant les lèvres?
Ange plein de santé, connaissez-vous les Fièvres?

Ange plein de beauté, connaissez-vous les rides,
Et la peur de vieillir, et ce hideux tourment
De lire la secrète horreur du dévouement
Dans des yeux où longtemps burent nos yeux avides?
20 Ange plein de beauté, connaissez-vous les rides?

Ange plein de bonheur, de joie et de lumières,
David mourant aurait demandé la santé
Aux émanations de ton corps enchanté;
Mais de toi je n'implore, ange, que les prières,
Ange plein de bonheur, de joie et de lumières!

*Ibid.*, 44.

Que diras-tu ce soir, pauvre âme solitaire,
Que diras-tu, mon cœur, cœur autrefois flétri,
A la très-belle, à la très-bonne, à la très-chère,
Dont le regard divin t'a soudain refleuri?

— Nous mettrons notre orgueil à chanter ses louanges :
Rien ne vaut la douceur de son autorité ;
Sa chair spirituelle a le parfum des Anges,
Et son œil nous revêt d'un habit de clarté.

Que ce soit dans la nuit et dans la solitude,
Que ce soit dans la rue et dans la multitude,
Son fantôme dans l'air danse comme un flambeau.

Parfois il parle et dit : « Je suis belle et j'ordonne
Que pour l'amour de moi vous n'aimiez que le Beau ;
Je suis l'Ange gardien, la Muse et la Madone. »

*Ibid.*, 42.

## HARMONIE DU SOIR

Voici venir les temps où vibrant sur sa tige
Chaque fleur s'évapore ainsi qu'un encensoir ;
Les sons et les parfums tournent dans l'air du soir ;
Valse mélancolique et langoureux vertige !

Chaque fleur s'évapore ainsi qu'un encensoir ;
Le violon frémit comme un cœur qu'on afflige ;
Valse mélancolique et langoureux vertige !
Le ciel est triste et beau comme un grand reposoir.

Le violon frémit comme un cœur qu'on afflige,
Un cœur tendre, qui hait le néant vaste et noir !
Le ciel est triste et beau comme un grand reposoir ;
Le soleil s'est noyé dans son sang qui se fige.

Un cœur tendre, qui hait le néant vaste et noir,
Du passé lumineux recueille tout vestige !
Le soleil s'est noyé dans son sang qui se fige...
Ton souvenir en moi luit comme un ostensoir !

*Ibid.*, 47.

## L'INVITATION AU VOYAGE

Mon enfant, ma sœur,
Songe à la douceur
D'aller là-bas vivre ensemble!
Aimer à loisir,
Aimer et mourir
Au pays qui te ressemble!
Les soleils mouillés
De ces ciels brouillés
Pour mon esprit ont les charmes
10 Si mystérieux
De tes traîtres yeux,
Brillant à travers leurs larmes.

Là, tout n'est qu'ordre et beauté,
Luxe, calme et volupté.

Des meubles luisants,
Polis par les ans,
Décoreraient notre chambre;
Les plus rares fleurs
Mêlant leurs odeurs
20 Aux vagues senteurs de l'ambre;
Les riches plafonds,
Les miroirs profonds,
La splendeur orientale,
Tout y parlerait
A l'âme en secret
Sa douce langue natale.

Là, tout n'est qu'ordre et beauté,
Luxe, calme et volupté.

Vois sur ces canaux
30 Dormir ces vaisseaux
Dont l'humeur est vagabonde;
C'est pour assouvir
Ton moindre désir
Qu'ils viennent du bout du monde.
— Les soleils couchants
Revêtent les champs,
Les canaux, la ville entière,
D'hyacinthe et d'or;
Le monde s'endort
40 Dans une chaude lumière.

Là, tout n'est qu'ordre et beauté,
Luxe, calme et volupté.

*Ibid.,*53.

## MŒSTA ET ERRABUNDA[1]

Dis-moi, ton cœur parfois s'envole-t-il, Agathe,
Loin du noir océan de l'immonde cité,
Vers un autre océan où la splendeur éclate,
Bleu, clair, profond, ainsi que la virginité?
Dis-moi, ton cœur parfois s'envole-t-il, Agathe?

La mer, la vaste mer, console nos labeurs!
Quel démon a doté la mer, rauque chanteuse
Qu'accompagne l'immense orgue des vents grondeurs,
De cette fonction sublime de berceuse?
10 La mer, la vaste mer, console nos labeurs!

Emporte-moi, wagon, enlève-moi, frégate!
Loin! loin! ici la boue est faite de nos pleurs!
— Est-il vrai que parfois le triste cœur d'Agathe
Dise : Loin des remords, des crimes, des douleurs,
Emporte-moi, wagon, enlève-moi, frégate?

Comme vous êtes loin, paradis parfumé,
Où sous un clair azur tout n'est qu'amour et joie,
Où tout ce que l'on aime est digne d'être aimé,
Où dans la volupté pure le cœur se noie!
20 Comme vous êtes loin, paradis parfumé!

Mais le vert paradis des amours enfantines,
Les courses, les chansons, les baisers, les bouquets,
Les violons vibrant derrière les collines,
Avec les brocs de vin, le soir, dans les bosquets,
— Mais le vert paradis des amours enfantines,

L'innocent paradis, plein de plaisirs furtifs,
Est-il déjà plus loin que l'Inde et que la Chine?
Peut-on le rappeler avec des cris plaintifs,
Et l'animer encor d'une voix argentine,
30 L'innocent paradis plein de plaisirs furtifs?

*Ibid.,* 62.

1. Triste et vagabonde.

(p. 199-205)
**1.** Pour chaque poème, préciser le point de départ et le mouvement de la rêverie : comment peu à peu le triomphe du rêve s'opère-t-il?
**2.** Dans chaque groupe de poèmes — *Parfum exotique, Le serpent qui danse et Remords posthume / Que diras-tu ce soir..., Réversibilité* et *Harmonie du soir / L'invitation au voyage* et *Mœsta et errabunda* — voir à travers le choix des images et des comparaisons, des adjectifs et des verbes, les réseaux de correspondances associées à chacune des images féminines; montrer comment la structure des poèmes, leur rythme, leur musicalité s'harmonisent avec les différents types de rêverie (exotisme, contemplation morbide, élévation ou évasion).
**3.** L'exaltation du désir (sensualité, cruauté, spiritualisation ou évasion).
**4.** Comparer *L'invitation au voyage* au petit poème en prose qui porte le même titre.

## LA CLOCHE FÊLÉE

Il est amer et doux, pendant les nuits d'hiver,
D'écouter, près du feu qui palpite et qui fume,
Les souvenirs lointains lentement s'élever
Au bruit des carillons qui chantent dans la brume.

Bienheureuse la cloche au gosier vigoureux
Qui, malgré sa vieillesse, alerte et bien portante,
Jette fidèlement son cri religieux,
Ainsi qu'un vieux soldat qui veille sous la tente!

Moi, mon âme est fêlée, et lorsqu'en ses ennuis
Elle veut de ses chants peupler l'air froid des nuits,
Il arrive souvent que sa voix affaiblie

Semble le râle épais d'un blessé qu'on oublie
Au bord d'un lac de sang, sous un grand tas de morts,
Et qui meurt, sans bouger, dans d'immenses efforts.

"Spleen et idéal", 74.


## SPLEEN

J'ai plus de souvenirs que si j'avais mille ans.

Un gros meuble à tiroirs encombré de bilans,
De vers, de billets doux, de procès, de romances,
Avec de lourds cheveux roulés dans des quittances,
Cache moins de secrets que mon triste cerveau.
C'est une pyramide, un immense caveau,
Qui contient plus de morts que la fosse commune.
– Je suis un cimetière abhorré de la lune,
Où comme des remords se traînent de longs vers
10 Qui s'acharnent toujours sur mes morts les plus chers.
Je suis un vieux boudoir plein de roses fanées,
Où gît tout un fouillis de modes surannées,
Où les pastels plaintifs et les pâles Boucher,
Seuls, respirent l'odeur d'un flacon débouché.

Rien n'égale en longueur les boiteuses journées,
Quand sous les lourds flocons des neigeuses années
L'ennui, fruit de la morne incuriosité,
Prend les proportions de l'immortalité.
– Désormais tu n'es plus, ô matière vivante!
20 Qu'un granit entouré d'une vague épouvante,
Assoupi dans le fond d'un Saharah brumeux;
Un vieux sphinx ignoré du monde insoucieux,
Oublié sur la carte, et dont l'humeur farouche
Ne chante qu'aux rayons du soleil qui se couche.

*Ibid.*, 76.

## SPLEEN

Quand le ciel bas et lourd pèse comme un couvercle
Sur l'esprit gémissant en proie aux longs ennuis,
Et que de l'horizon embrassant tout le cercle
Il nous verse un jour noir plus triste que les nuits;

Quand la terre est changée en un cachot humide,
Où l'Espérance, comme une chauve-souris,
S'en va battant les murs de son aile timide
Et se cognant la tête à des plafonds pourris;

Quand la pluie étalant ses immenses traînées
10  D'une vaste prison imite les barreaux,
Et qu'un peuple muet d'infâmes araignées
Vient tendre ses filets au fond de nos cerveaux,

Des cloches tout à coup sautent avec furie
Et lancent vers le ciel un affreux hurlement,
Ainsi que des esprits errants et sans patrie
Qui se mettent à geindre opiniâtrement.

— Et de longs corbillards, sans tambours ni musique,
Défilent lentement dans mon âme; l'Espoir,
Vaincu, pleure, et l'Angoisse atroce, despotique,
20  Sur mon crâne incliné plante son drapeau noir.

*Ibid.*, 78.

## L'HÉAUTONTIMOROUMÉNOS[1]

Je te frapperai sans colère
Et sans haine, comme un boucher,
Comme Moïse le rocher!
Et je ferai de ta paupière,

Pour abreuver mon Saharah,
Jaillir les eaux de la souffrance.
Mon désir gonflé d'espérance
Sur tes pleurs salés nagera

Comme un vaisseau qui prend le large,
10  Et dans mon cœur qu'ils soûleront
Tes chers sanglots retentiront
Comme un tambour qui bat la charge!

Ne suis-je pas un faux accord
Dans la divine symphonie,
Grâce à la vorace Ironie
Qui me secoue et qui me mord?

Elle est dans ma voix, la criarde!
C'est tout mon sang, ce poison noir!
Je suis le sinistre miroir
20  Où la mégère se regarde.

Je suis la plaie et le couteau!
Je suis le soufflet et la joue!
Je suis les membres et la roue,
Et la victime et le bourreau!

Je suis de mon cœur le vampire,
– Un de ces grands abandonnés,
Au rire éternel condamnés,
Et qui ne peuvent plus sourire!

*Ibid., 83.*

1. Le bourreau de soi-même.

---

(p. 206-208)
Drame spirituel et poésie des profondeurs : dans chaque poème, étudier le mouvement d'intériorisation ou de plongée, la progression du malaise physique et moral
suggérée par l'évolution des comparaisons et images, ainsi que par la musique des
vers.

---

## LE CYGNE

à Victor Hugo

### I

Andromaque, je pense à vous! Ce petit fleuve,
Pauvre et triste miroir où jadis resplendit
L'immense majesté de vos douleurs de veuve,
Ce Simoïs[1] menteur qui par vos pleurs grandit,

A fécondé soudain ma mémoire fertile,
Comme je traversais le nouveau Carrousel.
Le vieux Paris n'est plus (la forme d'une ville
Change plus vite, hélas! que le cœur d'un mortel);

Je ne vois qu'en esprit tout ce camp de baraques,
10  Ces tas de chapiteaux ébauchés et de fûts,
Les herbes, les gros blocs verdis par l'eau des flaques,
Et, brillant aux carreaux, le bric-à-brac confus.

Là s'étalait jadis une ménagerie;
Là je vis, un matin, à l'heure où sous les cieux
Froids et clairs le Travail s'éveille, où la voirie
Pousse un sombre ouragan dans l'air silencieux,

Un cygne qui s'était évadé de sa cage,
Et, de ses pieds palmés frottant le pavé sec,
Sur le sol raboteux traînait son blanc plumage.
20 Près d'un ruisseau sans eau la bête ouvrant le bec

Baignait nerveusement ses ailes dans la poudre,
Et disait, le cœur plein de son beau lac natal :
« Eau, quand donc pleuvras-tu? quand tonneras-tu, foudre? »
Je vois ce malheureux, mythe étrange et fatal,

Vers le ciel quelquefois, comme l'homme d'Ovide[2],
Vers le ciel ironique et cruellement bleu,
Sur son cou convulsif tendant sa tête avide,
Comme s'il adressait des reproches à Dieu!


II

Paris change! mais rien dans ma mélancolie
30 N'a bougé! palais neufs, échafaudages, blocs,
Vieux faubourgs, tout pour moi devient allégorie,
Et mes chers souvenirs sont plus lourds que des rocs.

Aussi devant ce Louvre une image m'opprime :
Je pense à mon grand cygne, avec ses gestes fous,
Comme les exilés, ridicule et sublime,
Et rongé d'un désir sans trêve; et puis à vous,

Andromaque, des bras d'un grand époux tombée,
Vil bétail, sous la main du superbe Pyrrhus,
Auprès d'un tombeau vide en extase courbée;
40 Veuve d'Hector, hélas! et femme d'Hélénus!

Je pense à la négresse, amaigrie et phtisique,
Piétinant dans la boue, et cherchant, l'œil hagard,
Les cocotiers absents de la superbe Afrique
Derrière la muraille immense du brouillard;

A quiconque a perdu ce qui ne se retrouve
Jamais, jamais! à ceux qui s'abreuvent de pleurs
Et tettent la Douleur comme une bonne louve!
Aux maigres orphelins séchant comme des fleurs!

Ainsi dans la forêt où mon esprit s'exile
50 Un vieux souvenir sonne à plein souffle du cor!
Je pense aux matelots oubliés dans une île,
Aux captifs, aux vaincus!.. A bien d'autres encor!

"Tableaux parisiens", 89.

1. Fleuve de Troade. 2. Seul l'homme, dit Ovide, a un visage pour regarder le ciel.

## LES PETITES VIEILLES

### III

Ah! que j'en ai suivi de ces petites vieilles!
Une, entre autres, à l'heure où le soleil tombant
Ensanglante le ciel de blessures vermeilles,
Pensive, s'asseyait à l'écart sur un banc,

Pour entendre un de ces concerts, riches de cuivre,
Dont les soldats parfois inondent nos jardins,
Et qui, dans ces soirs d'or où l'on se sent revivre,
Versent quelque héroïsme au cœur des citadins.

10 Celle-là, droite encor, fière et sentant la règle,
Humait avidement ce chant vif et guerrier;
Son œil parfois s'ouvrait comme l'œil d'un vieil aigle;
Son front de marbre avait l'air fait pour le laurier!

### IV

Telles vous cheminez, stoïques et sans plaintes,
A travers le chaos des vivantes cités,
Mères au cœur saignant, courtisanes ou saintes,
Dont autrefois les noms par tous étaient cités.

Vous qui fûtes la grâce ou qui fûtes la gloire,
Nul ne vous reconnaît! un ivrogne incivil
Vous insulte en passant d'un amour dérisoire;
20 Sur vos talons gambade un enfant lâche et vil.

Honteuses d'exister, ombres ratatinées,
Peureuses, le dos bas, vous côtoyez les murs;
Et nul ne vous salue, étranges destinées!
Débris d'humanité pour l'éternité mûrs!

Mais moi, moi qui de loin tendrement vous surveille,
L'œil inquiet, fixé sur vos pas incertains,
Tout comme si j'étais votre père, ô merveille!
Je goûte à votre insu des plaisirs clandestins :

Je vois s'épanouir vos passions novices;
30 Sombres ou lumineux, je vis vos jours perdus;
Mon cœur multiplié jouit de tous vos vices!
Mon âme resplendit de toutes vos vertus!

Ruines! ma famille! ô cerveaux congénères!
Je vous fais chaque soir un solennel adieu!
Où serez-vous demain, Eves octogénaires,
Sur qui pèse la griffe effroyable de Dieu?

*Ibid.*, 91.

## JE N'AI PAS OUBLIÉ

Je n'ai pas oublié, voisine de la ville,
Notre blanche maison, petite mais tranquille;
Sa Pomone[1] de plâtre et sa vieille Vénus
Dans un bosquet chétif cachant leurs membres nus,
Et le soleil, le soir, ruisselant et superbe,
Qui, derrière la vitre où se brisait sa gerbe,
Semblait, grand œil ouvert dans le ciel curieux,
Contempler nos dîners longs et silencieux,
Répandant largement ses beaux reflets de cierge
Sur la nappe frugale et les rideaux de serge.

*Ibid.*, 99.

1. Déesse romaine des fruits.

(p. 208-211)
**1.** Le poète : relever tout ce qui évoque le "je" du poète (verbes, groupes nominaux...).
**2.** La poésie de la ville moderne : quels lieux, quels aspects, quels personnages le poète a-t-il retenus?
**3.** "Tout pour moi devient allégorie" : comment le présent s'intègre-t-il à une rêverie nostalgique (voir les associations d'images, les correspondances, les possibles entrevus, le culte du souvenir)?
**4.** Comparer *Le cygne* avec le poème de Prudhomme du même titre (p. 188), *La vierge, le vivace* de Mallarmé (p. 290).

## LA MORT DES AMANTS

Nous aurons des lits pleins d'odeurs légères,
Des divans profonds comme des tombeaux,
Et d'étranges fleurs sur des étagères,
Ecloses pour nous sous des cieux plus beaux.

Usant à l'envi leurs chaleurs dernières,
Nos deux cœurs seront deux vastes flambeaux,
Qui réfléchiront leurs doubles lumières
Dans nos deux esprits, ces miroirs jumeaux.

Un soir fait de rose et de bleu mystique,
Nous échangerons un éclair unique,
Comme un long sanglot, tout chargé d'adieux;

Et plus tard un Ange, entr'ouvrant les portes,
Viendra ranimer fidèle et joyeux,
Les miroirs ternis et les flammes mortes.

"La mort", 121.

## LA MORT DES PAUVRES

C'est la Mort qui console, hélas! et qui fait vivre;
C'est le but de la vie, et c'est le seul espoir
Qui, comme un élixir, nous monte et nous enivre,
Et nous donne le cœur de marcher jusqu'au soir;

A travers la tempête, et la neige, et le givre,
C'est la clarté vibrante à notre horizon noir;
C'est l'auberge fameuse inscrite sur le livre,
Où l'on pourra manger, et dormir, et s'asseoir;

C'est un Ange qui tient dans ses doigts magnétiques
Le sommeil et le don des rêves extatiques,
Et qui refait le lit des gens pauvres et nus;

C'est la gloire des Dieux, c'est le grenier mystique,
C'est la bourse du pauvre et sa patrie antique,
C'est le portique ouvert sur les Cieux inconnus!

*Ibid.*, 122.


## LE VOYAGE

à Maxime du Camp

### I

Pour l'enfant, amoureux de cartes et d'estampes,
L'univers est égal à son vaste appétit.
Ah! que le monde est grand à la clarté des lampes!
Aux yeux du souvenir que le monde est petit!

Un matin nous partons, le cerveau plein de flamme,
Le cœur gros de rancune et de désirs amers,
Et nous allons, suivant le rhythme de la lame,
Berçant notre infini sur le fini des mers :

Les uns, joyeux de fuir une patrie infâme;
10   D'autres, l'horreur de leurs berceaux, et quelques-uns,
Astrologues noyés dans les yeux d'une femme,
La Circé tyrannique aux dangereux parfums.

Pour n'être pas changés en bêtes, ils s'enivrent
D'espace et de lumière et de cieux embrasés;
La glace qui les mord, les soleils qui les cuivrent,
Effacent lentement la marque des baisers.

Mais les vrais voyageurs sont ceux-là seuls qui partent
Pour partir; cœurs légers, semblables aux ballons,
De leur fatalité jamais ils ne s'écartent,
20   Et, sans savoir pourquoi, disent toujours : Allons!

Ceux-là dont les désirs ont la forme des nues,
Et qui rêvent, ainsi qu'un conscrit le canon,
De vastes voluptés, changeantes, inconnues,
Et dont l'esprit humain n'a jamais su le nom!

*Les cinq parties intermédiaires évoquent le charme illusoire du voyage, puis-
que, derrière la variété des paysages, apparaît constamment le spectacle de la
déchéance humaine.*

VII

Amer savoir, celui qu'on tire du voyage!
Le monde, monotone et petit, aujourd'hui,
Hier, demain, toujours, nous fait voir notre image :
Une oasis d'horreur dans un désert d'ennui!

Faut-il partir? rester? Si tu peux rester, reste;
30  Pars, s'il le faut. L'un court, et l'autre se tapit
Pour tromper l'ennemi vigilant et funeste,
Le Temps! Il est, hélas! des coureurs sans répit,

Comme le Juif errant et comme les apôtres,
A qui rien ne suffit, ni wagon ni vaisseau,
Pour fuir ce rétiaire infâme; il en est d'autres
Qui savent le tuer sans quitter leur berceau.

Lorsque enfin il mettra le pied sur notre échine,
Nous pourrons espérer et crier : En avant!
De même qu'autrefois nous partions pour la Chine,
40  Les yeux fixés au large et les cheveux au vent,

Nous nous embarquerons sur la mer des Ténèbres
Avec le cœur joyeux d'un jeune passager.
Entendez-vous ces voix, charmantes et funèbres,
Qui chantent : « Par ici! vous qui voulez manger

Le Lotus parfumé! c'est ici qu'on vendange
Les fruits miraculeux dont votre cœur a faim;
Venez vous enivrer de la douceur étrange
De cette après-midi qui n'a jamais de fin.»?

A l'accent familier nous devinons le spectre;
50  Nos Pylades là-bas tendent leurs bras vers nous.
« Pour rafraîchir ton cœur nage vers ton Electre!»
Dit celle dont jadis nous baisions les genoux.

VIII

O Mort, vieux capitaine, il est temps! levons l'ancre!
Ce pays nous ennuie, ô Mort! Appareillons!
Si le ciel et la mer sont noirs comme de l'encre,
Nos cœurs que tu connais sont remplis de rayons!

Verse-nous ton poison pour qu'il nous réconforte !
Nous voulons, tant ce feu nous brûle le cerveau,
Plonger au fond du gouffre, Enfer ou Ciel, qu'importe ?
60   Au fond de l'Inconnu pour trouver du *nouveau !*

*Ibid.,* 126.

---

(p. 211-214)
**1.** La mort et ses promesses dans chacun des poèmes.
**2.** Le processus d'idéalisation dans les deux premiers poèmes : comment la réalité
s'efface-t-elle ? Etudier dans *La mort des amants* l'entrelacement des thèmes de
l'amour et de la mort, les images des miroirs et des flammes. Comparer ce poème
avec *La vie antérieure* (p. 197) et *L'invitation au voyage* (p. 204).
**3.** Etudier les procédés, le rythme, les images qui font de *La mort des pauvres* un
hymne à la mort.
**4.** Comment, à la différence des précédents, le poème *Le voyage* ressemble-t-il
encore aux méditations romantiques ? Quelles obsessions proprement baudelairiennes retrouve-t-on ? Sur le thème de l'évasion et du voyage, relisez *L'invitation
au voyage* (p. 204), *Mœsta et errabunda* (p. 205) et *L'étranger* (p. 215).

## RECUEILLEMENT[1]

Sois sage, ô ma Douleur, et tiens-toi plus tranquille.
Tu réclamais le Soir ; il descend ; le voici :
Une atmosphère obscure enveloppe la ville,
Aux uns portant la paix, aux autres le souci.

Pendant que des mortels la multitude vile,
Sous le fouet du Plaisir, ce bourreau sans merci,
Va cueillir des remords dans la fête servile,
Ma Douleur, donne-moi la main ; viens par ici,

Loin d'eux. Vois se pencher les défuntes Années,
Sur les balcons du ciel, en robes surannées ;
Surgir du fond des eaux le Regret souriant ;

Le Soleil moribond s'endormir sous une arche,
Et, comme un long linceul traînant à l'Orient,
Entends, ma chère, entends la douce Nuit qui marche.

1. Ce sonnet ne fait pas partie des *Fleurs du mal.*

*LE SPLEEN DE PARIS*

## L'ÉTRANGER

– Qui aimes-tu le mieux, homme énigmatique, dis? ton père, ta mère, ta sœur ou ton frère?
– Je n'ai ni père, ni mère, ni sœur, ni frère.
– Tes amis?
– Vous vous servez là d'une parole dont le sens m'est resté jusqu'à ce jour inconnu.
– Ta patrie?
– J'ignore sous quelle latitude elle est située.
– La beauté?
– Je l'aimerais volontiers, déesse et immortelle.
– L'or?
– Je le hais comme vous haïssez Dieu.
– Eh! qu'aimes-tu donc, extraordinaire étranger?
– J'aime les nuages... les nuages qui passent... là-bas... là-bas... les merveilleux nuages!

*Le spleen de Paris, 1.*

## L'INVITATION AU VOYAGE

Il est un pays superbe, un pays de Cocagne, dit-on, que je rêve de visiter avec une vieille amie. Pays singulier, noyé dans les brumes de notre Nord, et qu'on pourrait appeler l'Orient de l'Occident, la Chine de l'Europe, tant la chaude et capricieuse fantaisie s'y est donné carrière, tant elle l'a patiemment et opiniâtrement illustré de ses savantes et délicates végétations.

Un vrai pays de Cocagne, où tout est beau, riche, tranquille, honnête; où le luxe a plaisir à se mirer dans l'ordre; où la vie est grasse et douce à respirer; d'où le désordre, la turbulence et l'imprévu sont exclus; où le bonheur est marié au silence; où la cuisine elle-même est poétique, grasse et excitante à la fois; où tout vous ressemble, mon cher ange.

Tu connais cette maladie fiévreuse qui s'empare de nous dans les froides misères, cette nostalgie du pays qu'on ignore, cette angoisse de la curiosité? Il est une contrée qui te ressemble, où tout est beau, riche, tranquille et honnête, où la fantaisie a bâti et décoré une Chine occidentale, où la vie est douce à respirer, où le bonheur est marié au silence. C'est là qu'il faut aller vivre, c'est là qu'il faut aller mourir!

Oui, c'est là qu'il faut aller respirer, rêver et allonger les heures par l'infini des sensations. Un musicien a écrit l'*Invitation à la valse;* quel est celui qui composera l'*Invitation au voyage,* qu'on puisse offrir à la femme aimée, à la sœur d'élection?

Oui, c'est dans cette atmosphère qu'il ferait bon vivre, – là-bas, où les heures plus lentes contiennent plus de pensées, où les horloges sonnent le bonheur avec une plus profonde et plus significative solennité.

Sur des panneaux luisants, ou sur des cuirs dorés et d'une richesse sombre, vivent discrètement des peintures béates, calmes et profondes, comme les âmes des artistes qui les créèrent. Les soleils couchants, qui colorent si richement la salle à manger ou le salon, sont tamisés par de belles étoffes ou par ces hautes fenêtres ouvragées que le plomb divise en nombreux compartiments. Les meubles sont vastes, curieux, bizarres, armés de serrures et de secrets comme des âmes raffinées. Les miroirs, les métaux, les étoffes, l'orfèvrerie et la faïence y jouent pour les yeux une symphonie muette et mystérieuse; et de toutes choses, de tous les coins, des fissures des tiroirs et des plis des étoffes s'échappe un parfum singulier, un *revenez-y* de Sumatra, qui est comme l'âme de l'appartement.

Un vrai pays de Cocagne, te dis-je, où tout est riche, propre et luisant, comme une belle conscience, comme une magnifique batterie de cuisine, comme une splendide orfèvrerie, comme une bijouterie bariolée! Les trésors du monde y affluent, comme dans la maison d'un homme laborieux et qui a bien mérité du monde entier. Pays singulier, supérieur aux autres, comme l'art est à la Nature, où celle-ci est réformée par le rêve, où elle est corrigée, embellie, refondue.

Qu'ils cherchent, qu'ils cherchent encore, qu'ils reculent sans cesse les limites de leur bonheur, ces alchimistes de l'horticulture! Qu'ils proposent des prix de soixante et de cent mille florins pour qui résoudra leurs ambitieux problèmes! Moi, j'ai trouvé ma *tulipe noire* et mon *dahlia bleu!*

Fleur incomparable, tulipe retrouvée, allégorique dahlia, c'est là, n'est-ce pas, dans ce beau pays si calme et si rêveur, qu'il faudrait aller vivre et fleurir? Ne serais-tu pas encadrée dans ton analogie, et ne pourrais-tu pas te mirer, pour parler comme les mystiques, dans ta propre *correspondance?*

Des rêves! toujours des rêves! et plus l'âme est ambitieuse et délicate, plus les rêves l'éloignent du possible. Chaque homme porte en lui sa dose d'opium naturel, incessamment sécrétée et renouvelée, et, de la naissance à la mort, combien comptons-nous d'heures remplies par la jouissance positive, par l'action réussie et décidée? Vivrons-nous jamais, passerons-nous jamais dans ce tableau qu'a peint mon esprit, ce tableau qui te ressemble?

Ces trésors, ces meubles, ce luxe, cet ordre, ces parfums, ces fleurs miraculeuses, c'est toi. C'est encore toi, ces grands fleuves et ces canaux tranquilles. Ces énormes navires qu'ils charrient, tout chargés de richesses, et d'où montent les chants monotones de la manœuvre, ce sont mes pensées qui dorment ou qui roulent sur ton sein. Tu les conduis doucement vers la mer qui est l'Infini, tout en réfléchissant les profondeurs du ciel dans la limpidité de ta belle âme; − et quand, fatigués par la houle et gorgés des produits de l'Orient, ils rentrent au port natal, ce sont encore mes pensées enrichies qui reviennent de l'infini vers toi.

*Ibid.,* 18.

Gustave Moreau (1826-1898), *Salomé*, dessin, vers 1870.
(Musée Gustave Moreau, Paris.)

## ENIVREZ-VOUS

Il faut être toujours ivre. Tout est là : c'est l'unique question. Pour ne pas sentir l'horrible fardeau du Temps qui brise vos épaules et vous penche vers la terre, il faut vous enivrer sans trêve. Mais de quoi? De vin, de poésie ou de vertu, à votre guise. Mais enivrez-vous.

Et si quelquefois, sur les marches d'un palais, sur l'herbe verte d'un fossé, dans la solitude morne de votre chambre, vous vous réveillez, l'ivresse déjà diminuée ou disparue, demandez au vent, à la vague, à l'étoile, à l'oiseau, à l'horloge, à tout ce qui fuit, à tout ce qui gémit, à tout ce qui roule, à tout ce qui chante, à tout ce qui parle, demandez quelle heure il est; et le vent, la vague, l'étoile, l'oiseau, l'horloge, vous répondront : « Il est l'heure de s'enivrer! Pour n'être pas les esclaves martyrisés du Temps, enivrez-vous; enivrez-vous sans cesse! De vin, de poésie ou de vertu, à votre guise. »

*Ibid.*, 33.


## ÉPILOGUE

Le cœur content, je suis monté sur la montagne
D'où l'on peut contempler la ville en son ampleur,
Hôpital, lupanars, purgatoire, enfer, bagne,

Où toute énormité fleurit comme une fleur.
Tu sais bien, ô Satan, patron de ma détresse,
Que je n'allais pas là pour répandre un vain pleur;

Mais comme un vieux paillard d'une vieille maîtresse,
Je voulais m'enivrer de l'énorme catin
Dont le charme infernal me rajeunit sans cesse.

Que tu dormes encor dans les draps du matin,
Lourde, obscure, enrhumée, ou que tu te pavanes
Dans les voiles du soir passementés d'or fin,

Je t'aime, ô capitale infâme! Courtisanes
Et bandits, tels souvent vous offrez des plaisirs
Que ne comprennent pas les vulgaires profanes.

*Ibid.*

## Paul Verlaine (1844-1896)

Né dans une famille qui l'entoure de tendresse, rien ne laissait prévoir que Verlaine serait un "poète maudit"; "Pauvre Lélian", comme il se nomme lui-même. Mais un goût immodéré pour la boisson, une violence inquiétante (que l'on trouvait déjà chez son arrière-grand-père et son grand-père paternels), la rencontre de Rimbaud en septembre 1871, vont briser ses rêves de bonheur conjugal et faire de Verlaine un éternel vagabond.

Elève de quatrième, Verlaine écrivait déjà des vers qu'il envoya à Hugo. Dès 1863, il fréquente les parnassiens chez L. de Ricard puis Nina de Villars; il publie dans la revue du *Parnasse contemporain*. En 1866 et 1869 il publie ses premiers recueils, *Poèmes Saturniens* et *Fêtes galantes*. Un emploi à l'Hôtel de Ville lui permet de gagner sa vie.

Ayant rencontré Mathilde Meauté, il chante ses rêves de bonheur conjugal dans *La bonne chanson* – les événements de 1870 en repoussant la mise en vente à 1872. Le mariage a lieu en août 1870. Le poète et Mathilde vont sympathiser activement avec les communards; aussi après l'échec de la Commune, Verlaine perdra-t-il son emploi à l'Hôtel de Ville.

Pendant les longues heures de garde sur les fortifications, il a repris goût à la boisson. L'arrivée de Rimbaud à Paris, en septembre 1871, mettra un terme à ses tentatives pour construire un bonheur "bourgeois". Verlaine s'affiche avec Rimbaud, brutalise sa jeune femme, tente d'étrangler le bébé qui leur est né le 30 octobre 1871. Il fréquente, en compagnie de Rimbaud, le Club des Vilains Bonshommes, les Zutistes de l'hôtel des Etrangers (à l'angle du boulevard Saint-Michel et de la rue Racine).

Après l'échec de Mathilde qui a vainement tenté de ramener le poète à la vie familiale, ce dernier part avec Rimbaud pour un vagabondage qui, de juillet 1872 à juillet 1873, les mènera en Belgique et en Angleterre. Le 10 juillet 1873, à Bruxelles, au cours d'une altercation, Verlaine blesse Rimbaud d'un coup de revolver : ce sera alors la prison où il demeurera jusqu'en janvier 1875.

Verlaine dans la solitude de la prison, médite : il se convertit, écrit certains des plus beaux poèmes de *Sagesse*, publié en 1880. Désireux de reprendre une vie "honnête", il tente de reconquérir Mathilde; en vain. A sa sortie de prison, il est professeur en Angleterre puis en France puis à nouveau en Angleterre. En 1883 il publie le premier opuscule des *Poètes maudits* (Corbière), ce qui va lui apporter la notoriété.

Mais fin 1883, après l'échec d'une entreprise agricole, la mort d'un de ses anciens élèves – Lucien Létinois – qui était en quelque sorte son fils spirituel, et ses vaines tentatives pour retrouver son emploi à l'Hôtel de Ville, le poète retourne à ses habitudes de débauche. Bien que sa gloire aille grandissant, sa vie sera de plus en plus misérable : hospitalisé longuement à plusieurs reprises, il ira de meublé en hôtel, d'hôtel en hôpital dans un dénuement matériel chronique. Sa mère, morte en 1886, n'est plus là pour lui venir en aide moralement et financièrement comme elle l'a toujours fait. De fidèles amis tentent régulièrement de le secourir. Elu "Prince de poètes" en 1894 en remplacement de Leconte de Lisle, il meurt en janvier 1896 : plusieurs milliers d'admirateurs suivront son cercueil.

*LES POÈMES SATURNIENS*

Les *Poèmes saturniens* (1866) reflètent les influences qui se sont exercées sur Verlaine : Hugo, Gautier, Leconte de Lisle et les parnassiens, et surtout Baudelaire. Tandis qu'il critique en la parodiant la poésie goûtée par la bourgeoisie de son temps et à laquelle il dénie le nom d'art, il crée une poésie originale par le caractère musical de sa structure, de ses sonorités et par sa volonté de traduire la sensation et le rêve à l'état pur : "C'est l'âme même qui se rêve. Mais suivant la pente de sa rêverie la plus profonde, ce qu'elle écoute sourdre et bruire en elle, ce qu'elle cherche à capter, ce ne sont plus des confidences ni des effusions, ce n'est plus l'écume bavarde des sentiments, des souvenirs ou des regrets, les accidents enfin d'une vie vécue, mais la seule résonance en elle de ces sentiments ou de ces impressions..., la touche vierge d'une sensation, la lente vibration d'un mot vidé de son contenu logique douant seuls le poème d'une puissance émotionnelle aux prolongements infinis[1]."

Né sous le signe de la planète Saturne, comme Baudelaire, Verlaine a choisi de placer son recueil sous ce signe ; dans le poème liminaire, pressentant pour ainsi dire son destin, il écrit :

> « Or ceux-là qui sont nés sous le signe Saturne,
> Fauve planète, chère aux nécromanciens,
> Ont entre tous, d'après les grimoires anciens,
> Bonne part de malheurs et bonne part de bile.
> L'Imagination, inquiète et débile,
> Vient rendre nul en eux l'effort de la Raison.
> Dans leurs veines le sang, subtil comme un poison,
> Brûlant comme une lave, et rare, coule et roule
> En grésillant leur triste Idéal qui s'écroule. »

1. Jacques Borel in Verlaine, *Œuvres poétiques,* "La Pléiade", Gallimard éd.

APRÈS TROIS ANS

Ayant poussé la porte étroite qui chancelle,
Je me suis promené dans le petit jardin
Qu'éclairait doucement le soleil du matin,
Pailletant chaque fleur d'une humide étincelle.

Rien n'a changé. J'ai tout revu : l'humble tonnelle
De vigne folle avec les chaises de rotin...
Le jet d'eau fait toujours son murmure argentin
Et le vieux tremble sa plainte sempiternelle.

Les roses comme avant palpitent ; comme avant,
Les grands lys orgueilleux se balancent au vent,
Chaque alouette qui va et vient m'est connue.

Même j'ai retrouvé debout la Velléda,
Dont le plâtre s'écaille au bout de l'avenue,
– Grêle, parmi l'odeur fade du réséda.

"Melancolia", 3.

## MON RÊVE FAMILIER

Je fais souvent ce rêve étrange et pénétrant
D'une femme inconnue, et que j'aime, et qui m'aime,
Et qui n'est, chaque fois, ni tout à fait la même
Ni tout à fait une autre, et m'aime et me comprend.

Car elle me comprend, et mon cœur transparent
Pour elle seule, hélas! cesse d'être un problème
Pour elle seule, et les moiteurs de mon front blême,
Elle seule les sait rafraîchir, en pleurant.

Est-elle brune, blonde ou rousse? – Je l'ignore.
Son nom? Je me souviens qu'il est doux et sonore
Comme ceux des aimés que la Vie exila.

Son regard est pareil au regard des statues,
Et, pour sa voix, lointaine, et calme, et grave, elle a
L'inflexion des voix chères qui se sont tues.

*Ibid , 6.*

---

(p. 220-221)
**1.** Comment est créé le climat nostalgique? Repérer les thèmes, les jeux de la
mémoire et du rêve, les temps. Par quels procédés Verlaine introduit-il l'art du flou
dans l'évocation du paysage (choix et harmonie des images, des parfums ; musicalité, particularités des rimes...)?
**2.** L'aimée rêvée : regrouper les détails physiques, les attitudes et les gestes qui lui
sont associés. Quelle image féminine se dégage? Quel est son rôle à l'égard du
poète?

---

## CROQUIS PARISIEN

La lune plaquait ses teintes de zinc
            Par angles obtus.
Des bouts de fumée en forme de cinq
Sortaient drus et noirs des hauts toits pointus.

Le ciel était gris. La bise pleurait
            Ainsi qu'un basson.
Au loin, un matou frileux et discret
Miaulait d'étrange et grêle façon.

Moi, j'allais, rêvant du divin Platon
            Et de Phidias,
Et de Salamine et de Marathon,
Sous l'œil clignotant des bleus becs de gaz.

## SOLEILS COUCHANTS

Une aube affaiblie
Verse par les champs
La mélancolie
Des soleils couchants.
La mélancolie
Berce de doux chants
Mon cœur qui s'oublie
Aux soleils couchants.
Et d'étranges rêves,
Comme des soleils
Couchants sur les grèves,
Fantômes vermeils,
Défilent sans trêves,
Défilent, pareils
A de grands soleils
Couchants sur les grèves.

"Paysages tristes", 1.

## PROMENADE SENTIMENTALE

Le couchant dardait ses rayons suprêmes
Et le vent berçait les nénuphars blêmes;
Les grands nénuphars, entre les roseaux,
Tristement luisaient sur les calmes eaux.
Moi, j'errais tout seul, promenant ma plaie
Au long de l'étang, parmi la saulaie
Où la brume vague évoquait un grand
Fantôme laiteux se désespérant
Et pleurant avec la voix des sarcelles
Qui se rappelaient en battant des ailes
Parmi la saulaie où j'errais tout seul
Promenant ma plaie; et l'épais linceul
Des ténèbres vint noyer les suprêmes
Rayons du couchant dans ces ondes blêmes
Et les nénuphars, parmi les roseaux,
Les grands nénuphars sur les calmes eaux.

*Ibid.*, 3.

## CHANSON D'AUTOMNE

Les sanglots longs
Des violons
    De l'automne
Blessent mon cœur
D'une langueur
    Monotone.

Tout suffocant
Et blême, quand
   Sonne l'heure,
Je me souviens
Des jours anciens
   Et je pleure ;

Et je m'en vais
Au vent mauvais
   Qui m'emporte
Deçà, delà,
Pareil à la
   Feuille morte.

*Ibid., 5.*

---

(p. 221-223)
**1.** Magie évocatoire de chaque poème : repérer les sonorités, reprises, rythmes qui créent la musicalité nostalgique.
**2.** Le paysage poétique : préciser les rapports entre le poète et la nature, par exemple en relevant les verbes et leur sujet respectif. De quoi se compose le paysage poétique verlainien ? Symbolisme : les correspondances entre paysage et état d'âme. Pourquoi peut-on parler "d'impressionnisme" ?

*FÊTES GALANTES*

Les *Fêtes galantes* (1869) évoquent dans une sorte de rêve inspiré de Watteau, la fête triste, dont le poème "Clair de lune" – en tête du recueil – donne en quelque sorte la clé : dissonance entre l'apparence heureuse de la fête et la tristesse profonde des cœurs. Mais le paysage même n'est que symbole de l'âme, et tout y est moins décrit que suggéré et traité de façon musicale.

## CLAIR DE LUNE

Votre âme est un paysage choisi
Que vont charmant masques et bergamasques,
Jouant du luth, et dansant, et quasi
Tristes sous leurs déguisements fantasques.

Tout en chantant sur le mode mineur
L'amour vainqueur et la vie opportune,
Ils n'ont pas l'air de croire à leur bonheur
Et leur chanson se mêle au clair de lune,

Au calme clair de lune triste et beau,
Qui fait rêver les oiseaux dans les arbres
Et sangloter d'extase les jets d'eau,
Les grands jets d'eau sveltes parmi les marbres.

## LES INGÉNUS

Les hauts talons luttaient avec les longues jupes,
En sorte que, selon le terrain et le vent,
Parfois luisaient des bas de jambes, trop souvent
Interceptés ! – et nous aimions ce jeu de dupes.

Parfois aussi le dard d'un insecte jaloux
Inquiétait le col des belles sous les branches,
Et c'était des éclairs soudains de nuques blanches,
Et ce régal comblait nos jeunes yeux de fous.

Le soir tombait, un soir équivoque d'automne :
Les belles, se pendant rêveuses à nos bras,
Dirent alors des mots si spécieux, tout bas,
Que notre âme depuis ce temps tremble et s'étonne.

## COLLOQUE SENTIMENTAL

Dans le vieux parc solitaire et glacé
Deux formes ont tout à l'heure passé.

Leurs yeux sont morts et leurs lèvres sont molles,
Et l'on entend à peine leurs paroles.

Dans le vieux parc solitaire et glacé
Deux spectres ont évoqué le passé.

— Te souvient-il de notre extase ancienne?
— Pourquoi voulez-vous donc qu'il m'en souvienne?

— Ton cœur bat-il toujours à mon seul nom?
Toujours vois-tu mon âme en rêve? — Non.

— Ah! les beaux jours de bonheur indicible
Où nous joignions nos bouches! — C'est possible.

— Qu'il était bleu, le ciel, et grand, l'espoir!
— L'espoir a fui, vaincu, vers le ciel noir.

Tels ils marchaient dans les avoines folles,
Et la nuit seule entendit leurs paroles.


## COLOMBINE

Léandre le sot,
Pierrot qui d'un saut
  De puce
Franchit le buisson,
Cassandre sous son
  Capuce,

Arlequin aussi,
Cet aigrefin si
  Fantasque
Aux costumes fous,
10 Ses yeux luisants sous
  Son masque,

— Do, mi, sol, mi, fa, —
Tout ce monde va,
  Rit, chante
Et danse devant
Une belle enfant
  Méchante

Dont les yeux pervers
20 Comme les yeux verts
  Des chattes
Gardent ses appas
Et disent : « A bas
  Les pattes! »

— Eux ils vont toujours! —
Fatidique cours
  Des astres,
Oh! dis-moi vers quels
Mornes ou cruels
30   Désastres

L'implacable enfant,
Preste et relevant
  Ses jupes,
La rose au chapeau,
Conduit son troupeau
  De dupes!

---

**1.** La fête triste : comment se conjuguent dans chaque poème le thème de la fête et son caractère illusoire? (Voir notamment la thématique du masque, du mensonge, de la perversité et celle de l'absence.)
**2.** Chansons sur "le mode mineur" : rythmes et sonorités créant une musique nostalgique et rêveuse; murmures et silences dans le dernier poème.
**3.** Le fonctionnement du symbole dans *Clair de lune*.

## LA BONNE CHANSON

Verlaine écrit *La bonne chanson* (1870) durant ses fiançailles avec Mathilde : il y chante son rêve de bonheur : ces deux poèmes nous invitent à découvrir deux utilisations de la technique impressionniste.

La lune blanche
Luit dans les bois ;
De chaque branche
Part une voix
Sous la ramée...

O bien-aimée.

L'étang reflète,
Profond miroir,
La silhouette
Du saule noir
Où le vent pleure...

Rêvons, c'est l'heure.

Un vaste et tendre
Apaisement
Semble descendre
Du firmament
Que l'astre irise...

C'est l'heure exquise.

---

Le bruit des cabarets, la fange des trottoirs,
Les platanes déchus s'effeuillant dans l'air noir,
L'omnibus, ouragan de ferraille et de boues,
Qui grince, mal assis entre ses quatre roues,
Et roule ses yeux verts et rouges lentement,
Les ouvriers allant au club, tout en fumant
Leur brûle-gueule au nez des agents de police,
Toits qui dégouttent, murs suintants, pavé qui glisse,
Bitume défoncé, ruisseaux comblant l'égout,
Voilà ma route − avec le paradis au bout.

*ROMANCES SANS PAROLES*

Le titre de *Romances sans paroles* (1874) – recueil qui réunit des poèmes aussi divers que "Ariettes oubliées", "Les paysages belges" ou "Aquarelles", écrits surtout dans les années 1872-73 – affirme la qualité proprement musicale de la poésie verlainienne. Si les *Ariettes* sont des poèmes de
l'absence, où le moi s'efface, où les mouvements impalpables du monde
extérieur se confondent avec ceux de l'âme, les "Paysages belges" et les
"Aquarelles" rendent la vivacité des sensations qui se juxtaposent selon
une technique impressionniste.

Il pleure dans mon cœur
Comme il pleut sur la ville.
Quelle est cette langueur
Qui pénètre mon cœur?

O bruit doux de la pluie
Par terre et sur les toits!
Pour un cœur qui s'ennuie,
O le chant de la pluie!

Il pleure sans raison
Dans ce cœur qui s'écœure.
Quoi! nulle trahison?
Ce deuil est sans raison.

C'est bien la pire peine
De ne savoir pourquoi,
Sans amour et sans haine,
Mon cœur a tant de peine!

"Ariettes oubliées".

O triste, triste était mon âme
A cause, à cause d'une femme.

Je ne me suis pas consolé
Bien que mon cœur s'en soit allé,

Bien que mon cœur, bien que mon âme
Eussent fui loin de cette femme.

Je ne me suis pas consolé,
Bien que mon cœur s'en soit allé.

Et mon cœur, mon cœur trop sensible
Dit à mon âme : Est-il possible,

Est-il possible, – le fût-il, –
Ce fier exil, ce triste exil?

Mon âme dit à mon cœur : Sais-je,
Moi-même, que nous veut ce piège

D'être présents bien qu'exilés,
Encore que loin en allés?

*Ibid.*

(p. 226-228)
**1.** "De la musique avant toute chose..." : comment le climat créé par les sonorités, la syntaxe et la versification met-il en correspondance le paysage intérieur et le paysage extérieur?
**2.** Opposer la thématique du poète et celle de la femme aimée.

## LES DERNIERS RECUEILS

Verlaine, après sa rupture avec Rimbaud, est un être déchiré entre son désir de suivre une voie "sage" et les tentations de sa nature profonde. Les poèmes écrits en prison et ceux qui suivront reflètent le trouble de son âme. Désormais les recueils publiés sont disparates et rassemblent généralement des poèmes très anciens (1865-1870), des poèmes écrits en prison, que Verlaine avait songé à rassembler dans un recueil intitulé *Cellulairement,* et des poèmes postérieurs à sa sortie de prison.

De 1875 à 1880 il compose *Sagesse* qui marque l'abandon de l'univers poétique antérieur et où s'exprime sa foi retrouvée : "Le sentiment de sa faiblesse et le souvenir de ses chutes l'ont guidé dans l'élaboration de cet ouvrage qui est son premier acte de foi public après un long silence littéraire : on n'y trouvera rien, il l'espère, de contraire à cette charité que l'auteur, désormais chrétien, doit aux pécheurs dont il a jadis et presque naguère pratiqué les haïssables mœurs" (Préface de 1880).

Dans *Jadis et naguère* Verlaine a introduit un ordre chronologique. En fait il évoque ici ses expériences et leur échec : tentative de l'action *(Les vaincus),* la tentation réaliste, son aventure avec Rimbaud *(Naguère).* On y retrouve le goût du rêve *(Kaléidoscope).*

*Amour,* conçu la même année que *Sagesse,* ne prendra forme qu'en 1886 ; c'est davantage un épanchement du poète *(cf.* les poèmes consacrés à Lucien Létinois, fils spirituel de Verlaine, mort en 1883) qu'une œuvre de création.

Enfin *Parallèlement –* "Parallèlement à *Sagesse, Amour* et aussi à *Bonheur* qui va suivre et conclure" (1889) – réunit le reliquat de *Cellulairement,* et des poèmes de 1867 ; Verlaine y évoque simultanément le souvenir de Mathilde et celui de Rimbaud, dont il reste incapable de se délivrer. Il tente de fuir dans l'érotisme, "nouvelle fuite de l'être en désarroi", espérant par l'ivresse des sens étouffer le trouble de son âme. On trouve dans ce recueil une postulation simultanée "vers l'érotisme et la clef perdue de l'univers du songe, (la) nostalgie de l'expérience rimbaldienne soudain exaltée et du paradis saccagé de *La bonne chanson,* (l')intrusion de la rêverie hallucinatoire", le retour au fait divers personnel, des essais rythmiques.

Les recueils postérieurs offriront des poèmes d'inspiration amoureuse voire érotique, des jeux parodiques, mais aucun n'ajoute à la gloire du poète.


Bon chevalier masqué qui chevauche en silence,
Le Malheur a percé mon vieux cœur de sa lance.

Le sang de mon vieux cœur n'a fait qu'un jet vermeil,
Puis s'est évaporé sur les fleurs, au soleil.

L'ombre éteignit mes yeux, un cri vint à ma bouche,
Et mon vieux cœur est mort dans un frisson farouche.

Alors le chevalier Malheur s'est rapproché,
Il a mis pied à terre et sa main m'a touché.

Son doigt ganté de fer entra dans ma blessure
10 Tandis qu'il attestait sa loi d'une voix dure.

Et voici qu'au contact glacé du doigt de fer
Un cœur me renaissait, tout un cœur pur et fier.

Et voici que, fervent d'une candeur divine,
Tout un cœur jeune et bon battit dans ma poitrine.

Or, je restais tremblant, ivre, incrédule un peu,
Comme un homme qui voit des visions de Dieu.

Mais le bon chevalier, remonté sur sa bête,
En s'éloignant, me fit un signe de la tête

Et me cria (j'entends *encore* cette voix) :
20 « Au moins, prudence! Car c'est bon pour une fois. »

*Sagesse*, I, 1.

---

Ecoutez la chanson bien douce
Qui ne pleure que pour vous plaire.
Elle est discrète, elle est légère :
Un frisson d'eau sur de la mousse!

La voix vous fut connue (et chère?)
Mais à présent elle est voilée
Comme une veuve désolée,
Pourtant comme elle encore fière,

Et dans les longs plis de son voile
10 Qui palpite aux brises d'automne,
Cache et montre au cœur qui s'étonne
La vérité comme une étoile.

Elle dit, la voix reconnue,
Que la bonté c'est notre vie,
Que de la haine et de l'envie
Rien ne reste, la mort venue.

Elle parle aussi de la gloire
D'être simple sans plus attendre,
Et de noces d'or et du tendre
20 Bonheur d'une paix sans victoire.

Accueillez la voix qui persiste
Dans son naïf épithalame.
Allez, rien n'est meilleur à l'âme
Que de faire une âme moins triste!

Elle est *en peine* et *de passage*,
L'âme qui souffre sans colère,
Et comme sa morale est claire!..
Ecoutez la chanson bien sage.

*Ibid.*, I, 16.

École hollandaise, Johan Jongkind (1819-1891), *Soleil couchant, Anvers*, gravure, 1868, détail. (Bibliothèque Nationale, Paris.)

L'espoir luit comme un brin de paille dans l'étable.
Que crains-tu de la guêpe ivre de son vol fou?
Vois, le soleil toujours poudroie à quelque trou.
Que ne t'endormais-tu, le coude sur la table?

Pauvre âme pâle, au moins cette eau du puits glacé,
Bois-la. Puis dors après. Allons, tu vois, je reste,
Et je dorloterai les rêves de ta sieste,
Et tu chantonneras comme un enfant bercé.

Midi sonne. De grâce, éloignez-vous, madame.
Il dort. C'est étonnant comme les pas de femme
Résonnent au cerveau des pauvres malheureux.

Midi sonne. J'ai fait arroser dans la chambre.
Va, dors! L'espoir luit comme un caillou dans un creux.
Ah! quand refleuriront les roses de septembre!

*Ibid.*, III, 3.

Gaspard Hauser chante :

Je suis venu, calme orphelin,
Riche de mes seuls yeux tranquilles,
Vers les hommes des grandes villes :
Ils ne m'ont pas trouvé malin.

A vingt ans un trouble nouveau,
Sous le nom d'amoureuses flammes,
M'a fait trouver belles les femmes :
Elles ne m'ont pas trouvé beau.

Bien que sans patrie et sans roi
Et très brave ne l'étant guère,
J'ai voulu mourir à la guerre :
La mort n'a pas voulu de moi.

Suis-je né trop tôt ou trop tard?
Qu'est-ce que je fais en ce monde?
O vous tous, ma peine est profonde :
Priez pour le pauvre Gaspard!

*Ibid.*, III, 4.

Un grand sommeil noir
Tombe sur ma vie :
Dormez, tout espoir,
Dormez, toute envie!

Je ne vois plus rien,
Je perds la mémoire
Du mal et du bien...
O la triste histoire!

Je suis un berceau
Qu'une main balance
Au creux d'un caveau :
Silence, silence!

*Ibid.,* III, 5.

---

Le ciel est, par-dessus le toit,
    Si bleu, si calme!
Un arbre, par-dessus le toit,
    Berce sa palme.

La cloche, dans le ciel qu'on voit,
    Doucement tinte.
Un oiseau sur l'arbre qu'on voit
    Chante sa plainte.

Mon Dieu, mon Dieu, la vie est là,
    Simple et tranquille.
Cette paisible rumeur-là
    Vient de la ville.

− Qu'as-tu fait, ô toi que voilà
    Pleurant sans cesse,
Dis, qu'as-tu fait, toi que voilà,
    De ta jeunesse?

*Ibid.,* III, 6.

---

    Je ne sais pourquoi
    Mon esprit amer
D'une aile inquiète et folle vole sur la mer.
    Tout ce qui m'est cher,
    D'une aile d'effroi
Mon amour le couve au ras des flots. Pourquoi, pourquoi?

    Mouette à l'essor mélancolique,
    Elle suit la vague, ma pensée,
    A tous les vents du ciel balancée,
10    Et biaisant quand la marée oblique,
    Mouette à l'essor mélancolique.

    Ivre de soleil
    Et de liberté,
Un instinct la guide à travers cette immensité.

La brise d'été
Sur le flot vermeil
Doucement la porte en un tiède demi-sommeil.

Parfois si tristement elle crie
Qu'elle alarme au lointain le pilote,
20      Puis au gré du vent se livre et flotte
Et plonge, et l'aile toute meurtrie
Revole, et puis si tristement crie!

Je ne sais pourquoi
Mon esprit amer
D'une aile inquiète et folle vole sur la mer.
Tout ce qui m'est cher,
D'une aile d'effroi
Mon amour le couve au ras des flots. Pourquoi, pourquoi?

*Ibid.*, III, 7.

---

(p. 229-234)
**1.** Témoignage de la crise spirituelle : repérer la thématique de l'exil, celle du malheur et du bonheur rêvé.
**2.** Montrer que la forme poétique, les images, le vocabulaire, les structures syntaxiques sont en harmonie avec l'état d'âme. Est-ce l'impression morale qui amène l'image ou le détail visuel et auditif qui provoque la rêverie?

---

## AUTRE

La cour se fleurit de souci
Comme le front
De tous ceux-ci
Qui vont en rond
En flageolant sur leur fémur
Débilité
Le long du mur
Fou de clarté.

Tournez, Samsons sans Dalila,
10      Sans Philistin,
Tournez bien la
Meule au destin.
Vaincu risible de la loi,
Mouds tour à tour
Ton cœur, ta foi
Et ton amour!

Ils vont! et leurs pauvres souliers
Font un bruit sec,
Humiliés,
20      La pipe au bec.
Pas un mot ou bien le cachot,
Pas un soupir.
Il fait si chaud
Qu'on croit mourir.

J'en suis de ce cirque effaré,
    Soumis d'ailleurs
    Et préparé
    A tous malheurs :
Et pourquoi si j'ai contristé
30    Ton vœu têtu,
    Société,
    Me choierais-tu ?

Allons, frères, bons vieux voleurs,
    Doux vagabonds,
    Filous en fleurs,
    Mes chers, mes bons,
Fumons philosophiquement,
    Promenons-nous
    Paisiblement :
40    Rien faire est doux.

*Parallèlement.*

---

1. La condition carcérale : précision des détails, résignation et fatalisme ; comment est donnée l'impression de ronde sans fin ?
2. L'humour triste.

---

## KALÉIDOSCOPE

à Germain Nouveau.

Dans une rue, au cœur d'une ville de rêve,
Ce sera comme quand on a déjà vécu :
Un instant à la fois très vague et très aigu...
O ce soleil parmi la brume qui se lève !

O ce cri sur la mer, cette voix dans les bois !
Ce sera comme quand on ignore des causes :
Un lent réveil après bien des métempsychoses :
Les choses seront plus les mêmes qu'autrefois

Dans cette rue, au cœur de la ville magique
10 Où des orgues moudront des gigues dans les soirs,
Où les cafés auront des chats sur les dressoirs,
Et que traverseront des bandes de musique.

Ce sera si fatal qu'on en croira mourir :
Des larmes ruisselant douces le long des joues,
Des rires sanglotés dans le fracas des roues,
Des invocations à la mort de venir,

Des mots anciens comme un bouquet de fleurs fanées !
Les bruits aigres des bals publics arriveront,
Et des veuves avec du cuivre après leur front,
20 Paysannes, fendront la foule des traînées

Qui flânent là, causant avec d'affreux moutards
Et des vieux sans sourcils que la dartre enfarine,
Cependant qu'à deux pas, dans des senteurs d'urine,
Quelque fête publique enverra des pétards.

Ce sera comme quand on rêve et qu'on s'éveille
Et que l'on se rendort et que l'on rêve encor
De la même féerie et du même décor,
L'été, dans l'herbe, au bruit moiré d'un vol d'abeille.

*Jadis et naguère.*

---

1. Comment la structure du poème est-elle en accord avec le titre ?
2. Comment s'opère la métamorphose de la ville réelle en ville magique ou Eden retrouvé ? (Voir les correspondances entre la fantasmagorie des sons, des images et l'exaltation ; le jeu des temps et les repères temporels.)
3. Le réveil-rupture : noter les oppositions de vocabulaire.

---

## ART POÉTIQUE

à Charles Morice.

De la musique avant toute chose,
Et pour cela préfère l'Impair
Plus vague et plus soluble dans l'air,
Sans rien en lui qui pèse ou qui pose.

Il faut aussi que tu n'ailles point
Choisir tes mots sans quelque méprise :
Rien de plus cher que la chanson grise
Où l'Indécis au Précis se joint.

10   C'est des beaux yeux derrière des voiles,
C'est le grand jour tremblant de midi,
C'est, par un ciel d'automne attiédi,
Le bleu fouillis des claires étoiles !

Car nous voulons la Nuance encor,
Pas la Couleur, rien que la nuance !
Oh ! la nuance seule fiance
Le rêve au rêve et la flûte au cor !

Fuis du plus loin la Pointe assassine,
L'Esprit cruel et le Rire impur,
Qui font pleurer les yeux de l'Azur,
20   Et tout cet ail de basse cuisine !

Prends l'éloquence et tords-lui son cou !
Tu feras bien, en train d'énergie,
De rendre un peu la Rime assagie,
Si l'on n'y veille, elle ira jusqu'où ?

O qui dira les torts de la Rime !
Quel enfant sourd ou quel nègre fou
Nous a forgé ce bijou d'un sou
Qui sonne creux et faux sous la lime ?

De la musique encore et toujours !
30   Que ton vers soit la chose envolée
Qu'on sent qui fuit d'une âme en allée
Vers d'autres cieux à d'autres amours.

Que ton vers soit la bonne aventure
Eparse au vent crispé du matin
Qui va fleurant la menthe et le thym...
Et tout le reste est littérature.

*Ibid.*

---

**1.** Ce que n'est pas la poésie ? Ce qu'elle est ? Montrer comment le poème lui-même illustre par les assonances, les images, le rythme ou les correspondances, la théorie du poète.
**2.** Symbolisme : relever les images qui définissent une poésie impressionniste, les correspondances entre les impressions pittoresques et morales.
**3.** La nostalgie d'idéal : comment le poète tente-t-il de suggérer l'au-delà de l'âme ?

## Arthur Rimbaud (1854-1891)

Né à Charleville, collégien brillant de la cité ardennaise, il est élevé avec un frère et deux sœurs par une mère autoritaire ; ses premiers poèmes sont autant de sarcasmes contre "Charlestown", "supérieurement idiote entre les petites villes de province", "la mère Rimb'" à qui il doit un "mauvais sang" et son baptême, le cadre et l'éducation contraignants qui le font "suer d'obéissance" et transforment l'enfance en prison. Révolte ou frustration : les errances de "l'homme aux semelles de vent" le ramèneront constamment à son point de départ.

En classe de rhétorique, en janvier 1870, son nouveau professeur de lettres, G. Izambard, lui fait découvrir Banville, les parnassiens, Leconte de Lisle, et les prophètes d'une ère de liberté et de bonheur – Hugo, Michelet, Quinet. Le poème *Soleil et chair* célèbre le retour de l'homme à la santé originelle : "Ô! L'homme a relevé sa tête libre et fière". En mai 1870, Rimbaud envoie trois poèmes à Banville pour *Le Parnasse contemporain*.

Dès l'été 1870, la vie et l'aventure poétique de Rimbaud se confondent. C'est à la poésie qu'il demande pendant quelques années de "changer la vie". Obéissant à une nécessité métaphysique, estime Yves Bonnefoy, l'œuvre de Rimbaud "ne porte pas sur la nature des choses, mais sur leur être. Et tout se passe comme si la dégradation même de l'être, la dégradation du possible en chose inerte et réalisée (la société, les religions moralisées, la morale close, les objets morts), avait à être prise en charge volontairement, totalement, durement par un être d'exception pour que ce réveil soit possible" (*Rimbaud par lui-même*, Seuil éd.). Rapidité et violence des tentatives, des ruptures, des renouvellements, marquent également la vie et l'œuvre.

Depuis juillet 1870, le pays est en guerre, l'empire chancelle. L'impatience pousse trois fois Rimbaud sur les routes. Sa première fugue, du 29 août au 26 septembre, l'amène à Paris où on l'arrête pour vagabondage, puis à Douai où Izambard l'a ramené ; en octobre la deuxième le mène à Charleroi, Bruxelles, Douai, où il recopie les poèmes formant le "recueil Demeny" ; la troisième, fin février-début mars 1871, le ramène dans Paris que la Commune va bientôt déchirer.

Dès cette période, Rimbaud cherche à rajeunir "les mots de la tribu" : couleurs naïves comme dans les images populaires, caricatures et cocasserie des raccourcis, recherche de mots rares et création verbale. Il s'oriente vers une poésie de la sensation, capable d'éveiller par le rythme et la sonorité, une sensation analogue, sans le biais de l'intelligence.

En mai 1871, une brusque mutation s'opère, proclamée dans les lettres du 13 et du 15 mai à Izambard : "Maintenant, je m'encrapule le plus possible. Pourquoi? Je veux être poète, et je travaille à me rendre *voyant*" (*cf.* p. 240).

La crise coïncide avec le drame de la Commune ; si la participation de Rimbaud aux événements parisiens est incertaine, sa sympathie est évidente. Rimbaud le révolté sent s'exaspérer "les colères folles" qui le "poussent vers les batailles de Paris, où tant de travailleurs meurent pourtant encore tandis que je vous écris".

Le poète doit "cultiver" son âme par "un long, immense et raisonné dérèglement de tous les sens" : il s'agit bien toujours d'une "marche vers le Progrès", d'accroître les puissances mentales de l'homme. Le poète prométhéen, "voleur de feu" entreprend la quête de l'inexploré. Mais on est loin de la rêverie visionnaire de Hugo. Il s'agit de devenir "le suprême Savant en se faisant l'âme monstrueuse" : faire éclater les limites de la perception, exaspérer la sensation jusqu'à l'hallucination, exalter tous les désirs, vivre les expériences les plus dangereuses, "toutes les formes d'amour, de souffrance, de folie" ; l'absinthe, la drogue, l'homosexualité sont moyens de cette étrange ascèse ; il s'agit d'assumer toute la gamme des expériences humaines, même celle des maudits. A la même époque, en Amérique, Whitmann écrit : "Si vous devenez dégradés, criminels, malades, je le deviens par amour de vous." Derrière ce "travail infâme", une énorme revendication de liberté, le rêve de rendre l'homme "à son état primitif de fils du Soleil", le refus de la grisaille du réel. "Nous ne sommes pas au monde."

L'entreprise entraîne un nouveau langage poétique, comme en témoigne le chapitre "Alchimie du verbe" d'*Une saison en Enfer*. Donner aux mots un pouvoir hallucinatoire : Rimbaud invente la couleur des voyelles, pousse à l'extrême les correspondances synesthésiques baudelairiennes pour "résumer tout, parfums, sons, couleurs", use de surimpressions, renouvelle l'usage de l'épithète, de l'adjectif de couleur. Au rebours du discours rationnel, le poème procède par groupes ou mouvements d'images, de sons ou par ruptures brutales. Le mot échappe à tout sens figé et peut revêtir tous les sens.

Tel est l'adolescent passionné, tendre, sauvage, au visage fermé, cachant sa timidité sous la provocation, qui en septembre 1871 débarque à Paris où l'accueillent Verlaine et Cros. Il se joint à la bohème des cafés littéraires, participe à *l'Album zutique* que les habitués du cercle zutique (fondé en octobre par Cros) rédigent, désarçonne les moins conformistes par ses farces mauvaises, arrache Verlaine à sa tranquillité bourgeoise. Il a de grands projets (une *Histoire magnifique,* dont quelques poèmes de la première partie seront écrits, *Photos du temps passé;* peut-être un grand poème, la *Chasse spirituelle).* Sous l'influence de Verlaine, Rimbaud cultive un moment la sensation fugitive, l'impalpable, le simple. En février 1872, il revient à Charleville déprimé. Les œuvres de cette période révèlent une poésie du silence, ou style dépouillé, détachement surprenant, désir de pureté.

Yves Bonnefoy situe à cette époque la fin de la période de "voyance". La vie folle, pourtant va reprendre : en mai 1872, Rimbaud revient à Paris ; le 7 juillet, Verlaine et lui gagnent la Belgique puis l'Angleterre et Londres. En avril 1873, au cours d'un retour dans les Ardennes, Rimbaud commence à rédiger un *Livre nègre* ou *Livre païen*. Retour à Londres le 27 mai ; à Bruxelles, le 10 juillet, Verlaine blesse Rimbaud pour l'empêcher de partir, et se retrouve en prison. Rimbaud regagne la propriété familiale de Roche où il achève *le Livre païen* devenu *Une saison en Enfer,* constat d'échec et liquidation de ce qu'il vient de vivre (août 1873).

La fin de *la Saison* annonce un horizon nouveau ; ni repentir, ni solution mystique, mais le travail, et la beauté du monde : "Je puis aujourd'hui saluer la beauté". Elle annonce aussi un adieu à la poésie : "Moi! moi qui me suis dit mage ou ange, dispensé de toute morale, je suis rendu au sol, avec un devoir à chercher et la réalité rugueuse à étreindre. Paysan!"

Pourtant Rimbaud n'a pas abandonné la création littéraire tout de suite, ni brutalement. Où situer *Les illuminations?* Le problème de leur datation reste insoluble. Le titre n'apparaît qu'en 1878 dans une lettre de Verlaine. Lorsque G. Kahn en confie la première publication à Fénéon dans *La vogue* en mai-juin 1886, il n'existe que des feuillets détachés, non paginés, de formats et d'encres différents. Pour la plupart des critiques contemporains, les poèmes appartiennent à des époques différentes, certains semblent contemporains de la période de voyance, d'autres en relation avec les expériences de Rimbaud postérieures à 1873 et à *la Saison*. Les incertitudes excluent toute interprétation systématique : faut-il y voir une "tentative harmonique succédant à celle du voyant", comme P. Brunel (*Rimbaud*, Hatier éd.), où "après un nouveau déluge, le poète-musicien s'efforce de faire surgir du chaos, des formes", avant un nouveau bilan amer? ou bien la persistance de l'évangile rimbaldien de force et de beauté , "la nouvelle harmonie" et "le nouvel amour"? Quelles que soient les dates de composition, la poésie des *Illuminations* a bien le pouvoir de "changer l'homme", en changeant la vision du réel, de retrouver l'esprit d'enfance, la fulgurance de l'instant, une vision impressionniste, à la fois éveil au monde et projections rêvées d'un cœur épris de transparence. "Elle est retrouvée – Quoi ? – L'éternité." Après 1875, Rimbaud consacre ses forces à étreindre "la réalité rugueuse". Il étudie les langues vivantes, les traités techniques. Certes sa vie reste sous le signe de l'errance, des ruptures ; certes, s'il veut faire fortune, il choisit pour ce faire les confins hasardeux du désert. Mais quelle énergie et quelle nouvelle aventure solitaire : voyageur engagé dans l'armée coloniale hollandaise et bientôt déserteur, chef de chantier à Chypre, agent commercial à Aden, trafiquant d'armes malheureux en Abyssinie, fondateur d'une agence de commerce au Harrar en 1888. En 1891, il revient en France à cause d'une tumeur au genou, dont il mourra à Marseille le 10 novembre 1891.

Rimbaud renonça rapidement à l'expérience poétique ; c'est pourtant sur ce plan qu'il laissera un sillage fulgurant : la poésie inséparable d'une manière d'être au monde et d'une quête spirituelle ; le pouvoir libérateur de la parole poétique apte à capter les "images mentales" chargées d'idéal ou surgies de l'inconscient.

*Une saison en Enfer* (1873) ; *Les illuminations* (1886 ; commencées en 1872) ; *Poésies complètes* (1869-73 : préface de Verlaine).


## DOCUMENT

(...) Car Je est un autre. Si le cuivre s'éveille clairon, il n'y a rien de sa faute. Cela m'est évident : j'assiste à l'éclosion de ma pensée : je la regarde, je l'écoute : je lance un coup d'archet : la symphonie fait son remuement dans les profondeurs, ou vient d'un bond sur la scène.

Si les vieux imbéciles n'avaient pas trouvé du moi que la signification fausse, nous n'aurions pas à balayer ces millions de squelettes qui, depuis un temps infini, ont accumulé les produits de leur intelligence borgnesse, en s'en clamant les auteurs ! (...)

La première étude de l'homme qui veut être poète est sa propre connaissance, entière ; il cherche son âme, il l'inspecte, il la tente, l'apprend. Dès qu'il la sait, il doit la cultiver ; cela semble simple : en tout cerveau s'accomplit un développement naturel ; tant d'*égoïstes* se proclament auteurs ; il en est bien d'autres qui s'attribuent leur progrès intellectuel ! – Mais il s'agit de faire l'âme monstrueuse : à l'instar des comprachicos[1], quoi ! Imaginez un homme s'implantant et se cultivant des verrues sur le visage.

Je dis qu'il faut être *voyant*, se faire *voyant*.

Le Poète se fait *voyant* par un long, immense et raisonné *dérèglement* de *tous les sens*. Toutes les formes d'amour, de souffrance, de folie ; il cherche lui-même, il épuise en lui tous les poisons, pour n'en garder que les quintessences. Ineffable torture où il a besoin de toute la foi, de toute la force surhumaine, où il devient entre tous le grand malade, le grand criminel, le grand maudit, – et le suprême Savant ! – Car il arrive à l'*inconnu !* Puisqu'il a cultivé son âme, déjà riche, plus qu'aucun ! Il arrive à l'inconnu, et quand, affolé, il finirait par perdre l'intelligence de ses visions, il les a vues ! Qu'il crève dans son bondissement par les choses inouïes et innommables : viendront d'autres horribles travailleurs ; ils commenceront par les horizons où l'autre s'est affaissé ! (...)

Donc le poète est vraiment voleur de feu.

Il est chargé de l'humanité, des *animaux* même ; il devra faire sentir, palper, écouter ses inventions ; si ce qu'il rapporte de *là-bas* a forme, il donne forme ; si c'est informe, il donne de l'informe. Trouver une langue ;

— Du reste, toute parole étant idée, le temps d'un langage universel viendra ! Il faut être académicien, — plus mort qu'un fossile, — pour parfaire un dictionnaire, de quelque langue que ce soit. Des faibles se mettraient *à penser* sur la première lettre de l'alphabet, qui pourraient vite ruer dans la folie ! —

Cette langue sera de l'âme pour l'âme, résumant tout, parfums, sons, couleurs, de la pensée accrochant la pensée et tirant. Le poète définirait la quantité d'inconnu s'éveillant en son temps dans l'âme universelle : il donnerait plus — que la formule de sa pensée, que la notation *de sa marche au Progrès !* Enormité devenant norme, absorbée par tous, il serait vraiment *un multiplicateur de progrès !*

Cet avenir sera matérialiste, vous le voyez. — Toujours pleins du *Nombre* et de l'*Harmonie,* ces poèmes seront faits pour rester. — Au fond, ce serait encore un peu la Poésie grecque.

L'art éternel aurait ses fonctions, comme les poètes sont citoyens. La Poésie ne rythmera plus l'action ; elle *sera en avant.*

Ces poètes seront ! Quand sera brisé l'infini servage de la femme, quand elle vivra pour elle et par elle, l'homme, — jusqu'ici abominable, — lui ayant donné son renvoi, elle sera poète, elle aussi. La femme trouvera de l'inconnu ! Ses mondes d'idées différeront-ils des nôtres ? — Elle trouvera des choses étranges, insondables, repoussantes, délicieuses ; nous les prendrons, nous les comprendrons.

En attendant, demandons aux *poètes* du *nouveau,* — idées et formes. Tous les habiles croiraient bientôt avoir satisfait à cette demande. — Ce n'est pas cela ! (...)

Lettre de Rimbaud à Paul Demeny (15 mai 1871), dite "Lettre du voyant".

1. Les voleurs d'enfants, qui les mutilent pour en faire des monstres (*cf.* Hugo, *L'homme qui rit,* 1869).

## SENSATION

Par les soirs bleus d'été, j'irai dans les sentiers,
Picoté par les blés, fouler l'herbe menue :
Rêveur, j'en sentirai la fraîcheur à mes pieds.
Je laisserai le vent baigner ma tête nue.

Je ne parlerai pas, je ne penserai rien :
Mais l'amour infini me montera dans l'âme,
Et j'irai loin, bien loin, comme un bohémien,
Par la Nature, − heureux comme avec une femme.

20 avril 1870.

*Poésies.*

De quoi est fait ici le bonheur d'être? Le "je" ici et dans *Aube* (p. 256).

## OPHÉLIE

### I

Sur l'onde calme et noire où dorment les étoiles
La blanche Ophélia flotte comme un grand lys,
Flotte très lentement, couchée en ses longs voiles...
− On entend dans les bois lointains des hallalis.

Voici plus de mille ans que la triste Ophélie
Passe, fantôme blanc, sur le long fleuve noir;
Voici plus de mille ans que sa douce folie
Murmure sa romance à la brise du soir.

Le vent baise ses seins et déploie en corolle
10  Ses grands voiles bercés mollement par les eaux;
Les saules frissonnants pleurent sur son épaule,
Sur son grand front rêveur s'inclinent les roseaux.

Les nénuphars froissés soupirent autour d'elle;
Elle éveille parfois, dans un aune qui dort,
Quelque nid, d'où s'échappe un petit frisson d'aile :
− Un chant mystérieux tombe des astres d'or.

### II

O pâle Ophélia! belle comme la neige!
Oui tu mourus, enfant, par un fleuve emporté!
− C'est que les vents tombant des grands monts de Norwège
20  T'avaient parlé tout bas de l'âpre liberté;

C'est qu'un souffle, tordant ta grande chevelure,
A ton esprit rêveur portait d'étranges bruits;

Que ton cœur écoutait le chant de la Nature
Dans les plaintes de l'arbre et les soupirs des nuits;

C'est que la voix des mers folles, immense râle,
Brisait ton sein d'enfant, trop humain et trop doux;
C'est qu'un matin d'avril, un beau cavalier pâle,
Un pauvre fou, s'assit muet à tes genoux!

Ciel! Amour! Liberté! Quel rêve, ô pauvre Folle!
30 Tu te fondais à lui comme une neige au feu :
Tes grandes visions étranglaient ta parole
— Et l'Infini terrible effara ton œil bleu!

### III

— Et le Poète dit qu'aux rayons des étoiles
Tu viens chercher, la nuit, les fleurs que tu cueillis,
Et qu'il a vu sur l'eau, couchée en ses longs voiles,
La blanche Ophélia flotter, comme un grand lys.

15 mai 1870.

*Ibid.*

---

Les rapports de la jeune fille et de la nature? La poétique de l'eau. La fonction suggestive de la versification. De quoi Ophélic devient-elle le symbole pour Rimbaud?

---

## ROMAN

### I

On n'est pas sérieux, quand on a dix-sept ans.
— Un beau soir, foin des bocks et de la limonade,
Des cafés tapageurs aux lustres éclatants!
— On va sous les tilleuls verts de la promenade.

Les tilleuls sentent bon dans les bons soirs de juin!
L'air est parfois si doux, qu'on ferme la paupière;
Le vent chargé de bruits, — la ville n'est pas loin, —
A des parfums de vigne et des parfums de bière...

### II

— Voilà qu'on aperçoit un tout petit chiffon
10 D'azur sombre, encadré d'une petite branche,
Piqué d'une mauvaise étoile, qui se fond
Avec de doux frissons, petite et toute blanche...

Nuit de juin! Dix-sept ans! — On se laisse griser.
La sève est du champagne et vous monte à la tête...
On divague; on se sent aux lèvres un baiser
Qui palpite là, comme une petite bête...

## III

Le cœur fou Robinsonne à travers les romans,
— Lorsque, dans la clarté d'un pâle réverbère,
Passe une demoiselle aux petits airs charmants,
20 Sous l'ombre du faux-col effrayant de son père...

Et, comme elle vous trouve immensément naïf,
Tout en faisant trotter ses petites bottines,
Elle se tourne, alerte et d'un mouvement vif...
— Sur vos lèvres alors meurent les cavatines...

## IV

Vous êtes amoureux. Loué jusqu'au mois d'août.
Vous êtes amoureux. — Vos sonnets La font rire.
Tous vos amis s'en vont, vous êtes *mauvais goût*.
— Puis l'adorée, un soir, a daigné vous écrire...!

— Ce soir-là,... — vous rentrez aux cafés éclatants,
30 Vous demandez des bocks ou de la limonade...
— On n'est pas sérieux, quand on a dix-sept ans
Et qu'on a des tilleuls verts sur la promenade.

29 septembre 70.

*Ibid.*

Romantisme et humour.

## AU CABARET-VERT
cinq heures du soir

Depuis huit jours, j'avais déchiré mes bottines
Aux cailloux des chemins. J'entrais à Charleroi.
— *Au Cabaret-Vert* : je demandai des tartines
De beurre et du jambon qui fût à moitié froid.

Bienheureux, j'allongeai les jambes sous la table
Verte : je contemplai les sujets très naïfs
De la tapisserie. — Et ce fut adorable,
Quand la fille aux tétons énormes, aux yeux vifs,

— Celle-là, ce n'est pas un baiser qui l'épeure ! —
Rieuse, m'apporta des tartines de beurre,
Du jambon tiède, dans un plat colorié,

Du jambon rose et blanc parfumé d'une gousse
D'ail, — et m'emplit la chope immense, avec sa mousse
Que dorait un rayon de soleil arriéré.

Octobre 1870.

*Ibid.*

## LE CŒUR DU PITRE[1]

Mon triste cœur bave à la poupe,
Mon cœur est plein de caporal :
Ils y lancent des jets de soupe,
Mon triste cœur bave à la poupe :
Sous les quolibets de la troupe
Qui pousse un rire général,
Mon triste cœur bave à la poupe,
Mon cœur est plein de caporal !

Ithyphalliques[2] et pioupiesques[3]
10 Leurs insultes l'ont dépravé !
A la vesprée ils font des fresques
Ithyphalliques et pioupiesques.
O flots abracadabrantesques,
Prenez mon cœur, qu'il soit sauvé :
Ithyphalliques et pioupiesques
Leurs insultes l'ont dépravé !

Quand ils auront tari leurs chiques,
Comment agir, ô cœur volé ?
Ce seront des refrains bachiques
20 Quand ils auront tari leurs chiques :
J'aurai des sursauts stomachiques
Si mon cœur triste est ravalé :
Quand ils auront tari leurs chiques,
Comment agir, ô cœur volé ?

Mai 1871.

*Ibid.*

1. Poème contemporain de la chute de la Commune (semaine sanglante 21-28 mai). 2. L'ithy-phalle ou phallus dressé figure dans les antiques fêtes de Dionysos. 3. De *pioupiou*, terme populaire désignant depuis 1870 le soldat.

Montrer comment le réel est transposé en fête dionysiaque. Comment cette fête est-elle tournée en dérision ? Création verbale et sarcasme libérateur.

## LES MAINS DE JEANNE-MARIE[1]

Jeanne-Marie a des mains fortes,
Mains sombres que l'été tanna,
Mains pâles comme des mains mortes.
— Sont-ce des mains de Juana[2] ?

Ont-elles pris les crèmes brunes
Sur les mares des voluptés ?
Ont-elles trempé dans des lunes
Aux étangs de sérénités ?

Ont-elles bu des cieux barbares,
10 Calmes sur les genoux charmants ?

Ont-elles roulé des cigares
Ou trafiqué des diamants?

Sur les pieds ardents des Madones
Ont-elles fané des fleurs d'or?
C'est le sang noir des belladones
Qui dans leur paume éclate et dort.

Mains chasseresses des diptères
Dont bombinent les bleuisons
Aurorales, vers les nectaires?
20 Mains décanteuses de poisons?

Oh! quel Rêve les a saisies
Dans les pandiculations?
Un rêve inouï des Asies,
Des Khenghavars[3] ou des Sions?

– Ces mains n'ont pas vendu d'oranges,
Ni bruni sur les pieds des dieux :
Ces mains n'ont pas lavé les langes
Des lourds petits enfants sans yeux.

Ce ne sont pas mains de cousine
30 Ni d'ouvrières aux gros fronts
Que brûle, aux bois puant l'usine,
Un soleil ivre de goudrons.

Ce sont des ployeuses d'échines,
Des mains qui ne font jamais mal,
Plus fatales que des machines,
Plus fortes que tout un cheval!

Remuant comme des fournaises.
Et secouant tous ses frissons,
Leur chair chante des Marseillaises
40 Et jamais les Eleisons[4]!

Ça serrerait vos cous, ô femmes
Mauvaises, ça broierait vos mains,
Femmes nobles, vos mains infâmes
Pleines de blancs et de carmins.

L'éclat de ces mains amoureuses
Tourne le crâne des brebis!
Dans leurs phalanges savoureuses
Le grand soleil met un rubis!

Une tache de populace
50 Les brunit comme un sein d'hier;
Le dos de ces Mains est la place
Qu'en baisa tout Révolté fier!

Elles ont pâli, merveilleuses,
Au grand soleil d'amour chargé,

Sur le bronze des mitrailleuses
A travers Paris insurgé!

Ah! quelquefois, ô Mains sacrées,
A vos poings, Mains où tremblent nos
Lèvres jamais désenivrées,
60 Crie une chaîne aux clairs anneaux!

Et c'est un soubresaut étrange
Dans nos êtres, quand, quelquefois,
On veut vous déhâler, Mains d'ange,
En vous faisant saigner les doigts!

*Ibid.*

1. Face à la presse bourgeoise dénonçant "les pétroleuses", les journaux de la Commune opposaient la vraie Parisienne, "forte, dévouée, tragique, sachant mourir comme elle sait aimer" à la "madone de pornographe des Dumas fils et des Feydeau". Selon J. Gengoux, Rimbaud se serait inspiré de *Etudes de mains* de Gautier, la première étude évoquant les mains de la belle Imperia, symbole de la courtisane. 2. Nom peut-être dérivé de Don Juan. Symbole de la femme de luxe. 3. Peut-être allusion à Kengawer, ville d'Iran. 4. *Cf. Kyrie eleison*: "Seigneur, prends pitié", récité ou chanté dans la liturgie de la messe.

Dégager la thématique : de la courtisane (quelle société et quel type de poésie sont à la fois refusés?); des femmes soumises; de Jeanne-Marie. Étudier le thème de la révolte.

# VOYELLES[1]

A noir, E blanc, I rouge, U vert, O bleu : voyelles,
Je dirai quelque jour vos naissances latentes :
A, noir corset velu des mouches éclatantes
Qui bombinent[2] autour des puanteurs cruelles,

Golfes d'ombre; E, candeurs des vapeurs et des tentes,
Lances des glaciers fiers, rois blancs, frissons d'ombelles;
I, pourpres, sang craché, rire des lèvres belles
Dans la colère ou les ivresses pénitentes;

U, cycles, vibrements divins des mers virides,
Paix des pâtis semés d'animaux, paix des rides
Que l'alchimie imprime aux grands fronts studieux;

O, suprême Clairon plein des strideurs étranges,
Silences traversés des Mondes et des Anges :
– O l'Oméga[3], rayon violet de Ses[4] Yeux!

Septembre 1871.
*Ibid.*

1. De multiples interprétations ont été avancées : faut-il y voir un abécédaire colorié, l'influence de la cabale, un décriptage érotique, une bluette amoureuse, un système symbolique en soi? Nous nous bornerons à rechercher le sens du poème à travers les correspondances indiquées dans le premier vers. 2. Du latin *bombus,* bourdonnement des abeilles. 3. Dieu est l'alpha et l'oméga. 4. Les yeux de Dieu ou de l'aimée?

Faire un tableau regroupant pour chaque voyelle les notations : de lumière; de couleur; de sons; de mouvements; de thèmes symboliques. A partir de là, étudier le thème de la création par l'évolution de A à O.

## LE BATEAU IVRE

Comme je descendais des Fleuves impassibles,
Je ne me sentis plus guidé par les haleurs :
Des Peaux-Rouges criards les avaient pris pour cibles
Les ayant cloués nus aux poteaux de couleurs.

J'étais insoucieux de tous les équipages,
Porteur de blés flamands ou de cotons anglais.
Quand avec mes haleurs ont fini ces tapages
Les Fleuves m'ont laissé descendre où je voulais.

Dans les clapotements furieux des marées,
10 Moi, l'autre hiver, plus sourd que les cerveaux d'enfants,
Je courus! Et les Péninsules démarrées
N'ont pas subi tohu-bohus plus triomphants.

La tempête a béni mes éveils maritimes.
Plus léger qu'un bouchon j'ai dansé sur les flots
Qu'on appelle rouleurs éternels de victimes,
Dix nuits, sans regretter l'œil niais des falots!

Plus douce qu'aux enfants la chair des pommes sures,
L'eau verte pénétra ma coque de sapin
Et des taches de vins bleus et des vomissures
20 Me lava, dispersant gouvernail et grappin.

Et dès lors, je me suis baigné dans le Poème
De la Mer, infusé d'astres, et lactescent,
Dévorant les azurs verts; où, flottaison blême
Et ravie, un noyé pensif parfois descend;

Où, teignant tout à coup les bleuités, délires
Et rhythmes lents sous les rutilements du jour,
Plus fortes que l'alcool, plus vastes que nos lyres,
Fermentent les rousseurs amères de l'amour!

Je sais les cieux crevant en éclairs, et les trombes
30 Et les ressacs et les courants : je sais le soir,
L'Aube exaltée ainsi qu'un peuple de colombes,
Et j'ai vu quelquefois ce que l'homme a cru voir!

J'ai vu le soleil bas, taché d'horreurs mystiques,
Illuminant de longs figements violets,
Pareils à des acteurs de drames très-antiques
Les flots roulant au loin leurs frissons de volets!

J'ai rêvé la nuit verte aux neiges éblouies,
Baiser montant aux yeux des mers avec lenteurs,
La circulation des sèves inouïes,
40 Et l'éveil jaune et bleu des phosphores chanteurs!

J'ai suivi, des mois pleins, pareille aux vacheries
Hystériques, la houle à l'assaut des récifs,
Sans songer que les pieds lumineux des Maries[1]
Pussent forcer le mufle aux Océans poussifs !

J'ai heurté, savez-vous, d'incroyables Florides
Mêlant aux fleurs des yeux de panthères à peaux
D'hommes ! Des arcs-en-ciel tendus comme des brides
Sous l'horizon des mers, à de glauques troupeaux !

50   J'ai vu fermenter les marais énormes, nasses
Où pourrit dans les joncs tout un Léviathan[2] !
Des écroulements d'eaux au milieu des bonaces,
Et les lointains vers les gouffres cataractant !

Glaciers, soleils d'argent, flots nacreux, cieux de braises !
Echouages hideux au fond des golfes bruns
Où les serpents géants dévorés des punaises
Choient, des arbres tordus, avec de noirs parfums !

J'aurais voulu montrer aux enfants ces dorades
Du flot bleu, ces poissons d'or, ces poissons chantants.
— Des écumes de fleurs ont bercé mes dérades
60   Et d'ineffables vents m'ont ailé par instants.

Parfois, martyr lassé des pôles et des zones,
La mer dont le sanglot faisait mon roulis doux
Montait vers moi ses fleurs d'ombre aux ventouses jaunes
Et je restais, ainsi qu'une femme à genoux...

Presque île, ballottant sur mes bords les querelles
Et les fientes d'oiseaux clabaudeurs aux yeux blonds.
Et je voguais, lorsqu'à travers mes liens frêles
Des noyés descendaient dormir, à reculons !

Or moi, bateau perdu sous les cheveux des anses,
70   Jeté par l'ouragan dans l'éther sans oiseau,
Moi dont les Monitors[3] et les voiliers des Hanses[4]
N'auraient pas repêché la carcasse ivre d'eau ;

Libre, fumant, monté de brumes violettes,
Moi qui trouais le ciel rougeoyant comme un mur
Qui porte, confiture exquise aux bons poètes,
Des lichens de soleil et des morves d'azur,

Qui courais, taché de lunules électriques,
Planche folle, escorté des hippocampes noirs,
Quand les juillets faisaient crouler à coups de triques
80   Les cieux ultramarins aux ardents entonnoirs ;

Moi qui tremblais, sentant geindre à cinquante lieues
Le rut des Béhémots[2] et les Maelstroms[5] épais,
Fileur éternel des immobilités bleues,
Je regrette l'Europe aux anciens parapets !

J'ai vu des archipels sidéraux! et des îles
Dont les cieux délirants sont ouverts au vogueur :
– Est-ce en ces nuits sans fond que tu dors et t'exiles,
Million d'oiseaux d'or, ô future Vigueur? –

Mais, vrai, j'ai trop pleuré! Les Aubes sont navrantes.
90 Toute lune est atroce et tout soleil amer :
L'âcre amour m'a gonflé de torpeurs enivrantes.
O que ma quille éclate! O que j'aille à la mer!

Si je désire une eau d'Europe, c'est la flache[6]
Noire et froide où vers le crépuscule embaumé
Un enfant accroupi plein de tristesses, lâche
Un bateau frêle comme un papillon de mai.

Je ne puis plus, baigné de vos langueurs, ô lames,
Enlever leur sillage aux porteurs de cotons,
Ni traverser l'orgueil des drapeaux et des flammes,
100 Ni nager sous les yeux horribles des pontons.

Septembre 1871.

*Ibid.*

1. Peut-être Rimbaud se souvient-il de *L'homme qui rit* (Hugo) : la proue d'un bateau porte une Madone sculptée et dorée devant laquelle brûle un fanal-cierge. 2. Monstre biblique. 3. Cuirassés servant de garde-côte. 4. Ligues commerciales des villes maritimes allemandes. 5. *Cf.* le tourbillon fantastique décrit par Edgar Poe dans *Une descente dans le Maelström*. 6. Mot ardennais pour *la flaque*.

(p. 248-250)
1. Dégager le mouvement du poème à partir d'un relevé systématique des verbes qui ont pour sujet "je" (voir la valeur sémantique de ces verbes et le jeu des temps).
2. Parallèlement au mouvement de libération, puis d'ivresse cosmique jusqu'au rétrécissement final de l'espace, faire un tableau mettant en relation les mouvements, les sons, les couleurs et lumières. Étudier l'évolution de ces correspondances.
3. De quoi "le bateau ivre" est-il le symbole? Rapprocher ce poème du *Voyage* (p. 212) de Baudelaire, du *Vieux solitaire* (p. 187) de Dierx, de *Brise marine* (p. 288) de Mallarmé.

## ALCHIMIE DU VERBE[1]

A moi. L'histoire d'une de mes folies.

Depuis longtemps je me vantais de posséder tous les paysages possibles, et trouvais dérisoires les célébrités de la peinture et de la poésie moderne.

J'aimais les peintures idiotes, dessus de portes, décors, toiles de saltimbanques, enseignes, enluminures populaires; la littérature démodée, latin d'église, livres érotiques sans orthographe, romans de nos aïeules, contes de fées, petits livres de l'enfance, opéras vieux, refrains niais, rhythmes naïfs.

Je rêvais croisades, voyages de découvertes dont on n'a pas de relations, républiques sans histoires, guerres de religion étouffées, révolutions de mœurs, déplacements de races et de continents : je croyais à tous les enchantements.

J'inventai la couleur des voyelles! – *A* noir, *E* blanc, *I* rouge, *O* bleu, *U* vert. – Je réglai la forme et le mouvement de chaque consonne, et, avec des rhythmes instinctifs, je me flattai d'inventer un verbe poétique accessible, un jour ou l'autre, à tous les sens. Je réservais la traduction.

Ce fut d'abord une étude. J'écrivais des silences, des nuits, je notais l'inexprimable. Je fixais des vertiges. (...)

La vieillerie poétique avait une bonne part dans mon alchimie du verbe.

Je m'habituai à l'hallucination simple : je voyais très franchement une mosquée à la place d'une usine, une école de tambours faite par des anges, des calèches sur les routes du ciel, un salon au fond d'un lac; les monstres, les mystères; un titre de vaudeville dressait des épouvantes devant moi.

Puis j'expliquai mes sophismes magiques avec l'hallucination des mots!

Je finis par trouver sacré le désordre de mon esprit. J'étais oisif, en proie à une lourde fièvre : j'enviais la félicité des bêtes, – les chenilles, qui représentent l'innocence des limbes, les taupes, le sommeil de la virginité!

Mon caractère s'aigrissait. Je disais adieu au monde dans d'espèces de romances :

Chanson de la plus haute Tour [2]

Qu'il vienne, qu'il vienne,
Le temps dont on s'éprenne.

J'ai tant fait patience
Qu'à jamais j'oublie.
Craintes et souffrances
Aux cieux sont parties.
Et la soif malsaine
Obscurcit mes veines.

Qu'il vienne, qu'il vienne,
Le temps dont on s'éprenne.

Telle la prairie
A l'oubli livrée,
Grandie, et fleurie
D'encens et d'ivraies,
Au bourdon farouche
Des sales mouches.

Qu'il vienne, qu'il vienne,
Le temps dont on s'éprenne.

(...)

Enfin, ô bonheur, ô raison, j'écartai du ciel l'azur, qui est du noir, et je vécus, étincelle d'or de la lumière *nature*.

De joie, je prenais une expression bouffonne et égarée au possible :

Elle est retrouvée !
Quoi ? l'éternité.
C'est la mer mêlée
Au soleil.

Mon âme éternelle,
Observe ton vœu
Malgré la nuit seule
Et le jour en feu.

Donc tu te dégages
Des humains suffrages,
Des communs élans !
Tu voles selon...

– Jamais l'espérance.
Pas d'*orietur*.
Science et patience,
Le supplice est sûr.

Plus de lendemain,
Braises de satin,
Votre ardeur
Est le devoir.

Elle est retrouvée !
– Quoi ? – l'Eternité.
C'est la mer mêlée
Au soleil[3].

Je devins un opéra fabuleux : je vis que tous les êtres ont une fatalité de bonheur : l'action n'est pas la vie, mais une façon de gâcher quelque force, un énervement. La morale est la faiblesse de la cervelle.

A chaque être, plusieurs *autres* vies me semblaient dues. Ce monsieur ne sait ce qu'il fait : il est un ange. Cette famille est une nichée de chiens. Devant plusieurs hommes, je causai tout haut avec un moment d'une de leurs autres vies. – Ainsi, j'ai aimé un porc.

Aucun des sophismes de la folie, – la folie qu'on enferme, – n'a été oublié par moi : je pourrais les redire tous, je tiens le système.

Ma santé fut menacée. La terreur venait. Je tombais dans des sommeils de plusieurs jours, et, levé, je continuais les rêves les plus tristes. J'étais mûr pour le trépas, et par une route de dangers ma faiblesse me menait aux confins du monde et de la Cimmérie[4], patrie de l'ombre et des tourbillons.

Je dus voyager, distraire les enchantements assemblés sur mon cerveau. Sur la mer, que j'aimais comme si elle eût dû me laver d'une souillure, je voyais se lever la croix consolatrice. J'avais été damné par l'arc-en-ciel[5]. Le Bonheur était ma fatalité, mon remords, mon ver : ma vie serait toujours trop immense pour être dévouée à la force et à la beauté.

Le Bonheur ! Sa dent, douce à la mort, m'avertissait au chant du coq[6], – *ad matutinum,* au *Christus venit,* – dans les plus sombres villes :

O saisons, ô châteaux !
Quelle âme est sans défauts ?

J'ai fait la magique étude
Du bonheur, qu'aucun n'élude.

Salut à lui, chaque fois
Que chante le coq gaulois.

Ah ! je n'aurai plus d'envie :
Il s'est chargé de ma vie.

Ce charme a pris âme et corps
Et dispersé les efforts.

O saisons, ô châteaux!

L'heure de sa fuite, hélas!
Sera l'heure du trépas.

O saisons, ô châteaux!

Cela s'est passé. Je sais aujourd'hui saluer la beauté[7].

*Une saison en Enfer, "Délires, II".*

1. Après avoir donné la parole à Verlaine *(Délires I)*, Rimbaud la reprend pour tracer son histoire poétique. 2. Reprise, avec variantes, de ce poème qui est une des *Fêtes de la patience* (mai 1872). 3. Troisième des *Fêtes de la patience*, avec variantes. 4. Située par les Anciens près du séjour des morts et toujours imaginée couverte de brumes et de nuées. 5. Symbole de l'alliance de l'homme et de Dieu après le déluge. *Cf.* brouillon d'*Alchimie* : "J'avais été damné par l'arc-en-ciel et les magies religieuses." 6. L'hymne des Laudes du dimanche figure par le réveil "au chant du coq" la conversion personnelle, liée au repentir de St-Pierre. 7. Le brouillon précisait : "Cela s'est passé peu à peu. Je hais maintenant les élans mystiques et les bizarreries de style. Maintenant je puis dire que l'art est une sottise... Salut à la bont(é)."

## MATIN

N'eus-je pas *une fois* une jeunesse aimable, héroïque, fabuleuse, à écrire sur des feuilles d'or, — trop de chance! Par quel crime, par quelle erreur, ai-je mérité ma faiblesse actuelle? Vous qui prétendez que des bêtes poussent des sanglots de chagrin, que des malades désespèrent, que des morts rêvent mal, tâchez de raconter ma chute et mon sommeil. Moi, je ne puis pas plus m'expliquer que le mendiant avec ses continuels *Pater* et *Ave Maria. Je ne sais plus parler!*

Pourtant, aujourd'hui, je crois avoir fini la relation de mon enfer. C'était bien l'enfer; l'ancien, celui dont le fils de l'homme ouvrit les portes.

Du même désert, à la même nuit, toujours mes yeux las se réveillent à l'étoile d'argent, toujours, sans que s'émeuvent les Rois de la vie, les trois mages, le cœur, l'âme, l'esprit. Quand irons-nous, par delà les grèves et les monts, saluer la naissance du travail nouveau, la sagesse nouvelle, la fuite des tyrans et des démons, la fin de la superstition, adorer — les premiers! — Noël sur la terre!

Le chant des cieux, la marche des peuples! Esclaves, ne maudissons pas la vie.

*Ibid.*

# APRÈS LE DÉLUGE[1]

Aussitôt que l'idée du Déluge se fut rassise,
Un lièvre s'arrêta dans les sainfoins et les clochettes mouvantes et dit sa prière à l'arc-en-ciel[2] à travers la toile de l'araignée.
Oh! les pierres précieuses qui se cachaient, – les fleurs qui regardaient déjà.
Dans la grande rue sale les étals se dressèrent, et l'on tira les barques vers la mer étagée là-haut comme sur les gravures.
Le sang coula, chez Barbe-Bleue, – aux abattoirs, – dans les cirques, où le sceau de Dieu blêmit les fenêtres. Le sang et le lait coulèrent.
Les castors bâtirent. Les « mazagrans[3] » fumèrent dans les estaminets.
Dans la grande maison de vitres encore ruisselante les enfants en deuil regardèrent les merveilleuses images.
Une porte claqua, – et sur la place du hameau, l'enfant tourna ses bras, compris des girouettes et des coqs des clochers de partout, sous l'éclatante giboulée.
Madame *** établit un piano dans les Alpes. La messe et les premières communions se célébrèrent aux cent mille autels de la cathédrale.
Les caravanes partirent. Et le Splendide-Hôtel fut bâti dans le chaos de glaces et de nuit du pôle.
Depuis lors, la Lune entendit les chacals piaulant par les déserts de thym, – et les églogues en sabots grognant dans le verger. Puis, dans la futaie violette, bourgeonnante, Eucharis[4] me dit que c'était le printemps.
– Sourds, étang, – Ecume, roule sur le pont et par-dessus les bois; – draps noirs et orgues, – éclairs et tonnerre, – montez et roulez; – Eaux et tristesse, montez et relevez les Déluges.
Car depuis qu'ils se sont dissipés, – oh les pierres précieuses s'enfouissant, et les fleurs ouvertes! – c'est un ennui! et la Reine, la Sorcière[5] qui allume sa braise dans le pot de terre, ne voudra jamais nous raconter ce qu'elle sait, et que nous ignorons.

*Les illuminations.*

1. Dans la *Genèse,* destruction d'un monde corrompu et retour à la pureté originelle. 2. Symbole dans la *Genèse* de l'alliance de Dieu avec la Création, après le Déluge. *Cf.* le Sceau de Dieu. 3. Mélange de café, d'eau et d'alcool. 4. En grec : "Grâce", nom d'une nymphe compagne de Calypso dans le *Télémaque* de Fénelon. 5. Celle qui possède les secrets du monde, de la nature, qui a gardé le contact avec les forces originelles. (*Cf.* par ex. *La sorcière* de Michelet.)

Un "Après l'orage" ? Un "Après la commune" ? En tout cas le mythe rimbaldien destruction/renaissance : à travers les images et leur évolution, dégager la thématique a) de la nature ; b) de l'activité humaine ; c) de l'enfant et de ses rapports avec la nature (*cf. Aube*).
A partir de cette étude et du jeu des temps, dégager le mouvement du poème – de l'éclat du monde post-diluvien à l'appel à un nouveau déluge.

Paul Gauguin (1848-1903), *Nave, Nave, Fenua (terre délicieuse)*, bois, 1894.
(Bibliothèque Nationale, Paris.)

## AUBE

J'ai embrassé l'aube d'été.

Rien ne bougeait encore au front des palais. L'eau était morte. Les camps d'ombres ne quittaient pas la route du bois. J'ai marché, réveillant les haleines vives et tièdes, et les pierreries regardèrent, et les ailes se levèrent sans bruit.

La première entreprise fut, dans le sentier déjà empli de frais et blêmes éclats, une fleur qui me dit son nom.

Je ris au wasserfall[1] blond qui s'échevela à travers les sapins : à la cime argentée je reconnus la déesse.

Alors je levai un à un les voiles. Dans l'allée, en agitant les bras. Par la plaine, où je l'ai dénoncée au coq. A la grand'ville elle fuyait parmi les clochers et les dômes, et courant comme un mendiant sur les quais de marbre, je la chassais.

En haut de la route, près d'un bois de lauriers, je l'ai entourée avec ses voiles amassés, et j'ai senti un peu son immense corps. L'aube et l'enfant tombèrent au bas du bois.

Au réveil il était midi.

*Ibid.*

1. Chute d'eau, cascade.

---

Naissance au monde et naissance du monde. Montrer comment le rythme, les images, le sens et le temps des verbes évoquent cette double naissance. L'enfant-poète *(cf. Sensation, Le bateau ivre, Après le déluge.)*

---

## MARINE

Les chars d'argent et de cuivre –
Les proues d'acier et d'argent –
Battent l'écume, –
Soulèvent les souches des ronces.
Les courants de la lande,
Et les ornières immenses du reflux,
Filent circulairement vers l'est,
Vers les piliers de la forêt,
Vers les fûts de la jetée, –
Dont l'angle est heurté par des tourbillons de lumière.

*Ibid.*

---

Comment le parallélisme des structures syntaxiques, les transferts de mots et d'images opèrent-ils l'unification de la vision terre/mer ? Le passage du chaos à une vision organisée : voir les verbes et les images.

---

## GÉNIE

Il est l'affection et le présent puisqu'il a fait la maison ouverte à l'hiver écumeux et à la rumeur de l'été, lui qui a purifié les boissons et les aliments, lui qui est le charme des lieux fuyants et le délice surhumain des stations. Il est l'affection et l'avenir, la force et l'amour que nous, debout dans les rages et les ennuis, nous voyons passer dans le ciel de tempête et les drapeaux d'extase.

Il est l'amour, mesure parfaite et réinventée, raison merveilleuse et imprévue, et l'éternité : machine aimée des qualités fatales. Nous avons tous eu l'épouvante de sa concession et de la nôtre : ô jouissance de notre santé, élan de nos facultés, affection égoïste et passion pour lui, lui qui nous aime pour sa vie infinie...

Et nous nous le rappelons et il voyage... Et si l'Adoration s'en va, sonne, sa promesse sonne : « Arrière ces superstitions, ces anciens corps, ces ménages et ces âges. C'est cette époque-ci qui a sombré ! »

Il ne s'en ira pas, il ne redescendra pas d'un ciel, il n'accomplira pas la rédemption des colères de femmes et des gaîtés des hommes et de tout ce péché : car c'est fait, lui étant, et étant aimé.

Ô ses souffles, ses têtes, ses courses; la terrible célérité de la perfection des formes et de l'action.

Ô fécondité de l'esprit et immensité de l'univers!

Son corps! Le dégagement rêvé, le brisement de la grâce croisée de violence nouvelle!

Sa vue, sa vue! tous les agenouillages anciens et les peines relevées à sa suite.

Son jour! l'abolition de toutes souffrances sonores et mouvantes dans la musique plus intense.

Son pas! les migrations plus énormes que les anciennes invasions.

Ô lui et nous! l'orgueil plus bienveillant que les charités perdues.

Ô monde! et le chant clair des malheurs nouveaux!

Il nous a connus tous et nous a tous aimés. Sachons, cette nuit d'hiver, de cap en cap, du pôle tumultueux au château, de la foule à la plage, de regards en regards, forces et sentiments las, le héler et le voir, et le renvoyer, et sous les marées et au haut des déserts de neige, suivre ses vues, ses souffles, son corps, son jour.

*Ibid.*

---

"Tel est bien chez Rimbaud le projet essentiel de la création poétique : convertir la nostalgie baudelairienne en un mouvement de conquête, transmuer le passé en avenir, brûler le présent et à tous les niveaux de l'être, éveiller la future vigueur" (J.-P. Richard). En quoi cette citation rend-elle compte du texte?

(p. 242-257)
En relisant l'ensemble des textes de Rimbaud, pouvez-vous dégager les thèmes typiquement rimbaldiens?

## Lautréamont[1] (1846-1870)

Lautréamont, le révolté, le chantre du mal, le poète "maudit", dont l'œuvre, contemporaine de celle de Rimbaud, a la même fulgurance. Une vie brève et mal connue, une œuvre ambiguë, inachevée : peu de poètes ont suscité autant de légendes et d'interprétations. Les données biographiques sont rares : l'origine tarbaise de sa famille, sa naissance à Montevideo où son père était devenu chancelier au consulat de France, ses études secondaires en France (Tarbes et Pau de 1859 à 1865). On le retrouve en 1867 à Paris où, avec une pension paternelle, il tente une carrière littéraire. En 1868, il présente le "Chant I" de *Maldoror* (qui sera publié en 1869) au deuxième concours poétique de Bordeaux. Les six chants seront imprimés en 1869 à Bruxelles par l'éditeur Lacroix qui n'ose les mettre en vente. En mai-juin 1870 paraissent deux fascicules des *Poésies,* ébauche d'une œuvre à venir. De santé fragile, le poète meurt à vingt-quatre ans dans l'hôtel du faubourg Montmartre où il s'était installé.

Le pseudonyme de Lautréamont dont il signe les *Chants de Maldoror* est inspiré d'un personnage d'E. Sue, Latréaumont, chevalier hors pair devenu monstre d'orgueil et de cruauté. L'œuvre se présente comme une "épopée du mal", un chant de révolte morale et métaphysique : dans la lignée des grands révoltés de la littérature romantique, Manfred, Childe-Harold de Byron, le Konrad de Mickiewicz, Rolla, Vautrin, Caïn, Satan... et Rocambole, le héros Maldoror (mal d'horror, mal d'aurore...), découvrant l'universelle cruauté dans la création, s'insurge contre "l'ordre" absurde du monde, contre Dieu, démiurge odieux et abject, contre les hommes, eux-mêmes victimes et bourreaux, et cherche une liberté vertigineuse dans le mal absolu. Un bestiaire agressif, doté de griffes et ventouses, participe au drame ; la révolte s'opère sur le mode de la métamorphose.

Pourtant il n'est pas possible de considérer *Les chants* comme le simple fruit tardif de l'arbre romantique. La violence et le délire apparent s'accompagnent d'une ironie et d'une lucidité implacables. Le scripteur intervient, prévient le lecteur de ses pièges. Les références littéraires affleurent constamment, d'Homère à Paul Féval, en passant par Dante, Shakespeare, Byron, Poe, Baudelaire... Certes M. Blanchot fait observer que l'imagination du poète rejoint à travers les livres "un monde de fiction où, formés par tous et destinés à tous, se rejoignent et se confirment les rêves vagues des religions et des mythologies sans mémoire" *(Lautréamont et Sade,* Ed. de Minuit). Mais le ton parodique crée l'ambiguïté ; Lautréamont plagie des pages de l'*Encyclopédie d'histoire naturelle* du Docteur Chenu, emprunte des descriptions minutieuses d'animaux à Buffon (ou à son collaborateur Guénéau de Montbéliard). Par leur écriture parodique, *Les chants* peuvent apparaître comme une tentative de revanche libératrice, une remise en cause du discours scolaire et de la rhétorique, des thèmes romantiques exaspérés jusqu'au cliché, de la littérature elle-même, absorbée et tournée en dérision. Caractère subversif de l'écriture que soulignent les travaux du groupe *Tel quel,* qui voit entre autres dans l'émergence des motifs du corps, du sexe, de la matière, une mise à nu du "non-dit" de la culture bourgeoise (Pleynet, *Lautréamont par lui-même,* et *Lautréamont politique* dans *Tel Quel* n° 45).

C'était déjà au niveau de l'écriture poétique, même s'il en méconnaît le caractère concerté, que Breton reconnaissait en Lautréamont un novateur : *"Apocalypse définitive* que cette œuvre dans laquelle se perdent et s'exaltent les grandes pulsions instinctives au contact d'une cage d'amiante qui enferme un cœur chauffé à blanc... Le verbe, non plus le style, subit avec Lautréamont une crise fondamentale, il marque un

---

1. Isidore Ducasse dit...

*recommencement...* Un principe de mutation perpétuelle s'est emparé des objets comme des idées, tendant à leur délivrance totale qui implique celle de l'homme... L'inspiration poétique, chez Lautréamont, se donne pour le produit de la rupture entre le bon sens et l'imagination, rupture consommée le plus souvent en faveur de cette dernière et obtenue d'une accélération volontaire, vertigineuse du débit verbal." (A. Breton, *Anthologie de l'humour noir,* éd. J.-J. Pauvert).

"J'ai renié mon passé, je ne chante plus que l'espoir", écrit Ducasse à son éditeur le 21 février 1870 en parlant de ses *Poésies.* Le ton change, certes; plus de lyrisme étourdissant; mais le démon glacé de la parodie est là, qui retourne et malaxe nos penseurs consacrés, Dante, La Rochefoucault, Pascal, et érige en modèle les discours de distribution des prix...

Ambiguë et fascinante, se prêtant à une multiplicité de lectures, ouvrant une problématique de l'écriture, l'œuvre de Lautréamont s'affirme tout à la fois, comme "la vanité et la puissance de la littérature". (G. Picon, *Histoire des Littératures,* Gallimard éd.)

## LES CHANTS DE MALDOROR

Lecteur, c'est peut-être la haine que tu veux que j'invoque dans le commencement de cet ouvrage! Qui te dit que tu n'en renifleras pas, baigné dans d'innombrables voluptés, tant que tu voudras, avec tes narines orgueilleuses, larges et maigres, en te renversant de ventre, pareil à un requin, dans l'air beau et noir, comme si tu comprenais l'importance de cet acte et l'importance non moindre de ton appétit légitime, lentement et majestueusement, les rouges émanations? Je t'assure, elles réjouiront les deux trous informes de ton museau hideux, ô monstre, si toutefois tu t'appliques auparavant à respirer trois mille fois de suite la conscience maudite de l'Eternel! Tes narines, qui seront démesurément dilatées de contentement ineffable, d'extase immobile, ne demanderont pas quelque chose de meilleur à l'espace, devenu embaumé comme de parfums et d'encens; car, elles seront rassasiées d'un bonheur complet, comme les anges qui habitent dans la magnificence et la paix des agréables cieux.

I, 2.

J'établirai dans quelques lignes comment Maldoror fut bon pendant ses premières années, où il vécut heureux; c'est fait. Il s'aperçut ensuite qu'il était né méchant : fatalité extraordinaire! Il cacha son caractère tant qu'il put, pendant un grand nombre d'années; mais, à la fin, à cause de cette concentration qui ne lui était pas naturelle, chaque jour le sang lui montait à la tête; jusqu'à ce que, ne pouvant plus supporter une pareille vie, il se jeta résolument dans la carrière du mal... atmosphère douce! Qui l'aurait dit! lorsqu'il embrassait un petit enfant, au visage rose, il aurait voulu lui enlever ses joues avec un rasoir, et il l'aurait fait très souvent, si Justice, avec son long cortège de châtiments, ne l'en eût chaque fois empêché. Il n'était pas menteur, il avouait la vérité et disait qu'il était cruel. Humains, avez-vous entendu? il ose le redire avec cette plume qui tremble! Ainsi donc, il est une puissance plus forte que la volonté?.. Malédiction! La pierre voudrait se soustraire aux lois de la pesanteur? Impossible. Impossible, si le mal voulait s'allier avec le bien. C'est ce que je disais plus haut.

*Ibid.*, I, 3.

(...) Un jour, jour néfaste, je grandissais en beauté et en innocence; et chacun admirait l'intelligence et la bonté du divin adolescent. Beaucoup de consciences rougissaient quand elles contemplaient ces traits limpides où son âme avait placé son trône. On ne s'approchait de lui qu'avec vénération, parce qu'on remarquait dans ses yeux le regard d'un ange. Mais non, je savais de reste que les roses heureuses de l'adolescence ne devaient pas fleurir perpétuellement, tressées en guirlandes capricieuses, sur son front modeste et noble, qu'embrassaient avec frénésie toutes les mères. Il commençait à me sembler que l'univers, avec sa voûte étoilée de globes impassibles et agaçants, n'était peut-être pas ce que j'avais rêvé de plus grandiose. Un jour, donc, fatigué de talonner du pied le sentier abrupt du voyage terrestre, et de m'en aller, en chancelant comme un homme ivre, à travers les catacombes obscures de la vie, je soulevai avec lenteur mes yeux spleenétiques, cernés d'un grand cercle bleuâtre, vers la concavité du firmament, et j'osai pénétrer, moi, si jeune, les mystères du ciel! Ne trouvant pas ce que je cherchais, je soulevai la paupière effarée plus haut, plus haut encore, jusqu'à ce que j'aperçusse un trône, formé d'excréments humains et d'or, sur lequel trônait, avec un orgueil idiot, le corps recouvert d'un linceul fait avec des draps non lavés d'hôpital, celui qui s'intitule lui-même le Créateur! Il tenait à la main le tronc pourri d'un homme mort, et le portait, alternativement, des yeux au nez et du nez à la bouche; une fois à la bouche, on devine ce qu'il en faisait. Ses pieds plongeaient dans une vaste mare de sang en ébullition, à la surface duquel s'élevaient tout à coup, comme des ténias à travers le contenu d'un pot de chambre, deux ou trois têtes prudentes, et qui s'abaissaient aussitôt, avec la rapidité de la flèche : un coup de pied, bien appliqué sur l'os du nez, était la récompense connue de la révolte au règlement, occasionnée par le besoin de respirer un autre milieu; car, enfin, ces hommes n'étaient pas des poissons! Amphibies tout au plus, ils nageaient entre deux eaux dans ce liquide immonde!.. jusqu'à ce que, n'ayant plus rien dans la main, le Créateur, avec les deux premières griffes du pied, saisît un autre plongeur par le cou, comme dans une tenaille, et le soulevât en l'air, en dehors de la vase rougeâtre, sauce exquise! Pour celui-là, il faisait comme pour l'autre. Il lui dévorait d'abord la tête, les jambes et les bras, et en dernier lieu le tronc, jusqu'à ce qu'il ne restât plus rien; car, il croquait les os. Ainsi de suite, durant les autres heures de son éternité. Quelquefois il s'écriait : « Je vous ai créés; donc j'ai le droit de faire de vous ce que je veux. Vous ne m'avez rien fait, je ne dis pas le contraire. Je vous fais souffrir, et c'est pour mon plaisir.» Et il reprenait son repas cruel, en remuant sa mâchoire inférieure, laquelle remuait sa barbe pleine de cervelle. O lecteur, ce dernier détail ne te fait-il pas venir l'eau à la bouche? (...)

*Ibid.*, II, 22.

---

Les magasins de la rue Vivienne étalent leurs richesses aux yeux émerveillés. Eclairés par de nombreux becs de gaz, les coffrets d'acajou et les montres en or répandent à travers les vitrines des gerbes de lumière éblouissante. Huit heures ont sonné à l'horloge de la Bourse : ce n'est pas tard! A peine le dernier coup de marteau s'est-il fait entendre, que la rue, dont le nom a été cité, se met à trembler, et secoue ses fondements depuis la place Royale jusqu'au boulevard Montmartre. Les promeneurs hâtent le pas, et se retirent pensifs dans leurs maisons. Une femme s'évanouit et tombe sur l'asphalte. Personne ne la relève : il tarde à chacun de s'éloigner de ce parage. Les volets se referment avec impétuosité, et les habitants s'enfoncent dans leurs couvertures. On dirait que la peste asiatique a révélé sa présence. Ainsi, pendant que la plus grande partie de la ville se prépare à nager dans les réjouissances des fêtes nocturnes, la rue Vivienne se trouve subitement glacée par une sorte de pétrification. Comme un cœur qui cesse d'aimer, elle a vu sa vie éteinte. Mais, bientôt, la nouvelle du phénomène se répand dans les autres couches de la population, et un silence morne plane sur l'auguste capitale. Où sont-ils passés, les becs de gaz? Que sont-elles devenues, les vendeuses d'amour? Rien... la solitude et l'obscurité! Une chouette, volant dans une direction rectiligne, et dont la patte est cassée, passe au-dessus de la Madeleine, et prend son essor vers la barrière du Trône, en s'écriant : «Un malheur se prépare.» Or, dans cet endroit que ma plume (ce véritable ami qui me sert de compère) vient de rendre mystérieux, si vous regardez du côté par où la rue Colbert s'engage dans la rue Vivienne, vous verrez, à l'angle formé par le croisement de ces deux voies, un personnage montrer sa silhouette, et diriger sa marche légère vers les boulevards. Mais, si l'on s'approche davantage, de manière à ne pas amener sur soi-même l'attention de ce passant, on s'aperçoit, avec un agréable étonnement, qu'il est jeune! De loin on l'aurait pris en effet pour un homme mûr. La somme des jours ne compte plus, quand il s'agit d'apprécier la capacité intellectuelle d'une figure sérieuse. Je me connais à lire l'âge dans les lignes physiognomoniques du front : il a seize ans et quatre mois! Il est beau comme la rétractilité des serres des oiseaux rapaces; ou encore, comme l'incertitude des mouvements musculaires dans les plaies des parties molles de la région cervicale postérieure; ou plutôt, comme ce piège à rats perpétuel, toujours retendu par l'animal pris, qui peut prendre seul des rongeurs indéfiniment, et fonctionner même caché sous la paille; et surtout, comme la rencontre fortuite sur une table de dissection d'une machine à coudre et d'un parapluie! Mervyn[1], ce fils de la blonde Angleterre, vient de prendre chez son professeur une leçon d'escrime, et, enveloppé dans son tartan écossais, il retourne chez ses parents. C'est huit heures et demie, et il espère arriver chez lui à neuf heures : de sa part, c'est une grande présomption que de feindre d'être certain de connaître l'avenir. Quelque obstacle imprévu ne peut-il l'embarrasser dans sa route? Et cette circonstance, serait-elle si peu fréquente, qu'il dût prendre sur lui de la considérer comme une exception? Que ne considère-t-il plutôt, comme un fait anormal, la possibilité qu'il a eue jusqu'ici de se sentir dépourvu d'inquiétude et pour ainsi dire heureux? De quel droit en effet prétendrait-il gagner indemne sa demeure, lorsque quelqu'un le guette et le suit par derrière comme sa future proie? (Ce serait bien peu connaître sa profession d'écrivain à sensation, que de ne pas, au moins, mettre en avant les restrictives interrogations après lesquelles arrive immédiatement la phrase que je suis sur le point de terminer.) Vous avez reconnu le héros imaginaire qui, depuis un long temps, brise par la pression de son individualité ma malheureuse intelligence! Tantôt Maldoror se rapproche de Mervyn, pour graver dans sa mémoire les traits de cet adolescent; tantôt, le corps rejeté en arrière, il recule sur lui-même comme le boomerang d'Australie, dans la deuxième période de son trajet, ou plutôt, comme une machine infernale. Indécis sur ce qu'il doit faire. Mais, sa conscience n'éprouve aucun symptôme d'une émotion la plus embryogénique, comme à tort vous le supposeriez. Je le vis s'éloigner un instant dans une direction opposée; était-il accablé par le remords? Mais, il revint sur ses pas avec un nouvel acharnement. Mervyn ne sait pas pourquoi ses artères temporales battent avec force, et il presse le pas, obsédé par une frayeur dont lui et vous cherchent vainement la cause. Il faut lui tenir compte de son application à découvrir l'énigme. Pourquoi ne se retourne-t-il pas? Il comprendrait tout. Songe-t-on jamais aux moyens les plus simples de faire cesser un état alarmant? (...)

*Ibid.*, VI, 1.

1. Nom fréquent en Grande-Bretagne ; porté par un héros de Walter Scott dans *Guy Mannering*.

---

Le Tout-Puissant avait envoyé sur la terre un de ses archanges, afin de sauver l'adolescent d'une mort certaine. Il sera forcé de descendre lui-même! Mais, nous ne sommes point encore arrivés à cette partie de notre récit, et je me vois dans l'obligation de fermer ma bouche, parce que je ne puis pas tout dire à la fois : chaque truc à effet paraîtra dans son lieu, lorsque la trame de cette fiction n'y verra point d'inconvénient. Pour ne pas être reconnu, l'archange avait pris la forme d'un crabe tourteau, grand comme une vigogne. Il se tenait sur la pointe d'un écueil, au milieu de la mer, et attendait le favorable moment de la marée, pour opérer sa descente sur le rivage. L'homme aux lèvres de jaspe, caché derrière une sinuosité de la plage, épiait l'animal, un bâton à la main. Qui aurait désiré lire dans la pensée de ces deux êtres? Le premier ne se cachait pas qu'il avait une mission difficile à accomplir : «Et comment réussir, s'écriait-il, pendant que les vagues grossissantes battaient son refuge temporaire, là où mon maître a vu plus d'une

Odilon Redon (1840-1916), *La naissance de la pensée*, dessin, 1885.
(Graphische Sammlung, Staatsgalerie, Stuttgart.)

fois échouer sa force et son courage? Moi, je ne suis qu'une substance limitée, tandis que l'autre, personne ne sait d'où il vient et quel est son but final. A son nom, les armées célestes tremblent; et plus d'un raconte, dans les régions que j'ai quittées, que Satan lui-même, Satan, l'incarnation du mal, n'est pas si redoutable.» Le second faisait les réflexions suivantes; elles trouvèrent un écho, jusque dans la coupole azurée qu'elles souillèrent : « Il a l'air plein d'inexpérience; je lui réglerai son compte avec promptitude. Il vient sans doute d'en haut, envoyé par celui qui craint tant de venir lui-même! Nous verrons, à l'œuvre, s'il est aussi impérieux qu'il en a l'air; ce n'est pas un habitant de l'abricot terrestre; il trahit son origine séraphique par ses yeux errants et indécis.» Le crabe tourteau, qui, depuis quelque temps, promenait sa vue sur un espace délimité de la côte, aperçut notre héros (celui-ci, alors, se releva de toute la hauteur de sa taille herculéenne), et l'apostropha dans les termes qui vont suivre : «N'essaie pas la lutte et rends-toi. Je suis envoyé par quelqu'un qui est supérieur à nous deux, afin de te charger de chaînes, et mettre les deux membres complices de ta pensée dans l'impossibilité de remuer. Serrer des couteaux et des poignards entre tes doigts, il faut que désormais cela te soit défendu, crois-m'en; aussi bien dans ton intérêt que dans celui des autres. Mort ou vif, je t'aurai; j'ai l'ordre de t'amener vivant. Ne me mets pas dans l'obligation de recourir au pouvoir qui m'a été prêté. Je me conduirai avec délicatesse; de ton côté, ne m'oppose aucune résistance. C'est ainsi que je reconnaîtrai, avec empressement et allégresse, que tu auras fait un premier pas vers le repentir.» Quand notre héros entendit cette harangue, empreinte d'un sel si profondément comique, il eut de la peine à conserver le sérieux sur la rudesse de ses traits hâlés. Mais, enfin, chacun ne sera pas étonné si j'ajoute qu'il finit par éclater de rire. C'était plus fort que lui! Il n'y mettait pas de la mauvaise intention! Il ne voulait certes pas s'attirer les reproches du crabe tourteau! Que d'efforts ne fit-il pas pour chasser l'hilarité! Que de fois ne serra-t-il point ses lèvres l'une contre l'autre, afin de ne pas avoir l'air d'offenser son interlocuteur épaté! Malheureusement son caractère participait de la nature de l'humanité, et il riait ainsi que font les brebis! Enfin il s'arrêta! Il était temps! (...)

*Ibid.,* VI, 6.

(p. 259-264)
**1.** Etudier les rapports entre : scripteur / Maldoror / lecteur, dans chacun des extraits (jeu des pronoms, ambiguïté sur l'identité du narrateur, interventions du scripteur...).
**2.** (I, 3) La fascination du mal (thèmes et procédés); comment est-elle battue en brèche par la désinvolture?
**3.** (II, 22/VI, 6) Le thème de la révolte métaphysique; les procédés de dérision. La dimension parodique : voir l'alliance d'un lyrisme éclatant et de clichés dans le portrait angélique; les métaphores religieuses; les références "baudelairiennes"; les souvenirs de Dante (*L'inferno :* chants I, XVIII, XXIV, XXXII); la délectation sadique. Fonction de la métamorphose et parodie de l'épopée dans VI, 6.
**4.** (VI, 1) Comment le climat de mystère et d'angoisse est-il créé? La parodie des romans populaires à la Eugène Sue (détails, "ficelles" du mélo, personnages types...). Les interventions du narrateur (pour "crétiniser" ou démystifier le lecteur?). Pourquoi les surréalistes aimeront-ils ces pages? (Voir le merveilleux urbain et les comparaisons insolites.)

## Germain Nouveau (1851-1920)

Etrange vie que celle de ce vagabond barbu qui emprunta deux voies bien incertaines dans notre société : vivre de poésie ou de pauvreté évangélique.

Né à Pourrières dans le Var, orphelin de bonne heure, il "monte" à Paris en 1872, se mêle à la bohème littéraire, fréquente Richepin, Cros, puis Rimbaud en 1873 avec qui il séjourne quelque temps à Londres, Verlaine en 1875 auquel le lie le souvenir de Rimbaud. Peu doué pour une vie régulière, comme il faut manger pour vivre, il est pendant cinq ans employé dans un ministère, écrit des articles, enseigne le français, le dessin. Le 14 mai 1891 une crise mystique s'empare du poète (alcoolisme et "délire mélancolique" concluent les médecins qui le gardent à Bicêtre quelques mois). Toujours en quête d'un lieu "où se fixer", les errances du trimardeur Humilis le mènent en Provence, en Italie, en Algérie ; en 1893, il rêve même de retrouver à Aden Rimbaud à qui il écrit, ignorant sa mort. En 1911, il revient à Pourrières. "Echappé au monde", dans la bourgade provençale où il mène une vie de piété et de totale pauvreté, vivant de charité, le bruit de la guerre ne semble pas l'atteindre. On le retrouve mort, décharné, un jour d'avril 1920.

L'œuvre reflète les hésitations et l'itinéraire du poète. Nombre des poèmes écrits entre 1872 et 1878, *les Dixains réalistes* (1875) s'égrènent dans les revues du temps. Le recueil de *la Doctrine de l'amour,* d'un christianisme sentimental, écrit entre 1879 et 1881, peut-être sous l'influence de Verlaine, sera publié en 1904 contre la volonté de l'auteur. Le recueil suivant, *les Valentines,* écrit entre 1885 et 1887, célébrant la vie légère, la femme, ne sera publié qu'après la mort du poète, en 1922. Il renoncera de même à publier l'*Ave Marie Stella* écrit à Pourrières en 1911.

Sans verte étoile au ciel, ni nébuleuse blanche,
Sur je ne sais quel Styx morne, au centre de l'O
Magnifique qui vibre autour de lui sur l'eau,
Mélancoliquement mon esprit fait la planche.

*Poèmes,* Gallimard éd.

---

Cheminant rue aux Ours, un soir que dans la neige
s'effeuillait ma semelle en galette : — Oh! que n'ai-je,
me dis-je, l'habit bleu barbeau, les boutons d'or,
la culotte nankin, et le gilet encor,
le beau gilet à fleurs où se fane la gloire
d'une famille, et, bien reprisés par Victoire,
les bas de cotonnade, et, chères aux nounous,
les syllabes en cœur du patois de chez nous...
Car un *Bureau* disait sur une plaque mince :
« On demande un jeune homme arrivant de province. »

*Dixains réalistes,* V, Gallimard éd.

## LA ROTROUENGE[1] DES FOUS DE BICÊTRE

Vous qui filez nos jours, ô Parques filandières,
Vous les savez filer de diverses matières,
Et des fous de Bicêtre où le flux a son cours
C'est de lin et de... hum! que vous filez les jours.

Vous qui filez nos jours, ô Parques filandières,
Vous savez les filer de diverses manières,
Et des fous de Bicêtre à tourner dans les cours
C'est en ronds et carrés que vous filez les jours.

Cependant qu'à guenon, ô Parques filandières,
10 Vous qui filez nos jours de diverses manières,
A guenon et sagouin du voyage à long cours
C'est en zig et en zag
C'est en joyeux zigzags que vous filez les jours.

Vous qui filez nos jours, ô Parques filandières,
Si filez-vous les nuits sous toutes les paupières,
Et des fous de Bicêtre à rêver dans leurs lits
C'est de Vases dorés que vous filez les nuits.

C'est là que d'ortolans, ô Parques filandières,
Vous filâtes mes jours quatre lunes plénières;
20 Mais or que pour souper je danse comme un ours,
Ce n'est de vermicelle où vous filez mes jours.

*Poèmes*, Gallimard éd.

1. Petit poème du Moyen Age composé de plusieurs strophes et d'un refrain.

## Tristan Corbière (1845-1875)

"On m'a manqué ma vie!.. une vie à peu près." (Sous un portrait de Corbière.)

Une vie placée sous le signe de la difficulté d'être : pour se dire, le poète inventera une langue nouvelle de détresse et de sarcasme. Pauvre "voleur d'étincelles"! Le père, ancien capitaine au long cours, directeur d'une compagnie de navigation, écrivain à succès (notamment pour son roman *Le Négrier*) sera un modèle impossible à imiter. Après une enfance heureuse dans la propriété du Launay, près de Morlaix, le jeune Edouard-Joachim, qui choisira le prénom de Tristan, de santé délicate, devra interrompre ses études à cause de rhumatismes articulaires qui le laisseront partiellement infirme, " dépareillé partout", et le voueront à une vie solitaire et oisive. Le jeune homme dégingandé que les Morlaisiens surnomment l'An-Ankou - le spectre de la mort - ne se réconciliera jamais avec son image, accusant au contraire sa laideur et ses disgrâces : "ce crapaud-là c'est moi". Il aime la mer, mais ne pourra que jouer à l'aventure maritime au large des côtes bretonnes, sur ses cotres, ou hanter les tavernes de matelots. Ses déguisements, canulars et provocations seront une manière de dénoncer la dérision de sa vie.

A Roscoff, où il vit depuis 1863, il rencontre un groupe de peintres parisiens; c'est avec l'un d'eux, J.-L. Hamon, qu'il voyagera en Italie en 1869-70. L'année suivante il rencontre à Roscoff le Comte de Battine et son amie l'actrice Armida Cochiani, qui va lui inspirer une passion condamnée d'avance, et qu'il chantera sous le nom de Marcelle. Sa vie se partagera entre Paris et la Bretagne, dans le sillage du couple ami. En 1873, le recueil des *Amours jaunes,* publié à ses frais, passe à peu près inaperçu. Le 20 décembre 1874, on retrouve le poète inanimé dans son appartement parisien. Ramené à Morlaix, il mourra le 1er mars 1875 dans une chambre à sa demande remplie de bruyère. Bien que sauvée de l'oubli par Verlaine qui, en 1883, lui consacra sa première rubrique des *Poètes maudits* dans la Revue *Lutèce,* et appréciée par les symbolistes, la poésie de T. Corbière fut longtemps méprisée pour ce qu'on jugeait être des imperfections. Breton et les surréalistes salueront en lui un des maîtres de l'humour noir. Notre époque découvre enfin l'art de celui qui voulut chanter "juste faux". Les variantes et corrections prouvent, s'il en était besoin, sa volonté de désarticuler le vers, de "désécrire la phrase", dit Ch. Angelet, le refus délibéré des lois de l'harmonie ou de la rhétorique. Langage discontinu, images heurtées, où affleure parfois la tendresse, témoignage du déchirement de celui qui "aima jaune" dans un monde désaccordé et sut donner à la poésie un pouvoir de rupture.

*Les amours jaunes* (1873); *Le casino des trépassés; L'Américaine* (1874) : publiés dans *La vie parisienne.*

## ÉPITAPHE

Il se tua d'ardeur, ou mourut de paresse.
S'il vit, c'est par oubli; voici ce qu'il se laisse :

— Son seul regret fut de n'être pas sa maîtresse. —

> Il ne naquit par aucun bout,
> Fut toujours poussé vent-de-bout,
> Et fut un arlequin-ragoût,
> Mélange adultère de tout.

Du *je-ne-sais-quoi.* – Mais ne sachant où;
De l'or, – mais avec pas le sou;

10 Des nerfs, – sans nerf. Vigueur sans force;
De l'élan, – avec une entorse;
De l'âme, – et pas de violon;
De l'amour, – mais pire étalon.
– Trop de noms pour avoir un nom. –

Coureur d'idéal, – sans idée;
Rime riche, – et jamais rimée;
Sans avoir été, – revenu;
Se retrouvant partout perdu.

Poète, en dépit de ses vers;
20 Artiste sans art, – à l'envers,
Philosophe, – à tort à travers.

Un drôle sérieux, – pas drôle.
Acteur, il ne sut pas son rôle;
Peintre : il jouait de la musette;
Et musicien : de la palette.

Une tête! – mais pas de tête;
Trop fou pour savoir être bête;
Prenant pour un trait le mot *très.*
– Ses vers faux furent ses seuls vrais.

30 Oiseau rare – et de pacotille;
Très mâle... et quelquefois très *fille :*
Capable de tout, – bon à rien;
Gâchant bien le mal, mal le bien.
Prodigue comme était l'enfant
Du Testament, – sans testament.
Brave, et souvent, par peur du plat,
Mettant ses deux pieds dans le plat.

Coloriste enragé, – mais blême;
Incompris... – surtout de lui-même,
40 Il pleura, chanta juste faux;
– Et fut un défaut sans défauts.

Ne fut *quelqu'un,* ni quelque chose
Son naturel était la *pose.*
Pas poseur, – posant pour *l'unique;*
Trop naïf, étant trop cynique;
Ne croyant à rien, croyant tout.
– Son goût était dans le dégoût.

Trop cru, – parce qu'il fut trop cuit,
Ressemblant à rien moins qu'à lui,
50 Il s'amusa de son ennui,
Jusqu'à s'en réveiller la nuit.

Flâneur au large, − à la dérive,
Epave qui jamais n'arrive...

Trop *Soi* pour se pouvoir souffrir,
L'esprit à sec et la tête ivre,
Fini, mais ne sachant finir,
Il mourut en s'attendant vivre
Et vécut, s'attendant mourir.

Ci-gît, − cœur sans cœur, mal planté,
60  Trop réussi, − comme *raté*.

*Les amours jaunes, "Ça".*


## PAYSAGE MAUVAIS

Sables de vieux os − Le flot râle
Des glas : crevant bruit sur bruit...
− Palud pâle, où la lune avale
De gros vers, pour passer la nuit.

− Calme de peste, où la fièvre
Cuit... Le follet damné languit.
− Herbe puante où le lièvre
Est un sorcier poltron qui fuit...

− La Lavandière blanche étale
Des trépassés le linge sale,
Au *soleil des loups*... − Les crapauds,

Petits chantres mélancoliques
Empoisonnent de leurs coliques,
Les champignons, leurs escabeaux.

*Marais de Guérande, Avril.*

*Ibid., "Armor".*


## LE NAUFRAGEUR

Si ce n'était pas vrai − Que je crève!
. . . . . . . . . . . . . . . . . . . . . . . . . . .

J'ai vu dans mes yeux, dans mon rêve,
La Notre-Dame des Brisans
Qui jetait à ses pauvres gens
Un gros navire sur leur grève...
Sur la grève des Kerlouans
Aussi goélands que les goélands.

Le sort est dans l'eau : le cormoran nage,
Le vent bat en côte, et c'est le *Mois Noir*...
10  Oh! moi je sens bien de loin le naufrage!
Moi j'entends là-haut chasser le nuage!
Moi je vois profond dans la nuit, sans voir!

Moi je siffle quand la mer gronde,
Oiseau de malheur à poil roux!..
J'ai promis aux douaniers de ronde,
Leur part, pour rester dans leurs trous...
Que je sois seul! − oiseau d'épave
Sur les brisans que la mer lave...

. . . . . . . . . . . . . . . . . . . . . . . . .

Oiseau de malheur à poil roux!

20    − Et qu'il vente la peau du diable!
Je sens ça déjà sous ma peau.
La mer moutonne!.. Ho, mon troupeau!
− C'est moi le berger, sur le sable...

L'enfer fait l'amour. − Je ris comme un mort −
Sautez sous le *Hû!*.. le *Hû* des rafales,
Sur les *noirs taureaux sourds, blanches cavales !*
Votre écume à moi, *cavales d'Armor!*
Et vos crins au vent!.. − Je ris comme un mort −

Mon père était un vieux *saltin*[1]
30    Ma mère une vieille *morgate*[2]..
Une nuit, sonna le tocsin :
− Vite à la côte : une frégate! −
... Et dans la nuit, jusqu'au matin,
Ils ont tout rincé la frégate...

− Mais il dort mort le vieux *saltin,*
Et morte la vieille *morgate*...
Là-haut, dans le paradis saint,
Ils n'ont plus besoin de frégate.

Banc de Kerlouan, Novembre.
*Ibid.,* "Armor - Gens de mer".

1. Pilleur d'épaves. 2. Pieuvre.

## RONDEL

Il fait noir, enfant, voleur d'étincelles!
Il n'est plus de nuits, il n'est plus de jours;
Dors... en attendant venir toutes celles
Qui disaient : Jamais! Qui disaient : Toujours!

Entends-tu leurs pas?.. Ils ne sont pas lourds :
Oh! les pieds légers! − l'Amour a des ailes...
Il fait noir, enfant, voleur d'étincelles!

Entends-tu leurs voix?.. Les caveaux sont sourds.
Dors : Il pèse peu, ton faix d'immortelles;
Ils ne viendront pas, tes amis les ours,

Jeter leur pavé sur tes demoiselles...
Il fait noir, enfant, voleur d'étincelles!

*Rondels pour après.*


## PETIT MORT POUR RIRE

Va vite, léger peigneur de comètes!
Les herbes au vent seront tes cheveux;
De ton œil béant jailliront les feux
Follets, prisonniers dans les pauvres têtes...

Les fleurs de tombeau qu'on nomme Amourettes
Foisonneront plein ton rire terreux...
Et les myosotis, ces fleurs d'oubliettes...

Ne fais pas le lourd : cercueils de poètes
Pour les croque-morts sont de simples jeux,
Boîtes à violon qui sonnent le creux...
Ils te croiront mort — Les bourgeois sont bêtes —
Va vite, léger peigneur de comètes!

*Ibid.*

## Charles Cros (1842-1888)

Trop connu, mal connu, Charles Cros, malgré le jugement sûr de Verlaine dans *Hommes d'aujourd'hui,* devra attendre le surréalisme pour voir reconnaître sa valeur de poète.

Après des études disparates (langues anciennes et modernes, mathématiques, musique, médecine) il mènera à partir de 1867 une vie de bohème autodidacte.

Sa vie durant, avec une belle constance, il poursuivra des recherches scientifiques, sur la photographie en couleurs, les communications interastrales, le phonographe, qu'il conçoit en 1877, un an avant Emerson. Inventif, mais indiscipliné, il travaille en amateur génial, quitte à cultiver l'orgueilleuse amertume des esprits méconnus.

Celui que son époque connaîtra surtout, c'est l'homme de café et de salon, le fantaisiste, un des plus voyants fleurons de cette bohème pittoresque de la fin du Second Empire. En 1868, commence sa liaison orageuse et passionnée avec Nina de Villars, "la fauve", dans le salon de laquelle il rencontre parnassiens et symbolistes, et pour laquelle il commence à écrire. Le besoin de camaraderie et de libres propos, et bientôt le mirage de l'absinthe, en font un habitué des cercles et des cafés en vogue. Dans ces cadres propices à la fantaisie, à l'humour "artiste" et aux jeux verbaux, – et pour se procurer quelques revenus – il réinvente à partir de 1875 pour Coquelin, puis au *Chat noir,* le genre médiéval du "monologue", où il excelle et qui lui vaut sa réputation d'humoriste.

Le côté voyant du personnage a longtemps masqué l'œuvre du poète. *Le coffret de santal,* d'inspiration surtout amoureuse, est publié en 1873 ; son fils regroupe dans le recueil posthume *Le collier de griffes* (1908) des plaquettes de vers parues de 1869 à sa mort dans les revues du temps. L'œuvre frappe par la diversité de l'inspiration et des manières. S'il a lu les poètes de son temps, les parnassiens à qui il ressemble par la sobriété, Baudelaire, Rimbaud, Verlaine, plus chers à son cœur, il cherche vite des formes originales, expérimentant strophes et rythmes, dizains, scherzos, triolets, sonnets quasi précieux, chansons populaires, ballades nostalgiques ou pastiches railleurs : le vers est spontané, sensible aux contradictions intimes, accueillant l'image insolite du fantaisiste et du rêveur.

Romantique de cœur, il croit au rêve, au pouvoir de l'esprit, de la poésie ; mais vite une cassure se creuse entre le moi et le monde, et comme chez Corbière, l'humour et l'ironie sont la pudeur du désenchantement et du doute. Humour contre la platitude bourgeoise et la pesanteur des gens "graves, graves, graves", contre les femmes et les grands sentiments, contre la poésie elle-même et contre soi.

## CONCLUSION

J'ai rêvé les amours divins,
L'ivresse des bras et des vins,
L'or, l'argent, les royaumes vains,

Moi, dix-huit ans, Elle, seize ans.
Parmi les sentiers amusants
Nous irions sur nos alezans.

Il est loin le temps des aveux
Naïfs, des téméraires vœux !
Je n'ai d'argent qu'en mes cheveux.

Les âmes dont j'aurais besoin
Et les étoiles sont trop loin.
Je vais mourir soûl, dans un coin.

*Le coffret de santal,* "Chansons perpétuelles".


## TRIOLETS FANTAISISTES

Sidonie a plus d'un amant,
C'est une chose bien connue
Qu'elle avoue, elle, fièrement.
Sidonie a plus d'un amant
Parce que, pour elle, être nue
Est son plus charmant vêtement.
C'est une chose bien connue,
Sidonie a plus d'un amant.

Elle en prend à ses cheveux blonds
10 Comme, à sa toile, l'araignée
Prend les mouches et les frelons.
Elle en prend à ses cheveux blonds.
Vers sa prunelle ensoleillée
Ils volent, pauvres papillons.
Comme, à sa toile, l'araignée
Elle en prend à ses cheveux blonds.

Elle en attrape avec les dents
Quand le rire entr'ouvre sa bouche
Et dévore les imprudents.
20 Elle en attrape avec les dents.
Sa bouche, quand elle se couche,
Reste rose et ses dents dedans.
Quand le rire entr'ouvre sa bouche
Elle en attrape avec les dents.

Elle les mène par le nez,
Comme fait, dit-on, le crotale
Des oiseaux qu'il a fascinés.
Elle les mène par le nez.
Quand dans une moue elle étale
30 Sa langue à leurs yeux étonnés,
Comme fait, dit-on, le crotale
Elle les mène par le nez.

Sidonie a plus d'un amant,
Qu'on le lui reproche ou l'en loue
Elle s'en moque également.
Sidonie a plus d'un amant.
Aussi, jusqu'à ce qu'on la cloue
Au sapin de l'enterrement,
Qu'on le lui reproche ou l'en loue,
40 Sidonie aura plus d'un amant.

*Ibid.,* "Passé".

## SONNET

A travers la forêt des spontanéités,
Ecartant les taillis, courant par les clairières,
Et cherchant dans l'émoi des soifs aventurières
L'oubli des paradis pour un instant quittés,

Inquiète, cheveux flottants, yeux agités,
Vous allez et cueillez des plantes singulières,
Pour parfumer l'air fade et pour cacher les pierres
De la prison terrestre où nous sommes jetés.

Et puis, quand vous avez groupé les fleurs coupées,
Vous vous ressouvenez de l'idéal lointain,
Et leur éclat, devant ce souvenir, s'éteint.

Alors l'ennui vous prend. Vos mains inoccupées
Brisent les pâles fleurs et les jettent au vent.
Et vous recommencez ainsi, le jour suivant.

*Ibid.,* "Vingt sonnets".


## AVENIR

Les coquelicots noirs et les bleuets fanés
Dans le foin capiteux qui réjouit l'étable,
La lettre jaunie où mon aïeul respectable
A mon aïeule fit des serments surannés,

La tabatière où mon grand-oncle a mis le nez,
Le trictrac incrusté sur la petite table
Me ravissent. Ainsi dans un temps supputable
Mes vers vous raviront, vous qui n'êtes pas nés.

Or, je suis très vivant. Le vent qui vient m'envoie
Une odeur d'aubépine en fleur et de lilas,
Le bruit de mes baisers couvre le bruit des glas.

O lecteurs à venir, qui vivez dans la joie
Des seize ans, des lilas et des premiers baisers,
Vos amours font jouir mes os décomposés.

*Ibid.*

## LE VAISSEAU-PIANO

Le vaisseau file avec une vitesse éblouissante sur l'océan de la fantaisie,

Entraîné par les vigoureux efforts des rameurs, esclaves de diverses races imaginaires.

Imaginaires, puisque leurs profils sont tous inattendus, puisque leurs torses nus sont de couleurs rares ou impossibles chez les races réelles.

Il y en a de verts, de bleus, de rouge-carmin, d'orangés, de jaunes, de vermillons, comme sur les peintures murales égyptiennes.

Au milieu du vaisseau est une estrade surélevée et sur l'estrade un très long piano à queue.

Une femme, la Reine des fictions, est assise devant le clavier. Sous ses doigts roses, l'instrument rend des sons veloutés et puissants qui couvrent le chuchotement des vagues et les soupirs de force des rameurs.

L'océan de la fantaisie est dompté, aucune vague n'en sera assez audacieuse pour gâter le dehors du piano, chef-d'œuvre d'ébénisterie en palissandre miroitant, ni pour mouiller le feutre des marteaux et rouiller l'acier des cordes.

La symphonie dit la route aux rameurs et au timonier.

Quelle route? et à quel port conduit-elle? Les rameurs n'en savent trop rien, ni le timonier. Mais ils vont, sur l'océan de la fantaisie, toujours en avant, toujours plus courageux.

Voguer, en avant, en avant! la Reine de la fiction le dit en sa symphonie sans fin. Chaque mille parcouru est du bonheur conquis, puisque c'est s'approcher du but suprême et ineffable, fût-il à l'infini inaccessible.

En avant, en avant, en avant!

*Ibid.,* "Fantaisies en prose", III.

# Décadents et symbolistes

L'idéal parnassien ne résume pas toutes les aspirations des années 1870 : depuis 1869, Mallarmé, encore peu connu, oriente sa poésie vers une recherche de l'absolu; dès avant 1873, Lautréamont, Rimbaud, Verlaine ont tracé leur sillage. Charles Cros publie depuis 1869. La richesse de la vie intellectuelle et artistique est attestée par l'abondance des revues et des cafés littéraires où, artistes plus ou moins bohèmes et bourgeois cherchent de nouveaux stimulants du corps et de l'esprit : cercle des *Vilains bonshommes,* dès 1871 (Verlaine, Rimbaud, Cros); cercle des *Zutistes* (Cros, Allais, Verlaine, Rimbaud, Richepin, Nouveau); cercle des *Hydropathes,* en 1878, qui aura près de 500 habitués, dont Cros; des *Hirsutes,* place Saint-Michel, de 1881 à 1883; le cabaret du *Chat noir,* boulevard Rochechouart, puis rue de Laval, où se retrouvaient Allais, Cros, Moréas, Samain, Satie, Debussy...

## Les décadents

Dans les années 1883-85, un "mal fin de siècle" apparaît; rejetant les théoriciens du progrès, le matérialisme de l'époque, le naturalisme, une génération de jeunes poètes cultive une sensibilité baudelairienne : ennui, horreur de la nature et du vulgaire, raffinement aristocratique. Le terme de "décadents", lancé d'abord par des critiques conservateurs, deviendra leur titre de gloire. Il faut, dit Mallarmé, "tourner l'épaule à la vie".

Le courant s'est préparé peu à peu : en 1883, Verlaine, dans la revue *Lutèce,* a fait connaître Corbière, Rimbaud, Mallarmé; le recueil de Maurice Rollinat, les *Névroses,* aujourd'hui oublié, connaît un succès symptomatique. Paul Bourget, dans ses *Essais de philosophie contemporaine,* de 1881 à 83, décrit les "solitaires et bizarres névroses" résultant de la "nausée universelle devant les insuffisances de ce monde", reconnaît un frère et un maître en Baudelaire, chantre des fins d'automne, remuant ce "je ne sais quoi de sensuellement triste que nous portons en nous". Laforgue, en 1885, lui dédie ses *Complaintes* alliant humour et désespoir spirituel : "Toute la littérature que je m'arracherai des entrailles pourra se résumer dans ce mot de peine d'enfant, *faire dodo* (avec la faculté de se réveiller !)". L'image d'Hamlet, "l'adolescent évanoui de nous au commencement de la vie", dit Mallarmé, hante Laforgue et Bourget. Des Esseintes, le héros de *A rebours* de Huysmans (mai 1884), lecteur de Corbière et Mallarmé, devient le prototype de cette sensibilité spleenétique qui veut "substituer le rêve de la réalité à la réalité même". La même année, Jean Moréas publie *Les Syrtes,* illustrant ce néo-romantisme.

Les nouveaux poètes, René Ghil, Kahn, Laforgue, Régnier, Viélé-Griffin, ont trouvé leurs maîtres : outre Verlaine, Mallarmé qui sort de l'ombre, Baudelaire, on aime Leconte de Lisle pour son désenchantement, le Flaubert de la *Tentation de Saint-Antoine,* Gustave Moreau, Odilon Redon, les préraphaélites anglais, la musique wagnérienne.

En 1885, un ouvrage va concentrer en les raillant les pratiques et tendances littéraires diffuses du mouvement : *Les déliquescences d'Adoré Floupette,* "publié par l'éditeur Léon Vanné, à Byzance, présenté par Marius Tapora, pharmacien de 2$^e$ classe", œuvre d'Henri Beauclair et de Gabriel Vicaire :

"Nos pères étaient forts et leurs rêves ardents
S'envolaient d'un coup d'aile au pays de Lumière.
Nous, dont la fleur dolente est la Rose trémière,
Nous n'avons plus de cœur, nous n'avons plus de dents!"

Crise de l'esprit et du langage, idées et écritures différentes : c'est l'amorce, dès la fin de 1885, d'un renouveau de l'art. Certaines revues en seront le support : *Le décadent* (avril 1886-89); *La vogue* (avril 1886); *Le Scapin* (septembre 1886); *La décadence* (octobre 1886).

Parallèlement, en Belgique, depuis 1881, deux revues ont pris leur essor : *Art moderne* et *Jeune Belgique;* une nouvelle poésie s'élabore, à la fois visuelle et symbolique, cherchant une synthèse entre romantisme et réalisme. Les jeunes poètes ont nom : Rodenbach, Verhaeren, Elskamp, Van Lerberghe, et surtout Maeterlinck.

## Les symbolistes

En 1886 apparaît le nom de "symbolisme", et va s'affirmer un mouvement qui marque toute la fin du siècle, poursuit la révolution poétique amorcée par le romantisme et Baudelaire; il concerne aussi le roman et le théâtre.

C'est le "Manifeste littéraire" de Moréas, dans le supplément littéraire du *Figaro* du 18 septembre 1886, qui en propose une première définition : "Ennemie de l'enseignement, la déclamation, la fausse sensibilité, la description objective, la poésie symbolique cherche à vêtir l'Idée d'une forme sensible qui, néanmoins, ne serait pas son but à elle-même, mais qui, tout en servant à exprimer l'Idée, demeurerait sujette. L'Idée, à son tour, ne doit point se laisser voir privée des somptueuses simarres des analogies extérieures..."

Les foyers de la nouvelle tendance se développent : depuis 1880, Mallarmé, rue de Rome, reçoit les jeunes poètes. La revue *Le symboliste,* dirigée par Kahn, regroupe à partir de 1886 Moréas, Ajalbert, Laforgue, Barrès, Huysmans, Mallarmé, Verlaine, Wyzewa... *La pléiade* est fondée la même année par un groupe de poètes français et belges, dont Stuart Merrill et Maeterlinck. *Le mercure de France,* fondée en 1889, lui succèdera.

Quelles influences reconnaît-on ? Rimbaud le Révolté, celui qui dit "La vraie vie est absente" (en 1886, sont publiées *Les illuminations*) ; Laforgue, Cros, dont les revues publient les poèmes ; Villiers de l'Isle-Adam, le détracteur du positivisme ; Lautréamont, enfin découvert, Mallarmé, Corbière...

La révolution symboliste va de pair avec un renouveau de l'idéalisme philosophique et une conception subjective du monde : Hegel, Kant, et surtout Schopenhauer exercent une profonde influence ; en 1889, Bergson publie son *Essai sur les données immédiates de la conscience.*

Dans le passé, les préférences vont vers la décadence latine, dont Tailhade, Huysmans, Pierre Louÿs, Rémy de Gourmont se nourrissent. Le renouveau de spiritualité restaure le goût du Moyen Age : Maeterlinck découvre la poésie et la mystique du Moyen Age en traduisant *L'ornement des noces spirituelles* de Ruysbroeck l'Admirable. Les préoccupations d'ordre ésotérique enfin, sont fréquentes.

Comment se définit le symbolisme ? Ecoutons Mallarmé répondant en 1891 à l'enquête de Jules Huret sur la littérature contemporaine : "Je crois que, quant au fond, les jeunes sont plus près de l'idéal poétique que les parnassiens qui traitent encore leurs sujets à la façon des vieux philosophes et des vieux rhéteurs, en présentant les objets directement. Je pense qu'il faut, au contraire, qu'il n'y ait qu'allusion. La contemplation des objets, l'image s'envolant des rêveries suscitées par eux, sont le chant : les parnassiens, eux, prennent les choses entièrement et les montrent : par là, ils manquent de mystère; ils retirent aux esprits cette joie délicieuse de croire qu'ils créent. *Nommer* un objet, c'est supprimer les trois quarts de la jouissance du poème qui est faite de deviner peu à peu : le *suggérer,* voilà le rêve. C'est le parfait usage de ce mystère qui constitue le symbole : évoquer petit à petit un objet pour montrer un état d'âme, ou inversement choisir un objet et en dégager un état d'âme, par une série de déchiffrements."

Art de la suggestion, par la pratique du symbole; l'expression imagée doit pouvoir suggérer ce dont elle est née, les mots, le rythme, la musique du poème lui donnant, par leur résonance sensible, des prolongements indéfinis et multiples. Le symbole surgira au cœur de la songerie poétique, des profondeurs de la psyché : "Je crois qu'il y a deux sortes de symboles", répond Maeterlinck à Huret, dans l'enquête déjà citée – "l'un qu'on pourrait appeler le symbole a priori, le symbole de propos délibéré; il part d'abstractions et tâche de revêtir d'humanité ces abstractions... L'autre espèce de symbole serait plutôt inconscient, aurait lieu à l'insu du poète, souvent malgré lui, et irait, presque toujours, bien au-delà de sa pensée; c'est le symbole qui naît de toute création géniale d'humanité; le prototype de cette symbolique se trouverait dans Eschyle, Shakespeare... Le poète doit, me semble-t-il, être passif dans le symbole, et le symbole le plus pur est peut-être celui qui a lieu à son insu et même à l'encontre de ses intentions".

Ainsi la nouvelle école privilégie une poésie des profondeurs, une vision subjective du monde. Pourtant, la réalité que désigne le symbole diffère selon les poètes.

La tendance idéaliste domine, tendant à instaurer la création poétique comme seule réalité, donnant son sens à la vie : pour Moréas, Stuart Merrill, Régnier, la réalité est spirituelle, la poésie en permet l'approche. Voici le très néo-platonicien *Credo* de Stuart Merrill (1892) :

"Le Poète doit être celui qui rappelle aux hommes l'Idée éternelle de la Beauté dissimulée sous les formes transitoires de la Vie imparfaite.

Parmi toutes les formes que lui présente la Vie, il ne doit donc choisir pour symboliser son idée de la Beauté, que celles qui correspondent à cette idée. Des formes de la Vie imparfaite, il doit recréer la Vie parfaite.

En d'autres mots, il doit être le maître absolu des formes de la Vie, et non en être l'esclave, comme les réalistes et les naturalistes...

La Poésie, étant à la fois Verbe et Musique, est merveilleusement apte à cette suggestion d'un infini qui n'est souvent que de l'indéfini. Par le Verbe, elle dit et pense, par la Musique, elle chante et rêve. Aussi la seule Poésie est-elle la Poésie lyrique, fille du Verbe descriptif et de la Musique rêvante.

Et la seule Poésie lyrique qui puisse à cette heure prévaloir est la Poésie symbolique qui est supérieure, par la force de l'idée inspiratrice, à la vaine réalité de la Vie, puisqu'elle n'emprunte à la Vie que ce qu'elle offre d'éternel : le Beau, qui est le signe du Bien et du Vrai."

Par là, la poésie retrouve une ambition métaphysique, devient moyen de connaissance et quête d'absolu : Saint-Pol-Roux formulera hautement cette quête : "Mon vœu fut, écartant le relatif, de dévisager l'absolu".

Beaucoup, cependant, restent en deçà de cette entreprise de voleur de feu. Ceux-là cherchent une nouvelle manière de dire leurs nostalgies, leur rêve de beauté ou d'évasion : poésie de fuite, ou subjective, individualiste, affectionnant les thèmes du miroir, de l'eau, de Narcisse, des parfums évanescents.

Enfin, du côté des poètes belges, avec Verhaeren surtout, le futur peintre de *La vie ardente*, une autre utilisation du symbole se dessine, moyen de traduire, par le condensé de l'image, la réalité humaine, industrielle, moderne. Joint à l'influence du poète américain Whitman, c'est

Pierre-Auguste Renoir (1841-1919), *Étude de femme nue assise*, dessin, 1904.
(Bibliothèque Nationale, Paris.)

l'héritage que recueillera l'unanimisme de Jules Romains et de ses amis du groupe de l'Abbaye de Créteil, prélude de l'Esprit nouveau chanté par Apollinaire.

Les symbolistes devaient inévitablement se poser les problèmes du langage poétique. La pratique du vers libre, dès 1886, achève la libération de la métrique amorcée par Verlaine, Corbière, Rimbaud. Laforgue (peut-être inspiré par sa découverte et ses traductions de Whitman) et Kahn s'en disputent la paternité. Il permet de traduire, comme chez Laforgue, la mobilité de la vie intérieure, ou, comme chez Viélé-Griffin, de transcrire dans le langage et son rythme une musique intérieure.

Souci du vocabulaire et du style : il faut chercher le "mot exact qui, sous sa forme unique, réunira la matière de trois ou quatre phrases actuelles". "Il faut au symboliste, dit Moréas dans son *Manifeste,* un style archétype et complexe d'impollués vocables, la période qui s'arcboute alternant avec la période aux défaillances ondulées, les pléonasmes significatifs, les mystérieuses ellipses, l'anacoluthe en suspens, tout trop hardi et multiforme; enfin la bonne langue – instaurée et modernisée – la bonne et luxuriante et fringante langue française d'avant les Vaugelas et les Boileau"...

Certain hermétisme, certaine obscurité sont jugés nécessaires : la poésie, dit Wyzewa, "doit demeurer incompréhensible à ceux qui n'ont point assez d'amour des jouissances esthétiques pour lui dédier longuement toute leur âme". Sauf chez Laforgue, les Belges, Saint-Pol-Roux, la poésie symboliste aboutit souvent à une nouvelle préciosité, où le souci du mot, de l'image riche, de musique subtile devient prioritaire. Par là, le symbolisme a accentué le fossé entre la poésie et la foule. Les artistes appartiennent d'ailleurs à un milieu bourgeois ou aristocratique, et publient à un nombre restreint d'exemplaires.

## Ruptures

En 1891, Moréas renie son premier manifeste par le *Manifeste de l'Ecole romane* où il proclame la mort du symbolisme. Il retourne au "principe gréco-latin", à la poésie des XVIe et XVIIe siècles, à sa rigueur formelle et à ses exigences de généralité intellectuelle. Il sera suivi par Régnier. Ce néo-classicisme rejoint le courant "méditerranéen", dont le porte-parole est Maurras, admirateur de Mistral, courant qui influencera F.P. Alibert ou Valéry.

Vers 1892, la poésie retrouve le goût de la vie. "Le malaise qui pesait sur l'âme malade du poète ne semble pas avoir de prise sur la dernière génération, écrit Klingsor. Une rêverie plus lumineuse commence à succéder au sadisme obscur des Laforgue, Kahn et Gilkin". Verhaeren écrit les *Heures claires,* avant ses *Villes tentaculaires.* Jammes, Paul Fort, L.P. Fargue parlent d'un monde réel et fraternel.

Mais la révolution symboliste aura été riche de conséquences : elle a libéré le langage, renouvelé les voies de la poésie-connaissance, fait de l'image et du symbole un moyen d'expression privilégié aux carrefours des profondeurs du moi et de l'univers.

## Jules Laforgue (1860-1887)

"Je n'aurai pas été dans les douces étoiles" : la voix de Laforgue est celle du spleen, de la solitude, de la difficulté d'être. Né à Montevideo, il est séparé, à six ans, de ses parents qui le confient à des cousins de Tarbes; puis il est interne au lycée de la ville. Il perd la foi très tôt; reste une nostalgie d'absolu : "Et que Dieu n'est-il à refaire!" Il cherchera des certitudes dans son siècle scientiste, ou des voix fraternelles : Baudelaire, Verlaine, Cros, Richepin, Bourget. En 1881, à Paris, secrétaire de l'amateur d'art Charles Ephrassi, il découvre les impressionnistes, fréquente les cercles littéraires du quartier Latin, de Montmartre. Epris d'amour absolu, mais timide, secret, vite déçu dans la réalité, sa vie sentimentale est un échec. Pendant cinq ans secrétaire de l'impératrice Augusta, il connaîtra à Berlin un autre exil. En 1886, au cours d'un séjour en Angleterre, il épouse la fragile Leah Lee; mais de santé précaire, miné par la misère, phtisique, il meurt six mois plus tard.

La poésie aura été le meilleur échappatoire sans qu'il ait osé y voir une raison d'être ou un moyen de changer la vie. Besoin de croire mais pessimisme foncier, cœur romantique mais lucidité désespérée, ses contradictions, ses angoisses, ses souffrances, Laforgue les voile derrière l'humour : "Je veux me fondre de pudeur". Si *Le sanglot de la terre* devait être un poème philosophique en cinq parties, "le journal d'un Parisien de 1880 qui souffre, doute et arrive au néant", dans *Les complaintes*, publiées en 1885, le ton propre à Laforgue apparaît : le poète, "Pierrot falot et lunaire ", se moque de lui-même, choisit la forme populaire de la complainte, intègre à la poésie les naïvetés du style parlé, l'ironie, la gouaille, l'humour amer et tendre, même si le jeu avec les mots ne parvient pas à exorciser le mal d'être. La poésie s'ouvre au rêve, aux sensations, aux images d'un monde moderne, en un langage disloqué où les inventions verbales condensent les émotions. Après les *Moralités légendaires,* contes en prose (1887), Laforgue revient à la poésie avec *Des fleurs de bonne volonté* (1887), et les *Derniers vers :* peut-être grâce à l'influence de Whitman dont Laforgue a traduit certaines œuvres, le vers libre apparaît, et son pouvoir de suggestion. La quête de Laforgue restera inachevée, mais ils sont nombreux à devoir quelque chose (Apollinaire, les "Fantaisistes", T.S. Eliot, Reverdy, Queneau...), à celui que "l'Eternullité" accabla : "Ah! que la vie est quotidienne !"

## AUTRE COMPLAINTE DE LORD PIERROT

Celle qui doit me mettre au courant de la Femme!
Nous lui dirons d'abord, de mon air le moins froid :
« La somme des angles d'un triangle, chère âme,
    « Est égale à deux droits. »

Et si ce cri lui part : « Dieu de Dieu que je t'aime! »
– « Dieu reconnaîtra les siens. » Ou piquée au vif :
– « Mes claviers ont du cœur, tu seras mon seul thème. »
    Moi : « Tout est relatif. »

De tous ses yeux, alors! se sentant trop banale :
10 « Ah! tu ne m'aimes pas; tant d'autres sont jaloux! »
Et moi, d'un œil qui vers l'Inconscient s'emballe :
    « Merci, pas mal; et vous? »

– « Jouons au plus fidèle ! » – « A quoi bon, ô Nature !
Autant à qui perd gagne ! » Alors, autre couplet :
« Ah ! tu te lasseras le premier, j'en suis sûre... »
    – « Après vous, s'il vous plaît. »

Enfin, si, par un soir, elle meurt dans mes livres,
Douce ; feignant de n'en pas croire encor mes yeux,
J'aurai un : « Ah çà, mais, nous avions De Quoi vivre !
20          C'était donc sérieux ? »

*Les complaintes.*

## DIMANCHES

Oh ! ce piano, ce cher piano,
Qui jamais, jamais ne s'arrête,
Oh ! ce piano qui geint là-haut
Et qui s'entête sur ma tête !

Ce sont de sinistres polkas,
Et des romances pour concierge,
Des exercices délicats,
Et *La Prière d'une vierge !*

Fuir ? où aller, par ce printemps ?
10 Dehors, dimanche, rien à faire...
Et rien à fair' non plus dedans...
Oh ! rien à faire sur la Terre !...

Ohé, jeune fille au piano !
Je sais que vous n'avez point d'âme !
Puis pas donner dans le panneau
De la nostalgie de vos gammes...

Fatals bouquets du Souvenir,
Folles légendes décaties,
Assez ! assez ! vous vois venir,
20 Et mon âme est bientôt partie...

Vrai, un Dimanche sous ciel gris,
Et je ne fais plus rien qui vaille,
Et le moindre orgu' de Barbari
(Le pauvre !) m'empoigne aux entrailles !

Et alors, je me sens trop fou !
Marie, je tuerais la bouche
De ma mie ! et, à deux genoux,
Je lui dirais ces mots bien louches :

« Mon cœur est trop, ah trop central !
30 Et toi, tu n'es que chair humaine ;
Tu ne vas donc pas trouver mal
Que je te fasse de la peine ! »

*Les fleurs de bonne volonté.*

## L'HIVER QUI VIENT

Blocus sentimental! Messageries du Levant!..
Oh! tombée de la pluie! Oh! tombée de la nuit,
Oh! le vent!..
La Toussaint, la Noël, et la Nouvelle Année,
Oh, dans les bruines, toutes mes cheminées!..
D'usines...

On ne peut plus s'asseoir, tous les bancs sont mouillés;
Crois-moi, c'est bien fini jusqu'à l'année prochaine,
Tous les bancs sont mouillés, tant les bois sont rouillés,
10 Et tant les cors ont fait ton ton, ont fait ton taine!..

Ah! nuées accourues des côtes de la Manche,
Vous nous avez gâté notre dernier dimanche.

Il bruine;
Dans la forêt mouillée, les toiles d'araignées
Ploient sous les gouttes d'eau, et c'est leur ruine.
Soleils plénipotentiaires des travaux en blonds Pactoles
Des spectacles agricoles,
Où êtes-vous ensevelis?
Ce soir un soleil fichu gît au haut du coteau,
20 Gît sur le flanc, dans les genêts, sur son manteau.
Un soleil blanc comme un crachat d'estaminet
Sur une litière de jaunes genêts,
De jaunes genêts d'automne.
Et les cors lui sonnent!
Qu'il revienne...
Qu'il revienne à lui!
Taïaut! Taïaut! et hallali!
O triste antienne, as-tu fini!..
Et font les fous!..
30 Et il gît là, comme une glande arrachée dans un cou.
Et il frissonne, sans personne!..

Allons, allons, et hallali!
C'est l'Hiver bien connu qui s'amène;
Oh! les tournants des grandes routes,
Et sans petit Chaperon Rouge qui chemine!..
Oh! leurs ornières des chars de l'autre mois,
Montant en don quichottesques rails
Vers les patrouilles des nuées en déroute
Que le vent malmène vers les transatlantiques bercails!..
40 Accélérons, accélérons, c'est la saison bien connue, cette fois
Et le vent, cette nuit, il en a fait de belles!
O dégâts, ô nids, ô modestes jardinets!
Mon cœur et mon sommeil : ô échos des cognées!..

Tous ces rameaux avaient encor leurs feuilles vertes,
Les sous-bois ne sont plus qu'un fumier de feuilles mortes;
Feuilles, folioles, qu'un bon vent vous emporte
Vers les étangs par ribambelles,
Ou pour le feu du garde-chasse,

Ou les sommiers des ambulances
50 Pour les soldats loin de la France.

C'est la saison, c'est la saison, la rouille envahit les masses,
La rouille ronge en leurs spleens kilométriques
Les fils télégraphiques des grandes routes où nul ne passe.

Les cors, les cors, les cors — mélancoliques!..
Mélancoliques!..
S'en vont, changeant de ton,
Changeant de ton et de musique,
Ton ton, ton taine, ton ton!..
Les cors, les cors, les cors!..
60 S'en sont allés au vent du Nord.

Je ne puis quitter ce ton : que d'échos!..
C'est la saison, c'est la saison, adieu vendanges!..
Voici venir les pluies d'une patience d'ange,
Adieu vendanges, et adieu tous les paniers,
Tous les paniers Watteau des bourrées sous les marronniers.
C'est la toux dans les dortoirs du lycée qui rentre,
C'est la tisane sans le foyer,
La phtisie pulmonaire attristant le quartier,
Et toute la misère des grands centres.

70 Mais, lainages, caoutchoucs, pharmacie, rêve,
Rideaux écartés du haut des balcons des grèves
Devant l'océan de toitures des faubourgs,
Lampes, estampes, thé, petits-fours,
Serez-vous pas mes seules amours!..
(Oh! et puis, est-ce que tu connais, outre les pianos,
Le sobre et vespéral mystère hebdomadaire
Des statistiques sanitaires
Dans les journaux?)

Non, non! c'est la saison et la planète falote!
80 Que l'autan, que l'autan
Effiloche les savates que le Temps se tricote!
C'est la saison, oh déchirements! c'est la saison!
Tous les ans, tous les ans,
J'essaierai en chœur d'en donner la note.

*Derniers vers.*

## Stéphane Mallarmé (1842-1898)

La vie de Mallarmé s'estompe totalement derrière une œuvre qui refuse toute confidence. Signalons seulement qu'il eut une expérience cruelle de la mort (orphelin à 5 ans, il perd à 13 ans sa jeune sœur; en 1879, il perdra son jeune fils); pour gagner sa vie il enseigne l'anglais - successivement à Tournon, Besançon, Avignon et enfin Paris. En 1884 le roman de Huysmans, *A rebours,* révèle la poésie de Mallarmé et lui apporte la notoriété : dans son salon se regroupent ses admirateurs, parmi lesquels Valéry et Gide, et ce furent les célèbres mardis de la rue de Rome.

Mais en réalité sa vie c'est son œuvre ou plutôt l'aspiration à une œuvre parfaite. Bouleversé en 1861 par la lecture des *Fleurs du mal,* imprégné par la poésie d'Edgar Poe, qu'il traduit lors d'un séjour en Angleterre (1862), Mallarmé se dégagera par la suite de cette double influence pour définir sa voie propre : la fin de la poésie est de "suggérer"; "Le sujet de l'œuvre est la Beauté, et le sujet apparent n'est qu'un prétexte pour aller vers Elle".

Perfection du langage poétique, dont le sens s'estompe au profit de sa qualité vibratoire pour évoquer la notion pure : "A quoi bon la merveille de transposer un fait de nature en sa presque disparition vibratoire selon le jeu de la parole, cependant, si ce n'est pour qu'en émane, sans la gêne d'un proche ou concret rappel, la notion pure..."

Ainsi la poésie a pour fin de créer par un langage purifié l'univers de l'essence, un idéal purifié. Cette aspiration à une création idéale, parfaite, s'exprime dans des poèmes qui, aux yeux de Mallarmé, sont seulement des "ébauches" qui marquent les degrés de la progression du poète vers cette perfection.

Cette recherche demande un long travail d'écriture (parfois un an pour un seul sonnet) et débouche finalement sur l'angoisse de la feuille blanche et ce curieux poème du *Cornet à dés,* où la mise en page, les effets typographiques, la variété des caractères, les blancs sont aussi, sinon plus importants, que les mots.

Mallarmé fut l'ami de Manet; Debussy mit en musique *Apparition* et *L'après-midi d'un faune,* poème le plus long et peut-être le plus suggestif du poète : un faune sort d'un songe voluptueux, qu'il cherche à prolonger par la magie de la musique et du souvenir; finalement il retombe dans le sommeil; il est, peut-être, le symbole du poète qui, après avoir tenté de donner une forme lyrique à ses rêves, finit par se réfugier dans le silence :

> "Ces nymphes, je les veux perpétuer.
> Si clair,
> Leur incarnat léger, qu'il voltige dans l'air
> Assoupi de sommeils touffus.
> Aimai-je un rêve ?
> Mon doute, amas de nuit ancienne, s'achève
> En maint rameau subtil, qui, demeuré les vrais
> Bois mêmes, prouve, hélas! que bien seul je m'offrais
> Pour triomphe la faute idéale de roses." (v. 1-7).

Dix poésies publiées dans le *Parnasse contemporain* (1866); *Hérodiade* (poème commencé en 1864, laissé inachevé en 1875); *L'après-midi d'un faune* (composé de 1865 à 1876); *Prose pour des Esseintes*; *Poésies diverses*; *Les tombeaux*; *Un coup de dés* (1897); *Poèmes en prose* (1864; 1885-87).

## APPARITION

La lune s'attristait. Des séraphins en pleurs
Rêvant, l'archet aux doigts, dans le calme des fleurs
Vaporeuses, tiraient de mourantes violes
De blancs sanglots glissant sur l'azur des corolles.
– C'était le jour béni de ton premier baiser.
Ma songerie aimant à me martyriser
S'enivrait savamment du parfum de tristesse
Que même sans regret et sans déboire laisse
La cueillaison d'un Rêve au cœur qui l'a cueilli.
J'errais donc, l'œil rivé sur le pavé vieilli
Quand avec du soleil aux cheveux, dans la rue
Et dans le soir, tu m'es en riant apparue
Et j'ai cru voir la fée au chapeau de clarté
Qui jadis sur mes beaux sommeils d'enfant gâté
Passait, laissant toujours de ses mains mal fermées
Neiger de blancs bouquets d'étoiles parfumées.

Les deux temps de la rêverie : étudier à travers les images la thématique de la nostalgie et de l'absence ; la thématique de l'apparition et de l'harmonie rêvée.

## RENOUVEAU

Le printemps maladif a chassé tristement
L'hiver, saison de l'art serein, l'hiver lucide,
Et, dans mon être à qui le sang morne préside
L'impuissance s'étire en un long bâillement.

Des crépuscules blancs tiédissent sous mon crâne
Qu'un cercle de fer serre ainsi qu'un vieux tombeau
Et triste, j'erre après un rêve vague et beau,
Par les champs où la sève immense se pavane

Puis je tombe énervé de parfums d'arbres, las,
Et creusant de ma face une fosse à mon rêve,
Mordant la terre chaude où poussent les lilas,

J'attends, en m'abîmant que mon ennui s'élève...
– Cependant l'Azur rit sur la haie et l'éveil
De tant d'oiseaux en fleur gazouillant au soleil.

Composition ; la thématique du spleen ; comparer ce poème avec *l'Azur, Spleen* de Baudelaire (le titre primitif de cette pièce était *Spleen printanier*).

## TRISTESSE D'ÉTÉ

Le soleil, sur le sable, ô lutteuse endormie,
En l'or de tes cheveux chauffe un bain langoureux
Et, consumant l'encens sur ta joue ennemie,
Il mêle avec les pleurs un breuvage amoureux.

De ce blanc flamboiement l'immuable accalmie
T'a fait dire, attristée, ô mes baisers peureux,
« Nous ne serons jamais une seule momie
Sous l'antique désert et les palmiers heureux ! »

Mais ta chevelure est une rivière tiède,
Où noyer sans frissons l'âme qui nous obsède
Et trouver ce Néant que tu ne connais pas !

Je goûterai le fard pleuré par tes paupières,
Pour voir s'il sait donner au cœur que tu frappas
L'insensibilité de l'azur et des pierres.

---

Le mouvement du poème; comment passe-t-on des images de fièvre et de lutte
amoureuse au désir d'anéantissement? L'impossible harmonie (*cf. Apparition* et
*L'azur*).

---

## L'AZUR

De l'éternel azur la sereine ironie
Accable, belle indolemment comme les fleurs,
Le poète impuissant qui maudit son génie
A travers un désert stérile de Douleurs.

Fuyant, les yeux fermés, je le sens qui regarde
Avec l'intensité d'un remords atterrant,
Mon âme vide. Où fuir ? Et quelle nuit hagarde
Jeter, lambeaux, jeter sur ce mépris navrant ?

Brouillards, montez ! Versez vos cendres monotones
10  Avec de longs haillons de brume dans les cieux
Qui noiera le marais livide des automnes
Et bâtissez un grand plafond silencieux !

Et toi, sors des étangs léthéens et ramasse
En t'en venant la vase et les pâles roseaux,
Cher Ennui, pour boucher d'une main jamais lasse
Les grands trous bleus que font méchamment les oiseaux.

Encor ! que sans répit les tristes cheminées
Fument, et que de suie une errante prison
Eteigne dans l'horreur de ses noires traînées
20  Le soleil se mourant jaunâtre à l'horizon !

− Le Ciel est mort. − Vers toi, j'accours ! donne, ô matière,
L'oubli de l'Idéal cruel et du Péché
A ce martyr qui vient partager la litière
Où le bétail heureux des hommes est couché,

Car j'y veux, puisque enfin ma cervelle, vidée
Comme le pot de fard gisant au pied d'un mur,
N'a plus l'art d'attifer la sanglotante idée,
Lugubrement bâiller vers un trépas obscur...

En vain ! l'Azur triomphe, et je l'entends qui chante
30 Dans les cloches. Mon âme, il se fait voix pour plus
Nous faire peur avec sa victoire méchante,
Et du métal vivant sort en bleus angélus !

Il roule par la brume, ancien et traverse
Ta native agonie ainsi qu'un glaive sûr;
Où fuir dans la révolte inutile et perverse ?
*Je suis hanté.* L'Azur ! l'Azur ! l'Azur ! l'Azur !


## BRISE MARINE

La chair est triste, hélas ! et j'ai lu tous les livres.
Fuir ! là-bas fuir ! Je sens que des oiseaux sont ivres
D'être parmi l'écume inconnue et les cieux !
Rien, ni les vieux jardins reflétés par les yeux
Ne retiendra ce cœur qui dans la mer se trempe
O nuits ! ni la clarté déserte de ma lampe
Sur le vide papier que la blancheur défend
Et ni la jeune femme allaitant son enfant.
Je partirai ! Steamer balançant ta mâture,
Lève l'ancre pour une exotique nature !

Un Ennui, désolé par les cruels espoirs,
Croit encore à l'adieu suprême des mouchoirs !
Et, peut-être, les mâts, invitant les orages
Sont-ils de ceux qu'un vent penche sur les naufrages
Perdus, sans mâts, sans mâts, ni fertiles îlots...
Mais, ô mon cœur, entends le chant des matelots !

---

Comment le désir d'un ailleurs ou l'insatisfaction effacent-ils les images de la vie
quotidienne et la peur du voyage : syntaxe, structure, images, versification *(cf. Parfum exotique* de Baudelaire, p. 199).

---

## DON DU POÈME[1]

Je t'apporte l'enfant d'une nuit d'Idumée[2] !
Noire, à l'aile saignante et pâle, déplumée,
Par le verre brûlé d'aromates et d'or,
Par les carreaux glacés, hélas ! mornes encor,
L'aurore se jeta sur la lampe angélique.
Palmes ! et quand elle a montré cette relique
A ce père essayant un sourire ennemi,
La solitude bleue et stérile a frémi.
O la berceuse, avec ta fille et l'innocence
De vos pieds froids, accueille une horrible naissance :

Et ta voix rappelant viole et clavecin,
Avec le doigt fané presseras-tu le sein
Par qui coule en blancheur sibylline la femme
Pour les lèvres que l'air du vierge azur affame ?

1. Don du poème à sa femme : le poète met en correspondance la naissance du poème et celle de sa fille, fin 1864. 2. Pays d'Edom (i.e. le Roux), autre nom d'Esaü, fils hirsute et monstrueux d'Isaac et Rebecca, qui renonça, pour un plat de lentilles, au droit d'aînesse en faveur de son frère cadet Jacob. Pour la cabale juive, Esaü représente une humanité monstrueuse,"êtres sans sexe, se reproduisant sans femmes", que remplace l'humanité actuelle, représentée par Jacob. "Le poète fait son poème seul, sans femme, comme un roi d'Idumée, monstrueuse naissance. Ce monstre sera humanisé si la femme l'accueille, le nourrit de son lait". Le poème semble être *Hérodiade,* situé en Idumée.

Le jeu des couleurs et des lumières ; thème de la naissance du poème : rapprocher de la hantise de l'impuissance dans *Renouveau, L'azur, Le vierge, le vivace...;* par une étude précise des verbes, des images, chercher quel miracle le poète espère de la femme.

## AUTRE EVENTAIL

de Mademoiselle Mallarmé

O rêveuse, pour que je plonge
Au pur délice sans chemin,
Sache, par un subtil mensonge,
Garder mon aile dans ta main.

Une fraîcheur de crépuscule
Te vient à chaque battement
Dont le coup prisonnier recule
L'horizon délicatement.

Vertige ! voici que frissonne
10 L'espace comme un grand baiser
Qui, fou de naître pour personne,
Ne peut jaillir ni s'apaiser.

Sens-tu le paradis farouche
Ainsi qu'un rire enseveli
Se couler du coin de ta bouche
Au fond de l'unanime pli !

Le sceptre des rivages roses
Stagnants sur les soirs d'or, ce l'est,
Ce blanc vol fermé que tu poses
20 Contre le feu d'un bracelet.

Les images de l'élan et de la retenue. Peut-on, comme le suggère Mauron, faire de l'éventail le symbole de l'art : "Éventail subtil s'il en fut, car il connaît peut-être le secret de toute rêverie et de toute esthétique : se refuser à la vie, mentir au réel, ne pas répondre aux excitations extérieures par le réflexe approprié vulgaire, mais parvenu au seuil de l'action, s'arrêter... jouer, contempler, plutôt que faire".

Le vierge, le vivace et le bel aujourd'hui
Va-t-il nous déchirer avec un coup d'aile ivre
Ce lac dur oublié que hante sous le givre
Le transparent glacier des vols qui n'ont pas fui !

Un cygne d'autrefois se souvient que c'est lui
Magnifique mais qui sans espoir se délivre
Pour n'avoir pas chanté la région où vivre
Quand du stérile hiver a resplendi l'ennui.

Tout son col secouera cette blanche agonie
Par l'espace infligée à l'oiseau qui le nie,
Mais non l'horreur du sol où le plumage est pris.

Fantôme qu'à ce lieu son pur éclat assigne,
Il s'immobilise au songe froid de mépris
Que vêt parmi l'exil inutile le Cygne.

---

Le paysage : comment les images, les sonorités créent-elles un climat d'angoisse ? Le rêve de libération de l'être : par l'étude des images et des formes verbales, dégager le mouvement du poème, de l'espoir au martyr immobile (cf. L'azur, Renouveau).

---

Ses purs ongles très haut dédiant leur onyx,
L'Angoisse, ce minuit, soutient, lampadophore,
Maint rêve vespéral brûlé par le Phénix
Que ne recueille pas de cinéraire amphore

Sur les crédences, au salon vide : nul ptyx,
Aboli bibelot d'inanité sonore,
(Car le Maître est allé puiser des pleurs au Styx
Avec ce seul objet dont le Néant s'honore).

Mais proche la croisée au nord vacante, un or
Agonise selon peut-être le décor
Des licornes ruant du feu contre une nixe,

Elle, défunte nue en le miroir, encor
Que, dans l'oubli fermé par le cadre, se fixe
De scintillations sitôt le septuor.

---

D'où vient la qualité musicale de ce "joyau" sonore ? Le thème de l'absence et de l'anéantissement de l'être à travers les éléments qui composent le "paysage" mallarméen ; percevoir le jeu des reflets et des échos : comment se recomposent-ils dans l'image finale ?

# FRISSON D'HIVER

Cette pendule de Saxe, qui retarde et sonne treize heures parmi ses fleurs et ses dieux, à qui a-t-elle été ? Pense qu'elle est venue de Saxe par les longues diligences autrefois.

(De singulières ombres pendent aux vitres usées.)

Et ta glace de Venise, profonde comme une froide fontaine, en un rivage de guivres dédorées, qui s'y est miré ? Ah ! je suis sûr que plus d'une femme a baigné dans cette eau le péché de sa beauté ; et peut-être verrais-je un fantôme nu si je regardais longtemps.

— Vilain, tu dis souvent de méchantes choses.

(Je vois des toiles d'araignées au haut des grandes croisées.)

Notre bahut encore est très vieux : contemple comme ce feu rougit son triste bois; les rideaux amortis ont son âge, et la tapisserie des fauteuils dénués de fard, et les anciennes gravures des murs, et toutes nos vieilleries ? Est-ce qu'il ne te semble pas, même, que les bengalis et l'oiseau bleu ont déteint avec le temps ?

(Ne songe pas aux toiles d'araignées qui tremblent au haut des grandes croisées.)

Tu aimes tout cela et voilà pourquoi je puis vivre auprès de toi. N'as-tu pas désiré, ma sœur au regard de jadis, qu'en un de mes poèmes apparussent ces mots « la grâce des choses fanées » ? Les objets neufs te déplaisent; à toi aussi, ils font peur avec leur hardiesse criarde, et tu te sentirais le besoin de les user, ce qui est bien difficile à faire pour ceux qui ne goûtent pas l'action.

Viens, ferme ton vieil almanach allemand, que tu lis avec attention, bien qu'il ait paru il y a plus de cent ans et que les rois qu'il annonce soient tous morts, et, sur l'antique tapis couché, la tête appuyée parmi tes genoux charitables dans ta robe pâlie, ô calme enfant, je te parlerai pendant des heures; il n'y a plus de champs et les rues sont vides, je te parlerai de nos meubles... Tu es distraite ?

(Ces toiles d'araignées grelottent au haut des grandes croisées.)

*Poèmes en prose.*

## Autres symbolistes français

**Gustave Kahn (1859-1936),** romancier, conteur, critique d'art et essayiste, fut en poésie adepte et théoricien du vers libre et de la strophe libre. Symboliste à ses débuts, il s'orienta peu à peu vers une vision plus réaliste.

*Les palais nomades* (1887); *Domaine de fées* (1895); *Le livre d'images* (1897).

**Albert Samain (1858-1900)** mena une vie modeste et mélancolique. Volontiers délicate et précieuse, sa poésie, marquée d'abord par l'atmosphère "décadente", s'ouvre peu à peu au réel, au charme fragile d'instants privilégiés.

*Au jardin de l'infante* (1893); *Aux flancs du vase* (1898); *Le chariot d'or* (1901)...

**Francis Viélé-Griffin (1864-1937),** né à Norfolk, en Virginie; son œuvre concilie le culte de l'art et le chant de la vie. Il fut le promoteur avec Kahn du vers libre; sa poésie frappe par sa simplicité mélodique, sa spontanéité grave ou tendre.

*Cueille d'avril* (1886); *Joies* (1888-89); *La chevauchée d'Yeldis et autres poèmes* (1893); *La clarté de la vie* (1895); *Plus loin* (1906)...

**Henri de Régnier (1864-1936),** admirateur des parnassiens, de Verlaine et Mallarmé, cherchera la souplesse mélodique grâce au vers libre sans jamais rompre avec la prosodie traditionnelle.

*Les jeux rustiques et divins* (1897); *Les médailles d'argile* (1900); *La cité des eaux* (1902); *La sandale ailée* (1905); *Le miroir des muses* (1910)...

**Jean Moréas[1] (1856-1910),** après avoir été un représentant actif du symbolisme, qui marque ses premiers recueils (*Les Syrtes* 1884; *Les cantilènes* 1886) et auquel il consacra un manifeste, fonda en 1891 l'école romane, revint à la tradition classique et méditerranéenne de clarté, de mesure, de prosodie régulière, aux modèles de la Pléiade et des troubadours.

*Enone au clair visage* (1893); *Sylves nouvelles* (1893); *Stances* (1899-1901).

**Tristan Klingsor[2] (1874-1966) :** ami des néo-impressionnistes (Vuillard, Roussel), de musiciens (Ravel), il fait partie de ceux qui, au déclin du symbolisme, s'ouvrent à nouveau à la poésie du monde, de la vie quotidienne.

*Schéhérazade* (1903); *Poèmes de Bohême* (1913); *Humoresques* (1921).

---

1. Jean Papadiamantopoulos dit... 2. Léon Leclère dit...

Chantonne lentement et très bas... mon cœur pleure...
Tristement, doucement, plaque l'accord mineur;
Il fait froid, il pâlit quelque chose dans l'heure...
Un vague très blafard étreint l'âpre sonneur.
Arrête-toi... c'est bien... mais ta voix est si basse?...
Trouves-tu pas qu'il sourd comme un épais sanglot?
Chantonne lentement, dans les notes il passe
Vrillante, l'âcreté d'un malheur inéclos.

Encore! la chanson s'alanguit... mon cœur pleure;
10 Des noirs accumulés estompent les flambeaux.
Ce parfum trop puissant et douloureux qu'il meure
Chant si lourd à l'alcôve ainsi qu'en un tombeau.
D'où donc ce friselis d'émoi qui me pénètre,
D'où très mesurément, ce rythme mou d'andante?
Il circule là-bas, aux blancheurs des fenêtres,
De bougeuses moiteurs, des ailes succédantes.

Assez! laisse expirer la chanson... mon cœur pleure;
Un bistre rampe autour des clartés. Solennel
20 Le silence est monté lentement, il apeure
Les bruits familiers du vague perennel.
Abandonne... que sons et que parfums se taisent!
Rythme mélancolique et poignant!.. Oh! douleur,
Tout est sourd et grisâtre et s'en va! – Parenthèse,
Ouvres-tu l'infini d'un éternel malheur?..

Gustave Kahn, *Les palais nomades*, Mercure de France éd.

---

Je rêve de vers doux et d'intimes ramages,
De vers à frôler l'âme ainsi que des plumages,

De vers blonds où le sens fluide se délie
Comme sous l'eau la chevelure d'Ophélie,

De vers silencieux, et sans rythme et sans trame,
Où la rime sans bruit glisse comme une rame,

De vers d'une ancienne étoffe, exténuée,
Impalpable comme le son et la nuée,

De vers de soir d'automne ensorcelant les heures
Au rite féminin des syllabes mineures.

Je rêve de vers doux mourant comme des roses.

Albert Samain, *Au jardin de l'infante.*

## CHANSON

J'ai pris de la pluie dans mes mains tendues
  — De la pluie chaude comme des larmes —
Je l'ai bue comme un philtre, défendu
A cause d'un charme;
Afin que mon âme en ton âme dorme.

J'ai pris du blé dans la grange obscure,
  — Du blé qui choit comme la grêle aux dalles —
Et je l'ai semé sur le labour dur
A cause du givre matinal;
10 Afin que tu goûtes à la moisson sûre.

J'ai pris des herbes et des feuilles rousses,
  — Des feuilles et des herbes longtemps mortes —
J'en ai fait une flamme haute et douce
A cause de l'essence des sèves fortes;
Afin que ton attente d'aube fût douce.

Et j'ai pris la pudeur de tes joues et ta bouche
Et tes gais cheveux et tes yeux de rire,
Et je m'en suis fait une aurore farouche
Et des rayons de joie et des cordes de lyre
20 — Et le jour est sonore comme un chant de ruche!

Viélé Griffin, *Joies,* Stock éd.

## ODELETTE

Un petit roseau m'a suffi
Pour faire frémir l'herbe haute
Et tout le pré
Et les doux saules
Et le ruisseau qui chante aussi ;
Un petit roseau m'a suffi
A faire chanter la forêt.

Ceux qui passent l'ont entendu
Au fond du soir, en leurs pensées,
10 Dans le silence et dans le vent,
Clair ou perdu,
Proche ou lointain...
Ceux qui passent en leurs pensées
En écoutant, au fond d'eux-mêmes,
L'entendront encore et l'entendent
Toujours qui chante.

Il m'a suffi
De ce petit roseau cueilli
A la fontaine où vint l'Amour
20 Mirer, un jour,
Sa face grave
Et qui pleurait,

Henri Matisse (1869-1954), gravure pour *L'après-midi d'un faune*
de Stéphane Mallarmé, 1930-1932, éd. Skira, 1932. (Bibliothèque Nationale, Paris.)

Pour faire pleurer ceux qui passent
Et trembler l'herbe et frémir l'eau :
Et j'ai, du souffle d'un roseau,
Fait chanter toute la forêt.

Henri de Régnier, *Les jeux rustiques et divins,* Mercure de France éd.

## MUSIQUE LOINTAINE

La voix, songeuse voix de lèvres devinées,
Eparses dans les sons aigus de l'instrument,
A travers les murs sourds filtre implacablement,
Irritant des désirs et des langueurs fanées.

Alors, comme sous la baguette d'un sorcier,
Dans mon esprit flottant la Vision se calque :
*Blanche avec des cheveux plus noirs qu'un catafalque,*
*Frêle avec des rondeurs plus lisses que l'acier.*

*Dans le jade se meurt la branche de verveine.*
*Les tapis sont profonds et le vitrail profond.*
*Les coussins sont profonds et profond le plafond.*
*Nul baiser attristant, nulle caresse vaine.*

La voix, songeuse voix de lèvres devinées,
Eparse dans les sons aigus de l'instrument,
A travers les murs sourds filtre implacablement,
Irritant des désirs et des langueurs fanées.

Jean Moréas, *Les Syrtes,* Mercure de France éd.

## LE ROI, LE FOU

– Il était un roi de Bohême,
il était un fou de Thulé ;
leur âme, je crois, était la même :
dites-moi, ma mie, où sont-ils allés?

– L'un portait mantelet à traîne,
l'autre velours d'Elseneur ourlé ;
leurs cœurs étaient fous – à peine ;
mon page Hamlet, où sont-ils allés?

– Au gibet, ils avaient des chrysanthèmes
comme un bouquet de sang violet :
bon fossoyeur de Bohême,
bon fossoyeur, où sont-ils allés?

– Il était un roi de Bohême,
il était un fou de Thulé ;
vers la mort seule où l'on aime,
je crois bien qu'ils s'en sont allés.

Tristan Klingsor, *Poèmes de Bohême,* Mercure de France éd.

## Saint-Pol-Roux le Magnifique[1] (1861-1940)

Né à Marseille, il arrive à Paris à l'heure du symbolisme. Chercheur d'absolu, fervent d'occultisme, rosicrucien, il proclame en 1893 l'avènement de l'Idéoréalisme : le poète est celui qui rend manifeste la Beauté dont chaque être est le réceptacle. La poésie, "c'est Dieu manifesté dans l'humain, c'est tout le chaos informulé du monde, rendu clair par le médiateur qu'est le poète." Il attribue à l'image, survivance des magies primitives, affleurement de la subconscience, un pouvoir révélateur. La vie et l'œuvre du "Mage" se dérouleront "en pleine humanité, mais au seuil du mystère" : en 1898, il se fixe à Camaret, en Bretagne, où il poursuit sa quête, à demi oublié, malgré les hommages des surréalistes. En 1933, sa *Supplique au Christ* dénonce les persécutions nazies. Celui qu'incendiait "le suprême orgueil d'avoir créé de la vie" aura une fin tragique : en juin 1940, des soldats allemands blessent le vieillard, violent sa fille, détruisent ses manuscrits. Il mourra peu après. Les bombardements de 1944 détruiront le manoir de Caccilian, le cadre même du poète qu'Eluard salue ainsi : "Voici un homme qui n'a pas craint de se mêler au peuple insensé de son esprit, de se livrer entièrement au monde parfait de ses rêves."

*Les reposoirs de la procession* (1893...); *La rose et les épines du chemin* (1885-1900); *De la colombe au corbeau par le paon* (1885-1904); *Féeries intérieures* (1885-1906); *Anciennetés* (1903)...

1. Pierre-Paul Roux dit...

## MESSAGE AUX POÈTES ADOLESCENTS

Pèlerin magnifique en palmes de mémoire
(O tes pieds nus sur le blasphème des rouliers!)
Néglige les crachats épars dans le grimoire
Injuste des crapauds qui te sont des souliers.

Enlinceulant ta rose horloge d'existence,
Evoque ton fantôme à la table des fols
Et partage son aigle aux ailes de distance
Afin d'apprivoiser la foi des tournesols.

De là, miséricorde aux bons plis de chaumière
Avec un front de treille et la bouche trémière,
Adopte les vieux loups qui bêlent par les champs.

Et régénère leur prunelle douloureuse
Au diamant qui rit dans la houille des temps
Comme l'agate en fleur d'une chatte amoureuse.

*Les reposoirs de la procession,* éd. X, tous droits réservés.

## SUR UN RUISSELET QUI PASSE DANS LA LUZERNE

à Francis Viélé-Griffin

O l'onde qui file et glisse, vive, naïve, lisse !
Parmi les prairies du songe, des filles se révèlent parfois, la chevelure telle.
Ce Ruisselet parvule et frais, sans doute est un lézard de désirs
purs... épanoui lézard qu'une étincelle d'œil ferait s'évanouir?
Sur le silence des ongles inférieurs, noyé dans ce saule propice,
admirons la Pèlerine de la langue et de la racine qui s'achemine en
la luzerne.
Oh ! cela coule sur des cailloux, arrondis par l'obséquieuse
politesse, suggérant les chauves jabotés sans leur perruque printa-
nière.
L'azur inclus est, n'est-ce point? la perceptible remembrance
des prunelles nymphales qui s'y séduisirent.
Admirons sans s'y mirer, et de loin sourions, de peur d'effa-
roucher...
Combien joli de sourire à du rire qui glisse ainsi que des larmes
divines!..
Je me mis à prier comme devant une statue de la Vierge en
fusion :

— «Onde vraie,
Onde première,
Onde candide,
Onde lys et cygnes,
Onde sueur de l'ombre,
Onde baudrier de la prairie,
Onde innocence qui passe,
Onde lingot de firmament,
Onde litanies de matinée,
Onde choyée des vasques,
Onde chérie par l'aiguière,
Onde amante des jarres,
Onde en vue du baptême,
Onde pour les statues à socle,
Onde psyché des âmes diaphanes,
Onde pour les orteils des fées,
Onde pour les chevilles des mendiantes,
Onde pour les plumes des anges,
Onde pour l'exil des idées,
Onde bébé des pluies d'avril,
Onde petite fille à la poupée,
Onde fiancée perlant sa missive,
Onde carmélite au pied du crucifix,
Onde avarice à la confesse,
Onde superbe lance des croisades,
Onde émanée d'une cloche tacite,
Onde humilité de la cime,
Onde éloquence des mamelles de pierre,
Onde argenterie des tiroirs du vallon,
Onde banderole du vitrail rustique,
Onde écharpe que gagne la fatigue,

Onde palme et rosaire des yeux,
Onde versée par les charités simples,
Onde rosée des étoiles qui clignent,
Onde pipi de la lune-aux-mousselines,
Onde jouissance du soleil-en-roue-de-paon,
Onde analogue aux voix des aimées sous le marbre,
Onde qui bellement parais une brise solide,
Onde pareille à des baisers visibles se courant après,
Onde que l'on dirait du sang de Paradis-les-Ailes,
Je te salue de l'Elseneur de mes Péchés!»

Ce Ruisselet, j'ai su depuis, était mon Souvenir-du-premier-âge.
O l'onde qui file et glisse, vive, naïve, lisse!

Saint-Henry, 1890.
*De la colombe au corbeau par le paon,* éd. X, tous droits réservés.


## ALOUETTES

Les coups de ciseaux gravissent l'air.

Déjà le crêpe de mystère que jetèrent les fantômes du vêpre sur la chair fraîche de la vie, déjà le crêpe de ténèbres est entamé sur la campagne et sur la ville.

Les coups de ciseaux gravissent l'air.

Ouïs-tu pas la cloche tendre du bon Dieu courtiser de son tisonnier de bruit les yeux, ces belles-de-jour, les yeux blottis dessous les cendres de la nuit?

Les coups de ciseaux gravissent l'air.

Surgis donc du somme où comme morts nous sommes, ô Mienne, et pavoise ta fenêtre avec les lis, la pêche et les framboises de ton être.

Les coups de ciseaux gravissent l'air.

Viens-t'en sur la colline où les moulins nolisent[1] leurs ailes de lin, viens-t'en sur la colline de laquelle on voit jaillir des houilles éternelles le diamant divin de la vaste alliance du ciel.

Les coups de ciseaux gravissent l'air.

Du faîte emparfumé de thym, lavande, romarin, nous assisterons, moi la caresse, toi la fleur, à la claire et sombre fête des heures sur l'horloge où loge le destin, et nous regarderons là-bas passer le sourire du monde avec son ombre longue de douleur.

Les coups de ciseaux gravissent l'air.

*La rose et les épines du chemin,* éd. X, tous droits réservés.
1. *Noliser :* affrêter, frêter.

## Symbolistes belges

**Max Elskamp (1862-1931) :** "A part la pratique des métiers et ce qui touche à l'âme traditionnelle du peuple, peu de choses, je crois, ont réagi sur moi", disait ce poète, à qui sa ville natale, Anvers, sa maison de la rue Saint-Paul enclavée dans l'église médiévale, la paisible terre flamande offraient un cadre pétri d'histoire et de rêve. Bon graveur sur bois, épris de beauté, il admirait Mallarmé, et son lyrisme intimiste, populaire et mystique a parfois le caractère tout ensemble naïf et précieux des enluminures (*Dominical*, 1892; *Six chansons de pauvre homme, Enluminures*, 1898). La guerre, l'exode assombriront quelque temps ce lyrisme (*Chansons désabusées, Aegri somnia*, 1922-1924).

**Maurice Maeterlinck (1862-1949) :** né à Gand, d'une vieille famille flamande, homme affable, mais surtout épris de solitude et de méditation, préoccupé par les mystères de la vie et de la destinée, la quête de sagesse, il est surtout connu comme essayiste et créateur du théâtre symboliste. C'est pourtant la poésie qui avait d'abord attiré le jeune étudiant en droit qui, venu à Paris en 1886, fréquentait les milieux littéraires symbolistes. Le recueil *Serres chaudes* publié en 1889 suffit à le faire apparaître comme un des précurseurs de la poésie contemporaine, tant pour ses "symboles inconscients", où il voyait la source de la poésie (*cf.* p. 278), images nocturnes et insolites associant monde intérieur et extérieur, que pour l'univers féerique hanté de présences nostalgiques qu'il crée.

**Emile Verhaeren (1855-1916) :** enfant du "plat pays", il est le plus populaire des symbolistes belges. Malgré la tendance réaliste et parnassienne de ses premières œuvres, *Les Flamandes* (1883), *Les moines* (1886), il se joint au groupe décadent "Jeune Belgique", et les œuvres suivantes reflètent la crise morale traversée – *Les soirs* (1887), *Les débâcles* (1888), *Les flambeaux noirs* (1890). Mais, esprit énergique et vigoureux, il entend bientôt "l'appel de la vie", ouvre les yeux sur les mutations de son siècle en pleine révolution industrielle. D'un humanisme idéaliste voisin de celui de Hugo, sa lucidité sur la misère sociale, sa foi dans l'effort humain confèrent un accent parfois dramatique à son sens de l'histoire. Ces préoccupations, et l'influence de Whitmann font l'originalité de sa poésie : s'il a trouvé dans le symbolisme un monde nouveau d'expression, il en fait le moyen de chanter le monde moderne, annonçant l'unanimisme et parfois l'insolite urbain d'Apollinaire.

*Les campagnes hallucinées* (1893); *Les villes tentaculaires* (1895); *Les heures claires* (1896); *Les visages de la vie* (1899); *Forces tumultueuses* (1902); *Les heures d'après-midi* (1905); *La multiple splendeur* (1906); *Toute la Flandre* (1907-1912); *Les ailes rouges de la guerre* (1916).

## D'ANCIENNEMENT TRANSPOSÉ

J'ai triste d'une ville en bois,
– Tourne, foire de ma rancœur,
Mes chevaux de bois de malheur –
J'ai triste d'une ville en bois,
J'ai mal à mes sabots de bois.

J'ai triste d'être le perdu
D'une ombre et nue et mal en place,
– Mais dont mon cœur trop sait la place –
J'ai triste d'être le perdu
10  Des places, et froid et tout nu.

J'ai triste de jours de patins
– Sœur Anne ne voyez-vous rien? –
Et de n'aimer en nulle femme;
J'ai triste de jours de patins,
Et de n'aimer en nulle femme.

J'ai triste de mon cœur en bois,
Et j'ai très-triste de mes pierres,
Et des maisons où, dans du froid,
Au dimanche des cœurs de bois,
20  Les lampes mangent la lumière.

Et j'ai triste d'une eau-de-vie
Qui fait rentrer tard les soldats.
Au dimanche ivre d'eau-de-vie,
Dans mes rues pleines de soldats,
J'ai triste de trop d'eau-de-vie.

Max Elskamp, *La louange de la vie,* Mercure de France éd.


## SERRE CHAUDE

O serre au milieu des forêts!
Et vos portes à jamais closes!
Et tout ce qu'il y a sous votre coupole!
Et sous mon âme en vos analogies!

Les pensées d'une princesse qui a faim,
L'ennui d'un matelot dans le désert,
Une musique de cuivre aux fenêtres des incurables.

Allez aux angles les plus tièdes!
On dirait une femme évanouie un jour de moisson;
10  Il y a des postillons dans la cour de l'hospice;
Au loin, passe un chasseur d'élans, devenu infirmier.

Examinez au clair de lune!
(Oh, rien n'y est à sa place!)
On dirait une folle devant les juges,

Un navire de guerre à pleines voiles sur un canal,
Des oiseaux de nuit sur des lys,
Un glas vers midi,
(Là-bas sous ces cloches!)
Une étape de malades dans la prairie,
20 Une odeur d'éther un jour de soleil.

Mon Dieu! mon Dieu! quand aurons-nous la pluie
Et la neige et le vent dans la serre!

Maurice Maeterlinck, *Serres chaudes,* Vanier éd., tous droits réservés.

## CHANSONS

### I

Les sept filles d'Orlamonde[1],
Quand la fée fut morte,
Les sept filles d'Orlamonde,
Ont cherché les portes.

Ont allumé leurs sept lampes,
Ont ouvert les tours,
Ont ouvert quatre cents salles,
Sans trouver le jour.

Arrivent aux grottes sonores,
Descendent alors;
Et sur une porte close
Trouvent une clef d'or.

Voient l'océan par les fentes,
Ont peur de mourir,
Et frappent à la porte close,
Sans oser l'ouvrir.

### III

Les trois sœurs ont voulu mourir
Elles ont mis leurs couronnes d'or
Et sont allées chercher leur mort.

S'en sont allées vers la forêt :
« Forêt, donnez-nous notre mort,
Voici nos trois couronnes d'or.»

La forêt se mit à sourire
Et leur donna douze baisers
Qui leur montrèrent l'avenir.

10 Les trois sœurs ont voulu mourir
S'en sont allées chercher la mer
Trois ans après la rencontrèrent :

« O mer, donnez-nous notre mort,
Voici nos trois couronnes d'or. »

Et la mer se mit à pleurer
Et leur donna trois cents baisers,
Qui leur montrèrent le passé.

Les trois sœurs ont voulu mourir
S'en sont allées chercher la ville
20 La trouvèrent au milieu d'une île :

« O ville donnez-nous notre mort,
Voici nos trois couronnes d'or. »

Et la ville s'ouvrant à l'instant
Les couvrit de baisers ardents,
Qui leur montrèrent le présent.

*Ibid., Douze chansons,* Stock éd.

1. Maeterlinck avait donné ce nom de fée au manoir où il passa la plus grande partie de sa vie.

## LA JOIE

O ces larges beaux jours dont les matins flamboient!
La terre ardente et fière est plus superbe encor
Et la vie éveillée est d'un parfum si fort
Que tout l'être s'en grise et bondit vers la joie.

Soyez remerciés, mes yeux,
D'être restés si clairs, sous mon front déjà vieux,
Pour voir au loin bouger et vibrer la lumière;
Et vous, mes mains, de tressaillir dans le soleil;
Et vous, mes doigts, de recueillir les fruits vermeils
10 Pendus au long du mur, près des roses trémières.

Soyez remercié, mon corps,
D'être ferme, rapide, et frémissant encor
Au toucher des vents prompts ou des brises profondes;
Et vous, mon torse droit et mes larges poumons,
De respirer, au long des mers ou sur les monts,
L'air radieux et vif qui baigne et mord les mondes.

O ces matins de fête et de calme beauté!
Roses dont la rosée orne les purs visages,
Oiseaux venus vers nous, comme de blancs présages,
20 Jardins d'ombre massive ou de frêle clarté!

A l'heure où l'ample été tiédit les avenues,
Je vous aime, chemins, par où s'en est venue
Celle qui recélait, entre ses mains, mon sort;
Je vous aime, lointains marais et bois austères,
Et sous mes pieds, jusqu'au tréfonds, j'aime la terre,
Où reposent mes morts.

J'existe en tout ce qui m'entoure et me pénètre.
Gazons épais, sentiers perdus, massifs de hêtres,
Eau lucide que nulle ombre ne vient ternir,
30 Vous devenez moi-même étant mon souvenir.

Ma vie, infiniment, en vous tous se prolonge.
Je forme et je deviens tout ce qui fut mon songe;
Dans le vaste horizon dont s'éblouit mon œil,
Arbres frissonnants d'or, vous êtes mon orgueil;
Ma volonté, pareille aux nœuds dans votre écorce,
Aux jours de travail ferme et sain, durcit ma force.

Quand vous frôlez mon front, roses des jardins clairs,
De vrais baisers de flamme illuminent ma chair;
Tout m'est caresse, ardeur, beauté, frisson, folie,
40 Je suis ivre du monde et je me multiplie
Si fort en tout ce qui rayonne et m'éblouit
Que mon cœur en défaille et se délivre en cris.

O ces bonds de ferveur, profonds, puissants et tendres
Comme si quelque aile immense te soulevait,
Si tu les as sentis vers l'infini te tendre,
Homme, ne te plains pas, même en des temps mauvais;
Quel que soit le malheur qui te prenne pour proie,
Dis-toi qu'un jour, en un suprême instant,
Tu as goûté quand même, à cœur battant,
50 La douce et formidable joie,
Et que ton âme hallucinant tes yeux
Jusqu'à mêler ton être aux forces unanimes,
Pendant ce jour unique et cette heure sublime,
T'a fait semblable aux dieux.

Emile Verhaeren, *La multiple splendeur*, Mercure de France éd.

## LA VILLE

Tous les chemins vont vers la ville.

Du fond des brumes,
Avec tous ses étages en voyage
Jusques au ciel, vers de plus hauts étages,
Comme d'un rêve, elle s'exhume.

Là-bas,
Ce sont des ponts musclés de fer,
Lancés, par bonds, à travers l'air;
Ce sont des blocs et des colonnes
10 Que décorent Sphinx et Gorgonnes;
Ce sont des tours sur des faubourgs;
Ce sont des millions de toits
Dressant au ciel leurs angles droits :
C'est la ville tentaculaire,

Debout,
Au bout des plaines et des domaines.

Des clartés rouges
Qui bougent
Sur des poteaux et des grands mâts
20 Même à midi, brûlent encor
Comme des œufs de pourpre et d'or;
Le haut soleil ne se voit pas :
Bouche de lumière, fermée
Par le charbon et la fumée.

Un fleuve de naphte et de poix
Bat les môles de pierre et les pontons de bois;
Les sifflets crus des navires qui passent
Hurlent de peur dans le brouillard;
Un fanal vert est leur regard
30 Vers l'océan et les espaces.

Des quais sonnent aux chocs de lourds fourgons;
Des tombereaux grincent comme des gonds;
Des balances de fer font choir des cubes d'ombre
Et les glissent soudain en des sous-sols de feu;
Des ponts s'ouvrant par le milieu,
Entre les mâts touffus dressent des gibets sombres
Et des lettres de cuivre inscrivent l'univers,
Immensément, par à travers
Les toits, les corniches et les murailles,
40 Face à face, comme en bataille.

Et tout là-bas, passent chevaux et roues,
Filent les trains, vole l'effort,
Jusqu'aux gares, dressant, telles des proues
Immobiles, de mille en mille, un fronton d'or.
Des rails raméfiés y descendent sous terre
Comme en des puits et des cratères
Pour reparaître au loin en réseaux clairs d'éclairs
Dans le vacarme et la poussière.
C'est la ville tentaculaire.

50 La rue — et ses remous comme des câbles
Noués autour des monuments —
Fuit et revient en longs enlacements;
Et ses foules inextricables
Les mains folles, les pas fiévreux,
La haine aux yeux,
Happent des dents le temps qui les devance.
A l'aube, au soir, la nuit,
Dans la hâte, le tumulte, le bruit,
Elles jettent vers le hasard l'âpre semence
60 De leur labeur que l'heure emporte.
Et les comptoirs mornes et noirs
Et les bureaux louches et faux
Et les banques battent des portes
Aux coups de vent de la démence.

Le long du fleuve, une lumière ouatée,
Trouble et lourde, comme un haillon qui brûle,
De réverbère en réverbère se recule.
La vie, avec des flots d'alcool est fermentée.
70 Les bars ouvrent sur les trottoirs
Leurs tabernacles de miroirs
Où se mirent l'ivresse et la bataille;
Une aveugle s'appuie à la muraille
Et vend de la lumière, en des boîtes d'un sou;
La débauche et le vol s'accouplent en leur trou;
La brume immense et rousse
Parfois jusqu'à la mer recule et se retrousse
Et c'est alors comme un grand cri jeté
Vers le soleil et sa clarté :
Places, bazars, gares, marchés,
80 Exaspèrent si fort leur vaste turbulence
Que les mourants cherchent en vain le moment de silence
Qu'il faut aux yeux pour se fermer.

Telle, le jour − pourtant, lorsque les soirs
Sculptent le firmament, de leurs marteaux d'ébène,
La ville au loin s'étale et domine la plaine
Comme un nocturne et colossal espoir;
Elle surgit : désir, splendeur, hantise;
Sa clarté se projette en lueurs jusqu'aux cieux,
Son gaz myriadaire en buissons d'or s'attise,
90 Ses rails sont des chemins audacieux
Vers le bonheur fallacieux
Que la fortune et la force accompagnent;
Ses murs se dessinent pareils à une armée
Et ce qui vient d'elle encor de brume et de fumée
Arrive en appels clairs vers les campagnes.

C'est la ville tentaculaire,
La pieuvre ardente et l'ossuaire
Et la carcasse solennelle.

Et les chemins d'ici s'en vont à l'infini
100 Vers elle.

*Ibid., Les campagnes hallucinées,* Mercure de France éd.

# A l'aube du XX^e siècle

## Recherches et création poétiques du XX^e siècle naissant

Un des acquis du symbolisme aura été la libération du langage poétique ; aussi, parallèlement à ceux qui poursuivent leur route dans les voies du symbolisme ou du néo-classicisme de l'école romane, le début du XX^e siècle se caractérise par la variété des recherches et tout un foisonnement poétique, prolongeant ou diversifiant les recherches antérieures : floraison d'un courant fantaisiste, renouveau d'un lyrisme de l'effusion et du chant concret du monde, courant unanimiste frayant la voie à "l'esprit nouveau" d'Apollinaire, tandis que Valéry, Péguy, Claudel résolvent à leur manière la quête mallarméenne de l'accord de l'être et du dire. Le premier conflit mondial marquera une profonde rupture par la disparition de nombreux poètes (Péguy en 1914, Apollinaire en 1918...) et par l'ébranlement des consciences, source de l'esprit de révolte des jeunes poètes de 1920.

La poésie reste en honneur : les cafés littéraires du quartier Latin, de Montmartre, puis de Montparnasse sont en vogue. Soirées, conférences, banquets se multiplient. Le titre de "Prince des poètes" (Léon Dierx puis Paul Fort) reste honoré. Les revues abondent : plus de deux cents pour Paris seul, dans les quatorze premières années du siècle. Outre celles qui demeurent comme *Le Mercure de France,* signalons *Vers et prose* (1925), *La Phalange* (1906) avec J. Royère, *Le divan* (1908), face aux revues plus marquées par le néo-classicisme et le nationalisme maurrassien, *L'Occident* (1901), *La Renaissance latine* (1902). C'est en 1909 que sera fondée la *Nouvelle Revue Française (NRF),* d'abord dirigée par A. Gide, J. Copeau et J. Schlumberger.

## Alfred Jarry (1873-1907)

"Jarry, celui qui revolver", résume Breton. Un personnage secret, une vie et une œuvre sous le signe de la révolte, comme celles de Rimbaud et de Lautréamont, autres frères aînés de Dada et du surréalisme.

L'histoire a surtout retenu le créateur d'Ubu, l'énorme "gidouille", incarnant la bêtise, l'égoïsme, la cruauté du corps social, "tout le grotesque qui est au monde", le décervelage menaçant des temps modernes.

A partir de 1896, date à laquelle le théâtre de l'Œuvre représente *Ubu-Roi* en une soirée mémorable, le personnage s'empare de son créateur : Jarry adopte un masque provocateur, un visage plâtré et un comportement de clown agressif, une élocution saccadée, miroir grotesque pour les autres.

La révolte de l'esprit chez Jarry a cependant revêtu d'autres formes. Sa première œuvre éditée, en 1894, les *Minutes de sable mémorial,* révèle l'influence de Mallarmé autant que celle de Lautréamont. La première partie, "Linteau", définit une position poétique mallarméenne : "Qu'on pèse donc les mots, polyèdres d'idées, avec des scrupules comme des diamants à la balance de ses oreilles, sans demander pourquoi telle et telle chose, car il n'y a qu'à regarder et c'est écrit dessus." Polysémie et hermétisme sont inclus : "Tous les sens qu'y trouvera le lecteur sont prévus et jamais il ne les trouvera tous; et l'auteur lui en peut indiquer, colin-maillard cérébral, d'inattendus, postérieurs et contradictoires." L'œuvre, écrite de 1891 à 1894, fait alterner poèmes et saynètes, prose rythmée et délire onirique. Le poète féru de cabale, d'occultisme, de symbolisme héraldique, des rituels étranges des sectes hérétiques, de légendes, y crée un univers "gothique" et surréel, nocturne (le "sable" évoque à la fois le sablier, le temps, et la couleur noire dans le blason), hanté de présences mystérieuses, peuplé d'un bestiaire agressif. L'hermétisme se double de l'outrance parodique héritée de Lautréamont.

Même langue poétique dans une bonne part de l'œuvre romanesque. Parmi les œuvres les plus importantes, *Gestes et opinions du Docteur Faustroll, pataphysicien* (1897-98), *L'amour absolu* (1898-99). Autant qu'Ubu, Jarry est Faustroll, fondateur de la pataphysique, "science des solutions imaginaires". Comme Pantagruel dans le *Quart livre,* le docteur doté de l'absolue connaissance accomplit un voyage dans des îles qui sont les univers réels nés des rêves et de l'art des poètes et peintres symbolistes, peuplés de créatures étranges, quête menant au bord de "l'Ethernité". Le voyage s'achève par un naufrage; depuis le "royaume de l'inconnue dimension", Faustroll révèle par lettres télépathiques des fragments du savoir qu'il détient : "Dieu est le point tangent du zéro et de l'infini".

Le grand Livre rêvé par Jarry-Faustroll ne sera jamais écrit. Mais l'humour pataphysique fait exploser les catégories habituelles de la pensée, tandis que sous la plume du poète, nouveau démiurge, les mots, "polyèdres" scintillants, tissent un texte où se fondent mythes personnels et mythes d'une époque, passé et présent, réel et rêve.

## LES PARALIPOMÈNES

(...)
Ne dressez pas vers le ciel noir la flamme de vos cheveux d'effroi quand le hibou tout seul et roi de ses lèvres de fer fait voir le rouge de ses tintamarres; quand les hiboux dans leurs simarres, aux yeux d'espoir, aux yeux menteurs, dans leurs simarres chamarrées, soulevant leurs ailes d'emphase, dardent leurs yeux de chrysoprase vers le ciel noir.

Eloignez de devant ma face ces yeux vert pâle deux par deux, éloignez de devant mes yeux ces pâles astres deux par deux, étoiles de mort qui s'effacent du tableau noir du ciel de moire.
Et vos cheveux de fer brillant, vos lourds cheveux aux reflets bleus sont attirés par ces aimants qui pendent du ciel deux par deux.
O ne dressez pas les cheveux comme sous mon bras triomphant, mon bras aux muscles de potence, la tête vierge de l'enfant dont le sang clair depuis cent ans fond comme la cire d'un cierge sur les trois lampes du silence. Un jour, maudit au regard fou, j'avais crispé mes deux genoux sur ses épaules. Et mes pieds virent leurs muscles en vols pliés battre comme les pleurs d'un cœur ou des paupières. Et je vis s'allonger son cou aminci comme un sablier, son cou dont les tendons partirent avec un bruit de boucliers percés par les clous des fanfares, comme des cordes de guitares sous les doigts qui les ont liées.
Et le roucoulement étrange de l'âme lancée de son cou parmi la phalange des anges siffla dans le ciel noir comme l'essor effeuillé des ailes d'une souris-chauve.
O que triste est le chant du hibou, qui hérisse les cheveux intelligents des hommes fous, et que mélodieux comme le roucoulement de ce cou, ou le crapaud flûtiste qui tourne au gré de ma plume de fer et de mon front de marbre blanc, ces pages de ses mains fidèles servantes, de ses mains blanches pareilles à des étoiles de mer à cinq branches. (...)

*Minutes de sable mémorial.*

## LA CHANSON DU DÉCERVELAGE

Je fus pendant longtemps ouvrier ébéniste,
Dans la ru' du Champ d'Mars, d'la paroiss' de Toussaints.
Mon épouse exerçait la profession d'modiste,
    Et nous n'avions jamais manqué de rien. −
Quand le dimanch' s'annonçait sans nuage,
    Nous exhibions nos beaux accoutrements
    Et nous allions voir le décervelage
    Ru' d' l'Echaudé, passer un bon moment.
      Voyez, voyez la machin' tourner
10      Voyez, voyez la cervell' sauter,
      Voyez, voyez les Rentiers trembler;
*(Chœur)* Hourra, cornes-au-cul, vive le Père Ubu!

Nos deux marmots chéris, barbouillés d'confitures,
Brandissant avec joi' des poupins en papier,
Avec nous s'installaient sur le haut d'la voiture
    Et nous roulions gaiement vers l'Echaudé. −
    On s'précipite en foule à la barrière,
    On s'fich' des coups pour être au premier rang,
    Moi je m'mettais toujours sur un tas d'pierres
20    Pour pas salir mes godillots dans l'sang.
      Voyez, voyez la machin' tourner,·

Voyez, voyez la cervell' sauter,
Voyez, voyez les Rentiers trembler;
*(Chœur)* Hourra, cornes-au-cul, vive le Père Ubu !

Bientôt ma femme et moi nous somm's tout blancs d'cervelle,
Les marmots en boulott'nt et tous nous trépignons
En voyant l'Palotin qui brandit sa jumelle,
Et les blessur's, et les numéros d'plomb. –
Soudain j'perçois dans l'coin, près d'la machine
30    La gueul' d'un bonz' qui n' m' revient qu'à moitié.
Mon vieux, que j'dis, je r'connais ta bobine,
Tu m'as volé, c'est pas moi qui t'plaindrai.
Voyez, voyez la machin' tourner,
Voyez, voyez la cervell' sauter,
Voyez, voyez les Rentiers trembler;
*(Chœur)* Hourra, cornes-au-cul, vive le Père Ubu !

Soudain, j' me sens tirer la manch' par mon épouse :
Espèc' d'andouill', qu'ell' m'dit, v'là l'moment d'te montrer :
Flanque-lui par la gueule un bon gros paquet d'bouse,
40    V'là l'Palotin qu'a just' le dos tourné. –
En entendant ce raisonn'ment superbe,
J'attrap' sus l'coup mon courage à deux mains :
J'flanque au Rentier une gigantesque merdre
Qui s'aplatit sur l'nez du Palotin.
Voyez, voyez la machin' tourner,
Voyez, voyez la cervell' sauter,
Voyez, voyez les Rentiers trembler;
*(Chœur)* Hourra, cornes-au-cul, vive le Père Ubu !

Aussitôt j'suis lancé par-dessus la barrière,
50    Par la foule en fureur je me vois bousculé
Et j'suis précipité la tête la première
Dans l'grand trou noir d'ous qu'on n'revient jamais –
Voilà c'que c'est qu'd'aller s'prom'ner l'dimanche
Ru' d' l'Echaudé pour voir décerveler,
Marcher l'Pinc'Porc ou bien l'Démanch'Comanche.
On part vivant et l'on revient tudé.

Voyez, voyez la machin' tourner,
Voyez, voyez la cervell' sauter,
Voyez, voyez les Rentiers trembler;

60  *(Chœur)* Hourra, cornes-au-cul, vive le Père Ubu !

*Ubu-Roi.*


## DE L'ÎLE DE PTYX

à Stéphane Mallarmé

    L'île de Ptyx est d'un seul bloc de la pierre de ce nom, laquelle est inestimable, car on ne l'a vue que dans cette île, qu'elle compose entièrement. Elle a la translucidité sereine du saphir blanc, et c'est la seule gemme dont le contact ne morfonde pas, mais dont le feu entre et s'étale, comme la digestion du vin. Les autres pierres sont froides comme le cri des trompettes; elle a la chaleur précipitée de la surface des timbales. Nous y pûmes aisément aborder, car elle était taillée en table et crûmes prendre pied sur un soleil purgé des parties opaques ou trop miroitantes de sa flamme, comme les antiques lampes ardentes. On n'y percevait plus les accidents des choses, mais la substance de l'univers, et c'est pourquoi nous ne nous inquiétâmes point si la surface irréprochable était d'un liquide équilibré selon des lois éternelles, ou d'un diamant impénétrable, sauf à la lumière qui tombe droit.

Le seigneur de l'île vint vers nous dans un vaisseau : la cheminée arrondissait des auréoles bleues derrière sa tête, amplifiant la fumée de sa pipe et l'imprimant au ciel. Et au tangage alternatif, sa chaise à bascule hochait ses gestes de bienvenue.

Il tira de dessous son plaid quatre œufs, à la coque peinte, qu'il remit au docteur Faustroll, après boire. A la flamme de notre punch l'éclosion des germes ovales fleurit sur le bord de l'île : deux colonnes distantes, isolement de deux prismatiques trinités de tuyaux de Pan, épanouirent au jaillissement de leurs corniches la poignée de mains quadridigitales des quatrains du sonnet; et notre as berça son hamac dans le reflet nouveau-né de l'arc de triomphe. Dispersant la curiosité velue des faunes et l'incarnat des nymphes désassoupies par la mélodieuse création, le vaisseau clair et mécanique recula vers l'horizon de l'île son haleine bleutée, et la chaise hochante qui saluait adieu[1].

1. Le fleuve autour de l'île s'est fait, depuis ce livre, couronne mortuaire.

*Gestes et opinions du Docteur Faustroll.*

## Les fantaisistes

De Villon, Marot, à travers la poésie légère des âges classiques, à tout un aspect du romantisme, il existe une tradition fantaisiste. Elle se renouvelle au début du siècle grâce aux poètes groupés autour de Paul-Jean Toulet, qui en 1912 se donnent la paradoxale étiquette de "fantaisistes". Délaissant les prétentions mystiques, métaphysiques et les complications du langage symboliste, ils chantent les aspects tendres, cruels, surprenants de la vie quotidienne, les plaisirs et les peines de l'amour, et surtout l'amitié. Comme chez Corbière et Laforgue qu'ils affectionnent, l'humour est la pudeur de la mélancolie. "Quel admirable spectacle nous donne celui qui, au point de mourir de désespoir, sait encore dominer son malheur !", écrit T. Derême. Le contrôle de l'émotion et la liberté du poète, c'est le jeu des images et des rythmes, la création verbale qui l'opèrent. D'Apollinaire à Cocteau et à Max Jacob, tout un aspect de la poésie moderne s'éclaire par leur exemple.

Le maître de ces "libertins de la bohème moderne", parmi lesquels Francis Carco, est **Paul-Jean Toulet.** Pendant ses quatorze ans de vie boulevardière (1898-1912), entre sa jeunesse béarnaise et sa retraite à Guéthary au Pays basque, il égrène dans les revues du temps les poèmes qui seront regroupés dans les *Contrerimes, chansons et coples* (1921), où la légèreté rythmique voile la sensibilité élégiaque et rêveuse.

La limite est difficile à établir entre fantaisistes, poètes populaires et chansonniers. Au *Chat noir* et dans d'autres cabarets artistiques, prolifèrent chansons sentimentales, réalistes et satiriques, romances nostalgiques ou complaintes argotiques. Pour ne mentionner que les plus célèbres, évoquons Aristide Bruant (1851-1923), Victor Meusy, Ponchon, Théodore Botrel, le Breton (1868-1929), auteur de la célèbre *Paimpolaise.*

**Jehan Rictus (1867-1933)** appartient à ce courant de poésie populaire. Dans *Les soliloques du pauvre* (1897), *Les doléances* (1900), *Les cantilènes du malheur* (1902), *Le cœur populaire* (1914), monte la voix poignante du miséreux, écrasé par la ville, oublié du progrès, lucide et fataliste, cœur naïf espérant encore quelque miracle.


XL

L'immortelle, et l'œillet de mer
    Qui pousse dans le sable,
La pervenche trop périssable,
    Ou ce fenouil amer

Qui craquait sous la dent des chèvres
    Ne vous en souvient-il,
Ni de la brise au sel subtil
    Qui nous brûlait aux lèvres ?

LX

Pour une dame imaginaire
10    Aux yeux couleur du temps,
J'ai rimé longtemps, bien longtemps :
    J'en étais poitrinaire.

Théophile-Alexandre Steinlen (1859-1901), *Hiver*, dessin paru dans le *Gil Blas illustré*, 13 mars 1892. (Bibliothèque Nationale, Paris.)

Quand vint un jour où, tout à coup,
     Nous rimâmes ensemble.
Rien que d'y penser, il me semble
     Que j'ai la corde au cou.

## LXIII

Toute allégresse a son défaut
     Et se brise elle-même;
Si vous voulez que je vous aime
20   Ne riez pas trop haut;

C'est à voix basse qu'on enchante
     Sous la cendre d'hiver
Ce cœur pareil au feu couvert,
     Qui se consume et chante.

Paul-Jean Toulet, *Contrerimes, chansons et coples,* Gallimard éd.

## EN ARLE

Dans Arle, où sont les Aliscamps
Quand l'ombre est rouge sous les roses
     Et clair le temps,

Prends garde à la douceur des choses
Lorsque tu sens battre sans cause
     Ton cœur trop lourd

Et que se taisent les colombes :
Parle tout bas si c'est d'amour
     Au bord des tombes.

*Ibid.*

---

## XXI

Je me rappelle un jour de l'été blanc et l'heure
Muette et les cyprès... Mais tu parles : soudain
Je rêve, les yeux clos, à travers le jardin,
D'une source un peu rauque et qu'on entend qui pleure.

## CVII

C'est Dimanche aujourd'hui. L'air est couleur du miel.
Le rire d'un enfant perce la cour aride :
On dirait un glaïeul élancé vers le ciel.
Un orgue au loin se tait. L'heure est plate et sans ride.

## CVIII

Nuit d'amour qui semblais fuir entre deux dimanches,
Tel un grand oiseau noir dont les ailes sont blanches.

*Ibid.*


## LE PRINTEMPS


### XVII

Et quant à moi pour le présent
J' vourais que mes faims soy'nt assouvies,
J' veux pus marner, j' veux viv' ma vie
Et tout d' suite et pas dans dix ans !

Car c' soir j'ai comme un r'gain d' jeunesse
Un tout petit, oh ! bien petit,
Et si ce soir j' sens ma détresse
Demain je r'tomb'rai abruti !

V'là Lazar' qui veut s'couer sa cendre
10 Et flauper l' Monde à coups d' linceul !
La liberté où j' vais la prendre !
J' vas êt' mon Bon Guieu moi tout seul !

J' suis su' la Terr', c'est pour y vivre,
J'ai des poumons pour respirer,
Des yeux pour voir, non pour pleurer,
Un cerveau pour lir' tous les livres,

Un estomac pour l' satisfaire,
Un cœur pour aimer, non haïr,
Des mains pour cueillir le plaisir
20 Et pas turbiner pour mes frèrcs !

Soupé des faiseurs de systèmes,
Ces économiss's « distingués »,
Des f'seurs de lois qui batt'nt la flemme
(Tout' loi étrangle eun' liberté !)

Soupé des Rois, soupé des Maîtres,
Des Parlements, des Pap's, des Prêtres,
(Et comm' j'ai pas d'aut' bien qu' ma peau,
Il est tout choisi mon drapeau !)

Soupé des vill's, des royaumes
30 Où la Misèr' fait ses monômes,
Soupé de c' qu'est civilisé,
Car c'est l'malheur organisé !

Nos pèr's ont assez cravaillé
Et bien assez égorgillé !
L'Homm' de not' temps faut qu'y s'arr'pose
Et que l'Existenc' lui tourne en rose.

Oh ! mon Guieu, si vous existez,
Donnez-nous la forc' d'être libres
Et que mes souhaits s'accomplissent,

40 Car au printemps, saison qu'vous faites
Alorss que la Vie est en fête,
Y s'rait p'têt' ben bon d'être eun' bête
Ou riche et surtout bien aimé.

(Ça s'rait ben bon, si c' n'est justice !)

Jehan Rictus, *Soliloques du pauvre,* Seghers éd.

# Renouveau du lyrisme élégiaque

Le besoin de sincérité qui se manifeste après l'ésotérisme vague et la préciosité de la fin de l'ère symboliste explique le succès de ceux qui, tout en assimilant les modes nouveaux d'expression, vont renouer le dialogue romantique de l'âme et du monde.

**Francis Jammes (1868-1938) :** en 1898, le recueil *De l'angélus de l'aube à l'angélus du soir,* dans *Le Mercure de France,* le révèle. Mallarmé, Gide et Samain saluent ces vers "naïfs et sûrs". Né près de Tarbes, le poète, après ses études à Bordeaux, s'est fixé à Orthez en pays béarnais, loin des modes parisiennes. Ses poèmes sensuels, ingénus et savoureux, disent les fraîcheurs pyrénéennes, le calme de la province, les rires d'enfants et de jeunes filles et la nostalgie de la Guadeloupe où avait vécu son grand-père médecin.

Naïveté qui est aussi le reflet d'une âme transparente, simplicité franciscaine. "Toutes choses sont bonnes à décrire, lorsqu'elles sont naturelles", écrit-il en 1897 dans le "pseudo-manifeste du jammisme" publié dans *Le Mercure de France.* Après le *Deuil des primevères* (1901) et *Clairières du ciel* (1906) sous l'influence de Claudel, le poète évolue vers un catholicisme plus dogmatique dans *les Géorgiques chrétiennes* (1911-12), la fantaisie s'atténue, l'alexandrin remplace le vers libre. Installé après 1921 à Hasparren, au Pays basque, il poursuit son œuvre *(Le livre des quatrains* 1923-25, *De tout temps à jamais* 1935, *Sources* 1936 et *Sources et feux,* publié après sa mort). Il juge sévèrement les nouveaux aspects de la poésie; c'est pourtant le premier Jammes qui vivifia la poésie et qu'aimèrent Ramuz et Supervielle.

**Paul Fort (1872-1960)** est ardent propagandiste du théâtre et de la poésie; il fonde en 1890 le Théâtre d'art (où seront joués Verlaine, Maeterlinck), les revues, le *Livre d'art* et surtout *Vers et prose* (1906-1914); il inaugure les "mardis" de la Closerie des Lilas. En 1912 il reçoit le titre de Prince des poètes. Dans les *Ballades françaises,* égrenées en plaquettes dès 1896 et réunies dans les dix-sept volumes de l'édition définitive, la fantaisie du poète rejoint avec bonheur la fraîcheur du folklore.

**Renée Vivien (1877-1909),** traductrice de Sapho, dit sa mélancolie et ses amours "damnées" avec des accents baudelairiens *(Evocations* 1903, *Sillages* 1908, *Poésies complètes).*

**Anna de Noailles (1876-1933),** belle, cultivée, libérale, entourée d'amis célèbres, eut une vie privilégiée : "Je me suis appuyée à la beauté du Monde/Et j'ai tenu l'odeur des saisons dans mes mains." Son lyrisme est un chant ardent, païen, de la splendeur du monde, mêlé parfois au sentiment tragique de la fragilité de cette beauté et de la vie. (*Le cœur innombrable,* 1901, *L'ombre des jours,* 1902, *Les éblouissements,* 1907, *Les vivants et les morts,* 1913...)

Les dimanches, les bois sont aux vêpres.
Dansera-t-on sous les hêtres ?
Je ne sais... Qu'est-ce que je sais ?
Une feuille tombe de la croisée...
C'est tout ce que je sais...

L'église. On chante. Une poule.
La paysanne a chanté, c'est la fête.
Le vent dans l'azur se roule.
Dansera-t-on sous les hêtres ?
10  Je ne sais pas. Je ne sais.

Mon cœur est triste et doux.
Dansera-t-on sous les hêtres ?
Mais tu sais bien que, les dimanches, les bois sont aux vêpres.
Penser cela, est-ce être poète ?
Je ne sais pas. Qu'est-ce que je sais ?
Est-ce que je vis ? Est-ce que je rêve ?
Oh ! ce soleil et ce bon, doux, triste chien...
Et la petite paysanne
à qui j'ai dit : vous chantez bien...

20  Dansera-t-elle sous les hêtres ?
Je voudrais être, voudrais être
celui qui lentement laisse tomber,
comme un arbre ses baies,
sa tristesse pareille, sa tristesse
pareille aux bois qui sont aux vêpres.

Juin 1897.

Francis Jammes, *De l'angélus de l'aube à l'angélus du soir,* Mercure de France éd.

## LES MYSTÈRES DOULOUREUX

*Agonie*

Par le petit garçon qui meurt près de sa mère
tandis que des enfants s'amusent au parterre;
et par l'oiseau blessé qui ne sait pas comment
son aile tout à coup s'ensanglante et descend;
par la soif et la faim et le délire ardent :
        Je vous salue, Marie.

*Flagellation*

Par les gosses battus par l'ivrogne qui rentre,
par l'âne qui reçoit des coups de pied au ventre,
par l'humiliation de l'innocent châtié,
10  par la vierge vendue qu'on a déshabillée,
par le fils dont la mère a été insultée :
        Je vous salue, Marie.

*Couronnement d'épines*

Par le mendiant qui n'eut jamais d'autre couronne
que le vol des frelons, amis des vergers jaunes,
et d'autre sceptre qu'un bâton contre les chiens;
par le poète dont saigne le front qui est ceint
des ronces des désirs que jamais il n'atteint :
　　Je vous salue, Marie.

*Portement de Croix*

Par la vieille qui, trébuchant sous trop de poids,
20　s'écrie « Mon Dieu ! » Par le malheureux dont les bras
ne purent s'appuyer sur une amour humaine
comme la Croix du Fils sur Simon de Cyrène;
par le cheval tombé sous le chariot qu'il traîne :
　　Je vous salue, Marie.

*Crucifiement*

Par les quatre horizons qui crucifient le Monde,
par tous ceux dont la chair se déchire ou succombe,
par ceux qui sont sans pieds, par ceux qui sont sans mains,
par le malade que l'on opère et qui geint
et par le juste mis au rang des assassins :
30　　Je vous salue, Marie.

*Ibid., Clairières dans le ciel,*
"L'église habillée de feuilles", 33, Mercure de France, éd.

## L'ÉCUREUIL

Écureuil du printemps, écureuil de l'été, qui domines la terre
avec vivacité, que penses-tu, là-haut, de notre humanité ?

　— Les hommes sont des fous qui manquent de gaieté.

Écureuil, queue touffue, doré trésor des bois, ornement de la
vie et fleur de la nature, juché sur ton pin vert, dis-nous ce que tu
vois ?

　— La terre qui poudroie sous des pas qui murmurent.

Écureuil voltigeant, frère du pic bavard, cousin du rossignol,
ami de la corneille, dis-nous ce que tu vois par-delà nos brouillards ?

　— Des lances, des fusils menacer le soleil.

Écureuil, cul à l'air, cursif et curieux, ébouriffant ton col et
gloussant un fin rire, dis-nous ce que tu vois sous la rougeur des
cieux ?

　— Des soldats, des drapeaux qui traversent l'empire.

Ecureuil aux yeux vifs, pétillants, noirs et beaux, humant la sève d'or, la pomme entre tes pattes, que vois-tu sur la plaine autour de nos hameaux ?

— Monter le lac de sang des hommes qui se battent.

Ecureuil de l'automne, écureuil de l'hiver, qui lances vers l'azur, avec tant de gaieté, ces pommes... que vois-tu ? — Demain tout comme Hier

Les hommes sont des fous et pour l'éternité.

Paul Fort, *Ballades françaises,* Garnier-Flammarion éd.

## L'HEURE NAÏVE

Les routes sont jolies. La plaine est puérile. Les gens vont à la messe et semblent bien heureux. La cloche du dimanche, douce comme l'avril, fait résonner aussi la cloche du ciel bleu.

L'air frais dans les rubans, de la boue aux sabots, les gens vont à la messe et semblent bien heureux. Il a tant plu la nuit, mais le ciel est si beau qu'à le mirer la boue et les sabots sont bleus.

La plaine est puérile comme un jouet d'enfant. Les gens vont à la messe et semblent bien heureux. Tout autour des moulins tournent les petits champs. L'ivresse des dimanches tourne dans le ciel bleu.

A la main le beau livre, le chapelet à la manche, les gens vont à la messe et semblent bien heureux. Il revient dans l'air bleu de fraîches souvenances. Les gens, sans se le dire, se pardonnent entre eux.

La ronde du vent frais marque la joie de l'heure. Les gens vont à la messe et semblent bien heureux. Comme des ailes à leur front, des ailes à leur cœur, les rubans, les rubans flottent vers le ciel bleu !

Là-haut, loin de la terre, là-haut, près du Seigneur, toute la joie des hommes tourne dans le ciel bleu. O la ronde des fronts ! ô la ronde des cœurs ! Les gens vont à la messe et semblent bien heureux.

Le curé prêchera des choses tout à l'heure, Mais les gens à l'église écouteront bien peu. Les cœurs loin de la terre, les fronts près du Seigneur, sous les harpes des anges se pardonnent entre eux...

*Ibid.*

## VERS LE NORD

Les mouettes s'en vont vers la mer, vers le nord,
Affermissant leur vol pour la lutte et l'effort.
L'air du large frissonne et souffle dans leurs ailes...

Les mouettes s'en vont vers la mer, vers le nord...

L'air du large frissonne et souffle dans leurs ailes,
Elles vont vers le nord aux neiges solennelles,
L'ondoyant infini ruisselle sous leurs yeux...
Elles vont vers le nord aux neiges solennelles...

   Elles vont vers le rêve et le charme des cieux
10 Délicats et changeants comme une âme d'opale...
   Ah ! les lointains voilés, la neige virginale
   Qui réfléchit l'azur atténué des cieux !

Elles vont vers la brume où flottent les fantômes,
Les pâles arcs-en-ciel, les glaciers et les dômes
Des montagnes, des fjords aux eaux froides, l'hiver,

Les roches et la brume où flottent les fantômes...

Le vent du nord s'élève au profond de l'éther :
L'odeur de l'océan est son baiser amer.
Voici que s'affranchit et roule dans l'espace
20 Le vent du nord, l'esprit glorieux de l'hiver...

Et, magnifiquement ivres de l'air qui passe,
Affermissant leur vol pour la lutte et l'effort,
Les mouettes s'en vont vers la mer, vers le nord...

Renée Vivien, *Évocations,* Lemerre éd., tous droits réservés.

## L'EMPREINTE

Je m'appuierai si bien et si fort à la vie,
D'une si rude étreinte et d'un tel serrement,
Qu'avant que la douceur du jour me soit ravie
Elle s'échauffera de mon enlacement.

La mer, abondamment sur le monde étalée,
Gardera, dans la route errante de son eau,
Le goût de ma douleur qui est âcre et salée
Et sur les jours mouvants roule comme un bateau.

Je laisserai de moi dans le pli des collines
10 La chaleur de mes yeux qui les ont vu fleurir,
Et la cigale assise aux branches de l'épine
Fera vibrer le cri strident de mon désir.

Dans les champs printaniers la verdure nouvelle
Et le gazon touffu sur le bord des fossés
Sentiront palpiter et fuir comme des ailes
Les ombres de mes mains qui les ont tant pressés.

La nature qui fut ma joie et mon domaine
Respirera dans l'air ma persistante ardeur,
Et sur l'abattement de la tristesse humaine
20 Je laisserai la forme unique de mon cœur...

Anna de Noailles, *Le cœur innombrable,* autorisé par Calmann-Lévy éd.

# Le pouvoir du verbe

## Charles Péguy (1873-1914)

Passionné, idéaliste, il concilia dans une vie de combat souvent difficile les diverses valeurs où il se reconnaissait. Fils d'une rempailleuse d'Orléans, petit-fils de paysans, il retrouve en 1908 le christianisme de ses origines dont il s'était un moment éloigné et se voudra toujours homme du peuple et du terroir. Normalien, agrégatif de philosophie, sensible à la leçon de Bergson, il unira humanisme classique et chrétien. Tôt intéressé par les questions sociales, l'influence de Lucien Herr, rue d'Ulm, l'oriente vers le socialisme et l'action; il sera ardent dreyfusard. Fondateur en 1900 des *Cahiers de la quinzaine,* il poursuit une vie de combat solitaire, se démarquant aussi bien du socialisme officiel, dont il désapprouve l'anticléricalisme et le pacifisme, que de la droite conservatrice et affairiste. Il trouvera la mort au front, au début de la bataille de la Marne.

L'union du spirituel et du charnel, le mystère de l'Incarnation, animent la pensée de Péguy, sa vision de l'homme, de l'histoire et sa poésie. L'homme et le poète s'identifient, tous deux relevant de la terre charnelle et de la cité de Dieu. L'action de grâce et la prière se font parole poétique, versets et litanies, drame ou épopée sacrés.

Dès 1897, le poème dramatique *Jeanne d'Arc* révélait sa fascination fraternelle pour la paysanne militante, unissant l'humain et le sacré. L'ensemble des trois *Mystères* (la *Charité de Jeanne d'Arc,* 1910; *Porche du mystère de la deuxième vertu,* 1911; *Mystère des Saints Innocents,* 1912) célèbrent en versets le mystère de l'amour et la vertu suprême de l'espérance. Dans les *Tapisseries* (de *Sainte Geneviève et de Jeanne d'Arc,* 1912; *de Notre-Dame ; d'Eve,* 1913) Péguy revient à l'alexandrin classique : tapisseries poétiques, œuvres d'art et de foi, "tissées point à point", révélant peu à peu à travers les répétitions, l'ampleur de la vision. La troisième, *Eve,* déroule ses 1970 quatrains, véritable *Légende des siècles* chrétienne. Par-delà tout lyrisme personnel ou quête de pureté idéale, la poésie de Péguy retrouve la dimension du sacré et de l'épique, renouvelant la tradition jalonnée par Ronsard , Corneille et Hugo.

## JEANNE D'ARC

JEANNE. –

Adieu, Meuse endormeuse et douce à mon enfance,
Qui demeures aux prés, où tu coules tout bas.
Meuse, adieu : j'ai déjà commencé ma partance
En des pays nouveaux où tu ne coules pas.

Voici que je m'en vais en des pays nouveaux :
Je ferai la bataille et passerai les fleuves;
Je m'en vais m'essayer à de nouveaux travaux,
Je m'en vais commencer là-bas les tâches neuves.

Et pendant ce temps-là, Meuse ignorante et douce,
10 Tu couleras toujours, passante accoutumée,
Dans la vallée heureuse où l'herbe vive pousse,

O Meuse inépuisable et que j'avais aimée.
                                                    *(Un silence.)*
    Tu couleras toujours dans l'heureuse vallée;
Où tu coulais hier, tu couleras demain.

    Tu ne sauras jamais la bergère en allée
Qui s'amusait, enfant, à creuser de sa main
Des canaux dans la terre, — à jamais écroulés.

    La bergère s'en va, délaissant les moutons,
Et la fileuse va, délaissant les fuseaux.
20 Voici que je m'en vais loin de tes bonnes eaux,
Voici que je m'en vais bien loin de nos maisons.

    Meuse qui ne sais rien de la souffrance humaine,
O Meuse inaltérable et douce à toute enfance,
O toi qui ne sais pas l'émoi de la partance,
Toi qui passes toujours et qui ne pars jamais,
O toi qui ne sais rien de nos mensonges faux,

    O Meuse inaltérable, ô Meuse que j'aimais,
                                                    *(Un silence.)*
    Quand reviendrai-je ici filer encor la laine ?
Quand verrai-je tes flots qui passent par chez nous ?
30 Quand nous reverrons-nous ? et nous reverrons-nous ?

    Meuse que j'aime encore, ô ma Meuse que j'aime.
        *(Un assez long silence. Elle va voir si son oncle revient.)*
    O maison de mon père où j'ai filé la laine,
Où, les longs soirs d'hiver, assise au coin du feu,
J'écoutais les chansons de la vieille Lorraine,
Le temps est arrivé que je vous dise adieu.

"A Domrémy", 2<sup>e</sup> partie, acte III, Gallimard éd.


## PRESENTATION DE LA BEAUCE A NOTRE-DAME DE CHARTRES

Etoile de la mer voici la lourde nappe
Et la profonde houle et l'océan des blés
Et la mouvante écume et nos greniers comblés,
Voici votre regard sur cette immense chape

Et voici votre voix sur cette lourde plaine
Et nos amis absents et nos cœurs dépeuplés,
Voici le long de nous nos poings désassemblés
Et notre lassitude et notre force pleine.

Etoile du matin, inaccessible reine,
10 Voici que nous marchons vers votre illustre cour,
Et voici le plateau de notre pauvre amour,
Et voici l'océan de notre immense peine.

Jean-François Millet (1814-1875), *Une bergère*, dessin, vers 1853-1855.
(Graphische Sammlung, Staatsgalerie, Stuttgart.)

Un sanglot rôde et court par delà l'horizon.
A peine quelques toits font comme un archipel.
Du vieux clocher retombe une sorte d'appel.
L'épaisse église semble une basse maison.

Ainsi nous naviguons vers votre cathédrale.
De loin en loin surnage un chapelet de meules,
Rondes comme des tours, opulentes et seules
20 Comme un rang de châteaux sur la barque amirale.

Deux mille ans de labeur ont fait de cette terre
Un réservoir sans fin pour les âges nouveaux.
Mille ans de votre grâce ont fait de ces travaux
Un reposoir sans fin pour l'âme solitaire.

(...)

Un homme de chez nous, de la glèbe féconde
A fait jaillir ici d'un seul enlèvement,
Et d'une seule source et d'un seul portement,
Vers votre assomption la flèche unique au monde.

Tour de David, voici votre tour beauceronne.
30 C'est l'épi le plus dur qui soit jamais monté
Vers un ciel de clémence et de sérénité,
Et le plus beau fleuron dedans votre couronne.

Un homme de chez nous a fait ici jaillir,
Depuis le ras du sol jusqu'au pied de la croix,
Plus haut que tous les saints, plus haut que tous les rois
La flèche irréprochable et qui ne peut faillir.

C'est la gerbe et le blé qui ne périra point,
Qui ne fanera point au soleil de septembre,
Qui ne gèlera point aux rigueurs de décembre,
40 C'est votre serviteur et c'est votre témoin.

C'est la tige et le blé qui ne pourrira pas,
Qui ne flétrira point aux ardeurs de l'été,
Qui ne moisira point dans un hiver gâté,
Qui ne transira point dans un commun trépas.

C'est la pierre sans tache et la pierre sans faute,
La plus haute oraison qu'on ait jamais portée,
La plus droite raison qu'on ait jamais jetée,
Et vers un ciel sans bord la ligne la plus haute. (...)

*La tapisserie de Notre-Dame*, Gallimard éd.

## Paul Claudel (1868-1955)

Né d'une famille champenoise d'origine lorraine installée à Paris en 1882, le jeune étudiant en Sciences Politiques ne connaît à dix-huit ans que "le bagne matérialiste" de son temps scientiste et l'ennui. Deux révélations en 1886 vont transformer sa vie : la lecture de Rimbaud, qui lui donne "l'impression vivante et presque physique du surnaturel" et l'idée d'un lien entre libération poétique et spirituelle; et surtout, à Noël, à Notre-Dame de Paris, la révélation qui décide de son retour profond à la foi catholique. Ajoutons la fréquentation de Virgile, Eschyle, Pindare, la Bible, Shakespeare.

Une profonde unité marque l'œuvre et la pensée de Claudel, qui, de 1893 à 1934, poursuit une double carrière de diplomate et d'écrivain, – pensée qui se révèle aussi bien dans l'*Art poétique* de 1907 (réunissant le *Traité de la connaissance du temps* et celui *de la Co-naissance du monde et de soi-même*) que dans son œuvre lyrique et dramatique.

Poésie et foi se confondent : le poète perçoit le lien qui unit toute chose dans un monde où le physique et le spirituel se mêlent, le mouvement unique et harmonieux de la Création dans la diversité du monde. Analogue à Dieu, il continue la Création en nommant le monde et en révélant son sens. La poésie est création et co-naissance : "J'ai trouvé le secret; je sais parler; si je veux, je saurai vous dire Cela que chaque chose veut dire."

Un lyrisme victorieux s'annonce ainsi, qui célèbre "la grande voie triomphale au travers de la terre réconciliée pour que l'homme soustrait au hasard s'y avance" (*Quatrième Ode*). La vision simultanéiste intègre les aspects modernes du monde dans un espace-temps divin. La métaphore règne, comme dans la *Deuxième Ode* où l'eau est figure de l'esprit tissant les liens entre le visible et l'invisible. Plus, la parole poétique même se veut révélation dynamique : le verset claudélien, dans son mouvement indéfiniment renaissant comme la création, veut transcrire le mouvement de la respiration humaine, les rythmes cosmiques du vent et de l'onde, et ceux de la création même : pulsation, vibration, dilatation. "L'acte créateur essentiel est l'émission d'une onde (...). L'expression sonore se déploie dans le temps et, par conséquent, est soumise au contrôle d'un instrument de mesure, d'un compteur. Cet instrument est le métronome intérieur que nous portons dans la poitrine, le coup de notre pompe à vie, le cœur qui dit indéfiniment : Un. Un. Un. Un. Un. Un. Pan (rien). Pan (rien). Pan (rien). L'iambe fondamental, un *temps* faible et un *temps* fort." (*Positions et propositions sur le vers français,* 1928).

Si le lyrisme baigne toute l'œuvre de Claudel, son théâtre est dominé par les conflits du monde et de la grâce. L'œuvre poétique à proprement parler est dominée par les *Cinq grandes odes,* écrites de 1900 à 1908 et publiées en 1910. S'y ajoutent en 1913 la *Cantate à trois voix,* et en 1915, *Corona benignitatis anni Dei,* cantique des richesses de la Création.

Signalons toutefois qu'après 1946, le "patriarche de Brangues" entreprend de traduire les *Psaumes* (publiés en 1966) dans le même esprit qu'il remanie son théâtre : avec le souci d'une langue parlée, "*parlure* vivante, matière délectable".

On retrouvera chez Saint-John Perse, Pierre Emmanuel, Jean-Claude Renard, l'influence de celui qui définit ainsi le poète : "un semeur de silence".

## L'ESPRIT ET L'EAU

(...)
Mon Dieu, ayez pitié de ces eaux désirantes !
Mon Dieu, vous voyez que je ne suis pas seulement esprit,
mais eau ! ayez pitié de ces eaux en moi qui meurent de soif !
Et l'esprit est désirant, mais l'eau est la chose désirée.
O mon Dieu, vous m'avez donné cette minute de lumière à
voir,
Comme l'homme jeune pensant dans son jardin au mois
d'août qui voit par intervalles tout le ciel et la terre d'un seul coup,
Le monde d'un seul coup tout rempli par un grand coup de
foudre doré !
O fortes étoiles sublimes et quel fruit entr'aperçu dans le noir
abîme ! ô flexion sacrée du long rameau de la Petite-Ourse !
Je ne mourrai pas.
Je ne mourrai pas, mais je suis immortel !
Et tout meurt, mais je croîs comme une lumière plus pure !
Et, comme ils font mort de la mort, de son extermination je
fais mon immortalité.
Que je cesse entièrement d'être obscur ! Utilisez-moi !
Exprimez-moi dans votre main paternelle !
Sortez enfin
Tout le soleil qu'il y a en moi et capacité de votre lumière, que
je vous voie
Non plus avec les yeux seulement, mais avec tout mon corps et
ma substance et la somme de ma quantité resplendissante et
sonore !
L'eau divisible qui fait la mesure de l'homme
Ne perd pas sa nature qui est d'être liquide
Et parfaitement pure par quoi toutes choses se reflètent en
elle.
Comme ces eaux qui portèrent Dieu au commencement,
Ainsi ces eaux hypostatiques en nous
Ne cessent de le désirer, il n'est désir que de lui seul !
Mais ce qu'il y a en moi de désirable n'est pas mûr.
Que la nuit soit donc en attendant mon partage où lentement
se compose de mon âme
La goutte prête à tomber dans sa plus grande lourdeur.
Laissez-moi vous faire une libation dans les ténèbres,
Comme la source montagnarde qui donne à boire à l'Océan
avec sa petite coquille ! (...)

*Cinq grandes odes,* "Deuxième ode", Gallimard éd.

## PSAUME 8

1-2    Seigneur, Seigneur notre Dieu, ah c'est à n'y pas croire, ce
nom, ce nom admirable, le Tien, que Tu T'es amusé à gri-
bouiller sur toute la terre !
2    Ce *Parce que* que Tu as minuté magnifiquement dans le
Ciel par-dessus les cieux.

3    Et la réponse, Tu l'as demandée pas à d'autre que la bouche des petits enfants, ces lèvres mouillées de lait en qui est anéanti tout esprit de colère et de vengeance.

4    Devant tout ce ciel plein d'étoiles à étreindre, ce vivant équilibre dans la nuit que Tu consolides, j'ai agrandi mes yeux à la dimension de mes bras.

5    Je vous demande un peu ! Qu'est-ce que l'homme que Tu penses à lui ? le fils de l'homme que Tu lui rendes visite ?

6-7    Tu l'as diminué un petit peu au-dessous des anges. Tu l'as couronné de gloire et d'honneur, Tu l'as constitué sur les œuvres de Tes mains.

8    Tu as mis toutes choses sous ses pieds, toutes les bêtes ! les vaches par exemple dans la prairie, toutes ces grosses bêtes qui paissent en se fouettant les flancs de la queue, les chèvres et les moutons !

9    Tout ce qui vole dans le ciel, tout ce qui a nageoire dans la mer, tout ce qui s'ébat poisson dans la liberté de l'élément.

10    Seigneur, Seigneur, notre Dieu ! ah qu'il est admirable, Ton nom sur toute la terre alors qu'on arrive à le déchiffrer !

*Psaumes,* Desclée de Brouwer éd.

## Paul Valéry (1871-1945)

Finesse et rigueur, culture encyclopédique sans pédantisme, conversation éblouissante et spirituelle, goût de l'abstraction mais une œuvre poétique nourrie de notations concrètes, un style élégant voire précieux qui n'exclut pas le goût de la parodie ni celui du burlesque, un désir acharné de se connaître soi-même, de comprendre l'univers – "Vous avez un grand défaut, Valéry, vous voulez tout comprendre", lui disait Degas – un refus de toute confidence et tout lyrisme, mais une sensibilité extrême que furent seuls à connaître ses proches et ses amis, tel apparaît Paul Valéry qui disait de lui-même : "Enfin je suis le lieu géométrique de toutes les contradictions."

Né à Sète, cette ville dominant la mer, dont l'image ne cessera de hanter sa mémoire, Valéry y passe les premières années de son enfance avant de partir pour Montpellier.

Dès 1884 il écrit ses premiers vers ; il dévore alors avec passion aussi bien Gautier, Hugo, Baudelaire que le *Dictionnaire d'architecture* de Viollet-le-Duc.

L'année 1889 est à la fois celle de sa rencontre avec André Gide et Pierre Louÿs, qui resteront ses amis les plus proches, et celle où il découvre, en lisant *A rebours,* Mallarmé dont il va être le disciple ébloui. Il se lasse du Parnasse et unit dans une commune admiration Mallarmé et Edgar Poe : "A l'âge encore assez tendre de 20 ans et au point critique d'une étrange et profonde transformation intellectuelle, je subis le choc de l'œuvre de Mallarmé ; je connus la surprise, le scandale intime, instantané, et l'éblouissement, et la rupture de mes attaches avec mes idoles de cet âge. Je me sentis devenir comme fanatique ; j'éprouvai la progression foudroyante d'une conquête spirituelle décisive... En cette œuvre étrange et comme absolue, résidait un pouvoir magique. Par le seul fait de son existence, elle agissait comme charme et comme glaive."

Après avoir publié un certain nombre de poèmes dans des revues symbolistes, Valéry renonce soudain, en 1892, au cours d'une crise sentimentale et intellectuelle, à la poésie. Il ne cesse pas pour autant de fréquenter assidûment les mardis de Mallarmé, mais se consacre surtout à des réflexions abstraites qu'il consigne journellement dans des cahiers d'écolier (il en remplira 257 en 59 ans).

Après vingt années de silence "poétique" – il a en vérité publié entretemps un certain nombre d'ouvrages en prose –, il va, en 1912, revenir à la poésie : en effet Gide et Gallimard lui demandent de réunir ses vers de jeunesse à des fins de publication. Il accepte, et, désireux de compléter le recueil par un adieu à la poésie, il est pris à son propre jeu et retrouve le goût d'écrire des vers. Ainsi écrit-il *La jeune Parque* (1917), puis de 1917 à 1922 les poèmes qui seront regroupés dans le recueil *Charmes* (de *Carmina* qui signifie en latin poèmes, incantations). En 1920 il a publié ses anciens poèmes sous le titre *Album de vers anciens.*

Curieux de tout, Valéry se passionne aussi bien pour l'architecture, les mathématiques, la physique que pour la musique, la danse, la peinture. Admirateur de Wagner ("Rien ne m'a plus influencé que l'œuvre de ce Wagner, ou du moins certains caractères de cette œuvre..."), il se passionne de façon générale pour l'opéra ; il est l'ami de Debussy, Ravel, Honegger, qui composera la musique de ses "mélodrames" *(Sémiramis* et *Amphion) ;* il a suivi de près la construction du théâtre des Champs-Elysées, où il assistera à toutes les premières, notamment celles des Ballets russes, car la danse aussi l'intéresse (en 1923 il a écrit *L'âme et la danse).* Il est l'ami de Degas *(Degas, Danse, Dessin,* 1936), d'O. Redon ; il a fréquenté les impressionnistes et sa femme est la nièce de Berthe Morisot ; lui-même peint et dessine.

Sa notoriété de poète fut immédiatement considérable ; en 1921, dans un plébiscite lancé par la revue *Connaissance,* il est désigné par plus de

3000 voix comme le plus grand de sept poètes contemporains. En 1925 il est élu à l'Académie française : chargé d'honneurs et comblé, il écrira désormais peu de vers, mais multipliera les conférences en France et dans l'Europe entière sur les sujets les plus variés, allant de la création artistique à ses "hérésies mathématiques"; il continue à remplir ses cahiers. En 1936 il est chargé au Collège de France d'un cours de poétique. Il meurt, le 20 juillet 1945, à Paris. Après des funérailles nationales, il est inhumé au "cimetière marin" de Sète, où l'on a gravé sur sa tombe : "O récompense après une pensée / Qu'un long regard sur le calme des dieux."

Sa poésie, fruit d'une ascèse et d'un travail assidu à partir du matériau qu'offre l'inspiration, est souvent difficile et obscure, comme celle de son maître Mallarmé; mais, loin d'être purement intellectuelle, elle se nourrit de notations riches de substance qui, par leur densité, atteignent une rare puissance évocatoire.

## DOCUMENT

(...) Si donc l'on m'interroge; si l'on s'inquiète (comme il arrive, et parfois assez vivement) de ce que j'ai « voulu dire » dans tel poème, je réponds que je n'ai pas *voulu dire,* mais *voulu faire,* et que ce fut l'intention de *faire* qui *a voulu* ce que j'ai *dit...*

Quant au *Cimetière marin,* cette intention ne fut d'abord qu'une figure rythmique vide, ou remplie de syllabes vaines, qui me vint obséder quelque temps. J'observai que cette figure était décasyllabique, et je me fis quelques réflexions sur ce type fort peu employé dans la poésie moderne; il me semblait pauvre et monotone. Il était peu de chose auprès de l'alexandrin, que trois ou quatre générations de grands artistes ont prodigieusement élaboré. Le démon de la généralisation suggérait de tenter de porter ce *Dix* à la puissance du *Douze.* Il me proposa une certaine strophe de six vers et l'idée d'une *composition* fondée sur le nombre de ces strophes, et assurée par une diversité de tons et de fonctions à leur assigner. Entre les strophes, des contrastes ou des correspondances devaient être institués. Cette dernière condition exigea bientôt que le poème possible fût un monologue de « moi », dans lequel les thèmes les plus simples et les plus constants de ma vie affective et intellectuelle, tels qu'ils s'étaient imposés à mon adolescence et associés à la mer et à la lumière d'un certain lieu des bords de la Méditerranée, fussent appelés, tramés, opposés...

*Variété,* "Mémoires du poète", La Pléiade, p. 2503, Gallimard éd.

## LA FILEUSE

Assise, la fileuse au bleu de la croisée
Où le jardin mélodieux se dodeline ;
Le rouet ancien qui ronfle l'a grisée.

Lasse, ayant bu l'azur, de filer la câline
Chevelure, à ses doigts si faibles évasive,
Elle songe, et sa tête petite s'incline.

Un arbuste et l'air pur font une source vive
Qui suspendue au jour, délicieuse arrose
De ses pertes de fleurs le jardin de l'oisive.

10 Une tige, où le vent vagabond se repose,
Courbe le salut vain de sa grâce étoilée,
Dédiant magnifique, au vieux rouet, sa rose.

Mais la dormeuse file une laine isolée :
Mystérieusement l'ombre frêle se tresse
Au fil de ses doigts longs et qui dorment, filée.

Le songe se dévide avec une paresse
Angélique, et sans cesse, au doux fuseau crédule,
La chevelure ondule au gré de la caresse...

Derrière tant de fleurs, l'azur se dissimule,
20 Fileuse de feuillage et de lumière ceinte :
Tout le ciel vert se meurt. Le dernier arbre brûle.

Ta sœur, la grande rose où sourit une sainte,
Parfume ton front vague au vent de son haleine
Innocente, et tu crois languir... Tu es éteinte

Au bleu de la croisée où tu filais la laine.

*Album de vers anciens,* Gallimard éd.

---

Quels éléments composent le tableau initial ? A travers reprises, développements et variations, quels thèmes se tissent progressivement jusqu'à la disparition finale (relever les termes appartenant au même champ sémantique en suivant l'évolution du sens ; valeur de l'imparfait final) ? Montrer la structure et la qualité musicales du poème.

---

## LES PAS

Tes pas, enfants de mon silence,
Saintement, lentement placés,
Vers le lit de ma vigilance[1]
Procèdent[2] muets et glacés.

Personne pure, ombre divine,
Qu'ils sont doux, tes pas retenus!
Dieux!.. tous les dons que je devine
Viennent à moi sur ces pieds nus!

Si, de tes lèvres avancées,
Tu prépares pour l'apaiser,
A l'habitant de mes pensées
La nourriture d'un baiser,

Ne hâte pas cet acte tendre,
Douceur d'être et de n'être pas,
Car j'ai vécu de vous attendre,
Et mon cœur n'était que vos pas.

*Charmes.*

1. Etymologiquement : *l'état de veille.* 2. Etymologiquement : avancent.

---

"... Petit poème purement *sentimental,* disait Valéry, auquel on prête un sens intellectuel, un symbole de l'inspiration." Etudiez le rythme et la musique de ce poème en harmonie avec le thème du désir et de l'attente.

---

## LES GRENADES

Dures grenades entr'ouvertes
Cédant à l'excès de vos grains,
Je crois voir des fronts souverains
Eclatés de leurs découvertes!

Si les soleils par vous subis,
O grenades entre-bâillées,
Vous ont fait d'orgueil travaillées
Craquer les cloisons de rubis,

Et que si[1] l'or sec de l'écorce
A la demande d'une force
Crève en gemmes rouges de jus,

Cette lumineuse rupture
Fait rêver une âme que j'eus
De sa secrète architecture.

*Ibid.*

1. Et si...

---

Une nature morte (notations de couleurs, sonorités du texte, pouvoir suggestif des termes utilisés) ; relever les expressions qui font de cette nature morte une image de la vie de l'esprit.

## LE CIMETIÈRE MARIN

Μή, φίλα ψυχά, βίον ἀθάνατον
σπεῦδε, ταν δ'ἔμπρακτον ἄντλεῖ
μαχανάν.[1]
Pindare, *Pythiques*, III.

Ce toit[2] tranquille, où marchent des colombes,
Entre les pins palpite, entre les tombes ;
Midi le juste[3] y compose de feux
La mer, la mer, toujours recommencée !
O récompense après une pensée
Qu'un long regard sur le calme des dieux !

Quel pur travail de fins éclairs consume
Maint diamant d'imperceptible écume,
Et quelle paix semble se concevoir !
10 Quand sur l'abîme un soleil se repose,
Ouvrages purs d'une éternelle cause,
Le Temps scintille et le Songe est savoir.

Stable trésor, temple simple à Minerve,
Masse de calme, et visible réserve,
Eau sourcilleuse, Œil qui gardes en toi
Tant de sommeil sous un voile de flamme,
O mon silence !.. Edifice dans l'âme,
Mais comble d'or aux mille tuiles, Toit !

Temple du Temps[4], qu'un seul soupir résume,
20 A ce point pur je monte et m'accoutume,
Tout entouré de mon regard marin ;
Et comme aux dieux mon offrande suprême,
La scintillation sereine sème
Sur l'altitude un dédain souverain.

Comme le fruit se fond en jouissance,
Comme en délice il change son absence
Dans une bouche où sa forme se meurt,
Je hume ici ma future fumée[5],
Et le ciel chante à l'âme consumée
30 Le changement des rives en rumeur.

Bleu ciel, vrai ciel, regarde-moi qui change !
Après tant d'orgueil, après tant d'étrange
Oisiveté, mais pleine de pouvoir[6],
Je m'abandonne à ce brillant espace,
Sur les maisons des morts mon ombre passe
Qui m'apprivoise à son frêle mouvoir.

---

1. "O mon âme, n'aspire pas à la vie immortelle, mais épuise le champ du possible." 2. La mer. 3. Le soleil au zénith (image de l'être absolu) par opposition à la mer (être relatif car en perpétuel mouvement) et au cimetière (image du non-être). 4. Apposition à *je*. 5. Mon bûcher funèbre. 6. Le poète s'arrache à sa méditation et redécouvre les limites de sa condition d'homme.

L'âme exposée aux torches du solstice,
Je te soutiens[7], admirable justice
De la lumière aux armes sans pitié !
40  Je te rends pure à ta place première :
Regarde-toi !.. Mais rendre la lumière
Suppose d'ombre une morne moitié.

O pour moi seul, à moi seul, en moi-même,
Auprès d'un cœur, aux sources du poème,
Entre le vide et l'événement pur,
J'attends l'écho de ma grandeur interne,
Amère, sombre et sonore citerne,
Sonnant dans l'âme un creux toujours futur !

Sais-tu, fausse captive des feuillages,
50  Golfe mangeur de ces maigres grillages,
Sur mes yeux clos, secrets éblouissants[8],
Quel corps me traîne à sa fin paresseuse,
Quel front l'attire à cette terre osseuse[9] ?
Une étincelle[10] y pense à mes absents.

Fermé, sacré, plein d'un feu sans matière,
Fragment terrestre offert à la lumière,
Ce lieu me plaît, dominé de flambeaux,
Composé d'or, de pierre et d'arbres sombres,
Où tant de marbre est tremblant sur tant d'ombres ;
60  La mer fidèle y dort sur mes tombeaux !

Chienne splendide, écarte l'idolâtre[11] !
Quand solitaire au sourire de pâtre,
Je pais longtemps, moutons mystérieux,
Le blanc troupeau de mes tranquilles tombes,
Eloignes-en les prudentes colombes,
Les songes vains, les anges curieux !

Ici venu, l'avenir est paresse.
L'insecte net gratte la sécheresse ;
Tout est brûlé, défait, reçu dans l'air
70  A je ne sais quelle sévère essence...
La vie est vaste, étant ivre d'absence,
Et l'amertume est douce, et l'esprit clair.

Les morts cachés sont bien dans cette terre
Qui les réchauffe et sèche leur mystère.
Midi là-haut, Midi sans mouvement
En soi se pense et convient à soi-même...
Tête complète et parfait diadème[12],
Je suis en toi le secret changement.

---

7. La lucidité de la conscience réfléchit la lumière du soleil. 8. Mystères des profondeurs mari-
nes, en opposition à *captive* et *golfe*. 9. Le cimetière. 10. L'âme. 11. Celui qui croit aux emblèmes
de l'immortalité (*cf.* v. 65-66). Lucide, le poète refuse le mirage de l'immortalité. 12. Apostro-
phes à Midi, symbole de l'Etre absolu au sein duquel l'homme représente le changement donc
un "défaut".

Tu n'as que moi pour contenir tes craintes!
80 Mes repentirs, mes doutes, mes contraintes
Sont le défaut de ton grand diamant...
Mais dans leur nuit toute lourde de marbres,
Un peuple vague aux racines des arbres
A pris déjà ton parti lentement[13].

Ils ont fondu dans une absence épaisse,
L'argile rouge a bu la blanche espèce,
Le don de vivre a passé dans les fleurs!
Où sont des morts les phrases familières,
L'art personnel, les âmes singulières?
90 La larve file où se formaient des pleurs.

Les cris aigus des filles chatouillées,
Les yeux, les dents, les paupières mouillées,
Le sein charmant qui joue avec le feu,
Le sang qui brille aux lèvres qui se rendent,
Les derniers dons, les doigts qui les défendent,
Tout va sous terre et rentre dans le jeu!

Et vous, grande âme, espérez-vous un songe[14]
Qui n'aura plus ces couleurs de mensonge
Qu'aux yeux de chair l'onde et l'or font ici?
100 Chanterez-vous quand serez vaporeuse?
Allez! Tout fuit! Ma présence est poreuse,
La sainte impatience[15] meurt aussi!

Maigre immortalité noire et dorée,
Consolatrice affreusement laurée,
Qui de la mort fais un sein maternel,
Le beau mensonge et la pieuse ruse!
Qui ne connaît, et qui ne les refuse,
Ce crâne vide et ce rire éternel!

Pères profonds, têtes inhabitées,
110 Qui sous le poids de tant de pelletées,
Etes la terre et confondez nos pas,
Le vrai rongeur, le ver irréfutable[16]
N'est point pour vous qui dormez sous la table,
Il vit de vie, il ne me quitte pas!

Amour, peut-être, ou de moi-même haine?
Sa dent secrète est de moi si prochaine
Que tous les noms lui peuvent convenir!
Qu'importe! Il voit, il veut, il songe, il touche!
Ma chair lui plaît, et jusque sur ma couche,
120 A ce vivant je vis d'appartenir!

---

13. Retournant au néant, les morts retrouvent une forme d'absolu (ou de non-être). 14. Le poète refuse l'idée d'un monde éternel qui s'opposerait au monde terrestre "mensonger". 15. Le désir d'immortalité, ou la pensée et l'inspiration poétiques. 16. Le ver de la conscience qui ronge le vivant (cf. v. 115-120).

Zénon! Cruel Zénon! Zénon d'Élée[17]!
M'as-tu percé de cette flèche ailée
Qui vibre, vole, et qui ne vole pas!
Le son m'enfante et la flèche me tue!
Ah! le soleil... Quelle ombre de tortue
Pour l'âme, Achille immobile à grands pas!

Non, non!.. Debout! Dans l'ère successive!
Brisez, mon corps, cette forme pensive!
Buvez, mon sein, la naissance du vent!
130 Une fraîcheur, de la mer exhalée,
Me rend mon âme... O puissance salée!
Courons à l'onde en rejaillir vivant!

Oui! Grande mer de délires douée,
Peau de panthère et chlamyde trouée
De mille et mille idoles[18] du soleil,
Hydre absolue[19], ivre de ta chair bleue,
Qui te remords l'étincelante queue
Dans un tumulte au silence pareil,

Le vent se lève!.. Il faut tenter de vivre!
140 L'air immense ouvre et referme mon livre,
La vague en poudre ose jaillir des rocs!
Envolez-vous, pages tout éblouies!
Rompez, vagues! Rompez d'eaux réjouies
Ce toit tranquille où picoraient des focs!

*Ibid.*

17. Philosophe grec présocratique qui voulait démontrer que le mouvement n'existe pas : par ex. la flèche qui vole est, à chaque instant, là où elle est, donc immobile ; Achille, poursuivant une tortue ne l'attrape jamais, car, chaque fois qu'il avance, la tortue avance aussi un peu, et ainsi de suite, si bien qu'il ne peut jamais se trouver au même point qu'elle. Mais le mouvement est une évidence (*cf.* v. 124). Le poète va s'arracher brusquement à la fascination de la pensée pure et de ses sophismes comme à l'attrait de l'absolu inaccessible (*le soleil*). 18. Images, reflets (hellénisme). 19. Eau déchaînée (sens étymologique) ; mais *hydre* évoque aussi un serpent monstrueux. Le serpent qui se mord la queue symbolise le fini et l'éternel recommencement.

(p. 334-337)
Voir document p. 331.
"Quant au contenu du poème, il est fait de souvenirs de ma ville natale. C'est à peu près le seul de mes poèmes où j'aie mis quelque chose de ma propre vie. Ce cimetière existe. Il domine la mer sur laquelle on voit les colombes, c'est-à-dire les barques des pêcheurs errer, *picorer...*"
**1.** A partir de la trinité initiale *(Mer, Soleil, Cimetière),* dégager l'architecture de la méditation poétique : extase dans le "calme des dieux, retour à la conscience de la condition humaine, la mort (le cimetière et le vertige du non-être; refus de l'immortalité mensongère et de la spéculation métaphysique); élan final vers la vie. Voir le passage de l'extase pure à l'ivresse sensuelle de la vie (*cf.* l'épigraphe).
**2.** Faire un tableau en notant strophe par strophe ce qui évoque la Mer, le Soleil, le Cimetière, le Moi. Quelles relations sont successivement suggérées entre Mer et Soleil, Mer et Cimetière, Cimetière et Soleil, Mer et Poète?
**3.** Etudier, plus particulièrement dans les quatre premières et trois dernières strophes, les images et la qualité musicale du poème.

## De l'unanimisme à "l'esprit nouveau"

La nouveauté, la puissance du monde moderne, réveillant l'exigence baudelairienne d'une poésie moderne, vont susciter pendant cette période de nouveaux modes d'expression. En ce début du XX<sup>e</sup> siècle, l'accélération du progrès scientifique et technique, la vitesse réduisant l'espace, "l'extase électrique", la magie du cinéma naissant, vont modifier la vision du monde, tant en poésie que dans les arts plastiques.

S'éloignant de la philosophie idéaliste et du subjectivisme de la poésie symboliste, Verhaeren avait déjà chanté la réalité urbaine, industrielle. En 1897, le groupe "naturiste", influencé par Zola, puis en 1902 le groupe "humaniste" de F. Gregh, appelaient une poésie plus vigoureuse et l'ouverture sur les préoccupations contemporaines. Et rappelons l'influence grandissante de Whitman, le chantre américain de l'espérance et de la fraternité humaine.

Le mouvement unanimiste, ce "groupe fraternel d'artistes" de l'Abbaye de Créteil, unis dans une communauté de vie et de travail à partir de 1906, va réussir cette greffe de la poésie sur le monde moderne : René Arcos (*L'âme essentielle,* 1902 ; *Ce qui naît,* 1910), Georges Duhamel (*L'homme en tête,* 1909), Charles Vildrac, le peintre Berthold Mann illustreront un nouveau lyrisme social, qui influence aussi G. Chennevière, P.-J. Jouve, Luc Durtain. Jules Romains, ami du groupe, sera aussi son théoricien : dans un monde où les distances et les différences s'abolissent, le poète perçoit "l'âme collective", inconsciente, irrévélée, des foules, des villes : "Le théâtre, la rue, en eux-mêmes, sont chacun un tout réel, vivant doué d'une existence globale et de sentiments unanimes", écrit J. Romains dans *Le penseur* d'avril 1905. "Je crois fermement que les rapports des sentiments entre un homme et sa ville, que la pensée totale, les larges mouvements de conscience, les ardeurs colossales des groupes humains sont capables de créer un lyrisme pénétrant, ou un superbe cycle épique. Je crois qu'il y a place dans l'art pour un unanimisme."

Percevant "l'être vaste et élémentaire des groupes humains", s'identifiant à la foule – "Je suis à moi seul / Le rythme et la foule" –, le poète, brisant les solitudes subjectives, fait participer les autres à la même communion, les fait vibrer au rythme du monde.

Pendant le premier conflit mondial, le chant de la souffrance des hommes, la dénonciation de l'absurdité de la guerre se substitueront à ce lyrisme optimiste.

La poésie de **Jules Romains**[1] **(1885-1972),** audacieuse, toujours généreuse, paraît parfois trop intellectuelle, prosaïque et didactique. C'est dès 1904 que le jeune normalien, plus tard agrégé de philosophie, eut l'intuition de cette "âme collective" des groupes humains même éphémères, intuition qui s'épanouit dans *L'âme des hommes* (1904) et *La vie unanime* (1908). Dans *Odes et prières* (1909-1913), *Un être en marche* (1910), le lyrisme atteint souvent par l'ellipse un pouvoir plus purement poétique de suggestion. Parallèlement à son œuvre de romancier et de dramaturge, Jules Romains a poursuivi son œuvre de poète (*Europe* 1916 ; *Amour couleur de Paris* 1921 ; *L'homme blanc* 1937 ; *Pierres levées* 1948 ; *Maisons* 1954), fidèle à la prosodie qu'il définit en 1923 dans *Petit traité de versification* rédigé en collaboration avec Chennevière ; hostile au vers libre, il demeure partisan de la scansion syllabique, aux séries de vers de structure uniforme, avec quelques licences : assonances, hiatus, mètres impairs, vers de 14 ou 16 pieds, aptes à ses yeux à ce lyrisme épique souhaité.

La poésie de **Charles Vildrac (1882-1971)** – *Le livre d'amour* 1910 ; *Chants du désespéré* 1920... – intimiste ou fraternelle, demeure simple et discrète.

Bien qu'à l'écart de toute école, **André Spire (1868-1966),** juriste de formation, militant en faveur de l'émancipation et de l'éducation du peuple, peut être rapproché du groupe de l'Abbaye pour son idéal huma-

Ossip Zadkine (1890-1967), *Où sont-ils Braque et Max Jacob ?*, gravure pour
*Sept calligrammes de Guillaume Apollinaire et dix eaux-fortes de Ossip Zadkine*, 1967,
éd. C. Zwilklitzer. (Bibliothèque Nationale, Paris.)

nitaire. Sa poésie s'enracine dans le quotidien, l'actuel, elle chante les joies et les souffrances du peuple en des vers dont le rythme obéit au mouvement de l'émotion ou de la pensée. Dans *Plaisir poétique et plaisir musculaire* (1943), ce partisan du vers libre prône "un vers non pas syllabique, mais accentué qui (...) reçoit son rythme non plus de la forme, mais du sens, non plus du vêtement extérieur et monotone de vers réguliers, mais du mouvement intérieur et toujours variable de la pensée poétique." (*La cité présente* 1903; *Et vous riez* 1905; *Versets* 1908; *Et j'ai voulu la paix* 1916; *Poèmes juifs* 1919; *Poèmes d'ici et de là-bas; New York* 1944...)

1. Louis Farigoule dit...

## LE PRÉSENT VIBRE

En haut du boulevard le crépuscule humain
Se cristallise en arc électrique. Un bruit mince
Frétille. Le courant, qui s'acharne à passer
Et s'accroche au buisson des molécules, saigne.
Les frissons de l'éther partent en trépignant.
La foule du trottoir a repris confiance.
L'ombre appelait les cœurs et les menait danser
Sur des airs de chansons alanguis ou obscènes,
Loin, dans la solitude et dans le souvenir.
10 Or, la lumière trace une piste de cirque;
Les rythmes un instant y tournent, subjugués;
Les âmes qu'on cachait tantôt, on les dégaine
Pour tremper leurs tranchants parallèles et nus
Dans la clarté.

        Mais, au fond des corps, les cellules
Sentent de merveilleux effluves onduler
Vers elles. L'arc, crépitant de fougue solaire,
Darde en chacune le désir d'être un héros.
Des rayons qu'on ne voit pas vibrent, clairons rauques.
L'unité de la chair commence de craquer;
20 Les globules captifs ragent comme des guêpes
Dans une toile d'araignée, et l'air est plein
De liberté que nouent de nouvelles étreintes.
La lueur aide un arbre à vouloir le printemps.
Dans les chairs, les cerveaux pensent moins; et les branches
Souhaitent moins une âme, et tâchent de grandir.
L'esprit cède sa force à l'influx électrique.
La rue est résolue à jouir, tout à coup.
Au coin des carrefours il se caille des couples;
Les germes bougent. Des hommes vont s'attabler
30 Aux tavernes en petits groupes circulaires.
La foule rêve d'être un village au soleil.

Jules Romains, *La vie unanime,* Mercure de France éd.

## AMOUR COULEUR DE PARIS

Amour couleur de Paris.
      Une flamme à peine heureuse
Naît dans le haut de la rue;

Une lumière publique
Offerte au profond azur;

Un feu doré tout de même
Qu'assiège un fin brouillard gris;

Une flamme assez heureuse.

Amour couleur de Paris.

*Ibid., Chants des dix années,* Gallimard éd.

## LES MOUVEMENTS DU CARREFOUR

Les mouvements du carrefour
Se divisent, gluants de pluie ;
Comme deux mains plongent et tournent
Dans la pâte, l'ouvrent, la plient.

Des cris de sirènes s'en vont
Que notre ennui se plaît à suivre.
L'esprit ayant bu toute honte
Il reste un goût lâche de vivre.

*Ibid., Pierres levées,* Garnier-Flammarion éd.

---

Si l'on gardait, depuis des temps, des temps,
Si l'on gardait, souples et odorants,
Tous les cheveux des femmes qui sont mortes,
Tous les cheveux blonds, tous les cheveux blancs,
Crinières de nuit, toisons de safran,
Et les cheveux couleur de feuilles mortes,
Si on les gardait depuis bien longtemps,
Noués bout à bout pour tisser les voiles
    Qui vont sur la mer,

10 Il y aurait tant et tant sur la mer,
Tant de cheveux roux, tant de cheveux clairs,
Et tant de cheveux de nuit sans étoiles,
Il y aurait tant de soyeuses voiles
Luisant au soleil, bombant sous le vent,
Que les oiseaux gris qui vont sur la mer,
Que ces grands oiseaux sentiraient souvent
    Se poser sur eux,
Les baisers partis de tous ces cheveux,
Baisers qu'on sema sur tous ces cheveux,
20 Et puis en allés parmi le grand vent...

Si l'on gardait, depuis des temps, des temps,
Si l'on gardait, souples et odorants,
Tous les cheveux des femmes qui sont mortes,
Tous les cheveux blonds, tous les cheveux blancs,
Crinières de nuit, toisons de safran
Et les cheveux couleur de feuilles mortes,
Si on les gardait depuis bien longtemps,
Noués bout à bout pour tordre des cordes,
    Afin d'attacher
30 A de gros anneaux tous les prisonniers
Et qu'on leur permît de se promener
    Au bout de leur corde,

Les liens des cheveux seraient longs, si longs,
Qu'en les déroulant du seuil des prisons,
Tous les prisonniers, tous les prisonniers
Pourraient s'en aller
Jusqu'à leur maison...

Charles Vildrac, *Poèmes,* éd. X, tous droits réservés.

## ET VOUS RIEZ

Ils m'ont dit,
Ebrouant leurs petites narines fougueuses :
« Chantons la vie »
– Chantons la vie, si vous voulez ;
Je m'embarque avec vous sur le fleuve de joie.

Des villages, avons passé,
Et des chesnaies, et des aunaies,
Et des pâturages et des haies,
Et des villages et des villes.

10 Le Peuple vient, le peuple va,
Achète, vend, et puis s'en va.

Le peuple grouille dans les rues
Le soir, son travail fini.

Les garçons agacent les filles,
Les vieux se soûlent dans les bars.

Versez, gloires de lumières,
Versez la pluie de vos rayons,
Sur ces héros dépenaillés.

Sculptez leurs faces amaigries,
20 Leurs mains posées sur leurs genoux.

Dessinez-leur crûment leurs femmes avachies,
Et leurs petits enfants baveux.

Allez battre les murs galeux de leurs usines ;
Allez fouiller les coins moisis de leurs taudis ;

Et jetez les éclairs de vos flammes féroces
Sur les passants heureux qui s'avancent là-bas.

Les beaux messieurs vont en voiture
Avec leurs petits et leurs dames.

Les beaux messieurs s'en vont au bois
30 Pour respirer le soir venu.

Les beaux messieurs haut-cravatés
Vous dévisagent et vous toisent.

Ouvriers qui les nourrissez,
Qu'allez-vous faire, qu'allez-vous faire?

Le peuple vient, le peuple va,
Boit des amers et puis s'en va.

Le peuple grouille dans la rue,
Et n'est pas là pour s'indigner.

Les garçons agacent les filles,
40 Les phonographes nasillent,
Et vous riez!.. et vous riez!..

André Spire, Mercure de France éd.

## Voyage et cosmopolitisme

"Je chante l'Urgrund primordial et omniprésent
Je tiens dans mes mains de prodigieuses étoiles vertes"
(V. Larbaud)

Ivresse des voyages soudain facilités, soif d'aventure réelle; après les invitations au voyage imaginaires ou l'aventure intérieure, ce sont les multiples images de la planète qui vont enivrer les poètes : exotisme et dépaysement, chez John Antoine Nau (*Hiers bleus* 1904), Alfred Droin (*La jonque victorieuse* 1906), H.J.M. Levet (*Cartes postales*), cosmopolitisme chez Paul Morand ou Georges Gabory; quête du passé, de la Chine ancienne, et de grandeur idéale chez Victor Segalen célébrant dans *Stèles* (1917) "l'étonnant pouvoir de l'absence".

**Valéry Larbaud (1881-1957),** riche fils de famille, en conflit comme Gide avec les préjugés de classe, se libère en inventant le personnage de Barnabooth, assez riche pour n'obéir qu'à son plaisir, dépasser frontières, morales et religions; il lui prête son expérience du voyage : exaltation du libre choix, du départ, plaisir du luxe, de "son glissement nocturne à travers l'Europe illuminée". Le défilé rapide des nations et des villes donne le sentiment de la "cité" européenne soudain familière. Dilettantisme et curiosité humaine, recherche de sensations et quête de soi mélancolique se mêlent dans ce chant de "la Divine variété visible".

**Blaise Cendrars (1887-1961)** cherche la source de sa poésie dans l'intensité de la vie moderne, l'aventure sur toutes les terres et les mers de la planète. Le besoin d'action et d'expérience, dès l'âge de 17 ans, le pousse à s'évader de son collège suisse pour se retrouver en Mandchourie au service d'un trafiquant de diamants. Engagé en 1914 dans la Légion étrangère, il perd une main pendant la guerre; puis il reprendra sa vie de bourlingueur.

Dès *Les Pâques* (1912), devenues en 1926 *Les Pâques à New York*, le poème sans ponctuation veut capter en ses rythmes nerveux et inégaux la multiplicité simultanée du monde. En 1913, l'année où Apollinaire publie *Zone,* "poème cubiste", paraît la *Prose du transsibérien et de la petite Jehanne de France,* présentée "comme un dépliant de deux mètres de haut, présentation synchrone, peinture simultanée par Mme Delaunay-Terk", poème impressionniste enregistrant, au rythme syncopé du train qui emporte le voyageur, les images simultanées du monde et du rêve, la soif d'aventure et l'aveu mélancolique, le lyrisme et l'humour.

Dans les recueils ultérieurs, *Du monde entier* (1919), *Dix-neuf poèmes élastiques* (1919), *Feuilles de route* (1924), *Au cœur du monde* (1944), Cendrars inaugure le "reportage lyrique" : la poésie jaillit de la notation à l'état brut, de l'image instantanée et dépouillée, d'une façon d'être tout entier dans l'instant, de l'émerveillement devant la beauté du monde. "Le seul fait d'exister est un véritable bonheur."

Affirmer l'homme dans son temps, capter la multiplicité simultanée du monde, en donner l'image lyrique, conférer au poème par le rythme, la disposition typographique, l'absence de ponctuation, l'allure rapide et heurtée de la vie moderne : Cendrars s'inscrit parmi ceux qui en ce début de siècle cherchent à créer un art moderne aux côtés d'Apollinaire qui proclame "l'esprit nouveau", alors que, dans les arts plastiques, naissent le mouvement cubiste et, en Italie, le futurisme de Marinetti.

## L'ANCIENNE GARE DE CAHORS

Voyageuse! ô cosmopolite! à présent
Désaffectée, rangée, retirée des affaires.
Un peu en retrait de la voie,
Vieille et rose au milieu des miracles du matin,
Avec ta marquise inutile
Tu étends au soleil des collines ton quai vide
(Ce quai qu'autrefois balayait
La robe d'air tourbillonnant des grands express)
Ton quai silencieux au bord d'une prairie,
10 Avec les portes toujours fermées de tes salles d'attente,
Dont la chaleur de l'été craquèle les volets...
O gare qui as vu tant d'adieux,
Tant de départs et tant de retours,
Gare, ô double porte ouverte sur l'immensité charmante
De la Terre, où quelque part doit se trouver la joie de Dieu
Comme une chose inattendue, éblouissante ;
Désormais tu reposes et tu goûtes les saisons
Qui reviennent portant la brise ou le soleil, et tes pierres
Connaissent l'éclair froid des lézards ; et le chatouillement
20 Des doigts légers du vent dans l'herbe où sont les rails
Rouges et rugueux de rouille,
Est ton seul visiteur.
L'ébranlement des trains ne te caresse plus :
Ils passent loin de toi sans s'arrêter sur ta pelouse,
Et te laissent à ta paix bucolique, ô gare enfin tranquille
Au cœur frais de la France.

Valéry Larbaud, *Poésies de A.O. Barnabooth*, Gallimard éd.

Des villes, et encore des villes ;
J'ai des souvenirs de villes comme on a des souvenirs d'amours :
A quoi bon en parler ? Il m'arrive parfois,
La nuit, de rêver que je suis là, ou bien là,
Et au matin je m'éveille avec un désir de voyage.

Mon Dieu, faut-il mourir !
Il faudra suivre à travers la maladie et dans la mort
Ce corps que l'on n'avait connu que dans le péché et dans la joie ;
O vitrines des magasins des grandes voies des capitales,
10 Un jour vous ne refléterez plus le visage de ce passant.
Tant de courses dans les paquebots, dans les trains de luxe,
Aboutiront donc un jour au trou du tombeau ?
On mettra la bête vagabonde dans une boîte,
On fermera le couvercle, et tout sera dit.

Oh ! qu'il me soit donné, encore une fois,
De revoir quelques endroits aimés, comme
La place du Pacifique, à Séville ;

La Chiaja fraîche et pleine de monde;
Dans le jardin botanique de Naples
20 La fougère arborescente, l'arbre-jeune-fille
Que j'aime tant, et encore
L'ombre légère des poivriers de l'avenue de Képhissia;
La place du Vieux-Phalère, le port de Munychie, et encore
Les vignes de Lesbos et ses beaux oliviers
Où j'ai gravé mon nom de poète lyrique;
Et puis aussi
Cette plage, Khersonèse, près de Sébastopol,
Où la mer est parmi les ruines, et où un savant
Montre avec amour une affreuse idole kirghize,
30 Lippue, ayant un sourire idiot sur ses grosses joues de pierre.
Et surtout, ah surtout!
Kharkow,
Où je sentis, pour la première fois,
Le soupir de vierge de la Muse soulever mon sein craintif;
Une ville pour moi :
Dômes d'or au sein des solitudes,
Palais dans le désert, chaud soleil rouge au loin sur la poussière;
Et, dans les quartiers pauvres,
Les mille enseignes des marchands de vêtements :
40 Les maisons basses, aux murs blancs couverts
De gros bonshommes peints, sans tête...

*Ibid.*, "Europe", IX.

## PROSE DU TRANSSIBÉRIEN ET DE LA PETITE JEHANNE DE FRANCE

(...)
ET JE PARTIS MOI AUSSI POUR ACCOMPAGNER LE VOYAGEUR EN BIJOUTERIE
QUI SE RENDAIT À KHARBINE

NOUS AVIONS DEUX COUPÉS DANS L'EXPRESS ET 34 COFFRES DE JOAILLERIE DE PFORZHEIM
DE LA CAMELOTE ALLEMANDE « *MADE IN GERMANY* »

IL M'AVAIT HABILLÉ DE NEUF ET EN MONTANT DANS LE TRAIN J'AVAIS PERDU UN BOUTON
– JE M'EN SOUVIENS, JE M'EN SOUVIENS, J'Y AI SOUVENT PENSÉ DEPUIS –
JE COUCHAIS SUR LES COFFRES ET J'ÉTAIS TOUT HEUREUX DE POUVOIR JOUER AVEC LE BROWNING NICKELÉ
QU'IL M'AVAIT AUSSI DONNÉ

*J'étais très heureux insouciant*
*Je croyais jouer aux brigands*
*Nous avions volé le trésor de Golconde*
*Et nous allions grâce au transsibérien le cacher de l'autre côté du monde*
*Je devais le défendre contre les voleurs de l'Oural qui avaient attaqué les saltimbanques de Jules Verne*
    *Contre les khoungouzes les boxers de la Chine*
    *Et les enragés petits Mongols du Grand-Lama*
    *Alibaba et les quarante voleurs*
    *Et les fidèles du terrible Vieux de la montagne*

*Et surtout, contre les plus modernes*
*Les rats d'hôtel*
***Et les spécialistes des express internationaux***

Et pourtant, et pourtant
J'étais triste comme un enfant
Les rythmes du train
*La « moëlle chemin-de-fer »* des psychiatres américains
Le bruit des portes des voix des essieux grinçant sur les rails congelés
Le ferlin d'or de mon avenir
Mon browning le piano et les jurons des joueurs de cartes dans le compartiment d'à côté

L'épatante présence de Jeanne
L'homme aux lunettes bleues qui se promenait nerveusement dans le couloir et qui me regardait en passant
Froissis de femmes
Et le sifflement de la vapeur
Et le bruit éternel des roues en folie dans les ornières du ciel
Les vitres sont givrées
Pas de nature !
Et derrière, les plaines sibériennes le ciel bas et les grandes ombres des Taciturnes qui montent et qui descendent
Je me suis couché dans un plaid

**Bariolé**
**Comme ma vie**
**Et ma vie ne me tient pas plus chaud que ce châle**

Ecossais
Et l'Europe tout entière aperçue au coupe-vent d'un express à toute vapeur
N'est pas plus riche que ma vie
Ma pauvre vie
Ce châle
Effilochés sur des coffres remplis d'or
Avec lesquels je roule
Que je rêve
Que je fume
Et la seule flamme de l'univers
Est une pauvre pensée...
DU FOND DE MON CŒUR DES LARMES ME VIENNENT

SI JE PENSE, AMOUR, A MA MAÎTRESSE
ELLE N'EST QU'UNE ENFANT, QUE JE TROUVAI AINSI
PÂLE, IMMACULÉE, AU FOND D'UN BORDEL.

CE N'EST QU'UNE ENFANT, BLONDE, RIEUSE ET TRISTE,
ELLE NE SOURIT PAS ET NE PLEURE JAMAIS;
MAIS AU FOND DE SES YEUX, QUAND ELLE VOUS Y LAISSE BOIRE,
TREMBLE UN DOUX LYS D'ARGENT, LA FLEUR DU POÈTE.

ELLE EST DOUCE ET MUETTE, SANS AUCUN REPROCHE,
AVEC UN LONG TRESSAILLEMENT À VOTRE APPROCHE ;
MAIS QUAND MOI JE LUI VIENS, DE-CI, DE-LÀ, DE FÊTE,
ELLE FAIT UN PAS, PUIS FERME LES YEUX – ET FAIT UN PAS.

CAR ELLE EST MON AMOUR ET LES AUTRES FEMMES
N'ONT QUE DES ROBES D'OR SUR DE GRANDS CORPS DE FLAMMES,
MA PAUVRE AMIE EST SI ESSEULÉE,
ELLE EST TOUTE NUE, N'A PAS DE CORPS – ELLE EST TROP PAUVRE.

ELLE N'EST QU'UNE FLEUR CANDIDE, FLUETTE,
LA FLEUR DU POÈTE, UN PAUVRE LYS D'ARGENT,
TOUT FROID, TOUT SEUL ET DÉJÀ SI FANÉ
QUE LES LARMES ME VIENNENT SI JE PENSE À SON CŒUR.
(...)

Blaise Cendrars, Denoël éd.

## ILES

Iles
Iles
Iles où l'on ne prendra jamais terre
Iles où l'on ne descendra jamais
Iles couvertes de végétations
Iles tapies comme des jaguars
Iles muettes
Iles immobiles
Iles inoubliables et sans nom
Je lance mes chaussures par-dessus bord car je voudrais bien
aller jusqu'à vous

*Ibid., Feuilles de route,* Denoël éd.

## TROUÉES

Echappées sur la mer
Chutes d'eau
Arbres chevelus moussus
Lourdes feuilles caoutchoutées luisantes
Un vernis de soleil
Une chaleur bien astiquée
Reluisance
Je n'écoute plus la conversation animée de mes amis qui
se partagent les nouvelles que j'ai apportées de Paris
Des deux côtés du train toute proche ou alors de l'autre côté
de la vallée lointaine
La forêt est là et me regarde et m'inquiète et m'attire
comme le masque d'une momie
Je regarde
Pas l'ombre d'un œil

*Ibid.*

# Guillaume Apollinaire (1880-1918)

Fils d'une aventurière issue de la noblesse polonaise, et de père inconnu, Guillaume Apollinaire — de son vrai nom Guillaume Apollinaris de Kostrowitsky — garde de son enfance et de son adolescence le goût des voyages, un esprit curieux des hommes et ouvert à toute nouveauté. Né à Rome, il fait ses études à Monaco, Cannes et enfin Nice. Dès sa classe de rhétorique, il a lu les poètes symbolistes et se lance dans la découverte des grands romanciers. En 1899, il s'installe à Paris avec sa mère et son frère.

Contraint de gagner sa vie, il essaie successivement plusieurs emplois avant de trouver enfin une place de précepteur chez la comtesse de Milhau qui l'emmène en Rhénanie en 1901. Ce séjour marquera profondément son œuvre car les paysages et les légendes de cette région nourriront son inspiration et il y rencontrera une jeune gouvernante anglaise, Annie Playden, pour qui il éprouvera un amour passionné mais malheureux.

En 1902 il fait un grand voyage en Europe centrale (Berlin, Prague, Münich) puis revient à Paris où il est employé de banque, avant de vivre de sa plume.

Dès 1903, il s'est lié avec Alfred Jarry, Max Jacob, André Salmon, avec qui il fonde une revue, *Le festin d'Esope* (1903-1904); il fréquente les soirées littéraires de *La revue blanche,* de *La plume,* du *Mercure de France;* en 1907 il élargit le cercle de ses fréquentations et se rend à la Closerie des Lilas, rencontre les poètes de l'Abbaye et Cendrars en 1912.

Il connaît aussi de nombreux peintres, ceux qui sont en train d'inventer un art nouveau : en 1904 il rencontre Derain et Vlaminck et, la même année, au Bateau-Lavoir, Picasso qui lui présentera, en 1907, Marie Laurencin. En 1911, soupçonné de recel d'œuvres d'art volées au Louvre, il est incarcéré à la Santé, expérience dont il se remettra avec peine. Reconnu innocent, il sera libéré au bout d'une semaine.

Son œuvre est à la fois celle d'un poète et d'un homme passionné de peinture : en 1910, il est critique d'art à *L'intransigeant;* en 1913 il publie *Les peintres cubistes, Méditations esthétiques;* il est un des plus ardents défenseurs de l'art d'avant-garde.

Parallèlement il publie des poèmes qu'il rassemble en 1913 dans un premier grand recueil qu'il intitule finalement *Alcools,* après avoir songé à *Vent du Rhin* puis *Eau de Vie* : "Et tu bois cet alcool brûlant comme ta vie / Ta vie que tu bois comme une eau de vie" *(Zone).* Les poèmes, de longueur très diverse, ne sont pas disposés selon un ordre chronologique *(Zone* qui ouvre le recueil est le plus récent) mais selon une volonté esthétique — le dernier poème, *Vendémiaire,* est par exemple symétrique, par ses thèmes et sa prosodie, de *Zone.* C'est lors de la correction des premières épreuves qu'Apollinaire a supprimé la ponctuation. L'inspiration élégiaque et mélancolique s'y mêle à l'inspiration moderniste.

La guerre vint bouleverser toute cette activité. Engagé volontaire, d'abord enthousiaste, Apollinaire ne cesse d'écrire, même au front; en 1916, il est amer et découragé; blessé à la tête, il est soigné puis trépané et rapatrié sur Paris où il fréquente à nouveau les cafés de Montparnasse.

Jusqu'au bout il mènera de front sa création et sa réflexion esthétique: en 1917 il prononce une conférence sur l'*Esprit nouveau,* fait jouer *les mamelles de Tirésias* – "drame surréaliste" sur le thème de la repopulation; en 1918 il publie son second grand recueil *Calligrammes,* qui rassemble des poèmes-conversations (collages de bribes de dialogues), des "idéogrammes lyriques" ou calligrammes, (avec les lettres ou les mots de ses vers le poète fait un dessin), des poèmes simultanés. Atteint de la grippe espagnole, il meurt le 9 novembre 1918, deux jours avant l'armistice.

Nourri des poètes symbolistes, ouvert à tous les changements du monde moderne, passionné par les recherches des peintres contemporains (fauvisme, cubisme, peinture naïve avec le douanier Rousseau),

Apollinaire réalise dans son œuvre le passage du symbolisme au surréalisme : il a le désir de rendre l'accélération de la vie moderne et sa multiplicité simultanée — à cet égard la publication en 1913 de la *Prose du transsibérien* de Cendrars et de *Zone* est significative des recherches poétiques du moment ; mais il a aussi le désir de rendre le mouvement intérieur de l'âme par des signes et des symboles appropriés et de trouver une correspondance entre le monde intérieur et le monde extérieur.

Monde intérieur nourri chez Apollinaire, le Mal-Aimé, de ses déceptions et de ses nostalgies amoureuses : Marie, jeune fille rencontrée à Stavelot dans les Ardennes en 1899 ; Annie Playden passionnément aimée qui rompra définitivement avec lui à Londres en 1904 *(La Chanson du Mal-Aimé);* Marie Laurencin, peintre et poète à l'occasion, avec qui il connut un amour partagé de 1908 à 1912 : la rupture le laissera désemparé *(Le pont Mirabeau);* Louise de Coligny-Chatillon (Lou) rencontrée à la veille de la guerre *(Poèmes à Lou);* Madeleine Pagès, rencontrée dans un train et avec qui il échange une correspondance suivie et se fiance (une partie de *Calligrammes* lui est consacrée); enfin Jacqueline Kolb, la Jolie Rousse, qu'il épouse six mois avant de mourir.

S'il reste fidèle aux valeurs formelles classiques (images, rythmes, résonances), "le génie de son cœur est dans la conquête d'une unité proprement poétique au niveau des images, des rythmes et des symboles, entre sa sensibilité aiguë à tout ce qui fait le monde moderne et la vulnérabilité de son cœur". C'est pourquoi, en faisant la synthèse du symbolisme et de la poésie "moderne", il ouvre la voie au surréalisme.

*Le bestiaire ou cortège d'Orphée* (1911) ; *Alcools* (1913) ; *Vitam impendere amori* (1917) ; *Calligrammes* (1918) ; *Il y a; Le guetteur mélancolique; Poèmes à Lou* (posthumes).

## DOCUMENTS

— « Explorer la vérité, la chercher, aussi bien dans le domaine ethnique, par ex., que dans celui de l'imagination, voilà les principaux caractères de cet esprit nouveau ».

— « Dans le domaine de l'inspiration, (la) liberté (des poètes) ne peut être moins grande que celle d'un journal quotidien qui traite dans une seule feuille des matières les plus diverses, parcourt les pays les plus éloignés. On se demande pourquoi le poète n'aurait pas une liberté au moins égale et serait tenu, à une époque de téléphone, de télégraphie sans fil et d'aviation, à plus de circonspection vis-à-vis des espaces. »

— « L'art, de plus en plus, aura une patrie. »

— « L'esprit nouveau admet les expériences littéraires même hasardeuses, et ces expériences sont parfois peu lyriques... »

— « ...les fables s'étant pour la plupart réalisées et au-delà, c'est au poète d'en imaginer de nouvelles que les inventeurs puissent à leur tour réaliser. » (Apollinaire donne l'exemple du mythe d'Icare devenu réalité).

— « L'esprit nouveau exige qu'on se donne de ces tâches prophétiques. C'est pourquoi vous retrouverez trace de prophétie dans la plupart des ouvrages conçus d'après l'esprit nouveau. Les jeux divins de la vie et de l'imagination donnent carrière à une activité poétique toute nouvelle.

C'est que poésie et création ne sont qu'une même chose; on ne doit appeler poète que celui qui invente, celui qui crée, dans la mesure où l'homme peut créer... »

— « On peut partir d'un fait quotidien : un mouchoir qui tombe peut être pour le poète le levier avec lequel il soulèvera tout un univers... Les poètes ne sont pas seulement les hommes du beau. Ils sont encore et surtout les hommes du vrai, en tant qu'il permet de pénétrer l'inconnu, si bien que la surprise, l'inattendu, est un des principaux ressorts de la poésie d'aujourd'hui. »

— « L'esprit nouveau est avant tout ennemi de l'esthétisme, des formules et de tout snobisme. Il ne lutte point contre quelque école que ce soit, car il ne veut pas être une école, mais un des grands courants de la littérature englobant toutes les écoles, depuis le symbolisme jusqu'au naturisme. Il lutte pour le rétablissement de l'esprit d'initiative, pour la claire compréhension de son temps et pour ouvrir des voies nouvelles sur l'univers extérieur qui ne soient point inférieures à celles que les savants de toutes catégories découvrent chaque jour et dont ils tirent des merveilles. »

*Conférence sur l'esprit nouveau* 1917,
Jacques Haumont éd., 1946, tous droits réservés.

## ZONE[1]

A la fin tu es las de ce monde ancien

Bergère ô tour Eiffel le troupeau des ponts bêle ce matin

Tu en as assez de vivre dans l'antiquité grecque et romaine

Ici même les automobiles ont l'air d'être anciennes
La religion seule est restée toute neuve la religion
Est restée simple comme les hangars de Port-Aviation

Seul en Europe tu n'es pas antique ô Christianisme
L'Européen le plus moderne c'est vous Pape Pie X
Et toi que les fenêtres observent la honte te retient
10 D'entrer dans une église et de t'y confesser ce matin
Tu lis les prospectus les catalogues les affiches qui chantent
[tout haut
Voilà la poésie ce matin et pour la prose il y a les journaux
Il y a les livraisons à 25 centimes pleines d'aventures
[policières
Portraits des grands hommes et mille titres divers

J'ai vu ce matin une jolie rue dont j'ai oublié le nom
Neuve et propre du soleil elle était le clairon
Les directeurs les ouvriers et les belles sténo-dactylographes
Du lundi matin au samedi soir quatre fois par jour y passent
Le matin par trois fois la sirène y gémit
20 Une cloche rageuse y aboie vers midi
Les inscriptions des enseignes et des murailles
Les plaques les avis à la façon des perroquets criaillent
J'aime la grâce de cette rue industrielle
Située à Paris entre la rue Aumont-Thiéville et l'avenue des
[Ternes

Voilà la jeune rue et tu n'es encore qu'un petit enfant
Ta mère ne t'habille que de bleu et de blanc
Tu es très pieux et avec le plus ancien de tes camarades
[René Dalize[2]
Vous n'aimez rien tant que les pompes de l'Eglise
Il est neuf heures le gaz est baissé tout bleu vous sortez
[du dortoir en cachette
30 Vous priez toute la nuit dans la chapelle du collège
Tandis qu'éternelle et adorable profondeur améthyste
Tourne à jamais la flamboyante gloire du Christ
C'est le beau lys que tous nous cultivons
C'est la torche aux cheveux roux que n'éteint pas le vent
C'est le fils pâle et vermeil de la douloureuse mère
C'est l'arbre toujours touffu de toutes les prières

1. Titre primitif *Cri*; M. Décaudin pense que le poète a pu être attiré par l'*aura* du mot *zone*, indé-
termination, évocation de misère, voire image de la boucle fermée, de retour au point de départ.
Le terme désignait en effet la bande de terrains vagues qui entouraient alors les fortifications de
Paris. 2. Camarade de collège du poète à Monaco.

Robert Delaunay (1885-1941), *La femme et la tour*, gravure, 1925.
(Musée National d'Art moderne, CGP, Paris.)

C'est la double potence de l'honneur et de l'éternité
C'est l'étoile à six branches
C'est Dieu qui meurt le vendredi et ressuscite le dimanche
40  C'est le Christ qui monte au ciel mieux que les aviateurs
Il détient le record du monde pour la hauteur

Pupille Christ de l'œil
Vingtième pupille des siècles il sait y faire
Et changé en oiseau ce siècle comme Jésus monte dans l'air
Les diables dans les abîmes lèvent la tête pour le regarder
Ils disent qu'il imite Simon Mage[3] en Judée
Ils crient s'il sait voler qu'on l'appelle voleur
Les anges voltigent autour du joli voltigeur
Icare Enoch Elie[4] Apollonius de Thyane[5]
50  Flottent autour du premier aéroplane
Ils s'écartent parfois pour laisser passer ceux que transporte
                          [la Sainte-Eucharistie
Ces prêtres qui montent éternellement élevant l'hostie
L'avion se pose enfin sans refermer les ailes
Le ciel s'emplit alors de millions d'hirondelles
A tire-d'aile viennent les corbeaux les faucons les hiboux
D'Afrique arrivent les ibis les flamants les marabouts
L'oiseau Roc[6] célébré par les conteurs et les poètes
Plane tenant dans les serres le crâne d'Adam la première tête
L'aigle fond de l'horizon en poussant un grand cri
60  Et d'Amérique vient le petit colibri
De Chine sont venus les pihis longs et souples
Qui n'ont qu'une seule aile et qui volent par couples
Puis voici la colombe esprit immaculé
Qu'escortent l'oiseau-lyre et le paon ocellé
Le phénix ce bûcher qui soi-même s'engendre
Un instant voile tout de son ardente cendre
Les sirènes laissant les périlleux détroits
Arrivent en chantant bellement toutes trois
Et tous aigle phénix et pihis de la Chine
70  Fraternisent avec la volante machine

Maintenant tu marches dans Paris tout seul parmi la foule
Des troupeaux d'autobus mugissants près de toi roulent
L'angoisse de l'amour te serre le gosier
Comme si tu ne devais jamais plus être aimé
Si tu vivais dans l'ancien temps tu entrerais dans un monastère
Vous avez honte quand vous vous surprenez à dire une prière
Tu te moques de toi et comme le feu de l'Enfer ton rire pétille
Les étincelles de ton rire dorent le fond de ta vie
C'est un tableau pendu dans un sombre musée
80  Et quelquefois tu vas le regarder de près

---

3. Magicien et thaumaturge, il voulut acheter à saint Pierre le don de faire des miracles. 4. Enoch, fils de Caïn, Elie, prophète juif, furent tous deux enlevés dans un char de feu. 5. Philosophe néo-pythagoricien, sage et thaumaturge, il fut considéré par le paganisme finissant comme un égal du Christ. 6. En particulier dans les *Mille et une nuits*.

*Puis le poète évoque ses voyages qui le mènent de la Méditerranée à Prague,*
*puis Marseille, Coblence, Rome, Amsterdam et enfin l'épisode parisien de*
*son emprisonnement.*

Tu as fait de douloureux et de joyeux voyages
Avant de t'apercevoir du mensonge et de l'âge
Tu as souffert de l'amour à vingt et à trente ans
J'ai vécu comme un fou et j'ai perdu mon temps
Tu n'oses plus regarder tes mains et à tous moments
                   [je voudrais sangloter
Sur toi sur celle que j'aime sur tout ce qui t'a épouvanté

Tu regardes les yeux pleins de larmes ces pauvres émigrants
Ils croient en Dieu ils prient les femmes allaitent des enfants
Ils emplissent de leur odeur le hall de la gare Saint-Lazare
90 Ils ont foi dans leur étoile comme les rois-mages
Ils espèrent gagner de l'argent dans l'Argentine
Et revenir dans leur pays après avoir fait fortune
Une famille transporte un édredon rouge comme vous
                 [transportez votre cœur
Cet édredon et nos rêves sont aussi irréels
Quelques-uns de ces émigrants restent ici et se logent
Rue des Rosiers ou rue des Ecouffes[7] dans des bouges
Je les ai vus souvent le soir ils prennent l'air dans la rue
Et se déplacent rarement comme les pièces aux échecs
Il y a surtout des Juifs leurs femmes portent perruque
100 Elles restent assises exsangues au fond des boutiques

Tu es debout devant le zinc d'un bar crapuleux
Tu prends un café à deux sous parmi les malheureux

Tu es la nuit dans un grand restaurant

Ces femmes ne sont pas méchantes elles ont des soucis
                       [cependant
Toutes même la plus laide a fait souffrir son amant

Elle est la fille d'un sergent de ville de Jersey

Ses mains que je n'avais pas vues sont dures et gercées

J'ai une pitié immense pour les coutures de son ventre

J'humilie maintenant à une pauvre fille au rire horrible
                    [ma bouche
110 Tu es seul le matin va venir
Les laitiers font tinter leurs bidons dans les rues

La nuit s'éloigne ainsi qu'une belle Métive[8]
C'est Ferdine la fausse ou Léa l'attentive

Et tu bois cet alcool brûlant comme ta vie
Ta vie que tu bois comme une eau-de-vie

7. Rues situées à Paris dans le quartier du Marais et habitées surtout par des Juifs. 8. Métisse.

Tu marches vers Auteuil tu veux aller chez toi à pied
Dormir parmi tes fétiches d'Océanie et de Guinée
Ils sont des Christ d'une autre forme et d'une autre croyance
Ce sont les Christ inférieurs des obscures espérances.

120 Adieu Adieu

Soleil cou coupé

*Alcools,* Gallimard éd.

---

(p. 356-360)
Dernier texte rédigé pour *Alcools* et placé en tête du recueil.
**1.** Jalonner dans le temps et dans l'espace l'errance du poète et son mouvement circulaire. Pour chaque séquence repérer les notations, les faits, les souvenirs, les images (voir notamment le symbolisme des couleurs); comment passe-t-on de l'enthousiasme du début à l'image tragique finale? *N.B.* Cette fin a connu trois rédactions successives; voici le brouillon :
"Le soleil est là c'est un cou tranché
Comme l'auront peut-être un jour quelques-uns des pauvres que j'ai rencontrés
Le soleil me fait peur il répand son sang sur Paris
Mais la lumière est belle et la lumière rit
Je suis malheureux d'amour et le jour et la nuit
Parmi les malheureux du jour et de la nuit."
La version de 1912 :
"Adieu Adieu
Soleil levant cou tranché".
**2.** Comment la forme du poème coïncide-t-elle avec l'errance évoquée (structure d'ensemble, enchaînements et ruptures, liberté du vers, rimes et assonances, jeu des pronoms et des temps)?
**3.** Les éléments d'une esthétique moderniste? Qu'est-ce qui peut relever ici de "l'esprit nouveau", y compris son sens du tragique?

---

## LE PONT MIRABEAU

Sous le pont Mirabeau coule la Seine
        Et nos amours
    Faut-il qu'il m'en souvienne
La joie venait toujours après la peine

        Vienne la nuit sonne l'heure
        Les jours s'en vont je demeure

Les mains dans les mains restons face à face
        Tandis que sous
    Le pont de nos bras passe
10 Des éternels regards l'onde si lasse

        Vienne la nuit sonne l'heure
        Les jours s'en vont je demeure

L'amour s'en va comme cette eau courante
L'amour s'en va
Comme la vie est lente
Et comme l'Espérance est violente

Vienne la nuit sonne l'heure
Les jours s'en vont je demeure

Passent les jours et passent les semaines
20       Ni temps passé
Ni les amours reviennent
Sous le pont Mirabeau coule la Seine

Vienne la nuit sonne l'heure
Les jours s'en vont je demeure

*Ibid.*

---

A l'origine les vers 2 et 3 de chaque strophe formaient un décasyllabe. Valeur musicale du poème (structure du poème, rimes, syntaxe, sonorités, correspondances) ; la fuite du temps et du bonheur. Cf. *Le lac* de Lamartine (p. 57) et *Tristesse d'Olympio* (p. 97) de Victor Hugo.

---

# LA CHANSON DU MAL AIMÉ[1]

À Paul Léautaud.

Et je chantais cette romance
En 1903 sans savoir
Que mon amour à la semblance
Du beau Phénix s'il meurt un soir
Le matin voit sa renaissance.

*Un soir de demi-brume à Londres*
*Un voyou qui ressemblait à*
*Mon amour vint à ma rencontre*
*Et le regard qu'il me jeta*
*Me fit baisser les yeux de honte*

*je suivis ce mauvais garçon*
*Qui sifflotait mains dans les poches*
*Nous semblions entre les maisons*
*Onde ouverte de la mer Rouge*
10  *Lui les Hébreux moi Pharaon*

*Que tombent ces vagues de briques*
*Si tu ne fus pas bien aimée*
*Je suis le souverain d'Egypte*
*Sa sœur-épouse son armée[2]*
*Si tu n'es pas l'amour unique*

1. Ce poème paru le 1ᵉʳ mai 1909 dans le *Mercure de France* et dédicacé alors à Léautaud, est l'écho de son amour malheureux pour Annie Playden : il aurait été commencé en novembre 1903, époque où Apollinaire tenta de rejoindre la jeune fille à Londres ; le deuxième voyage à Londres en mai 1904 voit leur rupture définitive, suivie en juin par le retour du poète à Paris.
2. Double vœu impossible pour affirmer son amour.

Au tournant d'une rue brûlant
De tous les feux de ses façades
Plaies du brouillard sanguinolent
Où se lamentaient les façades
20 Une femme lui ressemblant

C'était son regard d'inhumaine
La cicatrice à son cou nu
Sortit saoule d'une taverne
Au moment où je reconnus
La fausseté de l'amour même

Lorsqu'il fut de retour enfin
Dans sa patrie le sage Ulysse
Son vieux chien de lui se souvint
Près d'un tapis de haute lisse
30 Sa femme attendait qu'il revînt

L'époux royal de Sacontale[3]
Las de vaincre se réjouit
Quand il la retrouva plus pâle
D'attente et d'amour yeux pâlis
Caressant sa gazelle mâle

J'ai pensé à ces rois heureux
Lorsque le faux amour et celle
Dont je suis encore amoureux
Heurtant leurs ombres infidèles
40 Me rendirent si malheureux

Regrets sur quoi l'enfer se fonde
Qu'un ciel d'oubli s'ouvre à mes vœux
Pour son baiser les rois du monde
Seraient morts les pauvres fameux
Pour elle eussent vendu leur ombre

J'ai hiverné dans mon passé
Revienne le soleil de Pâques[4]
Pour chauffer un cœur plus glacé
Que les quarante de Sébaste[5]
50 Moins que ma vie martyrisés

Mon beau navire ô ma mémoire
Avons-nous assez navigué
Dans une onde mauvaise à boire
Avons-nous assez divagué
De la belle aube au triste soir

3. Dans un célèbre drame hindou de Kalidasa (V<sup>e</sup> s. après J.C.), la fidélité de Sacontale, répudiée par le roi Dushmanta, lui valut de reconquérir l'amour du roi. 4. Symbole de résurrection. 5. Ville d'Arménie où quarante soldats chrétiens furent martyrisés par exposition sur un étang glacé.

*Adieu faux amour confondu*
*Avec la femme qui s'éloigne*
*Avec celle que j'ai perdue*
*L'année dernière en Allemagne*
60 *Et que je ne reverrai plus*

*Voie lactée ô sœur lumineuse*
*Des blancs ruisseaux de Chanaan⁶*
*Et des corps blancs des amoureuses*
*Nageurs morts suivrons-nous d'ahan*
*Ton cours vers d'autres nébuleuses*

*Je me souviens d'une autre année*
*C'était l'aube d'un jour d'avril*
*J'ai chanté ma joie bien-aimée*
*Chanté l'amour à voix virile*
70 *Au moment d'amour de l'année*

AUBADE
CHANTEE A LÆTARE⁷ UN AN PASSE

C'est le printemps viens-t'en Pâquette
Te promener au bois joli
Les poules dans la cour caquètent
L'aube au ciel fait de roses plis
L'amour chemine à ta conquête

Mars et Vénus sont revenus
Ils s'embrassent à bouches folles
Devant des sites ingénus
Où sous les roses qui feuillolent
80 De beaux dieux roses dansent nus

Viens ma tendresse est la régente
De la floraison qui paraît
La nature est belle et touchante
Pan sifflote dans la forêt
Les grenouilles humides chantent

*Beaucoup de ces dieux ont péri*
*C'est sur eux que pleurent les saules*
*Le grand Pan l'amour Jésus-Christ*
*Sont bien morts et les chats miaulent*
90 *Dans la cour je pleure à Paris*

*Moi qui sais des lais pour les reines*
*Les complaintes de mes années*
*Des hymnes d'esclave aux murènes*
*La romance du mal aimé*
*Et des chansons pour les sirènes⁸*
*(...)*

6. Dans la Bible, terre promise où "ruissellent le lait et le miel". 7. "Réjouis-toi", début de la liturgie du quatrième dimanche de Carême. Souvenir du printemps 1902, quand le poète croyait son amour partagé. 8. Le parallélisme des vers 1, 3, 5 de cette strophe peut suggérer la fonction de séduction ou d'exorcisme de la parole poétique.

Les sept strophes suivantes approfondissent le thème de la fidélité : le *Mal-Aimé s'identifie à la veuve fidèle du roi Mausole, puis aux cosaques Zaporogues (2ᵉ intermède) rejetant les richesses du sultan ; le refrain* (Voie lactée...) *ramène l'interrogation sans réponse sur l'éventualité d'un autre amour.*

*Un 3ᵉ mouvement du poème s'amorce : le Mal-Aimé regrettant la femme infidèle, refusant l'oubli, devient image de l'être humilié, offert en holocauste, comme jadis les bourgeois de Calais et les victimes des rites sacrificiels. Même si le poète recule devant la folie et la mort associées au malheur ("Malheur, dieu pâle aux yeux d'ivoire"), le thème de la souffrance envahit encore le troisième intermède des Sept Epées (allusion à la dévotion à Notre-Dame des Sept Douleurs), symbole des plaies mortelles du souvenir, au terme duquel revient le refrain* Voie lactée...

*Voie lactée ô sœur lumineuse*
*Des blancs ruisseaux de Chanaan*
*Et des corps blancs des amoureuses*
*Nageurs morts suivrons-nous d'ahan*
100 *Ton cours vers d'autres nébuleuses*

*Les démons du hasard selon*
*Le chant du firmament nous mènent*
*A sons perdus leurs violons*
*Font danser notre race humaine*
*Sur la descente à reculons*

*Destins destins impénétrables*
*Rois secoués par la folie*
*Et ces grelottantes étoiles*
*De fausses femmes dans vos lits*
110 *Aux déserts que l'histoire accable*

*Luitpold⁹ le vieux prince régent*
*Tuteur de deux royautés folles*
*Sanglote-t-il en y songeant*
*Quand vacillent les lucioles*
*Mouches dorées de la Saint-Jean*

*Près d'un château sans châtelaine¹⁰*
*La barque aux barcarols chantants*
*Sur un lac blanc et sous l'haleine*
*Des vents qui tremblent au printemps*
120 *Voguait cygne mourant sirène*

*Un jour le roi dans l'eau d'argent*
*Se noya puis la bouche ouverte*
*Il s'en revint en surnageant*
*Sur la rive dormir inerte*
*Face tournée au ciel changeant*

9. Louis II de Bavière et son frère Othon devinrent tous les deux fous. Après la mort de Louis et la mise à l'écart d'Othon, la régence fut confiée à Luitpold. 10. Le château de Berg : dans sa démence, Louis II voulut vivre seul dans de grands châteaux wagnériens. Il se noya dans le lac en 1886.

*Juin ton soleil ardente lyre*
*Brûle mes doigts endoloris*
*Triste et mélodieux délire*
*J'erre à travers mon beau Paris*
130 *Sans avoir le cœur d'y mourir*

*Les dimanches s'y éternisent*
*Et les orgues de Barbarie*
*Y sanglotent dans les cours grises*
*Les fleurs aux balcons de Paris*
*Penchent comme la tour de Pise*

*Soirs de Paris ivres du gin*
*Flambant de l'électricité*
*Les tramways feux verts sur l'échine*
*Musiquent au long des portées*
140 *De rails leur folie de machines*

*Les cafés gonflés de fumée*
*Crient tout l'amour de leurs tziganes*
*De tous leurs siphons enrhumés*
*De leurs garçons vêtus d'un pagne*
*Vers toi toi que j'ai tant aimée*

*Moi qui sais des lais pour les reines*
*Les complaintes de mes années*
*Des hymnes d'esclave aux murènes*
*La romance du mal aimé*
150 *Et des chansons pour les sirènes*

*Ibid.*

---

(p. 361-365)
**1.** Unité thématique (le thème élégiaque évoquant l'expérience sentimentale, du novembre londonien au juin parisien) et musicale (choix du vers, de la strophe, sonorités dominantes, refrains, structure circulaire — la fin ramène au début). *Cf.* Apollinaire à Madeleine Guillaume : "Je ne compose qu'en chantant. Un musicien a même noté une fois les trois ou quatre airs qui me servent instinctivement et qui sont la manifestation du rythme de mon existence".
**2.** Les effets de symétrie dans l'extrait cité (les lieux, l'évocation des rois).
**3.** Les effets de rupture selon les pulsions de l'affectivité douloureuse et le conflit entre persistance et rejet du souvenir :
a) Comment les refrains scandent-ils la chanson?
b) Changements de temps; irruption de personnages; intermède (changement de typographie); étude de la soudaineté des images et de leur développement autonome.
c) A quels personnages fabuleux le Mal-Aimé s'identifie-t-il? De quoi devient-il le symbole?
d) Dans les cinq dernières strophes, quelles images évoquent la métamorphose de la douleur en création lyrique? *Cf.* thématique du feu chez Apollinaire.

## MARIE[1]

Vous y dansiez petite fille
Y danserez-vous mère-grand
C'est la maclotte qui sautille
Toutes les cloches sonneront
Quand donc reviendrez-vous Marie

Les masques sont silencieux
Et la musique est si lointaine
Qu'elle semble venir des cieux
Oui je veux vous aimer mais vous aimer à peine
10 Et mon mal est délicieux

Les brebis s'en vont dans la neige
Flocons de laine et ceux d'argent
Des soldats passent et que n'ai-je
Un cœur à moi ce cœur changeant
Changeant et puis encor que sais-je

Sais-je où s'en iront tes cheveux
Crépus comme mer qui moutonne
Sais-je où s'en iront tes cheveux
Et tes mains feuilles de l'automne
20 Que jonchent aussi nos aveux

Je passais au bord de la Seine
Un livre ancien sous le bras
Le fleuve est pareil à ma peine
Il s'écoule et ne tarit pas
Quand donc finira la semaine

*Ibid.*

1. Inspiré par l'amour de Marie Laurencin auquel se mêle le souvenir de la jeune fille de Stavelot, Marie Dubois.

Une musique mélancolique (variations musicales des sonorités et effets de reprise; choix et enchaînement des images; sentiments en demi-teintes et art du "flou").

## L'ADIEU

J'ai cueilli ce brin de bruyère
L'automne est morte souviens-t'en
Nous ne nous verrons plus sur terre
Odeur du temps brin de bruyère
Et souviens-toi que je t'attends

*Ibid.*

## NUIT RHENANE

Mon verre est plein d'un vin trembleur comme une flamme
Ecoutez la chanson lente d'un batelier
Qui raconte avoir vu sous la lune sept femmes
Tordre leurs cheveux verts et longs jusqu'à leurs pieds

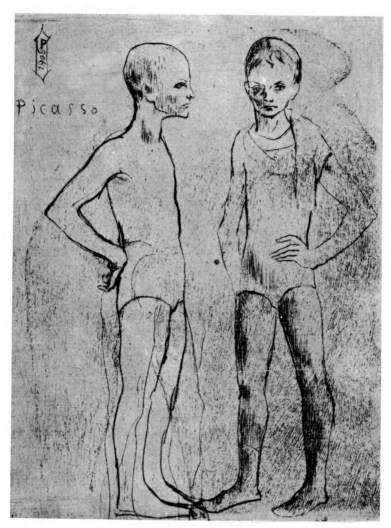

Pablo Picasso (1881-1973), *Les deux saltimbanques*, dessin, 1905.
(Bibliothèque Nationale, Paris.)

Debout chantez plus haut en dansant une ronde
Que je n'entende plus le chant du batelier
Et mettez près de moi toutes les filles blondes
Au regard immobile aux nattes repliées

Le Rhin le Rhin est ivre où les vignes se mirent
Tout l'or des nuits tombe en tremblant s'y refléter
La voix chante toujours à en râle-mourir
Ces fées aux cheveux verts qui incantent l'été

Mon verre s'est brisé comme un éclat de rire

*Ibid.*, "Rhénanes".

## MAI

Le mai le joli mai en barque sur le Rhin
Des dames regardaient du haut de la montagne
Vous êtes si jolies mais la barque s'éloigne
Qui donc a fait pleurer les saules riverains

Or des vergers fleuris se figeaient en arrière
Les pétales tombés des cerisiers de mai
Sont les ongles de celle que j'ai tant aimée
Les pétales flétris sont comme ses paupières

Sur le chemin du bord du fleuve lentement
Un ours un singe un chien menés par des tziganes
Suivaient une roulotte traînée par un âne
Tandis que s'éloignait dans les vignes rhénanes
Sur un fifre lointain un air de régiment

Le mai le joli mai a paré les ruines
De lierre de vigne vierge et de rosiers
Le vent du Rhin secoue sur le bord les osiers
Et les roseaux jaseurs et les fleurs nues des vignes

*Ibid.*

## AUTOMNE MALADE

Automne malade et adoré
Tu mourras quand l'ouragan soufflera dans les roseraies
Quand il aura neigé
Dans les vergers

Pauvre automne
Meurs en blancheur et en richesse
De neige et de fruits mûrs
Au fond du ciel
Des éperviers planent
10  Sur les nixes[1] nicettes aux cheveux verts et naines
Qui n'ont jamais aimé

Aux lisières lointaines
Les cerfs ont bramé

Et que j'aime ô saison que j'aime tes rumeurs
Les fruits tombant sans qu'on les cueille
Le vent et la forêt qui pleurent
Toutes leurs larmes en automne feuille à feuille
    Les feuilles
    Qu'on foule
20    Un train
    Qui roule
    La vie
    S'écoule

*Ibid.*

1. Nymphes des eaux chez les Germains; *nicettes* apparaît ici comme un diminutif de *nixe;* c'est le féminin de l'adj. ancien *nicet,* signifiant *simple, sans malice.*

(p. 366-369)
**1.** Motifs et thèmes communs à "Nuit rhénane", "Mai" et "Automne malade".
**2.** Mouvement de la rêverie : quelles notations tissent des correspondances entre le paysage rhénan et le paysage intérieur ?
**3.** Variété et souplesse des formes poétiques.

## VITAM IMPENDERE AMORI

Tu descendais dans l'eau si claire
Je me noyais dans ton regard
Le soldat passe elle se penche
Se détourne et casse une branche

Tu flottes sur l'onde nocturne
La flamme est mon cœur renversé
Couleur de l'écaille du peigne
Que reflète l'eau qui te baigne

*Ibid.*

*La colombe poignardée*
*et le jet d'eau*

poignardées

Douces figures poignardées **C**hères lèvres fleuries

MIA MAREYE
YETTE LORIE
ANNIE et toi MARIE
où êtes-
vous ô
jeunes filles
MAIS
près d'un
jet d'eau qui
pleure et qui prie
cette colombe s'extasie

Tous les souvenirs de naguère Où sont Raynal Billy Dalize
O mes amis partis en guerre **?** Dont les noms se mélancolisent
Jaillissent vers le firmament Comme des pas dans une église
Et vos regards en l'eau dormant Où est Cremnitz qui s'engagea
Meurent mélancoliquement Peut-être sont-ils morts déjà
Où sont-ils Braque et Max Jacob De souvenirs mon âme est pleine
Derain aux yeux gris comme l'aube Le jet d'eau pleure sur ma peine

CEUX QUI SONT PARTIS A LA GUERRE AU NORD SE BATTENT MAINTENANT

Le soir tombe **O** sanglante mer

Jardins où saigne abondamment le laurier rose fleur guerrière

Guillaume Apollinaire (1880-1918), *La colombe poignardée* et *Le jet d'eau,*
extraits de *Calligrammes*, 1918, éd. Gallimard.

## LA JOLIE ROUSSE

Me voici devant tous un homme plein de sens
Connaissant la vie et de la mort ce qu'un vivant peut connaître
Ayant éprouvé les douleurs et les joies de l'amour
Ayant su quelquefois imposer ses idées
Connaissant plusieurs langages
Ayant pas mal voyagé
Ayant vu la guerre dans l'Artillerie et l'Infanterie
Blessé à la tête trépané sous le chloroforme
Ayant perdu ses meilleurs amis dans l'effroyable lutte
10 Je sais d'ancien et de nouveau autant qu'un homme seul
                     [pourrait des deux savoir
Et sans m'inquiéter aujourd'hui de cette guerre
Entre nous et pour nous mes amis
Je juge cette longue querelle de la tradition et de l'invention
    De l'Ordre et de l'Aventure

Vous dont la bouche est faite à l'image de celle de Dieu
Bouche qui est l'ordre même
Soyez indulgents quand vous nous comparez
A ceux qui furent la perfection de l'ordre
Nous qui quêtons partout l'aventure

20 Nous ne sommes pas vos ennemis
Nous voulons vous donner de vastes et d'étranges domaines
Où le mystère en fleurs s'offre à qui veut le cueillir
Il y a là des feux nouveaux des couleurs jamais vues
Mille phantasmes impondérables
Auxquels il faut donner de la réalité
Nous voulons explorer la bonté contrée énorme où tout se tait
Il y a aussi le temps qu'on peut chasser ou faire revenir
Pitié pour nous qui combattons toujours aux frontières
De l'illimité et de l'avenir
30 Pitié pour nos erreurs pitié pour nos péchés

Voici que vient l'été la saison violente
Et ma jeunesse est morte ainsi que le printemps
O Soleil c'est le temps de la Raison ardente
    Et j'attends
Pour la suivre toujours la forme noble et douce
Qu'elle prend afin que je l'aime seulement
Elle vient et m'attire ainsi qu'un fer l'aimant
    Elle a l'aspect charmant
    D'une adorable rousse

40 Ses cheveux sont d'or on dirait
Un bel éclair qui durerait
Ou ces flammes qui se pavanent
Dans les roses-thé qui se fanent

Mais riez riez de moi
Hommes de partout surtout gens d'ici
Car il y a tant de choses que je n'ose vous dire
Tant de choses que vous ne me laisseriez pas dire
Ayez pitié de moi

*Ibid.,* Calligrammes, Gallimard éd.


## IL Y A

Il y a des petits ponts épatants
Il y a mon cœur qui bat pour toi
Il y a une femme triste sur la route
Il y a un beau petit cottage dans un jardin
Il y a six soldats qui s'amusent comme des fous
Il y a mes yeux qui cherchent ton image

Il y a un petit bois charmant sur la colline
Et un vieux territorial pisse quand nous passons
Il y a un poète qui rêve au ptit Lou
10 Il y a un ptit Lou exquis dans ce grand Paris
Il y a une batterie dans une forêt
Il y a un berger qui paît ses moutons
Il y a ma vie qui t'appartient
Il y a mon porte-plume réservoir qui court qui court
Il y a un rideau de peupliers délicat délicat
Il y a toute ma vie passée qui est bien passée
Il y a des rues étroites à Menton où nous nous sommes aimés

Il y a une petite fille de Sospel qui fouette ses camarades
Il y a mon fouet de conducteur dans mon sac à avoine
20 Il y a des wagons belges sur la voie
Il y a mon amour
Il y a toute la vie
Je t'adore

*Poèmes à Lou,* Gallimard éd.

---

Un exemple de poème-inventaire : quelles associations permet cette forme poétique? Relire les extraits de *L'esprit nouveau* (p.354) et dire ce qui pouvait séduire Apollinaire dans cette technique.

## Poésie "cubiste"

Aux côtés d'Apollinaire, peintres et poètes se mêlent dans la bohème avant-gardiste alors engagée dans une intense recherche intérieure et artistique. Les soirées de "Vers et prose" à la *Closerie des lilas* à partir de 1904 réunissent autour de Paul Fort, Apollinaire, Salmon, Moréas, Jarry, Picasso et "sa bande". C'est surtout la grande époque de Montmartre, du *Lapin agile* et du *Bateau-Lavoir,* "l'Acropole cubiste" du 13 rue Ravignan : de 1904 à 1912, Picasso y achève ses périodes bleue et rose, découvre l'art nègre, crée les *Demoiselles d'Avignon;* s'y côtoient Max Jacob, André Salmon, Mac Orlan, les peintres Van Dongen, puis Juan Gris, et le jeune Reverdy (1912-13), son admirateur, qui cherche un langage poétique équivalant au cubisme; sans parler des habitués, Apollinaire et les peintres Braque, Derain, Vlaminck...

Nul ne conteste le rôle important des poètes pour défendre et diffuser le cubisme. Il paraît plus artificiel de parler de poésie cubiste comme on l'a fait pour Apollinaire, Jacob, Reverdy; mais une communion d'esprit s'est établie, certaines recherches ont été encouragées : autonomie de l'image, du poème et du mot, technique simultanéiste, rapprochements de souvenirs, sentiments ou images sans intermédiaire logique ("La poésie moderne saute toutes les explications", dit Max Jacob), exploration de la réalité et du rêve. Et M. Raymond estime : "Les peintres cubistes ont apporté une aide précieuse aux poètes. Avec Picasso, Braque, Derain, et leurs émules, la peinture ne se contente plus de représenter la nature en la déformant, elle essaie de se délivrer d'un coup de la nécessité d'imiter un objet quelconque... On entrevoit désormais les principes et les intuitions qui rapprochent les artistes, poètes et peintres, leur révolte contre la vision traditionnelle et normale du monde et de la réalité, leur façon de protester contre l'usage abusif que l'on exige de la raison." *(De Baudelaire au surréalisme.)*

**Max Jacob (1876-1944)** est né à Quimper de parents israélites; installé à Montmartre au 7 rue Ravignan puis au *Bateau-Lavoir,* lié dès 1902 à Picasso, puis Salmon et Apollinaire, il se voue à la peinture autant qu'à la poésie. En octobre 1909 le Christ lui apparaît et il se convertit : il reçoit le baptême en 1915. Pendant des années, il oscille entre le diable et le bon Dieu, la vie déréglée et le mysticisme. Après un premier séjour à l'abbaye de Saint-Benoît-sur-Loire (1921-27), il s'y retire définitivement en 1931, vivant de la vente de dessins et de gouaches, menant une vie de dévotion fervente, à laquelle la Gestapo viendra l'arracher. Il meurt au camp de Drancy en 1944.

L'œuvre a pu frapper d'abord par sa diversité, allant du pastiche à la vision hallucinée, de la comptine au rêve, du calembour à l'image angoissée, de l'instantané à la méditation, tout à la fois candide et concertée.

Les *Œuvres burlesques et mystiques de Frère Maturel,* illustrées par des eaux-fortes de Picasso, en 1912, se plaçaient sous le signe de la fantaisie. L'humour est pourtant chez Max Jacob un des moyens de conjurer l'angoisse de l'au-delà, que révèlent la *Défense de Tartuffe* (1919) ou les *Visions infernales* (1924).

Du *Cornet à dés* (1917) au *Laboratoire central* (1920) et au *Conseil à un jeune poète* (1945), s'esquisse une esthétique concertée. "Le poème est un objet construit" : l'œuvre est un tout en soi, chargé d'une réalité humaine mais elle n'est pas copie d'une réalité apparente. Il suppose la maîtrise du style ("La situation et le style sont tout"), l'exploration des virtualités du mot ("Aimer les mots. Aimer un mot. Le répéter, s'en gargariser, comme un peintre aime une ligne, une forme, une couleur"), et l'exercice assidu ("Les idées viennent seules quand le moule est prêt à les recevoir"). Entraînement destiné à libérer la spontanéité, les associations de mots et d'images : "Il y a longtemps, écrit-il, dans la Préface du *Cornet à dés,* que je suis appliqué à saisir en moi, de toutes manières, les données de l'inconscient : mots en liberté, associations hasardeuses des idées, rêves de la nuit et du jour, hallucinations." Entreprise d'utiliser les ressources de l'inconscient liée chez Max Jacob à la croyance au surnaturel – "Surnaturel, je me cramponne à ton drapeau de soie" – même si, autre différence avec les surréalistes, le jeu spontané des images est brisé par une étrangeté concertée, l'humour ou le souci de l'unité du poème.

Les dernières œuvres, les *Poèmes de Morven le Gaélique* (1953), d'un lyrisme mystique et naïf, révèlent la marque de l'enfance et du terroir. "Le lyrisme à l'état pur se trouve dans quelques romances populaires et dans les contes d'enfants", confiait-il peu avant sa mort.

**André Salmon (1881-1969)** fit lui aussi partie de l'avant-garde proclamant avec Apollinaire "l'esprit nouveau". Journaliste de métier, il rencontre Picasso dès ses débuts à *La plume* en 1903, fait campagne en faveur du cubisme, est cofondateur de *Vers et prose* en 1905 avec Paul Fort, du *Festin d'Esope* (neuf numéros) avec Apollinaire et Max Jacob.

Les premiers recueils lyriques, *Féeries* (1907), *Le calumet* (1910), *Le livre et la bouteille* (1919) (ces deux derniers recueils réunis en 1926 dans *Créances*) révèlent le sens de l'insolite quotidien. Avec *Prikaz* (1919), inspiré par la révolution d'Octobre, sa poésie s'oriente vers l'épopée moderne. C'est aussi l'aventure moderne qui est chantée dans *l'Age de l'humanité* (1921) et *Peindre* (1922) évoquant les combats de l'art moderne.

## LA GUERRE

Les boulevards extérieurs, la nuit, sont pleins de neige; les bandits sont des soldats; on m'attaque avec des rires et des sabres, on me dépouille : je me sauve pour retomber dans un autre carré. Est-ce une cour de caserne, ou celle d'une auberge? que de sabres! que de lanciers! il neige! on me pique avec une seringue : c'est un poison pour me tuer; une tête de squelette voilée de crêpe me mord le doigt. De vagues réverbères jettent sur la neige la lumière de ma mort.

Max Jacob, *Le cornet à dés,* Gallimard éd.

## CONTE

Dans la vallée si claire, oh! je voudrais bien dire la devise longue de ses rochers en cônes successifs, la vallée aux arbres si clairs, le profil de l'ogresse dont les boucles d'oreilles étaient de ton château, Chinon, l'escalier extérieur! elle eût mangé le petit cavalier noir, n'était la chaîne du prisonnier attaché à la queue noire du cheval; elle craignit que la chaîne lui fît mal aux dents et se contenta du premier rat venu : il lui fit faire la grimace.

*Ibid.*

## VIE TOXIQUE DE NOS PROVINCES

La gomme à t'effacer les heures.
La gomme à t'effacer les rêves.
La gomme à t'effacer les chemins des chasseurs.
La gomme à t'effacer les rides.
Masque en cheveux de nos douleurs.

*Ibid.*

## ÉTABLISSEMENT D'UNE COMMUNAUTÉ AU BRÉSIL

On fut reçu par la fougère et l'ananas
L'antilope craintif sous l'ipécacuanha.
Le moine enlumineur quitta son aquarelle
Et le vaisseau n'avait pas replié son aile
Que cent abris légers fleurissaient la forêt.
Les nonnes labouraient. L'une d'elles pleurait
Trouvant dans une lettre un sujet de chagrin.
Un moine intempérant s'enivrait de raisin
Et l'on priait pour le pardon de ce péché.
On cueillait des poisons à la cime des branches
Et les moines vanniers tressaient des urnes blanches.
Un forçat évadé qui vivait de la chasse
Fut guéri de ses plaies et touché de la grâce :
Devenu saint, de tous les autres adoré,

Il obligeait les fauves à leur lécher les pieds.
Et les oiseaux du ciel, les bêtes de la terre
Leur apportaient à tous les objets nécessaires.
Un jour on eut un orgue au creux de murs crépis
Des troupeaux de moutons qui mordaient les épis
20 Un moine est bourrelier, l'autre est distillateur
Le dimanche après vêpre on herborise en chœur.

Saluez le manguier et bénissez la mangue
La flûte du crapaud vous parle dans sa langue
Les autels sont parés de fleurs vraiment étranges
Leur parfums attiraient le sourire des anges,
Des sylphes, des esprits blottis dans la forêt
Autour des murs carrés de la communauté.
Or voici qu'un matin quand l'Aurore saignante
Fit la nuée plus pure et plus fraîche la plante
30 La forêt où la vigne au cèdre s'unissait,
Parut avoir la teigne. Un nègre paraissait
Puis deux, puis cent, puis mille et l'herbe en était teinte
Et le Saint qui pouvait dompter les animaux
Ne put rien sur ces gens qui furent ses bourreaux.
La tête du couvent roula dans l'herbe verte
Et des moines détruits la place fut déserte
Sans que rien dans l'azur frémît de la mort.

C'est ainsi que vêtu d'innocence et d'amour
J'avançais en traçant mon travail chaque jour
40 Priant Dieu et croyant à la beauté des choses.
Mais le rire cruel, les soucis qu'on m'impose
L'argent et l'opinion, la bêtise d'autrui
Ont fait de moi le dur bourgeois qui signe ici.

*Ibid., Laboratoire central,* Gallimard éd.

## INVITATION AU VOYAGE

à Louis Bergerot.

Les trains! Les trains par les tunnels étreints
Ont fait de ces cabarets roses
Où les tziganes vont leur train
Les tziganes aux valses roses
Des îles chastes de boulingrins.

Il passe sur automobiles
Il passe de fragiles rentières
Comme sacs à loto mobiles.
Vers des parcs aux doux ombrages
10 Je t'invite ma chère Elise.
Elise! je t'invite au voyage
Vers ces palais de Venise.

Pour cueillir des fleurs aux rameaux
Nous déposerons nos vélos
Devant les armures hostiles
Des grillages modern-style
Nous déposerons nos machines
Pour les décorer d'aubépine
Nous regarderons couler l'eau
20 En buvant des menthes à l'eau.

Peut-être que sexagénaires
Nous suivrons un jour ces rivières
Dans d'écarlates automates
Dont nous serons propriétaires!
Mais en ces avenirs trop lents
Les chevaux des Panhard
Ne seront-ils volants?

A vendre : quatre véritables déserts
A proximité du chemin de fer,
30 S'adresser au propriétaire-notaire
M. Chocarneau,
18, boulevard Carnot.

Écrit en 1903.

*Ibid.*

———————  ———————  —

O place Clichy
O square d'Anvers
Jeux réfléchis
Du monde à l'envers.
O notre jeunesse
Gageures tenues
Et paris gagnés
Nos heures perdues
O jeunes années!

10 On faisait un chœur solide
Pour pavoiser la nuit vide
Des airs de notre façon :
Besnard
Bonnard
Vuillard
Vollard

Apollinaire riait dans le creux de sa main,
Kees venu d'Amsterdam pour regarder les filles
Leur prenait du plaisir en prenant sa leçon
20 Linge, satin et chair qui brille.
Derain qui savait toutes choses
Et Picasso s'émerveillant
Epoque bleue
Epoque rose!

Le ciel frappé des signes d'un décret impérieux
Le ciel où tu lisais, Jacob, comme dans un roman
Le ciel tableau des poids et des mesures
Le ciel enseigne de celui qui nous faisait l'usure
Le ciel marin et ses tempêtes
30 Où le peintre gréait le vaisseau du poète
Où tant de nefs sombrées, nommées, ressuscitaient,
                              [et tous ces chiffres
– Trésor réel, notre seul bien –
Que nous comptions sur cette mer de Chypre,
                              Cyprien!
Apollinaire riait dans le creux de sa main,
Picasso couronnait un enfant merveilleux,
Le plus las s'appuyait sur le bras de Derain
Et Marie Laurencin en robe de mésange
                    – Diane et Geneviève de Brabant –
D'une chanson rouvrait les yeux des anges
40 Et du couple perdu endormi sur un banc.
Dieu n'existe qu'on ne l'adore
Le temps n'est rien que l'on n'a point rêvé
                    Combien d'aurores
                    Avons-nous fait lever?

O mondes élargis de nos sages ivresses
                    O patries tirées du néant
                    O rue des Abbesses
                    O rue Ravignan!

André Salmon, *Peindre,* La Sirène éd.

# Destins individuels et explosion surréaliste après 1920

## Pierre Reverdy (1889-1960)

Le choix de la solitude, une poésie "monodique" conduisant sans cesse "au bord des choses", en quête d'une réalité jamais saisie qui pourrait combler le mal d'être.

Après une enfance heureuse à Narbonne, pays de terre et de soleil, près d'un père généreux, admiré et épris d'écriture, l'adolescence, les années de collège, puis au début du siècle les émeutes et la brutale répression contre le Midi viticole ont pu ôter au monde sa transparence. En 1910 Pierre Reverdy arrive à Paris, dans les parages du *Bateau-Lavoir*. Il devient l'ami des peintres Juan Gris, Braque, Picasso, Matisse, celui de Max Jacob, il écrit et façonne ses premières plaquettes. En 1917, il fonde la revue *Nord-Sud,* qui accueille les premiers textes de Breton et d'Aragon. En 1926, il se convertit, choisit la solitude et l'ascèse, et s'installe près de l'abbaye de Solesmes, où il demeurera même après la perte de la foi ("On part à la recherche de Dieu, comme on dit, et l'on trouve une religion"), jusqu'à sa mort, hormis quelques voyages, dont il parle peu, et quelques expéditions à Paris, par faim d'amitié. Après le deuxième conflit mondial, ses productions sont réunies en deux recueils : *Plupart du temps* (1945), regroupant les œuvres de 1915 à 1922, et *Main-d'œuvre* (1949) regroupant celles de 1925 à 1948. Une poétique exigeante et constante s'exprime par ailleurs, depuis le *Gant de crin* (1926) au *Livre de mon bord* (1948) et *En vrac* (1956).

Il fut un moment considéré comme simple précurseur du surréalisme : Breton ne le salue-t-il pas comme un maître, à l'égal d'Apollinaire ? Son emploi de l'image dans ses premières œuvres, la théorie qu'il en fait ne seront-ils pas repris par Breton ? : "L'image est pure création de l'esprit. Elle ne peut naître d'une comparaison, mais du rapprochement de deux réalités plus ou moins éloignées (...). Plus les rapports des deux réalités rapprochées seront lointains et justes, plus l'image sera forte." Mais Breton cherche la violence explosive de l'image surgie des profondeurs, alors que Reverdy, sans les refuser, ne mise que sur l'inconscient ou le rêve éveillé : l'esprit garde son exigence et le souci de perfection du dire : "La poésie n'est ni dans la vie ni dans les choses. C'est ce que vous en faites et ce que vous y ajoutez."

Ce qui hante constamment sa poésie, c'est le sentiment de rupture de l'être et du monde, "la déception d'être et de l'être". Le poète cherche à établir les rapports du moi et du monde ; il est "à l'intersection de deux plans, aux tranchants cruellement acérés, celui du rêve et celui de la réalité." De la prison du moi, par "les lucarnes ovales", le regard ne saisit qu'un monde en mouvement, des lignes fuyantes, des êtres entrevus, des objets disparates. Les images de fuite, de passage abondent. Le poème s'arrête sur une attente jamais comblée. "La poésie est dans ce qui n'est pas. Dans ce qui nous manque. Dans ce que nous voudrions qui fût. Elle est en nous à cause de ce que nous ne sommes pas", ou encore : "La poésie c'est le lien entre nous et le réel absent. C'est l'absence qui fait naître les poèmes". Tentative sans cesse reprise : l'art ne peut définitivement surmonter le malheur de la destinée, mais ne peut ne pas être.

*La lucarne ovale, Les ardoises du toit, Les jockeys camouflés, La guitare endormie, Cœur de chêne, Epaves du ciel,* rassemblées dans *Plupart du temps* (1945) ; *Grande nature, Flaques de verre, Sources du vent, Ferraille, Plein verre* rassemblés dans *Main-d'œuvre* (1949) et auxquels il ajoute *Chant des morts* et *Bois vert.*

## DOCUMENTS

« La logique d'une œuvre d'art, c'est sa structure. Du moment que cet ensemble s'équilibre et qu'il tient, c'est qu'il est logique.» « Le beau ne sort pas des mains de l'artiste mais ce qui sort des mains de l'artiste devient le beau.»

*Self defence,* 1919.

---

« La nature est nature, elle n'est pas poésie. C'est la réaction de la nature sur la complexion de certains êtres qui produit la poésie. »
« Le poète est un four à brûler le réel.»
« Il ne s'agit pas de faire une image, il faut qu'elle arrive de ses propres ailes.»
« L'art tend à une réalité particulière ; s'il l'atteint, il s'incorpore au réel, qui participe de l'éternel, et il s'incorpore dans le temps.»
« Le rêve est un tunnel qui passe sous la réalité. C'est un égout d'eau claire, mais c'est un égout.»
« Les œuvres qui ne sont que le fidèle miroir d'une époque s'enfoncent dans le temps aussi vite que cette époque.»

*Le gant de crin,* 1927.

---

« L'homme est mauvais conducteur de la réalité.»
« L'art commence où finit le hasard. C'est pourtant tout ce que lui apporte le hasard qui l'enrichit.»
« Pour le poète, le champ est circonscrit à son unique passion, à la pulsation de sa vie intérieure.»
« Le poète n'anime pas, ses moyens ne lui permettent de rien appréhender ailleurs que sur son plan intime et restreint — il ne peut qu'exprimer directement par les seuls mots, les idées, les sentiments, et bien plus encore, les sensations dont il est animé. C'est pourquoi les mots ont tellement d'importance pour lui – et tant de valeur les rapports des mots entre eux, le rythme et les assonances de la phrase. Il ne dispose de rien d'autre que ça.»
« Le poète pense en pièces détachées – idées séparées, images formées par contiguïté.»
« Le poète secrète son œuvre comme le coquillage la matière calcaire de ses valves et comme lui pour se protéger – il n'en peut plus sortir, elle est devenue sa prison autant que son bouclier.»
« L'art pour l'art, la vie pour la vie, deux points morts. Il faut à chacun l'illusion des buts et des raisons. L'art par et pour la vie, la vie pour et par l'art.»
« Un bon poème sort tout fait. La retouche n'est qu'un heureux accident et, si elle n'est pas merveilleuse, elle risque de tout abîmer.»

*Le livre de mon bord,* 1930-36, publié en 1948.

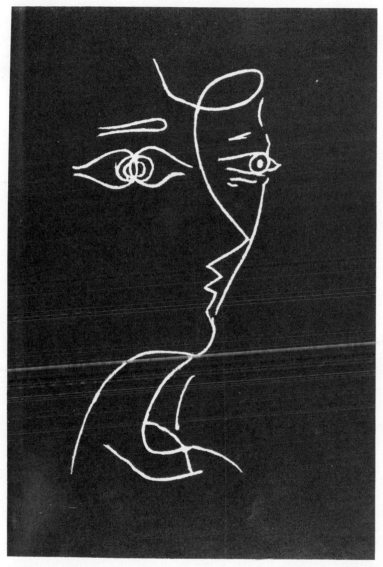

Georges Braque (1882-1963), gravure pour *Une aventure méthodique* de Pierre Reverdy, éd. de 1949. (Bibliothèque Nationale, Paris.)

## RUINE DE LA CHAIR

Prends ta besace
Voile ta face
Et pars
La route blanchit
Sous la nuit
Il est tard
Va-t'en
que le temps
passe
10  Oublie que tu vécus un jour
Meurs à ce temps
Et recommence
A marcher vers
le point final de l'univers
qui se dérobe
Change ta robe
Garde ta peau
Ainsi le vrai se cache sous le faux
Pas difficile
20  pleur inutile
Ton cœur recule
Mais bien plus fort
et minuscule
La vie te pousse vers la mort
Tour gigantesque
humain grotesque
par un seul soupir dégrafé
Tous les remords sont effacés
    Rouet de l'heure
30     qui file et pleure
       trop longuement
Arrête et cesse ton mouvement
Le désir avide
    tourne dans le vide
     Vers un autre but
       sous le vent perdu

*Cale sèche*, Mercure de France éd.


## NOMADE

    La porte qui ne s'ouvre pas
La main qui passe
      Au loin un verre qui se casse
  La lampe fume
Les étincelles qui s'allument
     Le ciel est plus noir
     Sur les toits

Quelques animaux
Sans leur ombre

        Un regard
        Une tache sombre

La maison où l'on n'entre pas

*Plupart du temps*, "Les ardoises du toit", Flammarion éd.

## LA LANGUE SÈCHE

Le clou est là
    Retient la pente
Le lambeau clair au vent soulevé c'est un souffle
            et celui qui comprend
    Tout le chemin est nu
les pavés les trottoirs la distance le parapet sont blancs

        Pas de goutte de pluie
        Pas une feuille d'arbre
        Ni l'ombre d'un habit
            J'attends
              la gare est loin
Pourtant le fleuve coule des quais en remontant
    la terre se dessèche
        tout est nu tout est blanc

Avec le seul mouvement déréglé de l'horloge
        le bruit du train passé
           J'attends

*Ibid.*, "Cravates de chanvre", Flammarion éd.

## CHEMIN TOURNANT

Il y a un terrible gris de poussière dans le temps
Un vent du sud avec de fortes ailes
Les échos sourds de l'eau dans le soir chavirant
Et dans la nuit mouillée qui jaillit du tournant
        [des voies rugueuses qui se plaignent
Un goût de cendre sur la langue
Un bruit d'orgue dans les sentiers
Le navire du cœur qui tangue
Tous les désastres du métier

Quand les feux du désert s'éteignent un à un
10 Quand les yeux sont mouillés comme des brins d'herbe
Quand la rosée descend les pieds nus sur les feuilles
Le matin à peine levé
Il y a quelqu'un qui cherche

Une adresse perdue dans le chemin caché
Les astres dérouillés et les fleurs dégringolent
A travers les branches cassées
Et le ruisseau obscur essuie ses lèvres molles à peine décollées
Quand le pas du marcheur sur le cadran qui compte
        [règle le mouvement et pousse l'horizon
Tous les cris sont passés tous les temps se rencontrent
20 Et moi je marche au ciel les yeux dans les rayons
Il y a du bruit pour rien et des noms dans ma tête
Des visages vivants
        Tout ce qui s'est passé au monde
Et cette fête
    Où j'ai perdu mon temps

*Sources du vent,* Mercure de France éd.

---

(p. 382– 384)
Une poésie de l'absence : observer la syntaxe, l'abondance des formules négatives,
les images (notations du monde extérieur ou images intérieures) ; repérer "le noyau
de sensation", le moment de conscience qui structure les données apparemment
juxtaposées de chaque poème ; suivre le mouvement interne de chaque poème.
Comment la disposition typographique renforce-t-elle l'impression d'attente ?

## Milosz[1] (1877-1939)

Issu d'une vieille famille lituanienne, français de langue dès l'enfance, et, à partir de 1930, d'adoption, il fait ses études à Paris où, après ses voyages en Europe, il se fixe comme attaché à la légation de son pays natal. Ses premières œuvres, *Le poème des décadences* (1899), *Les sept solitudes* (1906), d'allure symboliste, disent la nostalgie du passé. Sa quête angoissée de vérité, longtemps cherchée dans les voyages, dans l'amour profane (*Miguel Mañara,* 1912) l'oriente vers le mysticisme, vers une poésie qui soit connaissance; identifiée à la prière, elle s'exprime en cantiques et versets bibliques. Rejetant alors le langage des correspondances, le poète, à partir de "certains mots essentiels", des "antiques métaphores", peut accéder aux *archétypes,* aux réalités absolues du monde divin. A partir de 1922, Milosz poursuit dans une solitude franciscaine, près de Fontainebleau, des travaux d'exégèse biblique.

1. Oscar Vladislas de Lubicz - Milosz.

## QUAND ELLE VIENDRA...

Quand elle viendra — fera-t-il gris ou vert dans ses yeux,
Vert ou gris dans le fleuve?
L'heure sera nouvelle dans cet avenir si vieux,
Nouvelle, mais si peu neuve...
Vieilles heures où l'on a tout dit, tout vu, tout rêvé!
Je vous plains si vous le savez...

Il y aura de l'aujourd'hui et des bruits de la ville
Tout comme aujourd'hui et toujours — dures épreuves! —
Et des odeurs, — selon la saison — de septembre ou d'avril
10 Et du ciel faux et des nuages dans le fleuve;

Et des mots — selon le moment — gais ou sanglotants
Sous des cieux qui se réjouissent ou qui pleuvent,
Car nous aurons vécu et simulé, ah! tant et tant,
Quand elle viendra avec ses yeux de pluie sur le fleuve.

Il y aura (voix de l'ennui, rire de l'impuissance)
Le vieux, le stérile, le sec moment présent,
Pulsation d'une éternité sœur du silence;
Le moment présent, tout comme à présent.

Hier, il y a dix ans, aujourd'hui, dans un mois,
20 Horribles mots, pensées mortes, mais qu'importe.
Bois, dors, meurs, — il faut bien qu'on se sauve de soi
De telle ou d'autre sorte...

*Les sept solitudes,* "Poésies I", André Silvaire éd.

## Catherine Pozzi (1882-1934)

Née dans une famille éprise d'art et de poésie, elle comptera sa vie durant de nombreuses amitiés littéraires (A. de Noailles, Valéry, Rilke, Benda, Jouve...). A partir de 1917, pour lutter contre la maladie qui la contraint à renoncer aux joies de la vie en société, elle se passionne pour les sciences, la philosophie, les gnostiques surtout. Son œuvre est mince : une nouvelle, *Agnès* (1927), un conte philosophique, *Peau d'Ame,* publié après sa mort, en 1935, de même qu'une plaquette de poèmes. Etonnants poèmes toutefois, dont la métrique et l'élan mystique rappellent ceux des néo-platoniciens de la Renaissance.


AVE

Très haut amour, s'il se peut que je meure
　　Sans avoir su d'où je vous possédais,
　　　En quel soleil était votre demeure
En quel passé votre temps, en quelle heure
　　　　Je vous aimais,

　　　Très haut amour qui passez la mémoire,
　Feu sans foyer dont j'ai fait tout mon jour,
　　En quel destin vous traciez mon histoire,
　　En quel sommeil se voyait votre gloire,
10　　　　O mon séjour...

Quand je serai pour moi-même perdue
　　Et divisée à l'abîme infini,
　　Infiniment, quand je serai rompue,
　Quand le présent dont je suis revêtue
　　　　Aura trahi,

　　Par l'univers en mille corps brisée,
　De mille instants non rassemblés encor,
De cendre aux cieux jusqu'au néant vannée,
　　Vous referez pour une étrange année
20　　　　Un seul trésor

Vous referez mon nom et mon image
De mille corps emportés par le jour,
Vive unité sans nom et sans visage,
Cœur de l'esprit, ô centre du mirage
　　　Très haut amour.

*Poèmes,* Gallimard éd.

## Pierre Jean Jouve (1887-1976)

Un chemin solitaire en marge des courants et des modes du temps, même si la conscience et le langage ont intégré les apports de l'unanimisme, du catholicisme, de Freud et de la psychanalyse. Chez Jouve, la poésie est liée à une quête existentielle : "itinéraire, démarche douloureuse vers la lumière perdue et retrouvée; clarification progressive de l'obscur, allègement de poids, dénouement de l'inextricable", dit G. Picon (*Panorama de la nouvelle littérature française,* Seghers éd.).

Le poète ne reconnaît que l'œuvre écrite depuis 1927. Après *Noces* (1928), refonte d'une suite lyrique antérieure, et *Paradis perdu* (1929), *Sueur de sang* (1933) marque l'orientation définitive du poète, éclairée la même année par l'essai *Inconscient, spiritualité, catastrophe.* L'inconscient, c'est la "belle puissance érotique humaine", à la fois péché, fatalité de l'espèce, instinct de mort, et source d'énergie spirituelle, le domaine du rêve et d'une sexualité minée par le vieux sens du péché, touffeurs que le poème met à jour en une "forêt de symboles", comme ceux de la sueur de sang, de la tache et du serpent. La spiritualité, "l'antagonisme à l'érotique", c'est la tentative d'élévation du chaos intérieur et des fantasmes, vers la lumière, dans l'ordre du langage poétique, alchimie baudelairienne. La catastrophe, c'est l'instinct de mort inscrit en l'homme, que le poète, "créateur des valeurs de la vie", cherche à exorciser : "La catastrophe la pire de la civilisation est à cette heure possible parce qu'elle se tient dans l'homme, mystérieusement agissante, rationalisée, enfin d'autant plus menaçante que l'homme sait qu'elle répond à une pulsion de mort déposée en lui..." Le thème apocalyptique traverse toute l'œuvre de Jouve, tandis que les mythes symboliques confèrent au vécu une dimension universelle cosmique.

*Sueur de sang,* (1933); *Matière céleste* (1937); *Paradis perdu* (1929); *Vers majeurs* (1942); *Diadème* (1949); *Ode* (1951); *Langue* (1952); *Lyrique* (1956); *Mélodrame* (1957); *Moires* (1962)...

## CRACHATS

Les crachats sur l'asphalte m'ont toujours fait penser
A la face imprimée au voile des saintes femmes.

## LA TACHE

Je voyais une nappe épaisse d'huile verte
Ecoulée d'une machine et je songeais
Sur le pavé chaud de l'infâme quartier
Longtemps, longtemps au sang de ma mère.

Car la peau blanche est une expression nocturne
Et quels déserts n'ont-ils pas foulés ses pieds diurnes?
Une ombre — ce qu'elle est — n'est pas plus effrayée
Ni plus obscène, ni plus horriblement méchante.
L'homme sans péché
Est celui qui ne devrait pas mourir, est donc celui
Qui ne connaîtrait nulle interdiction, est donc celui
Qui n'aurait point de semblable, et qui ne devrait pas vivre.

*Sueur de sang,* 1938, Denoël éd.

## PREMIER POINT

Oublier
Abandonner au fleuve aux temps glissants et noirs
Ce qui fit que la chair était nue dans le temps
Quitter à chaque jour l'édifice brillant
Les salles illustrées de la mémoire

Perdre son cœur son eau et son temple
La chair des piliers l'eau des lèvres
Et la rondeur du sein de céleste matière
La beauté du palais formée avec les membres.

Perdre volontiers
Les heures noires du péril et du soleil
Aussi bien que la nuit corporelle sacrée
De la mère avant que l'homme fût vertical

Oublier le voyage en toute forêt vive
Le génie du regret qui dicta tous les livres.

*Vers majeurs,* "Innominata", L.U.F. éd., tous droits réservés.

## INTÉRIEUR EXTÉRIEUR

On écoute au profond du monde intérieur
Se produire les étendues, plaines montagnes
Lacs et mers bleuités somptueuses couleurs
Chaque lieu chassant l'autre au gouffre de notre âme ;

Cirque des cirques d'or ! On erre sur les lieux
Aspirant à l'éther qui s'enfuit par le nombre,
Regrettant des amours laissés sur les rocs bleus
Ou des villes immenses aux pavillons d'ombre,

Regrettant, désirant ; jusqu'au jour entrevu
Abîmé brusquement, où l'on quitte la scène
Scène continuant dans ses amours charnus.

Pourtant depuis longtemps je vis et m'écartèle
Entre deux formes engagées jusqu'au tombeau
Dans une lutte à mort aux beautés éternelles.

*Mélodrame,* Mercure de France éd.

---

(p. 388)
**1.** Des poèmes méditations : voir la structure de chaque poème, les procédés
syntaxiques qui leur confèrent un caractère universel, la tonalité religieuse des images désignant le corps humain.
**2.** La plongée dans le "monde intérieur" : étudier le conflit entre, d'une part, le
mouvement de renoncement au terrestre et d'aspiration à l'unité (verbes, images
de lumière) et, d'autre part, celui de la séduction de la chair et du monde à travers
l'ambiguïté des images qui les désignent.

## Jules Supervielle (1884-1960)

Il est né à Montevideo, de parents français, comme Laforgue dont il aima "l'humour triste"; orphelin de bonne heure, après une enfance en Amérique du Sud, des études à Paris, sa vie oscille, de 1920 à 1939, entre la France (Paris, le Pays basque) et l'Uruguay où il demeure pendant le second conflit mondial. Après 1945 il se fixe à Paris. Les libres espaces des pampas, les images pyrénéennes et, entre les deux, l'immensité mouvante de l'océan et ses mirages trouveront leurs échos dans sa poésie.

Son œuvre constitue un univers poétique constant et original, depuis les *Poèmes de l'humour triste* (1919) jusqu'à *Corps tragique* (1959), en marge des mouvements et ambitions poétiques du siècle, comme de tout engagement.

Sa poésie, d'abord voisine de celle des "poètes de l'espace", chantant le voyage, la découverte du monde, gagne vite en profondeur, en gravité tempérée par l'humour. C'est avant tout une voix fraternelle et tendre, un "hommage à la vie", de qui n'a pas perdu le sens de son appartenance au monde, perçoit les liens obscurs entre l'homme, l'animal, le végétal, la terre et l'onde, devine les présences mystérieuses de l'univers – un univers mouvant et fragile qui tient sa réalité du regard de l'homme. "Je tremble au bout du fil, dit l'étoile. Si nul ne pense à moi je cesse d'exister."

Le monde où il nous entraîne glisse du réel vers le rêve, peuplé d'êtres fantastiques, propice aux métamorphoses selon la mouvance des peurs et des désirs qui permet à chaque être de "naviguer vers d'autres fables". Dans les dernières œuvres, *L'escalier* (1956), *Le corps tragique* (1959), les métamorphoses se font plus angoissantes : le poète, prisonnier de la "sanglante écurie" de son corps malade, cherche à apprivoiser les fantasmes surgis des régions obscures de l'être.

La poésie est là pour exorciser, donner un visage amical ou drôle à l'angoisse, au mystère, à la mort. "J'aspire à rêver tous les instants de ma vie, à leur donner un corps fabuleux de sirène, grâce à quoi je puis accueillir le miracle de la poésie encore amorphe et toujours menaçant tant qu'on ne lui a pas donné l'hospitalité du poème" (1959).

Dans "cette immensité intérieure", la rêverie unifiante retrouve un passé mythique; la poésie se fait "fable du monde" (titre d'un recueil de 1938), cosmogonie souriante, histoire fabuleuse de l'homme et de la création, histoire de vie et de mort hantée par la nuit originelle où "les enfants perdus maltraités par le jour cherchent apaisement".

Pour cette poésie de rêve et de mystère, le poète choisit la simplicité et la transparence : nulle remise en cause du langage, une prosodie classique privilégiant les vers courts de six à huit pieds, le refus de tout hermétisme. Le poème, simple chanson, ode ou élégie, a la continuité mélodique du chant, ou le mouvement discursif de la fable sans aucun prosaïsme. "Le conteur surveille en moi le poète", confie Supervielle, qui est aussi l'auteur de contes célèbres *(Voleur d'enfants, L'enfant de la haute mer, L'arche de Noé.)*

*Débarcadères* (1922); *Gravitations* (1925); *Saisir* (1928); *Le forçat innocent* (1930); *Boire à la source* (1933); *Les amis inconnus* (1934); *La fable du monde* (1938); *A la nuit* (1947); *Oublieuse mémoire* (1949); *Naissances* (1951); *L'escalier* (1956); *Le corps tragique* (1959)...

## LE SURVIVANT
à Alfonso Reyes.

Lorsque le noyé se réveille au fond des mers et que son cœur
Se met à battre comme le feuillage du tremble
Il voit approcher de lui un cavalier qui marche l'amble
Et qui respire à l'aise et lui fait signe de ne pas avoir peur.
Il lui frôle le visage d'une touffe de fleurs jaunes
Et se coupe devant lui une main sans qu'il y ait une goutte
                                                    [de rouge.
La main est tombée dans le sable où elle fond sans un soupir
Une autre main toute pareille a pris sa place et les doigts
                                                    [bougent.

Et le noyé s'étonne de pouvoir monter à cheval,
10  De tourner la tête à droite et à gauche comme s'il était au
                                                    [pays natal,
Comme s'il y avait alentour une grande plaine, la liberté,
Et la permission d'allonger la main pour cueillir un fruit de l'été.

Est-ce donc la mort cela, cette rôdeuse douceur
Qui s'en retourne vers nous par une obscure faveur?

Et serais-je ce noyé chevauchant parmi les algues
Qui voit comme se reforme le ciel tourmenté de fables.

Je tâte mon corps mouillé comme un témoignage faible
Et ma monture hennit pour m'assurer que c'est elle.

Un berceau bouge, l'on voit un pied d'enfant réveillé.
20  Je m'en vais sous un soleil qui semble frais inventé.

Alentour il est des gens qui me regardent à peine,
Visages comme sur terre, mais l'eau a lavé leurs peines.

Et voici venir à moi des paisibles environs
Les bêtes de mon enfance et de la Création

Et le tigre me voit tigre, le serpent me voit serpent,
Chacun reconnaît en moi son frère, son revenant.

Et l'abeille me fait signe de m'envoler avec elle
Et le lièvre qu'il connaît un gîte au creux de la terre

Où l'on ne peut pas mourir.

*Gravitations*, Gallimard éd.


## LE MATIN DU MONDE
à Victor Llona.

Alentour naissaient mille bruits
Mais si pleins encor de silence

Que l'oreille croyait ouïr
Le chant de sa propre innocence.

Tout vivait en se regardant,
Miroir était le voisinage
Où chaque chose allait rêvant
A l'éclosion de son âge.

Les palmiers trouvant une forme
10 Où balancer leur plaisir pur
Appelaient de loin les oiseaux
Pour leur montrer des dentelures.

Un cheval blanc découvrait l'homme
Qui s'avançait à petit bruit,
Avec la Terre autour de lui
Tournant pour son cœur astrologue.

Le cheval bougeait les naseaux
Puis hennissait comme en plein ciel
Et tout entouré d'irréel
20 S'abandonnait à son galop.

Dans la rue, des enfants, des femmes,
A de beaux nuages pareils,
S'assemblaient pour chercher leur âme
Et passaient de l'ombre au soleil.

Mille coqs traçaient de leurs chants
Les frontières de la campagne
Mais les vagues de l'océan
Hésitaient entre vingt rivages.

L'heure était si riche en rameurs,
30 En nageuses phosphorescentes
Que les étoiles oublièrent
Leurs reflets dans les eaux parlantes.

*Ibid.*, "Matins du monde", Gallimard éd.

---

Et toujours à ma droite une maison se dresse,
Porte close où se traîne un tremblant corridor,
J'attends depuis l'aurore et toujours le temps presse
J'entends des pas très alarmés et nul ne sort.

Une voix du dedans m'appelle, je regarde
La fenêtre que ferme un barreau d'acier noir.
Je traverse la rue et son ombre si grande
Que le gardien de nuit s'approche sans me voir.

Mais la porte soudain s'entr'ouvre toute seule
Et ne laisse échapper qu'un désespoir sans fin.
Et cette voix se tait qui m'appelait sans cesse.
Elle qui promettait un visage et des mains.

*Le forçat innocent,* Gallimard éd.

## RAYON VERT

L'oiseau, précédé de son désespoir,
Par le carreau troué pénétra dans la chambre,
Comme dans un abri plein d'étrangeté
Où l'air tresse et chérit de fines cruautés.

Bec ouvert, cœur ténu, plumeux près de la lampe,
Il voulait échapper au déluge du soir.

Des livres, l'abat-jour et sa langue électrique,
Qu'en faire si l'on est oiseau de l'Atlantique,
Et que pourrait offrir à son âme espacée
Une étoile coupante, une vitre cassée ?

*Ibid.*

## L'ENFANT NÉE DEPUIS PEU

Faisant le geste vif d'écarter les nuages
Elle touche enfin terre, au sortir de ses astres.

Et les murs voudraient voir de près l'enfant nouvelle
Qu'un peu de jour, adroit dans l'ombre, leur décèle.

Le bruit de la cité qui cherche son oreille
Désire y pénétrer comme une obscure abeille,

Hésite, puis s'éloigne, effrayé par degrés,
De cette chair encor trop près de son secret

Et qui s'expose toute avec sa petitesse
10 A l'air luisant, aveugle et tremblant de promesses,

Après le long voyage où les yeux étaient clos
Dans un pays toujours nocturne, sans échos,

Et dont le souvenir est dans les mains serrées
(Ne les desserrez pas, laissez-lui sa pensée.)

*Elle pense :*

« Si sévères et si grandes
Ces personnes qui regardent

Et leurs figures dressées
Comme de hautes montagnes.
Suis-je un lac, une rivière,
20  Suis-je un miroir enchanté?
Pourquoi me regardent-ils?
Je n'ai rien à leur donner.
Qu'ils s'en aillent, qu'ils s'en aillent
Au pays de leurs yeux froids,
Au pays de leurs sourcils
Qui ne savent rien de moi.
J'ai encore fort affaire
Dessous mes closes paupières.
Il me faut prendre congé
30  De couleurs à oublier,
De millions de lumières
Et de plus d'obscurité
Qui sont de l'autre côté.
Il me faut mettre de l'ordre
Parmi toutes ces étoiles
Que je vais abandonner.
Au fond d'un sommeil sans bornes,
Il me faut me dépêcher. »


Quand elle ouvre les yeux ils lui donnent un arbre
40  Et son monde branchu, ils lui donnent le large
Et son content de ciel,
Puis elle se rendort pour emporter le tout.
(...)

*Ibid.*

---

**1.** Simplicité et musique : le mouvement narratif de chaque poème ; variété des strophes ; souplesse de la versification, des rimes et assonances.
**2.** Un univers fabuleux : quelles images relèvent du monde réel ; lesquelles relèvent d'un univers surnaturel ? Comment les deux mondes s'interpénètrent-ils : voir les analogies de l'un à l'autre au niveau des images et des thèmes.
**3.** Comment les deux poèmes de l'absence *(Et toujours à ma droite..., Rayon vert)* expriment-ils la nostalgie d'un accord total de l'être avec le monde ?

---

## Saint-John Perse[1] (1887-1975)

Une vie altière et secrète, une œuvre parfois difficile d'accès, mais somptueuse, revendication persistante de grandeur et de beauté.

Né à la Guadeloupe, le poète gardera la mémoire émerveillée de son enfance dans les plantations de sa famille maternelle et l'île de Saint-Léger-les-Feuilles; son père, avocat, lui communique son goût pour la navigation. En 1898, il vient faire ses études en France, à Pau, où il rencontre Francis Jammes, Larbaud et où il découvre la montagne; puis il va à la faculté de Bordeaux où il écrit ses premières œuvres. Secrétaire d'ambassade à Pékin de 1916 à 1922, il découvre l'Extrême-Orient, l'Asie centrale. En 1924, devenu directeur de cabinet d'Aristide Briand aux Affaires étrangères, il s'interdit toute activité littéraire. En 1940 il refuse de servir le gouvernement de Vichy et gagne les USA. L'exilé peut redevenir poète. Résidant à Washington, il vient à partir de 1958 passer l'été près d'Hyères mais poursuit d'incessants périples en Amérique ou sur les mers du monde. En 1960, le prix Nobel distingue l'homme et l'œuvre.

*Eloges* (1910); *Amitié du prince* et *Anabase* (1924); *Exil* (1941); *Pluies* (1942); *Le poème à l'étrangère* (1943); *Neiges* (1944); *Vents* (1946); *Amers* (dont le titre évoque entre autres les repères fixes des navigateurs); *Chronique* (1959); *Oiseaux* (1963); *Chanté par celle qui fut là* (1969).

1. Alexis Saint-Léger Léger dit...

## POUR FÊTER UNE ENFANCE

### V

... O! j'ai lieu de louer!
Mon front sous des mains jaunes,
mon front, te souvient-il des nocturnes sueurs?
du minuit vain de fièvre et d'un goût de citerne?
et des fleurs d'aube bleue à danser sur les criques du matin
et de l'heure midi plus sonore qu'un moustique, et des
flèches lancées par la mer de couleurs?..

O j'ai lieu! ô j'ai lieu de louer!
Il y avait à quai de hauts navires à musique. Il y avait des
10 promontoires de campêche[1]; des fruits de bois qui éclataient...
Mais qu'a-t-on fait des hauts navires à musique qu'il y avait à quai?

Palmes!.. Alors
une mer plus crédule et hantée d'invisibles départs,
étagée comme un ciel au-dessus des vergers,
se gorgeait de fruits d'or, de poissons violets et d'oiseaux.

Alors, des parfums plus affables, frayant aux cimes les
plus fastes,
ébruitaient ce souffle d'un autre âge,
et par le seul artifice du cannelier au jardin de mon père
20 — ô feintes!

glorieux d'écailles et d'armures un monde trouble délirait.
(... O j'ai lieu de louer! O fable généreuse, ô table d'abondance!)

*Eloges,* Gallimard éd.

1. Arbre d'Amérique tropicale dont le bois dur et compact renferme une matière colorante rouge.

---

**1.** Quels procédés font de ce poème un hymne?
**2.** La "fable" du monde de l'enfance : comment le poème organise-t-il l'inventaire des heures, des paysages, des sensations? Voir la naïveté du tableau proposé; comment la mémoire intensifie-t-elle les lumières, les couleurs et les correspondances?

---

... C'étaient de très grands vents sur la terre des hommes – de
très grands vents à l'œuvre parmi nous,
    Qui nous chantaient l'horreur de vivre, et nous chantaient
l'honneur de vivre, ah! nous chantaient et nous chantaient au plus
haut faîte du péril,
    Et sur les flûtes sauvages du malheur nous conduisaient, hom-
mes nouveaux, à nos façons nouvelles.

    C'étaient de très grandes forces au travail, sur la chaussée des
hommes – de très grandes forces à la peine
    Qui nous tenaient hors de coutume et nous tenaient hors de
saison, parmi les hommes coutumiers, parmi les hommes saison-
niers,
    Et sur la pierre sauvage du malheur nous dépouillaient la terre
vendangée pour de nouvelles épousailles.

    Et de ce même mouvement de grandes houles en croissance,
qui nous prenaient un soir à telles houles de haute terre, à telles
houles de haute mer,
    Et nous haussaient, hommes nouveaux, au plus haut faîte de
l'instant, elles nous versaient un soir à telles rives, nous laissaient,
    Et la terre avec nous, et la feuille, et le glaive – et le monde où
frayait une abeille nouvelle...

    Ainsi du même mouvement le nageur, au revers de sa nage,
quêtant la double nouveauté du ciel, soudain tâte du pied l'ourlé
des sables immobiles,
    Et le mouvement encore l'habite et le propage, qui n'est plus
que mémoire – murmure et souffle de grandeur à l'hélice de
l'être,
    Et les malversations de l'âme sous la chair longtemps le tien-
nent hors d'haleine – un homme encore dans la mémoire du vent,
un homme encore épris du vent, comme d'un vin...

    Comme un homme qui a bu à une cruche de terre blanche : et
l'attachement encore est à sa lèvre
    Et la vésication de l'âme sur sa langue comme une intempérie,

Le goût poreux de l'âme, sur sa langue, comme une piastre d'argile...

O vous que rafraîchit l'orage, la force vive et l'idée neuve rafraîchiront votre couche de vivants, l'odeur fétide du malheur n'infectera plus le linge de vos femmes.
Repris aux dieux votre visage, au feu des forges votre éclat, vous entendrez, et l'An qui passe, l'acclamation des choses à renaître sur les débris d'élytres, de coquilles.
Et vous pouvez remettre au feu les grandes lames couleur de foie sous l'huile. Nous en ferons fers de labour, nous connaîtrons encore la terre ouverte pour l'amour, la terre mouvante, sous l'amour, d'un mouvement plus grave que la poix.

Chante, douceur, à la dernière palpitation du soir et de la brise, comme un apaisement de bêtes exaucées.
Et c'est la fin ce soir du très grand vent. La nuit s'évente à d'autres cimes. Et la terre au lointain nous raconte ses mers.
Les dieux, pris de boisson, s'égareront-ils encore sur la terre des hommes? Et nos grands thèmes de nativité seront-ils discutés chez les doctes?

Des Messagers encore s'en iront aux filles de la terre, et leur feront encore des filles à vêtir pour le délice du poète.
Et nos poèmes encore s'en iront sur la route des hommes, portant semence et fruit dans la lignée des hommes d'un autre âge –
Une race nouvelle parmi les hommes de ma race, une race nouvelle parmi les filles de ma race, et mon cri de vivant sur la chaussée des hommes, de proche en proche, et d'homme en homme,

Jusqu'aux rives lointaines où déserte la mort!..

*Vents,* VI, Gallimard éd.

---

**1.** Le mouvement épique : étudier le passage de la tempête à l'apaisement (jeu des reprises, parallélisme de la structure des strophes, images, passage de l'imparfait au présent et au futur).
**2.** Le symbolisme du vent : faire l'inventaire des verbes, images, comparaisons auxquels il est associé ; dégager le passage d'une symbolique de la destruction à celle d'une renaissance dans un univers purifié.
**3.** Comment le thème de la création poétique est-il associé à ce chant du monde et à la promesse de renaissance?

## Raymond Roussel (1877-1933)

Il mena en apparence la vie d'un riche excentrique (décidant par exemple de faire le tour du monde enfermé dans une chambre pour se couper du réel), satisfaisant ses caprices jusqu'à la ruine et au suicide. Il fut en fait profondément affecté par l'échec de ses œuvres, dont les surréalistes, les premiers, discerneront l'intérêt. Passionné de mathématiques, de jeux d'échecs, de sciences, il révèle dans *Comment j'ai écrit certains de mes livres* (paru en 1935), quelques-unes des combinaisons et équations qui lui permettent, à partir de l'association arbitraire de deux mots ou de deux phrases "parallèles", d'échafauder un monde imaginaire.

Dans *Locus solus* (1914), le récit nous entraîne dans le somptueux domaine du savant Martial Canterel qui fait visiter à quelques intimes ses merveilles : d'étranges mécaniques, minutieusement décrites, sont à l'œuvre, formant autant de tableaux; des automates répètent à l'infini l'acte ou l'aventure qui marqua leur existence. Cet espace étrange est ouvert par les jeux sur les divers sens des mots ou la dislocation de leur structure sonore. Ainsi la première merveille est née d'un couple de mots : une *demoiselle* (hie des paveurs ou jeune fille) et son *prétendant;* ce mot disloqué suggère un "reître en dents" (cavalier germanique).

(...) Légère d'apparence, bien qu'entièrement métallique, la *demoiselle* était suspendue à un petit aérostat jaune clair, qui, par sa partie inférieure, évasée circulairement, faisait songer à la silhouette d'une montgolfière.

En bas, le sol était garni de la plus étrange façon.

Sur une étendue assez vaste, des dents humaines s'espaçaient de tous côtés, offrant une grande variété de formes et de couleurs. Certaines, d'une blancheur éclatante, contrastaient avec des incisives de fumeurs fournissant la gamme intégrale des bruns et des marrons. Tous les jaunes figuraient dans le stock bizarre, depuis les plus vaporeux tons paille jusqu'aux pires nuances fauves. Des dents bleues, soit tendres, soit foncées, apportaient leur contingent dans cette riche polychromie, complétée par une foule de dents noires et par les rouges pâles ou criards de maintes racines sanguinolentes.

Les contours et les proportions différaient à l'infini, — molaires immenses et canines monstrueuses voisinant avec des dents de lait presque imperceptibles. Nombre de reflets métalliques s'épanouissaient çà et là, provenant de plombages ou d'aurifications.

A la place occupée actuellement par la hie, les dents, étroitement groupées, engendraient, par la seule alternance de leurs teintes, un véritable tableau encore inachevé. L'ensemble évoquait un reître sommeillant dans une crypte sombre, vautré mollement au bord d'un étang souterrain. Une fumée ténue, enfantée par le cerveau du dormeur, montrait, en manière de rêve, onze jeunes gens se courbant à demi sous l'empire d'une frayeur inspirée par certaine boule aérienne presque diaphane, qui, semblant servir de but à l'essor dominateur d'une blanche colombe, marquait sur le sol une ombre légère enveloppant un oiseau mort. Un vieux livre fermé gisait à côté du reître, qu'illuminait faiblement une torche plantée droite dans le sol de la crypte (...)

*Locus solus,* chapitre II, J.-J. Pauvert éd.

# Le mouvement surréaliste

La guerre de 1914-1918 marque une profonde rupture dans la vie intellectuelle française : si certains poètes, fidèles à eux-mêmes, poursuivent dans la voie qu'ils ont choisie (classicisme pour Valéry, poésie chrétienne pour Claudel, poésie moderne-cubiste ou unanimiste pour M. Jacob, J. Romains, etc.), la jeune génération marquée par la guerre se révolte contre une civilisation–celle de la raison, de la logique, de la science–qui a rendu possible une telle monstruosité.

## Dada

Cette révolte n'est pas spécifique à la France : elle est entre autres, le fait d'un groupe qui, à Zürich, se réunit autour du Roumain Tristan Tzara et qui, depuis février 1916, a pris le nom de Dada – terme trouvé en ouvrant au hasard un dictionnaire. C'est un mouvement de contestation radicale du monde contemporain, des valeurs traditionnelles, de la raison et du langage qu'il désarticule. Il publie force tracts et manifestes ( *cf.* docu - ments) et organise des spectacles-provocations, comme ceux qui seront ensuite organisés à Paris : "Sur la scène on tapait sur des clés, des boîtes, pour faire de la musique jusqu'à ce que le public protestât, devenu fou. Serner, au lieu de réciter des poèmes, déposait un bouquet de fleurs au pied d'un mannequin de couturière. Une voix, sous un immense chapeau en forme de pain de sucre, disait des poèmes de Arp. Huelsenbeck hurlait ses poèmes de plus en plus fort, pendant que Tzara frappait en suivant le même rythme et le même crescendo sur une grosse caisse. Huelsenbeck et Tzara dansaient avec des gloussements de jeunes ours, ou dans un sac avec un tuyau sur la tête se dandinaient en un exercice appelé *noir cacadou*. Tzara inventait des poèmes chimique et statique..." (Georges Hugnet, "L'esprit dada dans la peinture", *Cahiers d'art*, 1932-34). Les idées de ce groupe auquel appartiennent les peintres Duchamp et Picabia vont se répandre en Allemagne comme une traînée de poudre, avant d'arriver en France.

Dans le même temps, à Paris, de jeunes poètes, unis dans l'admiration de Picasso, Apollinaire (théoricien de "l'esprit nouveau"), M. Jacob, Reverdy, s'essaient, dans la voie qu'ils ont tracée, à la création poétique. Mais l'arrivée de Tzara à Paris en 1919 va les rejeter dans une contestation radicale, première étape d'une évolution qui va les conduire au surréalisme.

## André Breton (1896-1966)

C'est autour d'André Breton que vont se rassembler ces jeunes gens révoltés, et sa vie se confond avec l'histoire du groupe surréaliste. Tenté d'abord par la recherche d'un art poétique moderne, il en est définitivement détourné par J. Vaché, dont la rencontre fut pour lui déterminante : Breton, médecin à Nantes pendant la guerre, rencontre J. Vaché alors hospitalisé. C'était un "original", n'attachant d'importance à rien, d'un comportement anticonformiste et provocateur, qui fut, pour Breton, l'exemple type du personnage surréaliste. Ainsi, lors de la première du drame "surréaliste" d'Apollinaire *Les mamelles de Tirésias,* habillé en officier anglais, il fit scandale à l'orchestre : "Il était entré dans la salle revolver au poing et il parlait de tirer à balles sur le public." Comportement surréaliste par excellence aux yeux de Breton : "L'acte surréaliste le plus simple consiste, revolvers aux poings, à descendre dans la rue et à tirer au hasard, tant qu'on peut dans la foule." "Sans lui, dit Breton, j'aurais peut-être été

André Breton, Paul Eluard, Nusch Éluard, Valentine Hugo, *Cadavres exquis*, vers 1934. (Musée National d'Art moderne, CGP, Paris.)

un poète; il a déjoué en moi ce complot de forces obscures qui mène à se croire quelque chose d'aussi absurde qu'une vocation..." En même temps il a découvert Freud, qui explore le monde inconnu du psychisme humain, dont on vient de pressentir l'existence : Breton (il rencontrera Freud en 1921), se passionne avec ses amis pour cette découverte; mais alors que Freud poursuit ses recherches à des fins thérapeutiques visant à rétablir l'équilibre du psychisme humain, les surréalistes, au contraire, vont explorer, exploiter l'inconscient et en dévoiler les richesses foisonnantes dont il est impossible de cerner les limites, au risque, pour certains, d'y perdre la raison.

## Rupture avec Dada

En 1921 Breton et son groupe ont rompu avec Tzara, auquel ils reprochent son nihilisme, son entreprise de destruction systématique qui ne débouche sur rien. L'occasion de la rupture est, le vendredi 13 mai 1921, le procès de Barrès organisé par le groupe : Tzara, en tant que témoin cité, affiche un comportement dérisoire, alors que Breton, président de séance, tient à affirmer le sérieux du procès. Témoin cet échange de répliques :

— *Le témoin, Tristan Tzara :* "Vous conviendrez avec moi, Monsieur le Président, que nous ne sommes tous qu'une bande de salauds, et que par conséquent, les petites différences : salauds plus grands, ou salauds plus petits, n'ont aucune importance.

— *Le président André Breton :* Le témoin tient-il à passer pour un parfait imbécile, ou cherche-t-il à se faire interner ?"

La rupture fut définitive en 1922.

## Le groupe des surréalistes

L'élaboration de la "doctrine" et de l'esprit surréalistes est l'affaire d'un groupe, limité au début à Soupault, Aragon et Breton, auxquels se joint rapidement Eluard. Les rejoignent peu à peu Péret, fidèle et intransigeant dans ses principes jusqu'à sa mort, Baron, Desnos, Vitrac, Artaud, surtout passionné de théâtre, Crevel, qui se suicidera en 1935, Delteil, le photographe Man Ray, les peintres Max Ernst, Picabia, Masson, Chirico, etc. Au cours des années la composition du groupe sera très fluctuante : de nouveaux éléments viendront enrichir le groupe comme Prévert, Leiris, Queneau, Dali, Buñuel... Si Breton en reste jusqu'à sa mort l'animateur et le théoricien incontesté, si Péret reste le plus fidèle à l'esprit originel du surréalisme en refusant tout engagement de son art, Soupault et Artaud sont exclus du groupe en 1926, Desnos, Leiris, Baron, Masson, Prévert, Queneau, Vitrac en 1929, Aragon en 1932, etc.
Le phénomène surréaliste, né à Paris, s'étend dans le monde entier, et l'on voit se constituer des groupes surréalistes en Serbie (1926), en Belgique (1927), au Pérou (1933), en Tchécoslovaquie (1934). Pendant la guerre de 1940, A. Breton, réfugié aux Etats-Unis, reconstitue à New York un groupe surréaliste, comportant entre autres Max Ernst, Masson, Tanguy.
L'organisation de nombreuses expositions surréalistes tant nationales qu'internationales contribue à faire connaître le mouvement : expositions de peinture à Paris, en Allemagne, aux Etats-Unis, en Belgique; expositions internationales à Prague (1935), Londres (1936), Paris (1938), au Mexique (1940), à Paris en 1959 (Exposition inteRnatiOnale du Surréalisme : EROS), etc.

## Les prédécesseurs

Si les surréalistes tournent délibérément le dos à toute une partie de notre héritage culturel, ils ne s'en réclament pas moins d'un certain nombre de leurs prédécesseurs. Ils admirent les fatrasies du Moyen Age qui mêlent l'incohérence à la débauche d'images saugrenues; le roman noir du XVIII<sup>e</sup> siècle et plus particulièrement le marquis de Sade; A. Bertrand, P. Borel et surtout Nerval "qui, semble-t-il, posséda à merveille l'*esprit* dont nous nous réclamons", et qu'il appelait "supernaturalisme"; Baudelaire qui annonce par son idée des "correspondances" la doctrine de l'analogie, et qui, à leurs yeux, a su évoquer la poésie du quotidien dans les *Scènes parisiennes* et les *Poèmes en prose;* Apollinaire, qui le premier utilisa le terme de surréaliste pour qualifier son drame *Les mamelles de Tirésias;* enfin et surtout Jarry, Rimbaud et Lautréamont, les poètes de la révolte contre les valeurs traditionnelles.

## Les revues surréalistes

Parmi les nombreuses revues surréalistes françaises, trois évoquent, par leur titre, l'évolution du groupe surréaliste : la revue *Littérature,* dirigée par Aragon, Breton et Soupault de mars 1919 à août 1921, puis par Aragon seul de mars 1922 à juin 1924; *La révolution surréaliste,* dirigée du 1<sup>er</sup> décembre 1924 au 15 avril 1925 par Péret et Naville, puis par Breton jusqu'en décembre 1929; *Le surréalisme au service de la révolution,* dirigée par Breton de juillet 1930 à mai 1933; enfin le *Minotaure* de 1933 à 1937.

Ainsi une première période, qui correspond à la publication de *Littérature* et s'achève par la publication du *Manifeste du surréalisme* (1924), est celle des tâtonnements et des expériences : période des sommeils, exploitation des rêves, que résume bien l'ouvrage d'Aragon *Une vague de rêves* (1924). Auprès de Mallarmé, Apollinaire, Valéry, Gide, Salmon, Jacob, Reverdy, Cendrars, qui figuraient dans les premiers numéros de la revue, on y trouve les *Poésies* de Lautréamont, des textes de Rimbaud, des manifestes dada, les lettres de guerre de J. Vaché. A partir de 1922, la revue n'a plus rien à voir avec Dada.

L'année 1924 marque la naissance officielle du groupe surréaliste avec la publication du premier manifeste, la fondation du Bureau de recherches surréalistes et de la revue *La révolution surréaliste* à laquelle succédera, en 1930, *Le surréalisme au service de la révolution.* Les changements de titre successifs sont révélateurs du problème qui va provoquer l'éclatement du groupe : partis d'une révolte nihiliste, les surréalistes vont se diviser sur leur rôle par rapport à la révolution. En effet, dès 1925, ils ont admis que la libération de l'esprit passe nécessairement par la libération économique et politique. "Dans le domaine des faits, de notre part aucune équivoque n'est possible; il n'est personne de nous qui ne *souhaite* le passage du pouvoir des mains de la bourgeoisie à celles du prolétariat." Mais Breton ajoute :*"En attendant,* il n'en est pas moins nécessaire selon nous, que les expériences de la vie intérieure se poursuivent, et cela, bien entendu, sans contrôle extérieur, même marxiste." La réflexion politique devient d'autant plus inévitable que la guerre du Rif a commencé en 1925.

Dans un premier temps Breton, Aragon, Eluard, Péret adhèrent au Parti communiste. Mais cette alliance ne pouvait, par la nature même des choses, être durable : si le surréalisme, comme le communisme, veut s'attaquer au pouvoir de l'argent, du capitalisme et à la montée des fascismes, il réclame : "pour la vie de l'esprit, pour la création artistique, pour l'amour, le rêve, le jeu, un domaine réservé, autonome, que le communisme ne peut pas (lui) accorder, en raison de son caractère "totalitaire" au sens propre du terme. Pour les marxistes orthodoxes, l'objet de (son) activité est chimérique puisqu'il est entièrement étranger aux rapports de production qui définissent le milieu humain. Pour les surréalistes, rien ne compte plus que cette chimère" (R. Bréchon, *Le surréalisme*, A. Colin, éd.). C'est ainsi que contrairement à Aragon et Eluard, Breton refusera finalement tout engagement, toute inféodation à un parti, tout en restant fidèle à son aspiration à un monde plus juste, à une "croyance irraisonnée à l'acheminement vers un futur Edénique..." Avec l'exclusion de Breton, Eluard et Crevel du Parti communiste en 1933 disparaît *Le surréalisme au service de la révolution* auquel succède le *Minotaure*.

Breton deviendra l'ami de Trotsky lors d'un séjour au Mexique en 1938; il participe à la lutte contre le fascisme, appelle à l'insurrection pour répondre à la violence par la violence; certains s'engagent aux côtés des républicains espagnols; pendant la guerre tel choisit l'engagement dans la résistance, tel autre l'exil. Après 1945 les revues surréalistes *(Néon-Medium, Le surréaliste même, Bief, La brèche, L'archibras)* qui se succèdent, défendent des positions anticolonialistes et progressistes.

## Le surréalisme, redécouverte de l'inconscient

Mais le mouvement surréaliste est d'abord la découverte de cette part mystérieuse de notre être qui se situe en marge de la raison, de la logique, de l'état de veille. Breton en proposait dans *Le premier manifeste* la définition suivante : "*Surréalisme* n.m. Automatisme psychique pur par lequel on se propose d'exprimer, soit verbalement, soit par écrit, soit de toute autre manière, le fonctionnement réel de la pensée. Dictée de la pensée, en dehors de toute préoccupation esthétique ou morale. *Encycl. Philos.* Le surréalisme repose sur la croyance à la réalité supérieure de certaines formes d'associations négligées jusqu'à lui, à la toute puissance du rêve, au jeu désintéressé de la pensée. Il tend à ruiner définitivement tous les autres mécanismes psychiques et à se substituer à eux dans la résolution des principaux problèmes de la vie..."

Il s'agit donc de permettre à l'homme de redécouvrir toute une part de lui-même, celle de l'inconscient, de l'irrationnel, qui apparaît finalement comme la plus essentielle. Comment ? En privilégiant toutes les activités qui excluent le contrôle de la raison : le rêve (lieu des rencontres imprévisibles), l'écriture automatique (à laquelle correspond en peinture la technique du frottage) dont *Les champs magnétiques* sont un exemple, la transcription des phrases "qui cognent à la vitre", la simulation des délires.

Chaque être portant en lui son inconscient doit donc être capable d'être poète et les surréalistes reprenaient à leur compte la formule de Lautréamont : "La poésie doit être faite par tous. Non par un."

Mais si Breton oppose la "littérature de calcul" qu'il refuse, à "l'écriture inspirée", Eluard pour sa part distingue nettement textes de recherche et poésie : "On a pu penser que l'écriture automatique rendait les poèmes inutiles. Non : elle augmente, développe seulement le champ de l'examen de conscience poétique, en l'enrichissant. Si la conscience est parfaite, les éléments que l'écriture automatique extrait du monde intérieur et les éléments extérieurs s'équilibrent. Réduits à égalité, ils s'entremêlent, se confondent, pour former l'unité poétique."

## Les images surréalistes

Le matériau poétique est particulièrement riche en images, qui constituent l'essence même de la poésie surréaliste. "L'image surréaliste la plus forte est celle qui présente le degré d'arbitraire le plus élevé, celle qu'on met le plus longtemps à traduire en langage pratique, soit qu'elle recèle une dose énorme de contradiction apparente, soit que l'un de ses termes en soit curieusement dérobé, soit que, s'annonçant sensationnelle, elle ait l'air de se dénouer faiblement (qu'elle ferme brusquement l'angle de son compas), soit qu'elle tire d'elle-même une justification formelle dérisoire, soit qu'elle soit d'ordre hallucinatoire, soit qu'elle prête très naturellement à l'abstrait le masque du concret, ou inversement, soit qu'elle implique la négation de quelque propriété physique élémentaire, soit qu'elle déchaîne le rire" *(Dict. abrégé du surréalisme,* A. Breton). En fait, ce qui importe dans les images, c'est le rapport qu'elles introduisent entre des objets ; en même temps elles peuvent être des images-mères, et elles touchent le lecteur en éveillant chez lui les impressions primordiales enfouies dans son propre inconscient. En outre, pour Breton, plus l'image met en rapport des objets éloignés, plus elle est poétique.

Le hasard objectif

Le ressort de la poésie surréaliste est donc la surprise ; mais la surprise appartient aussi au monde réel, et c'est ce que les surréalistes appellent "le hasard objectif", "ensemble des prémonitions, des rencontres insolites et des coïncidences stupéfiantes, qui se manifestent de temps à autre dans la vie humaine" ; les jeux verbaux comme *Le cadavre exquis* illustrent cette recherche du hasard ; "Jeu de papier plié qui consiste à faire composer une phrase ou un dessin par plusieurs personnes, sans qu'aucune d'elles puisse tenir compte de la collaboration ou des collaborations précédentes. L'exemple devenu classique, qui a donné son nom au jeu, tient dans la première phrase obtenue de cette manière : *Le cadavre-exquis-boira-le-vin-nouveau" (Dict. abrégé du surréalisme).* Dans la vie quotidienne, les surréalistes cultivaient tout ce qui pouvait favoriser les manifestations du hasard objectif : promenades au marché aux Puces, longues flâneries dans Paris, dans le métro. Ainsi multiplient-ils trouvailles et rencontres, comme celle que fit un jour Breton : dans le métro, il aperçut une jeune femme, Nadja, qu'il revit à plusieurs reprises et qui lui fit découvrir maintes manifestations du hasard objectif, que sans elle il aurait ignorées. Il raconte dans son "roman" *Nadja* les longues promenades dans Paris, les coïncidences étranges, les conversations au cours desquelles il écoutait plus qu'il ne parlait lui-même.

Il y a en vérité peu de distance entre l'interprétation surréaliste des "coïncidences signifiantes" et la croyance au miracle qui se manifeste dans la pensée prélogique : il y a coïncidence entre l'esprit de l'homme et le monde, et il s'agit de retrouver l'unité du monde au-delà de la multiplicité des apparences ; il n'est donc pas étonnant de voir après 1945 l'intérêt passionné de Breton pour l'ésotérisme.

"En fait tout porte à croire qu'il existe un certain point de l'esprit d'où la vie et la mort, le réel et l'imaginaire, le passé et le futur, le communicable et l'incommunicable, le haut et le bas, cessent d'être perçus contradictoirement. Or c'est en vain qu'on chercherait à l'activité surréaliste un autre mobile que l'espoir de détermination de ce point" *(Situation du surréalisme entre les deux guerres,* Fontaine éd., 1945). En fait la tradition occultiste offre à ses yeux "l'immense intérêt de maintenir à l'état dynamique le système de comparaison, de champ illimité, dont dispose l'homme, qui lui livre les rapports susceptibles de relier les objets en apparence les plus éloignés et lui découvre partiellement la mécanique du symbolisme universel" *(Arcane 17,* J.-J. Pauvert éd.). Mais l'exposé du système analogique est encore plus clair dans *Signe ascendant* (Gallimard éd.) : "L'analogie poétique a ceci de commun avec l'analogie mystique qu'elle transgresse les lois de la déduction pour faire appréhender à l'esprit l'interdépendance de deux objets de pensée situés sur des plans différents, entre lesquels le fonctionnement logique de l'esprit n'est apte à jeter aucun pont et s'oppose *a priori* à ce que toute espèce de pont soit jetée. L'analogie poétique diffère foncièrement de l'analogie mystique en ce qu'elle ne présuppose nullement, à travers la trame du monde visible, un univers invisible qui tend à se manifester. Elle est tout empirique dans sa démarche, seul en effet l'empirisme pouvant lui assurer la totale liberté de mouvement nécessaire au bond qu'elle doit fournir. Considérée dans ses effets, il est vrai que l'analogie poétique semble, comme l'analogie mystique, militer en faveur de la conception d'un monde ramifié à perte de vue et tout entier parcouru de la même sève, mais elle se maintient sans aucune contrainte dans le cadre sensible, voire sensuel, sans marquer aucune propension à verser dans le surnaturel. Elle tend à faire entrevoir et valoir la vraie vie *absente* et, pas plus qu'elle ne puise dans la rêverie métaphysique sa substance, elle ne songe un instant à faire tourner ses conquêtes à la gloire d'un quelconque au-delà. "

Les surréalistes chantent le désir, l'amour fou, la promenade fertile au sein d'une ville féerique, l'alliance de l'homme et du monde, dans une poésie libérée qui est un feu d'artifice d'images. Chaque poète, selon sa personnalité, trouvera sa propre originalité, à partir d'un courant qui a marqué dès sa naissance la pensée du XX$^e$ siècle.

Le mouvement surréaliste en tant que tel est aujourd'hui achevé : quelques écrivains s'en réclament encore mais la dynamique semble avoir disparu. Toutefois l'esprit surréaliste garde toute sa vitalité et on l'a vu s'exprimer sous toutes ses formes et avec toute sa verve lors des événements de mai 1968.

## POUR FAIRE UN POÈME DADAÏSTE

Prenez un journal.

Prenez des ciseaux.

Choisissez dans ce journal un article ayant la longueur que vous comptez donner à votre poème.

Découpez l'article.

Découpez ensuite avec soin chacun des mots qui forment cet article et mettez-les dans un sac.

Agitez doucement.

Sortez ensuite chaque coupure l'une après l'autre.

Copiez consciencieusement.

dans l'ordre où elles ont quitté le sac.

Le poème vous ressemblera.

Et vous voilà un écrivain infiniment original et d'une sensibilité charmante, encore qu'incomprise du vulgaire.

*Sept manifestes dada,* Jean-Jacques Pauvert éd.

DADA n'est pas folie, ni sagesse, ni ironie, regarde-moi, gentil bourgeois.
L'art était un jeu noisette, les enfants assemblaient les mots qui ont une sonnerie à la fin, puis ils pleuraient et criaient la strophe, et lui mettaient les bottines des poupées et la strophe devint reine pour mourir un peu et la reine devint baleine, les enfants couraient à perdre haleine.
Puis vinrent les grands ambassadeurs du sentiment qui s'écrièrent historiquement en chœur :
Psychologie Psychologie hihi
Science Science Science
Vive la France
Nous ne sommes pas naïfs
Nous sommes successifs
Nous sommes exclusifs
Nous ne sommes pas simples
et nous savons bien discuter l'intelligence.
Mais nous, DADA, nous ne sommes pas de leur avis, car l'art n'est pas sérieux, je vous assure, et si nous montrons le crime pour dire doctement ventilateur, c'est pour vous faire du plaisir, bons auditeurs, je vous aime tant, je vous assure et je vous adore.

*Ibid.*

## LA GRANDE COMPLAINTE DE MON OBSCURITÉ TROIS

chez nous les fleurs des pendules s'allument
                    [et les plumes encerclent la clarté
le matin de soufre lointain les vaches lèchent les lys de sel

mon fils
mon fils
traînons toujours par la couleur du monde
qu'on dirait plus bleue que le métro et que l'astronomie
nous sommes trop maigres
nous n'avons pas de bouche
nos jambes sont raides et s'entrechoquent
10  nos visages n'ont pas de forme comme les étoiles
cristaux points sans force feu brûlée la basilique
folle : les zigzags craquent
téléphone
mordre les cordages se liquéfier
l'arc
grimper
astrale
la mémoire
vers le nord par son fruit double
20  comme la chair crue
faim feu sang

**André Breton**

TOURNESOL[1]

à Pierre Reverdy

La voyageuse qui traversa les Halles à la tombée de l'été
Marchait sur la pointe des pieds
Le désespoir roulait au ciel ses grands arums si beaux
Et dans le sac à main il y avait mon rêve ce flacon de sels
Que seule a respirés la marraine de Dieu
Les torpeurs se déployaient comme la buée
Au Chien qui fume
Où venaient d'entrer le pour et le contre
La jeune femme ne pouvait être vue d'eux que mal et de biais
10 Avais-je affaire à l'ambassadrice du salpêtre
Ou de la courbe blanche sur fond noir que nous appelons
[pensée
Le bal des innocents battait son plein
Les lampions prenaient feu lentement dans les marronniers
La dame sans ombre s'agenouilla sur le Pont-au-Change
Rue Gît-le-Cœur les timbres n'étaient plus les mêmes
Les promesses des nuits étaient enfin tenues
Les pigeons voyageurs les baisers de secours
Se joignaient aux seins de la belle inconnue
Dardés sous le crêpe des significations parfaites
20 Une ferme prospérait en plein Paris
Et ses fenêtres donnaient sur la voie lactée
Mais personne ne l'habitait encore à cause des survenants
Des survenants qu'on sait plus dévoués que les revenants
Les uns comme cette femme ont l'air de nager
Et dans l'amour il entre un peu de leur substance
Elle les intériorise
Je ne suis le jouet d'aucune puissance sensorielle
Et pourtant le grillon qui chantait dans les cheveux de cendre
Un soir près de la statue d'Etienne Marcel
30 M'a jeté un coup d'œil d'intelligence
André Breton a-t-il dit passe

*Clair de terre*, 1923, Gallimard éd.

1. Poème automatique ; Breton l'analysera en 1934 dans *L'amour fou;* le poème avait en effet pris à ses yeux une valeur prophétique : "Je dis qu'il n'est rien de ce poème de 1923 qui n'ait été annonciateur de ce qui devait se passer de plus important pour moi en 1934."

VIGILANCE

A Paris la tour Saint-Jacques chancelante
Pareille à un tournesol
Du front vient quelquefois heurter la Seine et son ombre glisse
    imperceptiblement parmi les remorqueurs
A ce moment sur la pointe des pieds dans mon sommeil
Je me dirige vers la chambre où je suis étendu

Et j'y mets le feu
Pour que rien ne subsiste de ce consentement qu'on m'a
    arraché
10 Les meubles font alors place à des animaux de même taille qui
    me regardent fraternellement
Lions dans les crinières desquels achèvent de se consumer
    les chaises
Squales dont le ventre blanc s'incorpore le dernier frisson
    des draps
A l'heure de l'amour et des paupières bleues
Je me vois brûler à mon tour je vois cette cachette solennelle
    de riens
Qui fut mon corps
20 Fouillée par les becs patients des ibis du feu
Lorsque tout est fini j'entre invisible dans l'arche
Sans prendre garde aux passants de la vie qui font
    sonner très loin leurs pas traînants
Je vois les arêtes du soleil
A travers l'aubépine de la pluie
J'entends se déchirer le linge humain comme une grande
    feuille
Sous l'ongle de l'absence et de la présence qui sont de
    connivence
30 Tous les métiers se fanent il ne reste d'eux qu'une dentelle
    parfumée
Une coquille de dentelle qui a la forme parfaite d'un sein
Je ne touche plus que le cœur des choses je tiens le fil

*Ibid.*


## L'UNION LIBRE

Ma femme à la chevelure de feu de bois
Aux pensées d'éclairs de chaleur
A la taille de sablier
Ma femme à la taille de loutre entre les dents du tigre
Ma femme à la bouche de cocarde et de bouquet d'étoiles
                  [de dernière grandeur
Aux dents d'empreintes de souris blanche sur la terre blanche
A la langue d'ambre et de verre frottés
Ma femme à la langue d'hostie poignardée
A la langue de poupée qui ouvre et ferme les yeux
10 A la langue de pierre incroyable
Ma femme aux cils de bâtons d'écriture d'enfant
Aux sourcils de bord de nid d'hirondelle
Ma femme aux tempes d'ardoise de toit de serre
Et de buée aux vitres
Ma femme aux épaules de champagne
Et de fontaine à têtes de dauphins sous la glace
Ma femme aux poignets d'allumettes
Ma femme aux doigts de hasard et d'as de cœur
Aux doigts de foin coupé
20 Ma femme aux aisselles de martre et de fênes

De nuit de la Saint-Jean
De troène et de nid de scalares
Aux bras d'écume de mer et d'écluse
Et de mélange du blé et du moulin
Ma femme aux jambes de fusée
Aux mouvements d'horlogerie et de désespoir
Ma femme aux mollets de moelle de sureau
Ma femme aux pieds d'initiales
Aux pieds de trousseaux de clés aux pieds de calfats qui boivent
30 Ma femme au cou d'orge imperlé
Ma femme à la gorge de Val d'or
De rendez-vous dans le lit même du torrent
Aux seins de nuit
Ma femme aux seins de taupinière marine
Ma femme aux seins de creuset du rubis
Aux seins de spectre de la rose sous la rosée
Ma femme au ventre de dépliement d'éventail des jours
Au ventre de griffe géante
Ma femme au dos d'oiseau qui fuit vertical
40 Au dos de vif-argent
Au dos de lumière
A la nuque de pierre roulée et de craie mouillée
Et de chute d'un verre dans lequel on vient de boire
Ma femme aux hanches de nacelle
Aux hanches de lustre et de pennes de flèche
Et de tiges de plumes de paon blanc
De balance insensible
Ma femme aux fesses de grès et d'amiante
Ma femme aux fesses de dos de cygne
50 Ma femme aux fesses de printemps
Au sexe de glaïeul
Ma femme au sexe de placer et d'ornithorynque
Ma femme au sexe d'algue et de bonbons anciens
Ma femme au sexe de miroir
Ma femme aux yeux pleins de larmes
Aux yeux de panoplie violette et d'aiguille aimantée
Ma femme aux yeux de savane
Ma femme aux yeux d'eau pour boire en prison
Ma femme aux yeux de bois toujours sous la hache
Aux yeux de niveau d'eau de niveau d'air de terre et de feu

1931.

Gallimard éd.

---

(p. 406-408)
**1.** Valeur polysémique des titres. Voir l'originalité de chaque poème (récit onirique, hymne ; utilisation des temps).
**2.** Nature et rôle de l'image : montrer comment une "surréalité" sort de la fusion progressive du réel et du rêve (procédés syntaxiques, étude du vocabulaire, des adjectifs ; jeux des associations d'images...)
**3.** La relation du poète au monde, et de la femme aimée au monde.

---

## Philippe Soupault (1897-1990)

C'est sur un lit d'hôpital militaire, en 1917, qu'il rencontre la poésie : "Je ne sais pourquoi une phrase tourna dans ma tête. Elle faisait un bruit d'insecte. Elle insistait... Cela dura deux jours. Je pris un crayon et je l'écrivis. Alors quelque chose éclata que je ne reconnus pas." *(Histoire d'un blanc.)* Il admirait déjà Rimbaud et surtout Lautréamont. Il rencontre bientôt Reverdy, Apollinaire qui le met en liaison avec Breton, Tzara et leurs amis. Il apparaît comme un des fondateurs du mouvement surréaliste, participe avec Breton en 1919 à la première expérience d'écriture automatique, *Les champs magnétiques.* Dès 1923, pourtant, il prend ses distances et cherche sa propre route.

*Poésies complètes* (1937) rassemble les recueils publiés à partir de 1917 : les poèmes quasi impressionnistes d'*Aquarium* (1917) ; ceux plus graves de *Rose des vents* (1920), *Westwego* (1917-22), *Georgia* (1926) qui dit la solitude ; les recueils de 1934, *Sang Joie Tempête* et *Etapes de l'Enfer* reflètent l'inquiétude de l'homme dans un monde menacé par la guerre et face au temps.

Si de 1923 à la guerre, il s'est surtout consacré à son œuvre romanesque ou critique, à des relations de voyage et des émissions radiophoniques, il revient à la poésie après la Libération avec l'*Ode à Londres bombardée* (1944), l'*Arme secrète* (1946), *Message de l'île déserte* (1947), *Chansons du jour et de la nuit* (1949), *Sans phrases* (1953)...

## L'ÉCRAN

le chef d'orchestre automatique dirige le pianola
il y a des coups de revolver
                    applaudissements
l'auto volée disparaît dans les nuages
et l'amoureux transi s'est acheté un faux-col
    Mais bientôt les portes claquent

    Aujourd'hui très élégant
    Il a mis son chapeau claque
    Et n'a pas oublié ses gants

Tous les vendredis changement de programme

*Poèmes et poésies,* Grasset éd.

## DIMANCHE

L'avion tisse les fils télégraphiques
et la source chante la même chanson
Au rendez-vous des cochers l'apéritif est orangé
mais les mécaniciens des locomotives ont les yeux blancs
la dame a perdu son sourire dans les bois

*Ibid.*

## MONSIEUR MIROIR

Monsieur Miroir marchand d'habits
est mort hier soir à Paris
Il fait nuit
Il fait noir
Il fait nuit noire à Paris

*Ibid.*

## RIEN QUE CETTE LUMIÈRE

Rien que cette lumière que sèment tes mains
rien que cette flamme et tes yeux
ces champs cette moisson sur ta peau
rien que cette chaleur de ta voix
rien que cet incendie
rien que toi

Car tu es l'eau qui rêve
et qui persévère
l'eau qui creuse et qui éclaire
l'eau douce comme l'air
l'eau qui chante
celle de tes larmes et de ta joie

Solitaire que les chansons poursuivent
heureux du ciel et de la terre
forte et secrète vivante
ressuscitée
Voici enfin ton heure tes saisons
tes années

*Ibid.*

## ÉTERNEL AUTOMNE

Ecraser les souvenirs comme des feuilles mortes
feuilles mortes couleur du crépuscule
déjà pourritures multicolores et nécessaires
auprès des arbres dépouillés
et qui doivent refleurir après un long silence
le long silence de l'espoir après le désespoir
toujours la même chanson la même saison
celle où l'on brûle les fleurs les fruits les feuilles
et toutes ces branches qu'il faudra couper
et les scier pour qu'on n'en parle plus jamais
plus jamais comme si rien n'avait été
et qui ne sera jamais plus enfin
enfin jamais plus puisqu'il faut finir
et qu'ainsi tout est pour le mieux
qu'on n'est plus obligé de choisir
choisir les fumées que dévorera le vent

Inédit, *Crépuscules*, Seghers éd.

## Benjamin Péret (1899-1959)

Dès sa démobilisation en 1920, il participe au mouvement Dada, puis fait partie des fondateurs du surréalisme, auquel il restera fidèle toute sa vie; une vie où révolte, humour énorme et agressif, poésie se mêlent. Après un passage au Parti communiste en 1926, il rejoint l'opposition trotskiste, se fera expulser du Brésil en 1931 pour activité révolutionnaire, rejoindra les anarchistes espagnols en 1936 sur le front d'Aragon, se fera arrêter en 1940 pour son antimilitarisme. Libéré à la faveur de la débâcle, il passe au Mexique la durée de la guerre, pousse l'intransigeance jusqu'à dénoncer dans le *Déshonneur des poètes* la participation des poètes à la Résistance. Il reprend après guerre son rôle dans le groupe surréaliste.

Sa poésie est sous le signe de la liberté absolue du langage : merveilleux poétique jaillissant des associations libres de mots et d'images, audace provocante, ou fantaisie verbale et cocasserie.

*Immortelle maladie* (1924) et *Dormir, dormir dans les pierres* (1927), repris dans *Feu central* (1947); *Le grand jeu* (1928); *De derrière les fagots* (1934); *Et les seins mouraient* (1928); *Je sublime* (1936); *Je ne mange pas de ce pain-là* (1936); *La brebis galante* (1949); *Air mexicain* (1952)...

## ALLO

Mon avion en flammes mon château inondé de vin du Rhin
mon ghetto d'iris noir mon oreille de cristal
mon rocher dévalant la falaise pour écraser le garde
                                        [champêtre
mon escargot d'opale mon moustique d'air
mon édredon de paradisiers ma chevelure d'écume noire
mon tombeau éclaté ma pluie de sauterelles rouges
mon île volante mon raisin de turquoise
ma collision d'autos folles et prudentes ma plate-bande
                                        [sauvage
mon pistil de pissenlit projeté dans mon œil
10   mon oignon de tulipe dans le cerveau
ma gazelle égarée dans un cinéma des boulevards
ma cassette de soleil mon fruit de volcan
mon rire d'étang caché où vont se noyer les prophètes distraits
mon inondation de cassis mon papillon de morille
ma cascade bleue comme une lame de fond qui fait le
                                        [printemps
mon revolver de corail dont la bouche m'attire comme l'œil
                                        [d'un puits
scintillant
glacé comme le miroir où tu contemples la fuite des oiseaux-
                                        [mouches de ton regard
perdu dans une exposition de blanc encadrée de momies
20   je t'aime

*Je sublime*, éd. Surréalistes, 1936, tous droits réservés.

# Le Grand Jeu

En marge du surréalisme, de 1928 à 1933, le mouvement du "Grand Jeu" (le jeu de la conscience et de l'univers), regroupe des chercheurs d'absolu dont les expériences extrêmes trouveront des échos dans le devenir de la poésie, même si elles ont été provisoirement éclipsées par le succès du surréalisme.

Il était en germe dans le groupe des "simplistes", né dans une classe de seconde du lycée de Reims, en 1924, autour de Roger Gilbert-Lecomte, René Daumal, Roger Vaillant, Robert Meyrat. Suivant l'ascèse proposée par la *Lettre du Voyant* de Rimbaud, refusant tout intérêt individuel ou social, cherchant en deçà ou au-delà des barrières du moi, à rejoindre l'âme universelle, ils tentaient de créer par tous les moyens possibles (jusqu'à risquer le suicide pour avoisiner l'état de mort) des états extrêmes de conscience.

C'est à Paris, où leurs études les avaient amenés, que le "Simplisme" se transforma en "Grand Jeu". "Le Grand Jeu exige une Révolution de la Réalité vers sa source, mortelle pour toutes les organisations protectrices des formes dégradées et contradictoires de l'être; il est donc l'ennemi naturel des Patries, des Etats impérialistes, des classes régnantes, des Religions, des Sorbonnes, des Académies." (R. Daumal, L'Herne n⁰ 10 éd.) Le mouvement attire une constellation mouvante de poètes et de peintres, dont Rolland de Renéville, Josef Sima, H. Cramer, Harfaux... A. Gaillard leur ouvre les *Cahiers du sud*, G. Ribemont-Dessaignes sa revue *Bifur*. Le groupe lui-même en 1928-29 publiera trois numéros de sa revue *Le Grand Jeu*. Des contacts s'établiront avec le surréalisme sans que les deux mouvements se rejoignent. S'ils ont en commun la révolte sociale et la quête de ce "point suprême" où les contradictions se résolvent, le "Grand Jeu" s'en est tenu à cette quête, refusant les pratiques littéraires et les préoccupations politiques du surréalisme. "Nous avons, raille Daumal dans sa *Lettre ouverte à Breton,* pour répondre à votre science amusante, l'étude de tous les procédés de dépersonnalisation, de transposition de conscience, de voyance, de médiumnité; nous avons le champ illimité (dans toutes les directions mentales possibles) des yogas hindous, la confrontation systématique du fait lyrique et du fait onirique avec les enseignements de la tradition occulte (mais au diable le pittoresque de la magie) et ceux de la mentalité dite primitive... et ce n'est pas fini." (*Le Grand Jeu* n° 3.)

En 1929, Roger Vailland quitte le groupe pour le journalisme et l'engagement politique. Le mouvement ne survivra pas à la rupture entre ses deux principaux acteurs : en 1933, Gilbert-Lecomte et Daumal se séparent, le dernier s'orientant vers l'enseignement de Gurdjieff (enseignement ésotérique proposant à l'adepte d'accéder à la "vraie" connaissance). Par delà cet échec historique, la destinée de ces poètes n'en paraît pas moins exemplaire, dont la vie s'est consumée dans cette quête "d'une évidence absolue, immédiate, implacable, qui a tué pour toujours en eux toute autre préoccupation". (R. Daumal, L'Herne n⁰ 10 éd.)

**Roger Gilbert-Lecomte (1907-1943)** : révolté intégral contre "le scandale d'être et d'être limité sans connaissance de soi", il transforma sa vie en "parodie de mort", en longue agonie avant le retour à l'unité originelle qui le hantait. Il finit par mourir de la drogue qui avait ravagé sa vie.

Sa poésie hallucinée obéit à un mouvement de régression vers le centre nocturne de l'être, l'indifférencié, "le point nul en son propre intérieur vibrant", au cours duquel elle se charge des images nocturnes de l'inconscient. (*La vie, l'amour, la mort, le vide et le vent* 1933; *Miroir noir* 1939; *Testament*, œuvres choisies par A. Adamov)

## LA CHANSON DU PRISONNIER

J'errais dans les pierres
La pierre a crié
Et la bête immonde
M'a ensorcelé
Oublieux des ciels
Oublieux des heures
Où naissent et meurent
Lunes et soleils
Prisonnier des pierres
10 Dans un noir cachot
J'ai souffert du froid
J'ai souffert du chaud
Remonter au jour

Chez les rossignols
Cela m'a semblé
Par trop ridicule
Et pour retrouver
Les hommes toujours
Plus sourds plus aveugles
20 Plus seuls que les pierres
La pierre écrasant moins
Que le sommeil des hommes
Celui qui s'est un jour
Réveillé pour toujours.

*Miroir noir*, Gallimard éd.

## CHANT DE MORT CRISTAL D'OURAGAN

Le feu terrestre meurt au cœur toute lumière
Déchirante blêmit au péril du couchant
Tu voulais attester l'or du feu par ton chant
Le vainqueur noir chante la mort de la lumière
Homme au regard panique exilé de toi-même
Le soleil de la soif aspirait ton sang pur
Voici le cristal noir voici le gel obscur
Le glacial cristal éternel de toi-même
Et des astres peinant aux lointains d'agonie
10 Lueurs sanglots vibrant aux distances qu'ils nient
Pour le sang de ton cœur battements fraternels
Que t'importe la mort de ton soleil mortel
Le vieux tonnerre roule aux gradins des orages
Les lances des éclairs dans ta gorge de fiel
Hurle éclate et disperse-toi par les étages
Du haut espace aux cimes creuses du plein ciel
Né du feu bas connais l'origine sauvage
Où l'aspiration de l'abîme fait rage
Vide plein flamme aveugle et trou noir du soleil
Sombre éveillé debout au cap du grand sommeil
Ecartelé vivant déchiré de toi-même
Centre en exil de tout
   Roi proscrit
    Monstre extrême

*Ibid.*

**René Daumal (1908-1944)** : il fut très tôt en quête d'un "savoir caché" à travers l'occultisme, les religions orientales, africaines, l'étude du sanskrit et les expériences parfois dangereuses du *Grand Jeu*. Découvrant Gurdjieff par l'intermédiaire de son adepte, A. de Salzmann, en 1929, il abandonna le *Grand Jeu* pour se soumettre aux exercices de discipline mentale du "mage" : "Je commence à réviser mes valeurs et à remettre de l'ordre dans ma vie." Sa poésie tend à reconstituer sa quête d'unité spirituelle, sa "guerre sainte" contre la dispersion et la pluralité. Animé d'une très forte volonté, mais de santé fragile, il meurt en 1944 de tuberculose.

*Contre-ciel* (1936); *La grande beuverie; Poésie noire, poésie blanche* (1952); *Le mont Analogue* (inachevé, 1952).

## MÉMORABLES

Souviens-toi : de ta mère et de ton père, et de ton premier mensonge, dont l'indiscrète odeur rampe dans ta mémoire.

Souviens-toi de ta première insulte à ceux qui te firent : la graine de l'orgueil était semée, la cassure luisait, rompant la nuit une.

Souviens-toi des soirs de terreur où la pensée du néant te griffait au ventre, et revenait toujours te le ronger, comme un vautour; et souviens-toi des matins de soleil dans la chambre.

Souviens-toi de la nuit de délivrance, où, ton corps dénoué tombant comme une voile, tu respiras un peu de l'air incorruptible; et souviens-toi des animaux gluants qui t'ont repris.

Souviens-toi des magies, des poisons et des rêves tenaces; – tu voulais voir, tu bouchais tes deux yeux pour voir, sans savoir ouvrir l'autre.

Souviens-toi de tes complices et de vos tromperies, et de ce grand désir de sortir de la cage.

Souviens-toi du jour où tu crevas la toile et fus pris vivant, fixé sur place dans le vacarme de vacarmes des roues de roues tournant sans tourner, toi dedans, happé toujours par le même moment immobile, répété, répété et le temps ne faisait qu'un tour, tout tournait en trois sens innombrables, le temps se bouclait à rebours, – et les yeux de chair ne voyaient qu'un rêve, il n'existait que le silence dévorant, les mots étaient des peaux séchées, et le bruit, le oui, le bruit, le non, le hurlement visible et noir de la machine te niait, – le cri silencieux « je suis » que l'os entend, dont la pierre meurt, dont croit mourir ce qui ne fut jamais, – et tu ne renaissais à chaque instant que pour être nié par le grand cercle sans bornes, tout pur, tout centre, pur sauf toi.

Et souviens-toi des jours qui suivirent, quand tu marchais comme un cadavre ensorcelé, avec la certitude d'être mangé par l'infini, d'être annulé par le seul existant Absurde.

Et surtout souviens-toi du jour où tu voulus tout jeter, n'importe comment, – mais un gardien veillait dans ta nuit, il veillait quand tu rêvais, il te fit toucher ta chair, il te fit souvenir des tiens, il te fit ramasser tes loques, – souviens-toi de ton gardien.

Souviens-toi du beau mirage des concepts, et des mots émouvants, palais de miroirs bâti dans une cave; et souviens-toi de l'homme qui vint, qui cassa tout, qui te prit de sa rude main, te tira de tes rêves et te fit asseoir dans les épines du plein jour; et souviens-toi que tu ne sais te souvenir.

Souviens-toi que tout se paie, souviens-toi de ton bonheur, mais quand fut écrasé ton cœur, il était trop tard pour payer d'avance.

Souviens-toi de l'ami qui tendait sa raison pour recueillir tes larmes, jaillies de la source gelée qui violait le soleil du printemps.

Souviens-toi que l'amour triompha quand elle et toi vous sûtes vous soumettre à son feu jaloux, priant de mourir dans la même flamme.

Mais souviens-toi qu'amour n'est de personne, qu'en ton cœur de chair n'est personne, que le soleil n'est à personne, rougis en regardant le bourbier de ton cœur.

Souviens-toi des matins où la grâce était comme un bâton brandi, qui te menait, soumis, par tes journées, – heureux le bétail sous le joug!

Et souviens-toi que ta pauvre mémoire entre ses doigts gourds laissa filer le poisson d'or.

Souviens-toi de ceux qui te disent : souviens-toi, – souviens-toi de la voix qui te disait : ne tombe pas, – et souviens-toi du plaisir douteux de la chute.

Souviens-toi, pauvre mémoire mienne, des deux faces de la médaille, – et de son métal unique.

1942.

*Poésie noire, poésie blanche,* Gallimard éd.

# Par delà le surréalisme

Les poètes qui suivent ont fait partie du mouvement surréaliste ou se sont affirmés dans son voisinage. Toutefois, selon des choix différents, ils ont poursuivi des itinéraires personnels. Par ailleurs, c'est surtout après la Seconde Guerre mondiale que leur influence s'exercera.

## Robert Desnos (1900-1945)

Né dans le cœur populaire de Paris, près de la Bastille, d'un père mandataire aux Halles, il est un des premiers à s'engager dans l'aventure surréaliste. Quand Péret le présente à Breton en 1922, il a déjà l'habitude de noter ses rêves et surprendra le groupe par son aptitude à plonger dans le sommeil hypnotique, à rendre compte de "rêves à l'état brut", et à pratiquer les expériences d'écriture automatique où, le scripteur étant en état de totale vacuité mentale, les mots n'obéissent plus qu'à leur propre déterminisme.

Personnalité trop forte pour s'enfermer dans un système, il prend ses distances par rapport à "l'orthodoxie" surréaliste et rompt avec Breton en 1930. Intacts, son goût de la liberté et son pouvoir de révolte, sa faculté d'émerveillement sensible à l'insolite des rencontres, son amour de la vie, des êtres, de l'amour. Il rencontre celle qui répond à son attente, Youki, la Sirène. Ses amis s'appellent Picasso, Eluard, Queneau, Prévert, Jeanson, Artaud, J.-L. Barrault. Il s'intéresse au journalisme, à la radio (il invente le premier poème radiophonique), écrit des scénarios pour le cinéma. Sa poésie est à la "conjonction de l'insolite et de la spontanéité, du naturel et du surréel"; la veine et le parler populaire côtoient l'image surréaliste et la tradition savante. Soucieux d'art maintenant, il retrouve les ressources du vers, de la rime, de formes fixes (complainte, sonnet, chantefable). "Une de mes ambitions est moins de faire maintenant de la poésie, rien n'est moins rare, que des poèmes dont mes camarades et moi, vers 1920, nous niions la réalité, admettant alors que, de la naissance à la mort, un grand poème s'élaborait dans le subconscient du poète qui ne pouvait en révéler que des fragments arbitraires. Je pense aujourd'hui que l'art (ou si l'on veut la magie) qui permet de coordonner l'inspiration, le langage et l'imagination, offre à l'écrivain un plan supérieur d'activité" (Postface de *Fortunes,* 1942).

Engagé dans la Résistance dès 1940, il est arrêté en février 1944 par la Gestapo, transféré à Compiègne, déporté à Buchenwald puis Térézine où il meurt le 8 juin 1945.

*Domaine public* (1953) rassemble la majeure partie de son œuvre : *Corps et biens,* 1930 (qui regroupait les poèmes et textes de prose de 1919 à 1929); *Fortunes* (1942); *Etat de veille* et le *Vin est tiré* (1943); *Contrée* et *Trente chantefables pour les enfants sages* (1944).

André Masson (né en 1896), gravure pour *C'est les bottes de sept lieues*
de Robert Desnos, 1926, Galèries Simon, Paris. (Bibliothèque Nationale, Paris.)

*Les jeux dadaïstes sur le langage visaient à vider les mots de leur contenu sémantique habituel pour leur en donner un nouveau. En 1921 le peintre Duchamp inventa le nom de Rrose Sélavy (d'après la formule familière : "C'est la vie !") qui deviendra le titre d'un recueil de sentences écrites de 1921 à 1924, fondées sur des "jeux de mots d'une rigueur mathématique", "créateurs d'énergie", dit Breton. Sous le même titre, Desnos reproduit des phrases prononcées en état de sommeil hypnotique.*

118. Corbeaux qui déchiquetez le flanc des beaux corps, quand éteindrez-vous les flambeaux?

119. Prométhée moi l'amour.

120. O ris cocher des flots! Auric, hochet des flots au ricochet des flots.

121. L'espèce des folles aime les fioles et les pièces fausses.

*Définition de la poésie pour :*
122. *Louis Aragon :* A la margelle des âmes écoutez les gammes jouer à la marelle.

123. *Benjamin Péret :* Le ventre de chair est un centre de vair.

124. *Tristan Tzara :* Quel plus grand outrage à la terre qu'un ouvrage de $\left\{ \begin{matrix} \text{verre} \\ \text{vers} \end{matrix} \right\}$ ? Qu'en dis-tu, ver de terre?

125. *Max Ernst :* La boule rouge bouge et roule.

126. *Max Morise :* A figue dolente, digue affolante.

127. *Georges Auric :* La portée des muses, n'est-ce pas la mort duvetée derrière la porte des musées?

128. *Philippe Soupault :* Les oies et les zébus sont les rois de ce rébus.

129. *Roger Vitrac :* Il ne faut pas prendre le halo de la lune à l'eau pour le chant « allo » des poètes comme la lune.

130. *Georges Limbour :* Pour les Normands le Nord ment.

131. *Francis Picabia :* Les chiffres de bronze ne sont-ils que des bonzes de chiffes : j'ai tué l'autre prêtre, êtes-vous prête, Rrose Sélavy?

132. *Marcel Duchamp :* Sur le chemin, il y avait un bœuf bleu près d'un banc blanc. Expliquez-moi la raison des gants blancs maintenant?

133. *G. De Chirico :* Vingt fois sur le métier remettez votre outrage.

134. Quand donc appellerez-vous Prétéritions, Paul Eluard, les répétitions?

135. O laps des sens, gage des années aux pensées sans langage.

*Corps et biens,* "Rrose Sélavy", 1922-23, Gallimard éd.

## RROSE SÉLAVY, ETC.

Rose aisselle a vit.
Rr'ose, essaie là, vit.
Rôts et sel à vie.
Rose S, L, have I.
Rosée, c'est la vie.
Rrose scella vît.
Rrose sella vît.
Rrose sait la vie.
Rose, est-ce, hélas, vie?
Rrose aise héla vît.
Rrose est-ce aile, est-ce elle?
    est celle
        AVIS

*Ibid.* "L'aumonyme", 1923, Gallimard éd.

----

à Benjamin Péret.

Notre paire quiète, ô yeux!
que votre « non! » soit sang (t'y fier?)
que votre araignée rie,
que vol honteux soit fête (au fait)
Sur la terre (commotion!)

Donnez-nous, aux joues réduites,
notre pain quotidien.
Part donnez nous de nos œufs foncés
comme nous part donnons
à ceux qui nous ont offensés.

nounou laissez-nous succomber à la tentation
et d'aile ivrez nous du mal.

Exhausser ma pensée
Exaucer ma voix.

*Ibid.*

## LES GORGES FROIDES

à Simone.

A la poste d'hier tu télégraphieras
que nous sommes bien morts avec les hirondelles.
Facteur, triste facteur, un cercueil sous ton bras
va-t'en porter ma lettre aux fleurs à tire d'elle.

La boussole est en os, mon cœur tu t'y fieras.
Quelque tibia marque le pôle et les marelles
pour amputés ont un sinistre aspect d'opéras.
Que pour mon épitaphe un dieu taille ses grêles!

C'est ce soir que je meurs, ma chère Tombe-Issoire,
ton regard le plus beau ne fut qu'un accessoire
de la machinerie étrange du bonjour.

Adieu! Je vous aimai sans scrupule et sans ruse,
ma Folie-Méricourt, ma silencieuse intruse.
Boussole à flèche torse annonce le retour.

*Destinées arbitraires,* «C'est les bottes de sept lieues. Cette phrase "Je me vois"»,
1926, Gallimard éd.

## AUX SANS COU

Maisons sans fenêtres, sans portes, aux toits défoncés,
Portes sans serrures,
Guillotine sans couperet...
C'est à vous que je parle qui n'avez plus d'oreilles,
Plus de bouche, de nez, d'yeux, de cheveux, de cervelle,
Plus de cou.
Vous surgissez d'un pas ferme au détour de la rue qui mène
                  [à la taverne.
Vous vous attablez, vous buvez, vous buvez sec, vous
                  [buvez bien,
Et bientôt le vin circule dans vos cœurs, y amène une
                  [nouvelle vie :
10 « Qu'as tu fait de ta perruque? » dit un sans cou à un autre
                  [sans cou,
Qui se détourne sans mot dire
Et qu'on expulse, et qu'on sort et qu'on traîne et qu'on
                  [foule aux pieds.
« Et toi, qu'as-tu? »
« Je suis celui contre lequel se dressent toutes les lois.
Celui que les partis extrêmes appellent encore un criminel.
Je suis de droit commun,
Je suis de droit commun, banal comme le four où l'on
                  [cuisait le pain de nos pères.
Je suis le rebelle de toute civilisation,
L'abject assassin, le vil suborneur de fillettes, le satyre,
20 Le méprisable voleur,
Je suis le traître et je suis le lâche,
Mais il faut peut-être plus de courage
Pour éteindre en soi la moralité des fables idiotes
Que pour tenir tête à l'opinion.
(Ce qui n'est déjà pas si mal comme courage.)
Je suis l'insoumis à toutes règles,
L'ennemi de tous les législateurs,
Anarchiste? pas même.
Je suis celui sur lequel pèse l'essieu de n'importe quel code,
30 L'homme aux sens surhumains.
J'annonce le Moïse de demain

Et demain ce Moïse exterminera ceux qui me ressemblent,
La dupe éternelle,
Le sans cou,
Et versez-moi du vin, et choquons notre verre.»

Maintenant qu'il a fini de parler,
Je reprends la parole :
« Vous avez le bonjour,
Le bonjour de Robert Desnos, de Robert le Diable,
de Robert Macaire, de Robert Houdin,
de Robert Robert, de Robert mon oncle,
40  Et chantez avec moi, tous en chœur, allons, la petite dame
                                                [à droite,
Le monsieur barbu à gauche,
Un, deux, trois :
« Vous avez le bonjour,
Le bonjour de Robert Desnos, de Robert le Diable,
de Robert Macaire, de Robert Houdin,
de Robert Robert, de Robert mon oncle »...
J'en passe et des meilleurs.
Mes sans cou, mes chers sans cou,
Hommes nés trop tôt, éternellement trop tôt,
Hommes qui auriez trempé dans les révolutions de demain
Si le destin ne vous imposait de faire les révolutions
                                                [pour en mourir,
50  Hommes assoiffés de trop de justice,
Hommes de la fosse commune au pied du mur des fédérés,
Malgré les balles pointillées autour du cou.
Hommes des enclos ménagés en plein cimetière,
Car on ne mélange pas les étendards avec les torchons.
On cloue ceux-ci aux hampes,
Et c'est eux qui, humiliés,
Claquent si lamentablement dans le vent de l'aube
A l'heure où le couperet en tombant
Fait résonner les échos des Santés éternelles.

*Fortunes,* "Les sans cou", 1934, Gallimard éd.


## AU BOUT DU MONDE

Ça gueule dans la rue noire au bout de laquelle l'eau du fleuve
                                                [frémit contre les berges.
Ce mégot jeté d'une fenêtre fait une étoile.
Ça gueule encore dans la rue noire.
Ah! vos gueules!
Nuit pesante, nuit irrespirable.
Un cri s'approche de nous, presque à nous toucher,
Mais il expire juste au moment de nous atteindre.

Quelque part, dans le monde, au pied d'un talus,
Un déserteur parlemente avec des sentinelles qui ne
                                                [comprennent pas son langage.

*Ibid.,* "Les portes battantes", 1936, Gallimard éd.

## LE ZÈBRE

Le zèbre, cheval des ténèbres,
Lève le pied, ferme les yeux
Et fait résonner ses vertèbres
En hennissant d'un air joyeux.

Au clair soleil de Barbarie,
Il sort alors de l'écurie
Et va brouter dans la prairie
Les herbes de sorcellerie.

Mais la prison, sur son pelage,
A laissé l'ombre du grillage.

*Chantefables et chantefleurs*, 1944, Gründ éd.

## DEMAIN

Agé de cent mille ans, j'aurais encor la force
De l'attendre, ô demain pressenti par l'espoir.
Le temps, vieillard souffrant de multiples entorses,
Peut gémir : Le matin est neuf, neuf est le soir.

Mais depuis trop de mois nous vivons à la veille,
Nous veillons, nous gardons la lumière et le feu,
Nous parlons à voix basse et nous tendons l'oreille
A maint bruit vite éteint et perdu comme au jeu.

Or, du fond de la nuit, nous témoignons encore
De la splendeur du jour et de tous ses présents.
Si nous ne dormons pas c'est pour guetter l'aurore
Qui prouvera qu'enfin nous vivons au présent.

1942.

*Destinée arbitraire*, Gallimard éd.

## AU TEMPS DES DONJONS

As-tu déjà perdu le mot de passe?
Le château se ferme et devient prison,
La belle aux créneaux chante sa chanson
Et le prisonnier gémit dans l'in pace.
Retrouveras-tu le chemin, la plaine,
La source et l'asile au cœur des forêts,
Le détour du fleuve où l'aube apparaît,
L'étoile du soir et la lune pleine?
Un serpent dardé vers l'homme s'élance,
L'enlace, l'étreint entre ses anneaux,
La belle soupire au bord des créneaux,

Le soleil couchant brille sur les lances,
L'âge sans retour vers l'homme jaillit,
L'enlace, l'étreint entre ses années.
Amours! O saisons! O belles fanées!
Serpents lovés à l'ombre des taillis.

1942.

*Ibid.*

## LE DERNIER POÈME

J'ai rêvé tellement fort de toi,
J'ai tellement marché, tellement parlé,
Tellement aimé ton ombre,
Qu'il ne me reste plus rien de toi.
Il me reste d'être l'ombre parmi les ombres
D'être cent fois plus ombre que l'ombre
D'être l'ombre qui viendra et reviendra
dans ta vie ensoleillée.

*Domaine public,* Gallimard éd.

## Paul Eluard[1] (1894-1952)

Quelle que soit l'évolution qui se dessine dans l'œuvre d'Eluard, sa poésie est toujours "promesse infatigable et merveilleuse d'un possible bonheur de vivre, caution douloureuse, rayonnante de la puissance de l'amour" (Frénaud, hommage inédit cité par Scheler ; Pléiade).

La maladie avait arraché l'adolescent à ses études parisiennes; ses *Premiers poèmes* composés au sanatorium de Clavadel (1912-14) cultivaient l'humour triste de Laforgue. Durant ce séjour il rencontra Gala qu'il allait épouser en 1917, et qui fut son premier grand amour (ils se sépareront en 1931; Gala deviendra l'épouse et la muse de Dali). L'expérience de la guerre, comme infirmier, puis au front, inspire *Le devoir et l'inquiétude* (1917), *Poèmes pour la paix* (1918), mais surtout le rapproche des jeunes en révolte contre une société responsable d'un tel massacre. En 1918, Jean Paulhan le met en rapport avec Breton, Soupault, Aragon. Eluard approuve le *Manifeste Dada* de 1918, collabore avec Tzara; en 1922 il rejoint le groupe des surréalistes, s'associe à leurs manifestations. Dans sa vie comme dans son œuvre il cherche la libération totale de la puissance du désir, "pour apprendre aux hommes à vivre comme les dieux". Après une "fugue" de plusieurs mois qui l'emmène aux antipodes – crise morale dont il parle peu –, il retrouve ses amis, s'intéresse à la peinture onirique de Max Ernst, de Chirico, collabore avec Breton et René Char (son ami depuis 1929) pour *Ralentir travaux,* avec Breton pour *l'Immaculée conception* (simulation de différents états démentiels). Mais c'est l'amour pour Gala qui inspire les œuvres de cette période, une poésie pudique, elliptique, métamorphosant l'expérience en images et rêves : *Mourir de ne pas mourir* (1924), *Au défaut du silence* (1925), *Capitale de la douleur* (1926), *L'amour, la poésie* (1929).

1929, c'est aussi dans la vie d'Eluard la rencontre de Nusch, la "parfaite", qu'il épouse en 1934 et dont la mort seule le séparera. Le nouvel amour inspire *La vie immédiate* (1932), *Facile, La barre d'appui* (1936), *Les yeux fertiles* (1936). Dans l'union de l'homme et de la femme, de la flamme et de l'eau, les contraires s'unissent, l'instant est éternité, les images circulent librement entre les sens et les éléments, le rêve et le réel.

A partir de 1936, les événements vont amener Eluard à l'engagement politique, sans qu'il s'agisse d'une rupture avec le surréalisme : "Le temps est venu, dit-il dans sa conférence à l'exposition surréaliste de Londres en juin 1936, où tous les poètes ont le droit et le devoir de soutenir qu'ils sont profondément enfoncés dans la vie des autres hommes, dans la vie commune" *(L'évidence poétique.)* La même volonté de changer l'homme et le monde par la poésie se manifeste dans *Donner à voir* (1939), recueil de réflexions et de citations. "Si l'on voulait, il n'y aurait que des merveilles. Si nous voulions, rien ne nous serait impossible." "Tant qu'il y a des prisons, nous ne sommes pas libres." Rappelons aussi la *Critique de la poésie* incluse dès 1932 dans *La vie immédiate :*

« C'est entendu je hais le règne des bourgeois
Le règne des flics et des prêtres
Mais je hais plus encore l'homme qui ne le hait pas
Comme moi
De toutes mes forces
Je crache à la face de l'homme plus petit que nature
Qui à tous mes poèmes ne préfère pas cette *Critique de la poésie.* »

Dès le début de la guerre d'Espagne, il se rapproche des communistes (en 1942 il s'inscrira au Parti communiste alors interdit). Pendant la guerre, c'est en poète qu'il combat : il collabore avec Pierre de Lescure et Vercors aux Editions de Minuit, fonde avec Aragon le Comité National des écrivains, fait paraître en juillet 1943 et mai 1944 *L'honneur des poètes,*

1. Eugène-Emile-Paul Grindel dit...

anthologie des poètes français et étrangers de la résistance, organise des éditions clandestines. *Poésie et vérité* (1942), *Au rendez-vous allemand* (déc. 1944) témoignent de ce combat fraternel. Après guerre, le même esprit de solidarité le conduit dans les assemblées d'écrivains et les congrès de la paix. La mort de Nusch en novembre 1946 ramène le poète à une solitude tragique. En septembre 1949, à Mexico, il rencontrera Dominique et avec elle il recouvrera la faculté de renaissance que chante *Le phénix* (1950).

Inspiration politique et inspiration amoureuse ne sont pas séparables : la femme est médiatrice avec le monde et les autres : l'amour s'ouvre sur le sentiment de fraternité ; la lutte contre le désespoir rejoint la lutte contre "l'infâme bêtise" de l'histoire.

Le désir de "donner à voir", et d'une poésie accessible à tous modifie cependant la forme poétique. Dans les recueils d'inspiration amoureuse (*Poésie ininterrompue*, 1946; *Le dur désir de durer*, 1946; *Le temps déborde* 1947; *Corps mémorable*, 1947; *Le phénix*, 1951), la poésie garde l'intensité du langage surréaliste, mais cherche une plus grande transparence. Dans les recueils d'inspiration politique (*Poèmes politiques*, 1948; *Grèce ma rose de raison*, 1949; *Une leçon de morale*, 1950; *Poèmes pour tous*, 1952), le souci de poésie universelle amène souvent des poèmes longs, scandés par un refrain ou fondés sur l'énumération.

Le 18 novembre 1952, une angine de poitrine emporte le "poète de l'antisolitude", celui que Crevel appelait le "sourcier aux mains de lumière".


DOCUMENT

Le tout est de tout dire et je manque de mots
Et je manque de temps et je manque d'audace
Je rêve et je dévide au hasard mes images
J'ai mal vécu et mal appris à parler clair

Tout dire les rochers la route et les pavés
Les rues et leurs passants les champs et les bergers
Le duvet du printemps la rouille de l'hiver
Le froid et la chaleur composant un seul fruit

Je veux montrer la foule et chaque homme en détail
10 Avec ce qui l'anime et qui le désespère
Et sous ses saisons d'homme tout ce qu'il éclaire
Son espoir et son sang son histoire et sa peine

Je veux montrer la foule immense divisée
La foule cloisonnée comme en un cimetière
Et la foule plus forte que son ombre impure
Ayant rompu ses murs ayant vaincu ses maîtres

La famille des mains la famille des feuilles
Et l'animal errant sans personnalité
Le fleuve et la rosée fécondants et fertiles
20 La justice debout le bonheur bien planté.
(...)

## L'AMOUREUSE

Elle est debout sur mes paupières
Et ses cheveux sont dans les miens,
Elle a la forme de mes mains,
Elle a la couleur de mes yeux,
Elle s'engloutit dans mon ombre
Comme une pierre sur le ciel.

Elle a toujours les yeux ouverts
Et ne me laisse pas dormir.
Ses rêves en pleine lumière
Font s'évaporer les soleils,
Me font rire, pleurer et rire,
Parler sans avoir rien à dire.

*Mourir de ne pas mourir*, Gallimard éd.

―――――――――――――

La courbe de tes yeux fait le tour de mon cœur
Un rond de danse et de douceur,
Auréole du temps, berceau nocturne et sûr,
Et si je ne sais plus tout ce que j'ai vécu
C'est que tes yeux ne m'ont pas toujours vu.

Feuilles de jour et mousse de rosée,
Roseaux du vent, sourires parfumés,
Ailes couvrant le monde de lumière,
Bateaux chargés du ciel et de la mer,
Chasseurs des bruits et sources des couleurs,

Parfums éclos d'une couvée d'aurores
Qui gît toujours sur la paille des astres,
Comme le jour dépend de l'innocence
Le monde entier dépend de tes yeux purs
Et tout mon sang coule dans leurs regards.

*Capitale de la douleur*, Gallimard éd.

―――――――――――――

## VII

La terre est bleue comme une orange
Jamais une erreur les mots ne mentent pas
Ils ne vous donnent plus à chanter
Au tour des baisers de s'entendre
Les fous et les amours
Elle sa bouche d'alliance
Tous les secrets tous les sourires
Et quels vêtements d'indulgence

A la croire toute nue.
Les guêpes fleurissent vert
L'aube se passe autour du cou
Un collier de fenêtres
Des ailes couvrent les feuilles
Tu as toutes les joies solaires
Tout le soleil sur la terre
Sur les chemins de ta beauté.

*L'amour, la poésie,* Gallimard éd.

## XXII

Le front aux vitres comme font les veilleurs de chagrin
Ciel dont j'ai dépassé la nuit
Plaines toutes petites dans mes mains ouvertes
Dans leur double horizon inerte indifférent
Le front aux vitres comme font les veilleurs de chagrin
Je te cherche par-delà l'attente
Par-delà moi-même
Et je ne sais plus tant je t'aime
Lequel de nous deux est absent.

*Ibid.*

Tu te lèves l'eau se déplie
Tu te couches l'eau s'épanouit

Tu es l'eau détournée de ses abîmes
Tu es la terre qui prend racine
Et sur laquelle tout s'établit

Tu fais des bulles de silence dans le désert des bruits
Tu chantes des hymnes nocturnes sur les cordes de l'arc-en-ciel
Tu es partout tu abolis toutes les routes

Tu sacrifies le temps
A l'éternelle jeunesse de la flamme exacte
Qui voile la nature en la reproduisant

Femme tu mets au monde un corps toujours pareil
Le tien

Tu es la ressemblance.

*Facile,* Gallimard éd.

## LA VICTOIRE DE GUERNICA

### I

Beau monde des masures
De la mine et des champs

### II

Visages bons au feu visages bons au froid
Aux refus à la nuit aux injures aux coups

### III

Visages bons à tout
Voici le vide qui vous fixe
Votre mort va servir d'exemple

### IV

La mort cœur renversé

### V

Ils vous ont fait payer le pain
Le ciel la terre l'eau le sommeil
Et la misère
De votre vie

### VI

Ils disaient désirer la bonne intelligence
Ils rationnaient les forts jugeaient les fous
Faisaient l'aumône partageaient un sou en deux
Ils saluaient les cadavres
Ils s'accablaient de politesses

### VII

Ils persévèrent ils exagèrent ils ne sont pas de notre monde

### VIII

Les femmes les enfants ont le même trésor
De feuilles vertes de printemps et de lait pur
Et de durée
Dans leurs yeux purs

### IX

Les femmes les enfants ont le même trésor
Dans les yeux
Les hommes le défendent comme ils peuvent

X

Les femmes les enfants ont les mêmes roses rouges
Dans les yeux
Chacun montre son sang

XI

La peur et le courage de vivre et de mourir
La mort si difficille et si facile

XII

Hommes pour qui ce trésor fut chanté
Hommes pour qui ce trésor fut gâché

XIII

Hommes réels pour qui le désespoir
Alimente le feu dévorant de l'espoir
Ouvrons ensemble le dernier bourgeon de l'avenir

XIV

Parias la mort la terre et la hideur
De nos ennemis ont la couleur
Monotone de notre nuit
Nous en aurons raison.

*Cours naturel,* 1938, Sagittaire éd.


JE NE SUIS PAS SEUL

Chargée
De fruits légers aux lèvres
Parée
De mille fleurs variées
Glorieuse
Dans les bras du soleil
Heureuse
D'un oiseau familier
Ravie
D'une goutte de pluie
Plus belle
Que le ciel du matin
Fidèle

Je parle d'un jardin
Je rêve

Mais j'aime justement.

*Médieuses,* Gallimard éd.

## POUR VIVRE ICI

Je fis un feu, l'azur m'ayant abandonné,
Un feu pour être son ami,
Un feu pour m'introduire dans la nuit d'hiver,
Un feu pour vivre mieux.

Je lui donnai ce que le jour m'avait donné :
Les forêts, les buissons, les champs de blé, les vignes,
Les nids et leurs oiseaux, les maisons et leurs clés,
Les insectes, les fleurs, les fourrures, les fêtes.

Je vécus au seul bruit des flammes crépitantes,
Au seul parfum de leur chaleur;
J'étais comme un bateau coulant dans l'eau fermée,
Comme un mort je n'avais qu'un unique élément.

*Le livre ouvert,* I, Gallimard éd.


## LE DROIT LE DEVOIR DE VIVRE

Il n'y aurait rien
Pas un insecte bourdonnant
Pas une feuille frissonnante
Pas un animal léchant ou hurlant
Rien de chaud rien de fleuri
Rien de givré rien de brillant rien d'odorant
Pas une ombre léchée par la fleur de l'été
Pas un arbre portant des fourrures de neige
Pas une joue fardée par un baiser joyeux
10 Pas une aile prudente ou hardie dans le vent
Pas un coin de chair fine pas un bras chantant
Rien de libre ni de gagner ni de gâcher
Ni de s'éparpiller ni de se réunir
Pour le bien pour le mal
Pas une nuit armée d'amour ou de repos
Pas une voix d'aplomb pas une bouche émue
Pas un sein dévoilé pas une main ouverte
Pas de misère et pas de satiété
Rien d'opaque rien de visible
20 Rien de lourd rien de léger
Rien de mortel rien d'éternel

Il y aurait un homme
N'importe quel homme
Moi ou un autre
Sinon il n'y aurait rien.

*Le livre ouvert,* II, Gallimard éd.

Valentine Hugo (1890-1968), dessin pour le poème *Chat* de Paul Éluard, 1937 ;
Imprimerie H. Jourde, Paris. (Bibliothèque Nationale, Paris.)

## COURAGE

Paris a froid Paris a faim
Paris ne mange plus de marrons dans la rue
Paris a mis de vieux vêtcments de vieille
Paris dort tout debout sans air dans le métro
Plus de malheur encore est imposé aux pauvres
Et la sagesse et la folie
De Paris malheureux
C'est l'air pur c'est le feu
C'est la beauté c'est la bonté
10 De ses travailleurs affamés
Ne crie pas au secours Paris
Tu es vivant d'une vie sans égale
Et derrière la nudité
De ta pâleur de ta maigreur
Tout ce qui est humain se révèle en tes yeux
Paris ma belle ville
Fine comme une aiguille forte comme une épée
Ingénue et savante
Tu ne supportes pas l'injustice
20 Pour toi c'est le seul désordre
Tu vas te libérer Paris
Paris tremblant comme une étoile
Notre espoir survivant
Tu vas te libérer de la fatigue et de la boue
Frères ayons du courage
Nous qui ne sommes pas casqués
Ni bottés ni gantés ni bien élevés
Un rayon s'allume en nos veines
Notre lumière nous revient
30 Les meilleurs d'entre nous sont morts pour nous
Et voici que leur sang retrouve notre cœur
Et c'est de nouveau le matin un matin de Paris
La pointe de la délivrance
L'espace du printemps naissant
La force idiote a le dessous
Ces esclaves nos ennemis
S'ils ont compris
S'ils sont capables de comprendre
Vont se lever.

1942.

*Au rendez-vous allemand*, Éd. de Minuit.

## NOTRE VIE

Notre vie tu l'as faite elle est ensevelie
Aurore d'une ville un beau matin de mai
Sur laquelle la terre a refermé son poing
Aurore en moi dix-sept années toujours plus claires
Et la mort entre en moi comme dans un moulin

Notre vie disais-tu si contente de vivre
Et de donner la vie à ce que nous aimions
Mais la mort a rompu l'équilibre du temps
La mort qui vient la mort qui va la mort vécue
La mort visible boit et mange à mes dépens

Morte visible Nusch invisible et plus dure
Que la soif et la faim à mon corps épuisé
Masque de neige sur la terre et sous la terre
Source des larmes dans la nuit masque d'aveugle
Mon passé se dissout je fais place au silence.

*Le temps déborde*, 1947, Seghers éd.


## POUR NE PLUS ÊTRE SEULS

Comme un flot d'oiseaux noirs ils dansaient dans la nuit
Et leur cœur était pur on ne voyait plus bien
Quels étaient les garçons quelles étaient les filles

Tous avaient leur fusil au dos

Se tenant par la main ils dansaient ils chantaient
Un air ancien nouveau un air de liberté
L'ombre en était illuminée elle flambait

L'ennemi s'était endormi

Et l'écho répétait leur amour de la vie
Et leur jeunesse était comme une plage immense
Où la mer vient offrir tous les baisers du monde

Peu d'entre eux avaient vu la mer

Pourtant bien vivre est un voyage sans frontières
Ils vivaient bien vivant entre eux et pour leurs frères
Leurs frères de partout ils en rêvaient tout haut

Et la montagne allait vers la plaine et la plage
Reproduisant leur rêve et leur folle conquête
La main allant aux mains comme source à la mer.

Juin 1949.

*Grèce ma rose de raison,* (1949, Nanterre), Éditions Réclame, tous droits réservés.

## LA MORT L'AMOUR LA VIE

J'ai cru pouvoir briser la profondeur l'immensité
Par mon chagrin tout nu sans contact sans écho
Je me suis étendu dans ma prison aux portes vierges
Comme un mort raisonnable qui a su mourir
Un mort non couronné sinon de son néant
Je me suis étendu sur les vagues absurdes
Du poison absorbé par amour de la cendre
La solitude m'a semblé plus vive que le sang

Je voulais désunir la vie
10 Je voulais partager la mort avec la mort
Rendre mon cœur au vide et le vide à la vie
Tout effacer qu'il n'y ait rien ni vitre ni buée
Ni rien devant ni rien derrière rien entier
J'avais éliminé le glaçon des mains jointes
J'avais éliminé l'hivernale ossature
Du vœu de vivre qui s'annule

Tu es venue le feu s'est alors ranimé
L'ombre a cédé le froid d'en bas s'est étoilé
Et la terre s'est recouverte
20 De ta chair claire et je me suis senti léger
Tu es venue la solitude était vaincue
J'avais un guide sur la terre je savais
Me diriger je me savais démesuré
J'avançais je gagnais de l'espace et du temps

J'allais vers toi j'allais sans fin vers la lumière
La vie avait un corps l'espoir tendait sa voile
Le sommeil ruisselait de rêves et la nuit
Promettait à l'aurore des regards confiants
Les rayons de tes bras entr'ouvraient le brouillard
30 Ta bouche était mouillée des premières rosées
Le repos ébloui remplaçait la fatigue
Et j'adorais l'amour comme à mes premiers jours.

Les champs sont labourés les usines rayonnent
Et le blé fait son nid dans une houle énorme
La moisson la vendange ont des témoins sans nombre
Rien n'est simple ni singulier
La mer est dans les yeux du ciel ou de la nuit
La forêt donne aux arbres la sécurité
Et les murs des maisons ont une peau commune
40 Et les routes toujours se croisent

Les hommes sont faits pour s'entendre
Pour se comprendre pour s'aimer
Ont des enfants qui deviendront pères des hommes
Ont des enfants sans feu ni lieu

Qui réinventeront les hommes
Et la nature et leur patrie
Celle de tous les hommes
Celle de tous les temps.

*Le phénix,* Seghers éd.

---

(p. 426-435)

**1.** L'amour, la vie : relever les images de la nature associés au chant de l'amour; montrer le rôle de la femme aimée dans la relation du poète au monde et aux hommes; à travers quelles formes poétiques, quels rythmes et procédés s'exprime le chant du bonheur? Quelle évolution de la poésie d'Éluard peut-on dégager de la comparaison de *L'amoureuse* (p. 426) avec *La mort, l'amour, la vie* (p. 434).

**2.** L'amour la mort : images, thèmes et rythmes du désespoir (dans *Notre vie* p. 433 et *La mort, l'amour, la vie*).

**3.** *La mort, l'amour, la vie :* le mouvement du poème? En quoi ce texte est-il une synthèse des thèmes de la poésie d'Éluard?

**4.** Le poète engagé (*Guernica* p. 428; *Courage* p. 432; *Pour ne plus être seuls* p. 433) : dégager la structure de chaque poème. Étudier à travers les images l'opposition victimes/oppresseurs ainsi que le thème de l'espoir et de la fraternité.

## Louis Aragon (1897-1982)

Etudiant en médecine, affecté au service de santé pendant la guerre, en 1917, au Val-de-Grâce, il rencontre Breton, puis Soupault. Tous trois fondent en 1919 la revue *Littérature*. Jusque vers 1930, Aragon apparaît comme un des plus brillants et mordants animateurs du surréalisme. *Une vague de rêves* (1924), un an avant le *Manifeste*, est un premier écrit théorique du surréalisme : l'auteur y décrit "l'épidémie de sommeils" hypnotiques qui sévit sur le groupe, y définit le surréalisme comme un "nominalisme absolu" : le mot ne sert plus à *exprimer,* il est manifestation de la "matière mentale", surgissement de vraie réalité. "Il n'y a pas de pensée hors des mots." Virtuosité verbale, profusion des images, humour et révolte anarchiste caractérisent les recueils de cette période *(Feu de joie* 1920; *Libertinage* 1924; *Mouvement perpétuel* 1925; *La grande gaîté* 1929) et le roman *Le paysan de Paris* (1926), plein du merveilleux quotidien de la ville moderne. Le *Traité du style* (1928) part en guerre contre la société bourgeoise et les tenants de la poésie pure; il faut "piétiner la syntaxe", "casser le miroir", faire éclater le langage, donner l'image d'un monde absurde. En 1931, *Persécuté persécuteur,* dernier recueil surréaliste annonce avec le poème *Front rouge* le futur engagement du poète.

Sa rencontre avec Elsa Triolet en novembre 1928, survenant après une période de crise morale, va bouleverser sa vie; le révolté va apprendre à aimer; la femme devient la médiatrice entre le poète et le monde. "Je dédie *le monde réel* à Elsa Triolet, à qui je dois d'être ce que je suis, à qui je dois d'avoir trouvé, du fond de mes nuages, l'entrée du monde réel où cela vaut la peine de vivre et de mourir", écrit-il en 1934 dans la postface des *Beaux quartiers.* Jusqu'à sa mort, en 1970, elle restera sa compagne.

Ce sera bientôt la rupture avec Breton. Au cours d'un séjour en URSS avec Elsa et Sadoul, Aragon a participé à la deuxième Conférence internationale des écrivains révolutionnaires de Kharkov où il s'est déclaré requis "par les problèmes concrets de la révolution." En 1932 la rupture avec Breton est définitive. En 1936, Aragon adhère au Parti communiste français, dont il deviendra après guerre un des responsables. Dès lors sa vie et son œuvre seront celles d'un militant et d'un homme engagé.

Après sept ans de silence poétique où Aragon se voue à son œuvre romanesque, l'Occupation et la Résistance à laquelle il participe sous le nom de François la Colère le ramènent à la poésie : *Le crève-cœur,* paru avant l'armistice de 1940, *Le musée Grévin,* paru clandestinement en 1942, les *Yeux d'Elsa* (1942), *Brocéliande* (1943), la *Diane française* (1945). L'inspiration nationale et politique se mêle à l'inspiration amoureuse : le malheur des amants séparés par la guerre rejoint celui de tout un peuple; la fidélité à la femme aimée se confond avec la fidélité à la France; comme dans la "morale courtoise", le service d'amour implique l'héroïsme.

Cette poésie de combat et d'espérance marque le retour d'Aragon au langage poétique traditionnel. Tenté vers 1940 par le "clus trover" du chantre languedocien Arnaut Daniel, *l'art fermé* voilant les messages *(cf. La rime en 1940* et la *Leçon de Ribérac),* le poète retrouve les voies d'une tradition "nationale", épique ou élégiaque, à la fois populaire et savante.

L'image d'Elsa est présente dans toute la poésie d'Aragon; elle est surtout au cœur du cycle d'Elsa, commencé en 1942 avec *Les yeux d'Elsa,* poursuivi avec *Elsa* (1959) et *Le Fou d'Elsa* (1963), à travers lesquels s'opère une sacralisation de la femme et de l'amour unique, seule révélation que l'homme puisse attendre.

Dans *Le roman inachevé* (1956), poème autobiographique, et les *Poètes* (1960), dialogues avec les poètes vivants ou morts (Hölderlin, Desnos, Maïakovski ou Neruda), Aragon poursuit une quête de lui-même et de son temps. Incessamment une inquiétude fondamentale s'y exorcise par la poésie, l'amour, l'espoir en l'homme.

## BOUÉE

Dans une neige de neige
un enfant une fois
jeta l'âme de lui
et il ne savait pas
il ferme les paupières des yeux

Un couple
Il veut dire un homme et une femme
une fois une fois
tout le long du chemin
10 un couple d'eux deux

Le froid et le chaud une fois
Or il fut sur le point
Or il se mit
Il chantait
il mange une gaufre au soleil gaufre

L'image d'elle dans l'eau
Une fois dans l'eau une fois
c'était un fleuve d'eau
L'eau mouille clair blanc
20 Fleur humide

*Le mouvement perpétuel*, Gallimard éd.


## C

J'ai traversé les ponts de Cé[1]
C'est là que tout a commencé

Une chanson des temps passés
Parle d'un chevalier blessé

D'une rose sur la chaussée
Et d'un corsage délacé

Du château d'un duc insensé
Et des cygnes dans les fossés

De la prairie où vient danser
Une éternelle fiancée

Et j'ai bu comme un lait glacé
Le long lai des gloires faussées

La Loire emporte mes pensées
Avec les voitures versées

Et les armes désamorcées
Et les larmes mal effacées

O ma France ô ma délaissée
J'ai traversé les ponts de Cé

*Les yeux d'Elsa,* Seghers éd.

1. Dans cette bourgade, la rue principale franchit, par quatre ponts successifs, le canal de l'Authion et les bras de la Loire.

---

J'écris dans un pays dévasté par la peste
Qui semble un cauchemar attardé de Goya
Où les chiens n'ont d'espoir que la manne céleste
Et des squelettes blancs cultivent le soya

Un pays en tous sens parcouru d'escogriffes
A coups de fouet chassant le bétail devant eux
Un pays disputé par l'ongle et par la griffe
Sous le ciel sans pitié des jours calamiteux

Un pays pantelant sous le pied des fantoches
10 Labouré jusqu'au cœur par l'ornière des roues
Mis en coupe réglée au nom du Roi Pétoche
Un pays de frayeur en proie aux loups-garous

J'écris dans ce pays où l'on parque les hommes
Dans l'ordure et la soif le silence et la faim
Où la mère se voit arracher son fils comme
Si Hérode régnait quand Laval est dauphin

J'écris dans ce pays que le sang défigure
Qui n'est plus qu'un monceau de douleurs et de plaies
Une halle à tous vents que la grêle inaugure
20 Une ruine où la mort s'exerce aux osselets

J'écris dans ce pays tandis que la police
A toute heure de nuit entre dans les maisons
Que les inquisiteurs enfonçant leurs éclisses
Dans les membres brisés guettent les trahisons

J'écris dans ce pays qui souffre mille morts
Qui montre à tous les yeux ses blessures pourprées
Et la meute sur lui grouillante qui le mord
Et les valets sonnant dans le cor la curée

J'écris dans ce pays que les bouchers écorchent
30 Et dont je vois les nerfs les entrailles les os
Et dont je vois les bois brûler comme des torches
Et sur les blés en feu la fuite des oiseaux

J'écris dans cette nuit profonde et criminelle
Où j'entends respirer les soldats étrangers

Et les trains s'étrangler au loin dans les tunnels
Dont Dieu sait si jamais ils pourront déplonger

J'écris dans un champ clos où des deux adversaires
L'un semble d'une pièce armure et palefroi
Et l'autre que l'épée atrocement lacère
40 A lui pour tout arroi sa bravoure et son droit

J'écris dans cette fosse où non plus un prophète
Mais un peuple est parmi les bêtes descendu
Qu'on somme de ne plus oublier sa défaite
Et de livrer aux ours la chair qui leur est due

J'écris dans ce décor tragique où les acteurs
Ont perdu leur chemin leur sommeil et leur rang
Dans ce théâtre vide où les usurpateurs
Anonnent de grands mots pour les seuls ignorants

J'écris dans la chiourme énorme qui murmure
50 J'écris dans l'oubliette au soir qui retentit
Des messages frappés du poing contre les murs
Infligeant aux geôliers d'étranges démentis

Comment voudriez-vous que je parle des fleurs
Et qu'il n'y ait des cris dans tout ce que j'écris
De l'arc-en-ciel ancien je n'ai que trois couleurs
Et les airs que j'aimais vous les avez proscrits

Que ne puis-je passer ce monde à l'écumoire
Ses songes éveillés et ses monstres maudits
Du Paradis perdu retrouver la mémoire
60 Pour renouer ma phrase avec sa mélodie

Je dis avec les mots des choses machinales
Plus machinalement que la neige neigeant
Mots démonétisés qu'on lit dans le journal
Et je parle avec eux le langage des gens

Soudain c'est comme un sou tombant sur le bitume
Qui nous fait retourner au milieu de nos pas
Inconscient écho d'un malheur que nous tûmes
Un mot chu par hasard un mot qui ne va pas

Les mots français gardent l'espoir d'un double sens
70 Comme un pré qui ne peut oublier qu'il a plu
Les plus simples d'entre eux ont le plus de puissance
Ils vibrent longuement d'un accord résolu

Que je dise d'oiseaux et de métamorphoses
Du mois d'août qui se fane au fond des mélilots
Que je dise du vent que je dise des roses
Ma musique se brise et se mue en sanglots
(...)

*Le musée Grévin*, VII, Gallimard éd.

## IL N'Y A PAS D'AMOUR HEUREUX

Rien n'est jamais acquis à l'homme Ni sa force
Ni sa faiblesse ni son cœur Et quand il croit
Ouvrir ses bras son ombre est celle d'une croix
Et quand il croit serrer son bonheur il le broie
Sa vie est un étrange et douloureux divorce
*Il n'y a pas d'amour heureux*

Sa vie Elle ressemble à ces soldats sans armes
Qu'on avait habillés pour un autre destin
A quoi peut leur servir de se lever matin
10 Eux qu'on retrouve au soir désœuvrés incertains
Dites ces mots Ma vie Et retenez vos larmes
*Il n'y a pas d'amour heureux*

Mon bel amour mon cher amour ma déchirure
Je te porte dans moi comme un oiseau blessé
Et ceux-là sans savoir nous regardent passer
Répétant après moi les mots que j'ai tressés
Et qui pour tes grands yeux tout aussitôt moururent
*Il n'y a pas d'amour heureux*

Le temps d'apprendre à vivre il est déjà trop tard
20 Que pleurent dans la nuit nos cœurs à l'unisson
Ce qu'il faut de malheur pour la moindre chanson
Ce qu'il faut de regrets pour payer un frisson
Ce qu'il faut de sanglots pour un air de guitare
*Il n'y a pas d'amour heureux*

Il n'y a pas d'amour qui ne soit à douleur
Il n'y a pas d'amour dont on ne soit meurtri
Il n'y a pas d'amour dont on ne soit flétri
Et pas plus que de toi l'amour de la patrie
Il n'y a pas d'amour qui ne vive de pleurs
30 *Il n'y a pas d'amour heureux*
*Mais c'est notre amour à tous deux*

*La Diane française*, Seghers éd.


## ELSA AU MIROIR

C'était au beau milieu de notre tragédie
Et pendant un long jour assise à son miroir
Elle peignait ses cheveux d'or Je croyais voir
Ses patientes mains calmer un incendie
C'était au beau milieu de notre tragédie

Et pendant un long jour assise à son miroir
Elle peignait ses cheveux d'or et j'aurais dit
C'était au beau milieu de notre tragédie
Qu'elle jouait un air de harpe sans y croire
10 Pendant tout ce long jour assise à son miroir

Elle peignait ses cheveux d'or et j'aurais dit
Qu'elle martyrisait à plaisir sa mémoire
Pendant tout ce long jour assise à son miroir
A ranimer les fleurs sans fin de l'incendie
Sans dire ce qu'une autre à sa place aurait dit

Elle martyrisait à plaisir sa mémoire
C'était au beau milieu de notre tragédie
Le monde ressemblait à ce miroir maudit
Le peigne partageait les feux de cette moire
20 Et ces feux éclairaient des coins de ma mémoire

C'était au beau milieu de notre tragédie
Comme dans la semaine est assis le jeudi

Et pendant un long jour assise à sa mémoire
Elle voyait au loin mourir dans son miroir

Un à un les acteurs de notre tragédie
Et qui sont les meilleurs de ce monde maudit

Et vous savez leurs noms sans que je les aie dits
Et ce que signifient les flammes des longs soirs

Et ses cheveux dorés quand elle vient s'asseoir
30 Et peigner sans rien dire un reflet d'incendie

*Ibid.*

---

L'amour de toi qui te ressemble
C'est l'enfer et le ciel mêlés
Le feu léger comme les cendres
Eteint aussitôt que volé

L'amour de toi biche à la course
C'est l'eau qui fuit entre les doigts
La soif à la fois et la source
La source et la soif à la fois

L'amour de toi qui me divise
10 Comme un sable à dire le temps
C'est pourtant l'unité divine
Qui fit un seul jour de trente ans

L'amour de toi c'est la fontaine
Et la bague qui brille au fond
Et c'est dans la forêt châtaine
L'écureuil roux qui tourne en rond

Mourir à douleur et renaître
Te perdre à peine retrouvée
Craindre dormir crainte peut-être
20 De n'avoir fait que te rêver

Déchiré d'être pour un geste
Un mot d'ailleurs indifférent
Un air distrait La main qui jette
Un journal ou qui le reprend

Tout est toujours mis à l'épreuve
Rien ne sert ni la passion
Et toujours une angoisse neuve
Nous pose une autre question

Cet abîme est comme un azur
30 Immensément démesuré
Aime-t-il celui qui mesure
L'amour de ses bras à son pré

Je n'ai pas le droit d'une absence
Je n'ai pas le droit d'être las
Je suis ton trône et ta puissance
L'amour de toi c'est d'être là

L'amour de toi veut que j'attende
Comme un drap propre sur le lit
Qui sent le frais et la lavande
40 Où ton chiffre brodé se lit

Que suis-je de plus que ton chiffre
Un signe entre autres de ta vie
Le verre bu qui demeure ivre
A son bord des lèvres qu'il vit

*Elsa,* Gallimard éd.

---

(p. 437-442)
**1.** Montrer l'originalité poétique de chaque texte (formes poétiques, structure et tonalité du poème; musicalité; thèmes).
**2.** Comment l'évocation du présent intègre-t-elle les images du passé, histoire ou légende (montrer notamment la fréquence des références médiévales tant au niveau des formes poétiques que des thèmes)?
**3.** Quelles images, quelle musique célèbrent l'amour? A quels autres thèmes est-il associé?

## Antonin Artaud (1896-1948)

Même si c'est surtout sur le théâtre contemporain que son influence s'exerce, son destin et son œuvre tragiques exercent aussi sur la poésie de notre temps leur sombre rayonnement. Ce qu'il a vécu, c'est la violence des exigences de l'esprit, la révolte contre la condition humaine et les limites de l'homme "civilisé", la difficulté d'être et les tentatives les plus extrêmes pour résoudre l'angoisse, jusqu'à l'échec apparent de la folie et de la maladie.

En 1920, il rencontre Gémier, puis Dullin qui l'accueille dans l'équipe de l'Atelier en 1922; il rencontre Jacob, Salmon, Leiris, joue ses premiers rôles pour le cinéma. En 1925 il rejoint les surréalistes dont il partage "la revendication de la vie contre toutes ses caricatures" et la révolte contre les prisons rationnelles. Il dirige le Bureau des recherches surréalistes; dès 1926 il s'éloigne du mouvement qui amorce un rapprochement avec les communistes : "Que me fait à moi toute la révolution du monde si je sais demeurer éternellement douloureux et misérable au sein de mon propre charnier." *(A la grande nuit ou le bluff surréaliste)* Le mal qui l'obsède c'est le sentiment d'une "déperdition constante du niveau normal de la réalité", l'impossibilité de se saisir et de se situer parmi les choses, le sentiment d'être prisonnier de sa "cage" physiologique, d'un espace absurde de vie et de mort. C'est cette asphyxie spirituelle que disent les images "convulsives", le rythme haletant de *L'ombilic des limbes* (1925), *Le pèse-nerfs* et *Fragments d'un journal d'enfer* (1927), et qu'éclaire la correspondance d'Artaud et de J. Rivière, directeur de la NRF (publiée en 1927).

Pendant quelques années, Artaud va demander au théâtre le moyen de "sentir la vie dans sa totalité". *Le théâtre et son double* (1938) fixe le bilan de cette expérience. Après l'échec des *Cenci* (1935) il part pour le Mexique : *Au pays des Tarahumaras* (1945) retrace sa quête d'un secret de vie et d'une culture oubliés. En 1937, à la suite d'une crise, il est interné d'office à la Ville-Evrard, puis à Rodez, pendant neuf ans, où il continue son œuvre et d'où il envoie à ses amis des lettres déchirantes pour protester contre son internement. Enfin libéré en 1946, il vit à Ivry chez le docteur Delmas, retrouve ses amis, ses activités, malgré le cancer qui le ronge. *Artaud le Momo* et *Van Gogh, le suicidé de la société* (1947), sa conférence au théatre du Vieux Colombier le 13 janvier seront ses derniers messages de révolte douloureuse.

"Car l'humanité ne veut pas se donner la peine de vivre, d'entrer dans ce coudoiement naturel des forces qui composent la réalité, afin d'en tirer un corps qu'aucune tempête ne pourra plus entamer..." *(Van Gogh.)*

## POÈTE NOIR

Poète noir, un sein de pucelle
te hante,
poète aigri, la vie bout
et la ville brûle,
et le ciel se résorbe en pluie,
ta plume gratte au cœur de la vie.

Forêt, forêt, des yeux fourmillent
sur les pignons multipliés;
cheveux d'orage, les poètes
enfourchent des chevaux, des chiens.

Les yeux ragent, les langues tournent
le ciel afflue dans les narines
comme un lait nourricier et bleu;
je suis suspendu à vos bouches
femmes, cœurs de vinaigre durs.

*L'ombilic des limbes,* Gallimard éd.


## TUTUGURI[1]
## LE RITE DU SOLEIL NOIR

Et en bas, comme au bas de la pente amère,
cruellement désespérée du cœur,
s'ouvre le cercle des six croix,
            très en bas,
comme encastré dans la terre mère,
désencastré de l'étreinte immonde de la mère
            qui bave.

La terre de charbon noir
est le seul emplacement humide
10  dans cette fente de rocher.

Le Rite est que le nouveau soleil passe par sept points
avant d'éclater à l'orifice de la terre.

Et il y a six hommes,
un pour chaque soleil
et un septième homme
qui est le soleil tout
            cru
habillé de noir et de chair rouge.

Or, ce septième homme
20  est un cheval
un cheval avec un homme qui le mène.

Mais c'est le cheval
qui est le soleil
et non l'homme.

Sur le déchirement d'un tambour et d'une trompette
longue,
étrange,
les six hommes
qui étaient couchés,
30  *roulés* à ras de terre,
jaillissent successivement comme des tournesols,
non pas soleils,
mais sols tournants,
des lotus d'eau,
et à chaque jaillissement
correspond le gong de plus en plus sombre

       et *rentré*
       du tambour
jusqu'à ce que tout à coup on voie arriver au grand
40 galop, avec une vitesse de vertige,
    le dernier soleil,
    le premier homme,
    le cheval noir avec un
       homme nu,
       absolument nu
       et *vierge*
       sur lui.

Ayant bondi, ils avancent suivant des méandres
circulaires
50 et le cheval de viande saignante s'affole
et caracole sans arrêt
au faîte de son rocher
jusqu'à ce que les six hommes
aient achevé de cerner
complètement les six croix.

Or, le ton majeur du Rite est justement
      l'ABOLITION DE LA CROIX.
Ayant achevé de tourner
ils déplantent
60 les croix de terre
et l'homme nu
sur le cheval
arbore
un immense fer à cheval
qu'il a trempé dans une coupure de son sang.

*Les Tarahumaras,* Marc Barbezat L'arbalète éd.

1. «C'est l'ordre hiérarchique des choses qui veut qu'après être passé par le TOUT, c'est-à-dire le multiple, qui est les choses, on en reviendra au simple de l'UN, qui est le Tutuguri ou le soleil.» (Introduction des *Tarahumaras.*)

---

(p. 444-445)
Un rite magique : structure du texte ? Comment le rythme du vers s'accorde-t-il avec les mouvements du rituel évoqué ? Voir le symbolisme des nombres, des couleurs, de la croix et du soleil (consulter éventuellement *Le dictionnaire des symboles* de J. Chevalier et A. Gheerbrant, Seghers éd.).

### Henri Michaux (1899-1984)

Michaux ne s'est jamais présenté comme poète ni même comme écrivain : amené à assumer certaine difficulté d'être et en quête d'un "secret qu'il a depuis sa première enfance soupçonné d'exister quelque part", il a considéré l'écriture soit comme une "hygiène", le moyen d'une révolte, soit comme un moyen de connaissance parmi d'autres. Ce faisant, c'est le contenu même de la poésie qu'il a bouleversé.

Sa jeunesse à Bruxelles est marquée par une enfance solitaire, puis par des lectures nombreuses avec certaine prédilection pour l'illuminisme mystique. A 21 ans, matelot pendant quelques mois, il découvre le voyage. Il vit à Paris depuis 1924, séjour coupé de voyages (Equateur, Inde, Chine, Brésil, Egypte), et poursuit ses recherches tant par ses écrits que par son œuvre graphique et picturale commencée dès 1937.

Il a toujours mené un itinéraire personnel. Il ne rejoint pas les surréalistes vers 1924, même s'il partage leur goût de l'expérimentation, de l'exploration intérieure et leur indifférence à la forme. Après ses deux carnets de voyage (*Ecuador* en 1929 ; *Un barbare en Asie* en 1933), bilans subjectifs de voyages réels, c'est "l'espace du dedans" qu'il va explorer : un univers insolite, soumis aux métamorphoses du cauchemar, lourd du malaise et de l'angoisse d'être : "Ah ! comme on est mal dans ma peau !" L'écriture se fait exorcisme.

Tantôt, comme dans *Voyage en Garabagne* (1936), *Au temps de la magie* (1941), *Ici Poddéma* (1946), il décrit sur le ton froidement objectif d'un ethnographe, des pays imaginaires régis par des lois bizarres, que nous craignons de reconnaître. Tantôt, faisant l'inventaire de "ses propriétés", il nous plonge dans un paysage intérieur mouvant, où les fantasmes créent des formes et des êtres étranges, où le corps est le lieu de tortures atroces (*Mes propriétés* 1929 ; *La nuit remue* 1935 ; *L'espace du dedans* 1944 ; *Meidosems, La vie dans les plis* 1948). Ou bien encore il invente un double pitoyable, comme ce Plume, né en 1930, victime naïve d'un monde absurde et cruel, miroir exaspéré du nôtre, et dont il conte les mésaventures sur le ton le plus neutre qui soit. Parfois comme dans *Épreuves-Exorcismes* (1945), la souffrance s'exprime plus directement, sans distanciation, dans des textes dont la prosodie discontinue va du cri au poème.

Après 1956, dans ses écrits et son œuvre plastique, Michaux poursuit, par des expériences méthodiques sur les effets de diverses drogues, ses recherches sur le fonctionnement de la pensée. Mais ses écrits *(Misérable miracle, L'infini turbulent, La connaissance par les gouffres)* sont en majeure part des bilans d'expériences visant la stricte exactitude.

## LE GRAND COMBAT

à R.-M. Hernant.

Il l'emparouille et l'endosque contre terre ;
Il le rague et le roupète jusqu'à son drâle ;
Il le pratèle et le libucque et lui barufle les ouillais ;
Il le tocarde et le marmine,
Le manage rape à ri et ripe à ra.
Enfin il l'écorcobalisse.

L'autre hésite, s'espudrine, se défaisse, se torse et se ruine.
C'en sera bientôt fini de lui ;
Il se reprise et s'emmargine... mais en vain

Henri Michaux (né en 1899), frottage pour *Entre centre et absence*, 1936, éd. Mataràsso, Paris. (Bibliothèque littéraire Jacques Doucet, Paris.)

10  Le cerceau tombe qui a tant roulé.
    Abrah! Abrah! Abrah!
    Le pied a failli!
    Le bras a cassé!
    Le sang a coulé!
    Fouille, fouille, fouille,
    Dans la marmite de son ventre est un grand secret
    Mégères alentour qui pleurez dans vos mouchoirs;
    On s'étonne, on s'étonne, on s'étonne
    Et on vous regarde
20  On cherche aussi, nous autres, le Grand Secret.

*L'espace du dedans*, "Qui je fus", Gallimard éd.


## AU LIT

La maladie que j'ai me condamne à l'immobilité absolue au lit.
Quand mon ennui prend des proportions excessives et qui vont me déséquilibrer si l'on n'intervient pas, voici ce que je fais :
J'écrase mon crâne et l'étale devant moi aussi loin que possible et quand c'est bien plat, je sors ma cavalerie. Les sabots tapent clair sur ce sol ferme et jaunâtre. Les escadrons prennent immédiatement le trot, et ça piaffe et ça rue. Et ce bruit, ce rythme net et multiple, cette ardeur qui respire le combat et la Victoire, enchantent l'âme de celui qui est cloué au lit et ne peut faire un mouvement.

*Ibid.*, "Mes propriétés", Gallimard éd.


## ARTICULATIONS

Et go to go and go
Et garce!
Sarcospèle sur Saricot,
Bourbourane à talico,
Ou te bourdourra le bodogo,
Bodogi.
Croupe, croupe à la Chinon.
Et bourrecul à la misère.

*La nuit remue*, Gallimard éd.


## CLOWN

Un jour.
Un jour, bientôt peut-être.
Un jour j'arracherai l'ancre qui tient mon navire loin des mers.
Avec la sorte de courage qu'il faut pour être rien et rien que rien, je lâcherai ce qui paraissait m'être indissolublement proche.
Je le trancherai, je le renverserai, je le romprai, je le ferai dégringoler.
D'un coup dégorgeant ma misérable pudeur, mes misérables

combinaisons et enchaînements « de fil en aiguille ».
Vidé de l'abcès d'être quelqu'un, je boirai à nouveau l'espace nourricier.
A coups de ridicules, de déchéances (qu'est-ce que la déchéance?), par éclatement, par vide, par une totale dissipation-dérision-purgation, j'expulserai de moi la forme qu'on croyait si bien attachée, composée, coordonnée, assortie à mon entourage et à mes semblables, si dignes, si dignes, mes semblables.
Réduit à une humilité de catastrophe, à un nivellement parfait comme après une intense trouille.
Ramené au-dessous de toute mesure à mon rang réel, au rang infime que je ne sais quelle idée-ambition m'avait fait déserter.
Anéanti quant à la hauteur, quant à l'estime.
Perdu en un endroit lointain (ou même pas), sans nom, sans identité.

CLOWN, abattant dans la risée, dans le grotesque, dans l'esclaffement, le sens que contre toute lumière je m'étais fait de mon impatience.
Je plongerai.
Sans bourse dans l'infini-esprit sous-jacent ouvert à tous, ouvert moi-même à une nouvelle et incroyable rosée
à force d'être nul
et ras...
et risible...

*L'espace du dedans*, "Peintures", Gallimard éd.

## ECCE HOMO

à Madame Mayrisch Saint-Hubert.

Qu'as-tu fait de ta vie, pitance de roi?
J'ai vu l'homme.
Je n'ai pas vu l'homme comme la mouette, vague au ventre, qui file rapide sur la mer indéfinie.
J'ai vu l'homme à la torche faible, ployé et qui cherchait. Il avait le sérieux de la puce qui saute, mais son saut était rare et réglementé.
Sa cathédrale avait la flèche molle. Il était préoccupé.
Je n'ai pas entendu l'homme les yeux humides de piété dire au serpent qui le pique mortellement : « Puisses-tu renaître homme et lire les Vedas! ». Mais j'ai entendu l'homme comme un char lourd sur sa lancée écrasant mourants et morts, et il ne se retournait pas.
Son nez était relevé comme la proue des embarcations Vikings, mais il ne regardait pas le ciel, demeure des dieux; il regardait le ciel suspect, d'où pouvaient sortir à tout instant des machines implacables, porteuses de bombes puissantes.
Il avait plus de cerne que d'yeux, plus de barbe que de peau, plus de boue que de capote, mais son casque était toujours dur.
Sa guerre était grande, avait des avants et des arrières, avait des avants et des après. Vite partait l'homme, vite partait l'obus. L'obus n'a pas de chez soi. Il est pressé quand même.

Je n'ai pas vu paisible, l'homme au fabuleux trésor de chaque soir pouvoir s'endormir dans le sein de sa fatigue amie. Je l'ai vu agité et sourcilleux. Sa façade de rires et de nerfs était grande, mais elle mentait. Son ornière était tortueuse. Ses soucis étaient ses vrais enfants. Depuis longtemps le soleil ne tournait plus autour de la Terre. Tout le contraire. Puis il lui avait encore fallu descendre du singe. Il continuait à s'agiter comme fait une flamme brûlante, mais le torse du froid, il était là sous sa peau. Je n'ai pas vu l'homme comptant pour homme. J'ai vu « Ici, l'on brise les hommes ». Ici, on les brise, là on les coiffe et toujours il sert. Piétiné comme une route, il sert.

Je n'ai pas vu l'homme recueilli, méditant sur son être admirable. Mais j'ai vu l'homme recueilli comme un crocodile qui de ses yeux de glace regarde venir sa proie et en effet il l'attendait bien protégé au bout d'un fusil long. Cependant les obus tombant autour de lui étaient encore beaucoup mieux protégés. Ils avaient une coiffe à leur bout qui avait été spécialement étudiée pour sa dureté, pour sa dureté implacable.

Je n'ai pas vu l'homme répandant autour de lui l'heureuse conscience de la vie. Mais j'ai vu l'homme comme un bon bimoteur de combat répandant la terreur et les maux atroces.

Il avait quand je le connus à peu près cent mille ans et faisait aisément le tour de la Terre. Il n'avait pas encore appris à être bon voisin.

Il courait parmi eux des vérités locales, des vérités nationales. Mais l'homme vrai je ne l'ai pas rencontré.

Toutefois excellent en réflexes et en somme presque innocent : l'un allume une cigarette ; l'autre allume un pétrolier.

Je n'ai pas vu l'homme circulant dans la plaine et les plateaux de son être intérieur, mais je l'ai vu faisant travailler des atomes et de la vapeur d'eau, bombardant des morceaux d'atomes qui n'existaient peut-être même pas, regardant avec des lunettes son estomac, sa vessie, les os de son corps et se cherchant en petits morceaux, en réflexes de chien.

Je n'ai pas entendu le chant de l'homme, le chant de la contemplation des mondes, le chant de la sphère, le chant de l'immensité, le chant de l'éternelle attente.

Mais j'ai entendu son chant comme une dérision, comme un spasme.

(...)

*Épreuves, exorcismes,* Gallimard éd.

---

(p. 446-451)

**1.** Un univers angoissé : l'expression d'un malaise physique et spirituel *(Au lit; Clown);* la difficulté de la relation au monde *(Clown; Meidosems).* Etudier les images d'agressivité et de cruauté propres au monde réel *(Ecce homo).*

**2.** La violence comme défense : voir la fréquence des images de nivellement, arrachement, agressivité, autodestruction à travers l'invention verbale, la projection de phantasmes ; voir parallèlement le rôle du rythme. Comment cette violence rejoint-elle la quête du "grand secret" ?

**3.** Les procédés de distanciation : rôle de l'humour noir, de l'invention verbale ; valeur des temps dans *Ecce homo.* Comment dans *Meidosems,* la minutie de la description donne-t-elle sa réalité à l'univers fantastique ?

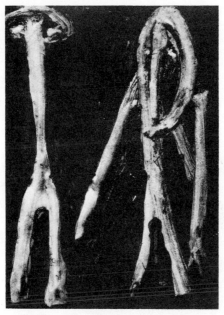

Henri Michaux (né en 1899), gravure pour *Meidosems*, 1948, éd. du Point du jour, Paris. (Bibliothèque Nationale, Paris.)

L'élasticité extrême des Meidosems, c'est là la source de leur jouissance. De leurs malheurs aussi.

Quelques ballots tombés d'une charrette, un fil de fer qui pendille, une éponge qui boit et déjà presque pleine, l'autre vide et sèche, une buée sur une glace, une trace phosphorescente, regardez bien, regardez. Peut-être est-ce un Meidosem. Peut-être sont-ils tous des Meidosems... saisis, piqués, gonflés, durcis, noyés par des sentiments divers...

Ces centaines de fils parcourus de tremblements électriques, spasmodiques, c'est avec cet incertain treillis pour face que le Meidosem angoissé essaie de considérer avec calme le monde massif qui l'environne.

C'est avec quoi il va répondre au monde, comme une grelottante sonnerie répond.

Tandis que secoué d'appels, frappé, et encore frappé, appelé, et encore appelé, il aspire à un dimanche, un dimanche vrai, jamais arrivé encore.

Dans la glace, les cordons de ses nerfs sont dans la glace.

Leur promenade y est brève, travaillée d'élancements, de barbes d'acier sur le chemin du retour au froid du Néant.

La tête crève, les os pourrissent. Et les chairs, qui parle encore de chairs? Qui s'attend encore à des chairs?

Cependant, il vit.

*Meidosems,* Gallimard éd.

## Michel Leiris (né en 1901)

Même après sa rupture avec Breton en 1929, il reste fidèle au projet surréaliste d'affranchissement psychologique et social; l'écriture est ici associée à un projet de dévoilement total, au souci de vérité et d'authenticité. Les premiers recueils, à travers le rêve et les associations verbales, cherchaient à capter l'imagination "dans son état sauvage". Dans l'œuvre romanesque, l'interrogation sur soi se fait recherche "d'une règle d'or qui serait en même temps art poétique et savoir-vivre". Les poèmes de *Haut mal* relèvent de cet état particulier où la pensée opère sa percée "en dépit des chiourmes rationnelles et des syntaxes bariolées" : poésie violente et révoltée disloquant les entraves de nos vies quotidiennes et de notre occidentalisme, et qui se veut "prise de distance, hors des normes".

*Le pays de mes rêves; Glossaire, j'y serre mes gloses; Simulacres* (1925); *Aurora* (1927-28 publié en 1946); *Haut mal* (1926-40); *Vivantes cendres innommées* (1961)...

## RETOUR

Rentré chez lui le voyageur
nettoie ses bottes
ses yeux striés du sang des paysages
puis de ses doigts noircis feuillette un livre
bouquet de faits mal liés
cousus d'un fil forcément blanc que ne traverse aucun délire

Dans le roc
l'éclatement de la source fière et calme
tendait la cruche des oublis
10 coup de canon lointain dont le tonnerre se penche
à l'orée de l'oreille
pour évaluer la profondeur de ce puits de silence

Est-ce aujourd'hui que les hommes s'en iront
hors des maisons
avec des paumes en feu et des bouches carnivores?
Est-ce aujourd'hui que les couleurs humaines dévoreront
le vert des bois et des pacages de mort?

En bel orage tranquille
la vie remonte par-dessus l'horizon
20 Les plantes paissent le suc des pierres
les gouttes d'eau suintent dans les prisons

Rentré chez lui le voyageur
se lave les mains
rallume sa pipe éteinte
tend les deux poings
à l'avenir qui lui remet ses lourdes chaînes de silence

puis il se couche le voyageur
puis il s'endort
et dort et dort et dort

*Haut mal,* "Failles", 1924-34, Gallimard éd.

## René Char (1907-1988)

Une poésie indissociable d'une façon d'être et de vivre, une parole dense et forte, lourde de beauté et de révolte pour réveiller en l'homme toutes ses exigences, lui redonner le sens de sa présence au monde.

Venu à la poésie dès l'âge de dix-sept ans, il se mêle à l'aventure surréaliste dans les années 1930, collabore avec Breton et Eluard pour *Ralentir travaux,* publie *Artine* (1930), *Le marteau sans maître* (1934). Il ne renie pas cette étape, mais c'est un itinéraire personnel qu'on le voit bientôt prendre. Dressé contre ce qui écrase l'homme, il dédie en 1937 le *Placard pour un chemin des écoliers* aux enfants d'Espagne ; pendant la guerre il est capitaine d'un maquis provençal (les *Feuillets d'hypnos* sont le sobre écho de cette expérience). Depuis 1945, il se tient à l'écart de la vie publique, menant dans sa terre natale, à l'Isle-sur-Sorgue, une vie de poète-paysan coupée de séjours parisiens. "A toute pression de rompre avec nos chances, notre morale, et de nous soumettre à tel modèle simplificateur; ce qui ne doit rien à l'homme, mais qui nous veut du bien, nous exhorte : Insurgé, insurgé, insurgé". Depuis *Seuls demeurent* (1945), une œuvre riche et variée ne cesse de se développer, en même temps que se définit, de *Partage formel* (1945) à *La bibliothèque est en feu* (1956), un art poétique, qui est aussi une éthique.

L'acquis surréaliste est sensible : l'écoute de la part nocturne de l'homme d'où naît le magnétisme de l'image, la quête du "point suprême" où les contradictions s'abolissent, et de cet état d'éveil par lequel la poésie peut changer la vie. Les différences ne sont pas moins évidentes. Familier d'une terre âpre et lumineuse, c'est aussi le mystère des choses que le poète perçoit; les images rendent présentes une nature douce et sauvage. De plus, Char "marche dans le jour" autant que dans la nuit : "le poète doit tenir la balance égale entre le monde physique de la veille et l'aisance redoutable du sommeil, les lignes de la connaissance dans lesquelles il couche le corps subtil du poème allant indistinctement de l'un à l'autre de ces états différents de la vie", dit-il dans *Partage formel.* Loin de cultiver l'automatisme du langage, de mépriser la chose écrite, l'expérience poétique ici se condense en poèmes courts, "poème pulvérisé", "parole en archipel", en aphorismes à la charge indéfiniment explosive, en métaphores, en associations de mots mettant en déroute notre morne perception du monde.

Parmi ceux que Char affectionne (Rimbaud, Apollinaire, Reverdy, Camus, Eluard), il désigne le philosophe présocratique Héraclite d'Ephèse comme un de ses inspirateurs, tant pour la forme laconique de sa pensée que pour son idée du monde : "Héraclite met l'accent sur l'exaltante alliance des contraires. Il voit en premier lieu en eux la condition parfaite et le moteur indispensable à produire l'harmonie." *(Partage formel.)* La parole poétique de Char, dans sa tension interne, est elle-même le lieu où s'opère l'union du vivre et du dire, de l'instant et de l'éternité : "Le poète ne peut pas longtemps demeurer dans la stratosphère du verbe. Il doit se lover dans de nouvelles larmes et pousser plus avant dans son ordre" — "Si nous habitons un éclair, il est au cœur de l'éternel."

La nostalgie de l'enfance, de l'homme de la préhistoire, de l'unité originelle du monde et de l'homme ("A en croire le sous-sol de l'herbe où chantait un couple de grillons, cette nuit, la vie prénatale devait être très douce...") appelle un avenir à la mesure de l'homme, "la venue d'une réalité qui sera sans concurrente". Le titre du recueil de 1948, *Fureur et mystère,* réunissant ses œuvres de 1945 à 1948, est significatif : une voix impatiente et volontaire dit le refus sans concession de toute barbarie, de nos systèmes fragiles, de la nature menacée, de notre monde artificiel épris de confort. "Je n'écrirai pas de poème d'acquiescement." Mais elle dit aussi l'espoir : "A chaque effondrement des preuves, le poète répond par une salve d'avenir"; elle dit le mystère, la "contre-terreur" incluse dans la tendresse et la beauté des choses, l'harmonie possible dès lors que l'homme se lave de ses petitesses; elle accomplit la promesse rimbaldienne. "La poésie est de toutes les eaux claires celle qui s'attarde le moins au reflet de ses ponts. Poésie, la vie future à l'intérieur de l'homme requalifié." *(Le poème pulvérisé)*

*Le marteau sans maître* (1934) ; *Dehors la nuit est gouvernée* (1938) ; *Seuls demeurent* (1945) ; *Les feuillets d'hypnos* (1946) ; *Les matinaux* (1950) ; *Le soleil des eaux* (1951) ; *A une sérénité crispée* (1951) ; *Lettera amorosa* (1953) ; *Recherche de la base et du sommet* (1955) ; *La bibliothèque est en feu* (1956) ; *Commune présence* (1964, choix de poèmes) ; *Retour amont* (1966) ; *Dans la pluie giboyeuse* (1968) ; éditions collectives : *Fureur et mystère* (1948) ; *La parole en archipel* (1962) ; *Trois coups sous les arbres* (1967) ; *Le nu perdu* (1971)...

## 14

La contre-terreur c'est ce vallon que peu à peu le brouillard comble, c'est le fugace bruissement des feuilles comme un essaim de fusées engourdies, c'est cette pesanteur bien répartie, c'est cette circulation ouatée d'animaux et d'insectes tirant mille traits sur l'écorce tendre de la nuit, c'est cette graine de luzerne sur la fossette d'un visage caressé, c'est cet incendie de la lune qui ne sera jamais un incendie, c'est un lendemain minuscule dont les intentions nous sont inconnues, c'est un buste aux couleurs vives qui s'est plié en souriant, c'est l'ombre, à quelques pas, d'un bref compagnon accroupi qui pense que le cuir de sa ceinture va céder... Qu'importent alors l'heure et le lieu où le diable nous a fixé rendez-vous!

## 222

Ma renarde, pose ta tête sur mes genoux. Je ne suis pas heureux et pourtant tu suffis. Bougeoir ou météore, il n'est plus de cœur gros ni d'avenir sur terre. Les marches du crépuscule révèlent ton murmure, gîte de menthe et de romarin, confidence échangée entre les rousseurs de l'automne et ta robe légère. Tu es l'âme de la montagne aux flancs profonds, aux roches tues derrière des lèvres d'argile. Que les ailes de ton nez frémissent. Que ta main ferme le sentier et rapproche le rideau des arbres. Ma renarde, en présence des deux astres, le gel et le vent, je place en toi toutes les espérances éboulées, pour un chardon victorieux de la rapace solitude.

*Feuillets d'hypnos,* 1946, Gallimard éd.

---

**1.** Douceur et mystère : montrer ce qui, dans le rythme, les sonorités, donne ce ton d'intensité fervente, murmure ou confidence.
**2.** La contre-terreur : par l'étude des notations, des adjectifs ou des verbes, des structures syntaxiques, montrer la présence d'une nature sauvage, parcourue d'une vie mystérieuse, ou identifiée à la femme aimée.

## ALLÉGEANCE

Dans les rues de la ville il y a mon amour. Peu importe où il va
dans le temps divisé. Il n'est plus mon amour, chacun peut lui
parler. Il ne se souvient plus ; qui au juste l'aima ?

Il cherche son pareil dans le vœu des regards. L'espace qu'il
parcourt est ma fidélité. Il dessine l'espoir et léger l'éconduit. Il est
prépondérant sans qu'il y prenne part.

Je vis au fond de lui comme une épave heureuse. A son insu,
ma solitude est mon trésor. Dans le grand méridien où s'inscrit
son essor, ma liberté le creuse.

Dans les rues de la ville il y a mon amour. Peu importe où il va
dans le temps divisé. Il n'est plus mon amour, chacun peut lui parler. Il ne se souvient plus ; qui au juste l'aima et l'éclaire de loin
pour qu'il ne tombe pas ?

*Fureur et mystère,* «La fontaine narrative», Gallimard éd.

---

Etudier la double thématique de la séparation et de la solitude d'une part, d'autre
part de l'allégeance (jeu des pronoms, des temps ; images ; mouvement et rythme
du poème). Comment s'opère la victoire finale de l'amour ?

---

## L'ADOLESCENT SOUFFLETÉ

Les mêmes coups qui l'envoyaient au sol le lançaient en
même temps loin devant sa vie, vers les futures années où, quand
il saignerait, ce ne serait plus à cause de l'iniquité d'un seul. Tel
l'arbuste que réconfortent ses racines et qui presse ses rameaux
meurtris contre son fût résistant, il descendait ensuite à reculons
dans le mutisme de ce savoir et dans son innocence. Enfin il
s'échappait, s'enfuyait et devenait souverainement heureux. Il
atteignait la prairie et la barrière des roseaux dont il cajolait la vase
et percevait le sec frémissement. Il semblait que ce que la terre
avait produit de plus noble et de plus persévérant, l'avait, en
compensation, adopté.

Il recommencerait ainsi jusqu'au moment où, la nécessité de
rompre disparue, il se tiendrait droit et attentif parmi les hommes,
à la fois plus vulnérable et plus fort.

*Les matinaux,* 1950, Gallimard éd.

---

Comment la structure narrative, les images, la comparaison avec l'arbuste expri-
ment-elles le mouvement dialectique par lequel l'adolescent dépasse son déchirement ?

---

# RÉMANENCE

De quoi souffres-tu? Comme si s'éveillait dans la maison sans bruit l'ascendant d'un visage qu'un aigre miroir semblait avoir figé. Comme si, la haute lampe et son éclat abaissés sur une assiette aveugle, tu soulevais vers ta gorge serrée la table ancienne avec ses fruits. Comme si tu revivais tes fugues dans la vapeur du matin à la rencontre de la révolte tant chérie, elle qui sut, mieux que toute tendresse, te secourir et t'élever. Comme si tu condamnais, tandis que ton amour dort, le portail souverain et le chemin qui y conduit. De quoi souffres-tu? De l'irréel intact dans le réel dévasté. De leurs détours aventureux cerclés d'appels et de sang. De ce qui fut choisi et ne fut pas touché, de la rive du bond au rivage gagné, du présent irréfléchi qui disparaît. D'une étoile qui s'est, la folle, rapprochée et qui va mourir avant moi.

*Dans la pluie giboyeuse,* 1968, Gallimard éd.

---

*Rémanence* : persistance, permanence ; le terme désigne en physique soit la persistance partielle de l'aimantation après retrait de l'influence magnétique, soit la persistance des images visuelles, sur laquelle est fondé le cinéma. Ici : permanence des images du passé. Structure du poème? Regrouper d'une part les images du passé, d'autre part celles du présent ; étudier les antithèses de la dernière strophe. Autour de quel thème s'organise le poème?

# La période contemporaine

## Les lyriques

Il ne peut être question ici que d'illustrer les principaux aspects de la poésie contemporaine jusqu'aux années soixante *(Le livre d'or de poésie française contemporaine* de Seghers ne comporte pas moins de 268 poètes!). Nombre d'entre eux s'inscrivent dans la continuité d'un lyrisme direct, parole de douceur, de colère ou d'émerveillement.

C'est le cas de poètes arrivés dans les lettres à la veille du deuxième conflit mondial, et souvent dans le sillage surréaliste, qui vont découvrir dans les épreuves de la guerre le prix des mots, d'un chant chargé des souffrances et de l'espoir humain, à l'instar d'Eluard et d'Aragon. Pour **Pierre Seghers,** fondateur du groupe de *Poésie 40* à Villeneuve-les-Avignons où se retrouvèrent les poètes résistants (Aragon, Emmanuel, Eluard, Ponge, Frénaud), poésie et vérité, amour des hommes et de la vie se confondent. Il en est de même pour les jeunes poètes réunis par le refus de la soumission et le rêve de poésie fraternelle à Rochefort-sur-Loire : Jean Bouhier, René-Guy Cadou, Michel Manoll, Jean Rousselot, Luc Bérimont. Imprégnée des images de la province, la poésie de **René-Guy Cadou,** dans sa simplicité discrète et musicale, parle des enfants et des plantes, de la femme aimée, de l'accord possible de l'homme et du monde. Le chant de **Jean Rousselot** paraît plus déchiré entre l'espoir d'une vie magnifiée par la grâce, l'amour, la poésie et la hantise du temps, la pesanteur des choses; au fil des ans, l'angoisse d'être, l'interrogation sur le pouvoir des mots brisent le rythme des poèmes. L'humanisme chrétien de **Pierre Emmanuel** anime son œuvre entière. La poésie est pour lui "raison ardente", la parole identifiée à l'être : "Nous sommes le langage incarné" *(Le goût de l'un).* C'est souvent par les symboles ou la reprise des mythes universels que le poète entreprend "d'élucider ceux des conflits permanents de l'espèce dont l'homme moderne souffre le plus". A travers la guerre, la déportation, **Jean Cayrol** a mûri son rôle de poète : faire sentir la présence du sacré en tout ce qui vit, dans les êtres et les choses les plus humbles; poésie fervente, discrète et tendre où le mouvement de la rêverie confère aux images une teneur symbolique.

C'est aussi le cas des poètes qui, dans les années 1950, sortant la poésie de sa voie engagée, retrouvent dans un monde inquiétant les voies d'un lyrisme possible, et résistent à la mise en cause du langage poétique de la décennie suivante. **Georges-Emmanuel Clancier** entend "la poésie comme un salut"; elle est dans cette transmutation en images lumineuses de ce qui – images de la terre ou êtres aimés – glisserait sans elle dans la nuit du temps.

"Peuple de ce temps dur, il te faut réapprendre / la langue du soleil" : privilégiant le don d'imaginer et de s'émerveiller, la poésie de **Robert Sabatier** mise sur la musique du vers, la magie des images fluides, "les mots de la tribu", et leur charge de rêve. Il s'agit de rendre à l'homme son âme d'enfant, le don de métamorphose qui le révèle intégré au monde ou de restituer à la conscience moderne son histoire légendaire. Le poème devient "la maison faite d'imaginaire / vaste, si vaste où loge l'Inconnu".

"Chaque jour je m'obstine à me redéfinir / Et je redéfinis le monde" : œuvre complexe et irréductible que celle d'**Alain Bosquet,** une des plus ouvertes aux angoisses de notre siècle de menaces. La poésie est le lieu précaire (et l'unique chance) où il tente de bouleverser le réel, de le soumettre à la fable, d'ouvrir des univers nouveaux, lieux d'échanges et de métamorphoses. La fantasmagorie verbale s'allie à la lucidité et à la rigueur prosodique : si le verbe ne se pare pas ici de transcendance, l'illusion poétique rend compte de "l'étrangeté" du monde.

D'autres cheminent à l'écart des écoles et des modes parisiennes, hantés par le paysage de leur enfance ou poursuivant une quête personnelle, ressourcée à une province ou à une terre d'élection où "vivre en poésie". Souvent le chant s'épure en une parole dépouillée, une recherche de la concision : à travers la sobriété des notations s'opère une quête de permanence ou de valeurs essentielles. Ainsi **Géo Norge** qui, à Saint-Paul-de-Vence, célèbre en des poèmes truculents ou graves le jeu merveilleux et absurde du vivant; **Georges Schéhadé** (poète libanais d'expression française), dont les poèmes musicaux disent "la tristesse éternelle des sources", la nostalgie d'un monde perdu, Orient originel ou terre d'enfance. **Maurice Fombeure,** poitevin exilé à Paris, sur des rythmes de chansons populaires, de complaintes et d'élégies, chante la fraîcheur rustique et les sortilèges du terroir. **Jean Follain,** avec un art de miniaturiste, dans le silence et le secret de la mémoire, suscite l'objet qui recrée le monde fragile de l'enfance, menacé d'effacement et attendant sa "délivrance". Pour **Eugène Guillevic,** l'écriture vise à nommer, élucider, interroger, exorciser, réconcilier un univers naturel fascinant et menaçant, à poursuivre une quête d'intériorité lumineuse dans un monde oppressant. Et même si le poème est "langage sur un ancien langage", écoutons le poète **Jean Brianes** : "Je le sais bien, ce sont des choses déjà dites – que je ne prétends pas mieux dire. Mais les mourants sont les seuls dont se lasse le cri. Et nous voulons vivre."

Dans la poésie de **Jacques Prévert,** spontanée, riche en notations prises sur le vif, se mêlent l'indignation contre la guerre, la misère et l'injustice, l'humour qui raille l'hypocrisie et l'égoïsme des bourgeois, et le chant des sentiments simples, amour pour Paris et son menu peuple, fraternité humaine.

Mais le champ de la poésie de langue française s'élargit aux territoires ou anciens territoires d'outre-mer : citons, entre autres, **Léopold Sédar Senghor,** né en 1906 dans la petite ville de Joal à une centaine de kilomètres au sud de Dakar, artisan de l'indépendance du Sénégal dont il fut le premier président; sa poésie plonge ses racines dans les paysages, les rythmes et les mythes de son enfance africaine dont il restitue les sortilèges dans un lyrisme qui recrée l'unité du monde; cette poésie, profondément africaine, garde aussi la marque de l'humanisme occidental, qu'il a découvert lors de ses études supérieures à Paris. Son ami, l'Antillais **Aimé Césaire,** né en 1913, député de la Martinique, dénonce avec violence l'oppression de la culture blanche dans une poésie très proche du surréalisme et revendique le droit à la "négritude", seule à être en communion avec les forces vitales du monde. Citons aussi **René Depestre** (né en 1926) à Haïti, qui dans une poésie fraternelle et révolutionnaire dénonce l'exploitation des Noirs.

## QUELLES FOURMIS INFATIGABLES

Quelles fourmis infatigables, quelles fourmis
creusent ici cette prison de la lumière
qui évide le temps, et fait de ses tunnels
un énorme château de voûtes et de chaînes.
Quelles fourmis infatigables, quelles fourmis
l'une à l'autre liées se dépensent, se pressent
pour bâtir un château? On voit des théories
descendre lentement l'escalier du Prince
et d'autres n'apporter que du vent, convertir
le vide en monument d'échos. Qui donc habite
cette caverne? Qui transforme tout ce qu'il touche?
Qui fait un geste et fait se lever le soleil
sur l'illumination des socles dans les têtes?
Et ceux-là, que contemplent-ils? En eux, l'obscur
devient clarté, en eux le chaos s'organise,
la fureur et le bruit se font ordre. L'on dit
qu'ils ont fait du néant un temple imaginaire
qui ne peut plus mourir.

Pierre Seghers[1], *Piranèse,* Seghers éd.

1. Pierre Seghers (1906-1987) : *Bonne espérance, Le domaine public ; Le futur antérieur ; Six poèmes pour Véronique ; Racines ; Les pierres ; Piranèse ; Chansons et complaintes...*

## PAYSAGE ORIGINEL

A Camille Jordens.

Cette faille à mon côté
Dans la caverne de l'être
Débride un pays profond
Sourire plus que blessure
Tout au bas de l'horizon
Un grand arbre une maison
Et moi saisi de vertige
Au bord de mon cœur béant
Je contemple de si loin
10 Ce lieu qui reste l'enfance
Que l'enfant obstinément
Dessine tandis que sa mère
L'éclaire de ses cheveux
Tombant sur lui en cascade
Celle même qui vêtit
Eve nue au Paradis
Car c'est bien la nudité
De la mère inaccessible
Dont je saigne émerveillé
20 Le soleil tout mon été
De la plaie à mon côté

Pierre Emmanuel[1], *Tu,* 1978, Le Seuil éd.

## JE SAIS
Fragments d'une passion.

J'ai vu sur terre la gangrène des charniers
J'ai vu le ciel encrassé de cendre humaine
J'ai vu l'haleine des superbes
Embuer de sang l'univers
J'ai vu pourrir le cœur des puissants sur leurs lèvres
J'ai vu des hommes qu'on disait sages
Parce qu'ils marchaient entre les flaques de sang
J'ai vu les justes humer les massacres
Comme si le large leur gonflait les poumons
10 J'ai vu les bons jeter Dieu en avant
Et c'était une marée d'extermination
Ils étaient vêtus du lin blanc des paroles
Pour que le sang ne les salît pas

J'ai ouvert la bouche Dieu m'est témoin
J'ai voulu parler
Mon cœur n'en pouvait plus d'être un cœur d'homme
Il voulait éclater sur les hommes
En un cri à fendre le ciel
Mais l'air m'a mis son poing dans la gorge
20 Il m'a tiré du cœur des mots de mensonge
Que j'ignorais
Il les a mis dans ma bouche
Et je les ai dits
Je serais mort plutôt que de les dire
Et je les ai dits

A mon tour j'ai changé les mots en charogne
L'âme humaine faite de mots
Pourrit par ma faute à la face de Dieu
Je suis devenu ce parleur
30 Qui a perdu le sens de la Parole
Mes yeux sont le miroir du mensonge
Et mes oreilles l'écho du mensonge
Et ma bouche le creuset du mensonge

Et mon âme gorgée de mensonge
Ecume aux lèvres de Dieu mourant

Qui profère un seul mot sans mentir?
Qui oserait crier vers la Croix :
Je n'ai pas tué le Verbe?

J'ai tué le Verbe de Dieu
40 Je suis un assassin comme les autres
Mais tous ne savent pas qui meurt par eux
Moi
Je le sais.

*Ibid.*, *Visage nuage*, Le Seuil éd.

1. Pierre Emmanuel (1916-1984) : *Le tombeau d'Orphée; Orphiques; Jour de colère; Combats avec tes défenseurs* (1942); *La liberté guide nos pas* (1945); *Tristesse, ô ma patrie* (1946); *Babel* (1952); *Visage nuage* (1956); *L'évangéliaire* (1962); *Jacob; Tu* (1978)...

## LA FLAMME VERTE

Soleil, cage des blés
Volière des pervenches
Etable ensorcelée où ruminent les branches
Boulangerie du ciel aux mains des passereaux
Ah qui dira le cœur prisonnier des rameaux

Je n'ai jamais quitté les chambres de l'automne
Dans la rue c'est toujours cette même personne
Un peu drôle
Et traînant des fleurs sur le pavé
10 Comme si mon passé avait besoin d'aumône

Je m'endors dans le crin
Sur la pierre lavée
Pesant comme les bois
Comme les pâturages
Avec les vieux troupeaux étendus à mes pieds

Et tu montes vers moi
O flamme souterraine
Arbre des temps futurs
Dangereuse saison
20 Pour que mon corps jaillisse aux quatre coins des plaines.

René-Guy Cadou[1], *La vie rêvée*, R. Laffont éd.


## HÉLÈNE

Je t'atteindrai Hélène
A travers les prairies
A travers les matins de gel et de lumière
Sous la peau des vergers
Dans la cage de pierre
Où ton épaule fait son nid

Tu es de tous les jours
L'inquiète la dormante.
Sur mes yeux
10 Tes deux mains sont des barques errantes
A ce front transparent
On reconnaît l'été
Et lorsqu'il me suffit de savoir ton passé
Les herbes les gibiers les fleuves me répondent

Sans t'avoir jamais vue
Je t'appelais déjà
Chaque feuille en tombant
Me rappelait ton pas

La vague qui s'ouvrait
20 Recréait ton visage
Et tu étais l'auberge
Aux portes des villages.

*Ibid.*

1. René-Guy Cadou (1920-1951) : *Brancardiers de l'aube* (1937) ; *Forces du vent* (1938) ; *La vie rêvée* (1944) ; *Les biens de ce monde* (1951) ; *Hélène ou le règne végétal, Le cœur définitif, Les amis d'enfance* (posthumes).

## IL FAUDRAIT ÊTRE ENCORE PLUS SIMPLE

A Henri de Lescoët.

Il faudrait être encore plus simple,
Si simple que l'on puisse entrer
Dans la simplicité du vent,
Du soleil poussiéreux
Du linge qui pantèle sur la corde sans se plaindre.
Il n'y a pas de désespoir dans le monde,
Ni d'espoir.
Il n'y a que la simplicité du vent,
Du soleil,
10 Du linge,
De la corde ;
Il n'y a que la simplicité de l'eau,
Ses vergetures d'accouchée ;
Il n'y a que l'eau,
Le caillou,
La simple nécessité de brûler et de mourir.
Il faudrait pouvoir entrer sans frémir
Dans les choses
Comme les choses,
20 Entrent dans les choses.
Pourquoi cette révulsion de notre cœur ?
Pourquoi cet éternel énervement de nos nervures ?
La pensée ne construit rien. Le sentiment nous épuise.
Nous serrons les dents et saignons
Sans accoucher.
Nous pianotons sur les choses
Comme une pluie dont chaque goutte
Aurait peur de se faire du mal.
Nous sommes les petits électrisés du monde.
30 Nous n'entrons pas.

Jean Rousselot[1], *Les moyens d'existence,* Seghers éd.

1. Jean Rousselot (né en 1913) : *Les moyens d'existence* (recueils de 1934 à 1974).

Vous parlez du vent
êtes-vous penché
sur ce qu'il défend

vous parlez de l'eau
êtes-vous aimé
du moindre ruisseau

vous parlez du feu
avez-vous défait
chacun de ses nœuds

10 vous parlez des champs
êtes-vous passé
près d'eux gravement

vous parlez de vie
êtes-vous chargé
de vider les nids

vous parlez d'amour
avez-vous mené
la nuit jusqu'au jour

vous parlez d'ami
20 avez-vous changé
quand il a souri

vous parlez des hommes
avez-vous pensé
aux morts sans personne

vous parlez de tout
vous parlez de rien
avez-vous trouvé
la ruine sur vous
avez-vous trouvé
30 le goût de son pain

Jean Cayrol[1], *Passe-temps de l'homme et des oiseaux,*
coll. Les cahiers du Rhône, 1947, La Baconnière éd., Neuchatel.

1. Jean Cayrol (né en 1911) : *Le Hollandais volant* (1936) ; *Les phénomènes célestes* (1939) ; *Poèmes de la nuit et du brouillard* (1946), *Passe-temps de l'homme et des oiseaux* (1948) ; *Les mots sont aussi des demeures* (1952)...

## VOCABULAIRE

Quand je dis myrtille c'est l'ombre odorante des amours
Quand je dis collines le langage oublié de l'enfance
Quand je dis bleu le double regard de mon sang
De mon nom qui colore hier aux couleurs de demain.
Quand je dis noisette je vois Juliette et ses dix ans
Mais le cœur connaît-il des saisons pour rêver?
Je vois encore une bergère de dix ans
Au fond des prés, il y a longtemps, la vieille femme
Que je vénère comme la vie et qui garde ses morts
10 Doucement telles autrefois ses peureuses brebis.
Quand je dis couleuvre ô charmeurs d'oiseaux et d'orvets
Mes aïeux espiègles ouvriers de la révolution
Me font clin d'œil de malice au-delà des tombes.
Quand je dis pain c'est père plus généreux et vif
Que blés dans leur gloire couronnés par le vent
Mer c'est la mère blonde et bleue comme les plages
La vague qui berce et s'endort et secoue ses cheveux.
Quand je dis arbre mon fils tendre feuillage étincelle
Sylvestre printemps qui ruisselle sur les pierres,
20 Quand je dis nuit celle que j'aime monte vers moi
Du fond des songes femme de nuit et de songe.

Georges-Emmanuel Clancier[1], *Une voix,* Gallimard éd.

## TERRE SECRÈTE

Je ne suis que cet enfant qui va
Sur les calmes routes du soir.
Les fougères l'étang le brouillard
L'appellent d'une voix secrète.
Et lui du fond de sa solitude
Ecoute le silence qui tremble.

Mon pays de crépuscule est là
Derrière l'arbre de tous les jours.
Le pré la forêt le bout de route
Attendent soudain on ne sait quoi
De tendre et de grave, un beau visage,
Celui de la mort qui leur ressemble
Et qui se presse contre mon cœur.

*Ibid.*

1. Georges-Emmanuel Clancier (né en 1914) : *Vrai visage* (1953); *Evidences* (1960); *Terre de mémoire* (1965); *Peut-être une demeure...*

## PASSAGE DE L'ARBRE

Un arbre passe, un homme le regarde
Et s'aperçoit que ses cheveux sont verts
Il bouge un bras tout bruissant de feuillages
Une main douce à cueillir les hivers
Lentement glisse à travers la muraille
Et forme un fruit pour caresser la mer.

Quand l'enfant vient, c'est la forêt qui parle
Il ne sait pas qu'un arbre peut parler
Il croit entendre un souvenir de sable
10 La vieille écorce aussi le reconnaît
Mais elle a peur de ce visage pâle.

Chacun s'éloigne − il vole quelques feuilles
Tout l'arbre bouge et jette son adieu
Pour une veine il pleure sept étoiles
Pour une étoile il a donné ses yeux
Il a jeté ses racines aux fleuves.

Les derniers cris déserteront les gorges
Quand les oiseaux ne s'y poseront plus
Quelqu'un déchire un à un les automnes
20 Le fils de l'arbre écarte ses bras nus
Et dit des mots pour que le vent les morde.

Robert Sabatier[1], *Les fêtes solaires*, Albin Michel éd.

1. Robert Sabatier (né en 1923) : *Premières voix; Les fêtes solaires* (1955); *Dédicace d'un navire* (1959); *Les poissons délectables* (1965); *Les châteaux de millions d'années* (1969); *Icare* (1976)...

Robert Fregiers, gravure pour les *Poèmes* de L.-S. Senghor,
éd. M.-B. et A.-S. Hoballak, Dakar, 1968. (Bibliothèque Nationale, Paris.)

Et maintenant, ils sont tous là, ces vieux bateaux
Qui voyagent sur place – alerte, capitaines ! –
Les marchands de rosée qui se lèvent trop tôt,
La bien-aimée sans nom qui s'est ouvert les veines,

Le fleuve corrosif, le royaume sans roi,
Le poète au fusil qui déclare à ses hommes :
« Achevons les blessés ; les saint-bernard ont froid,
Nous devons les nourrir ; il faut être économe »,

Le peintre poursuivi par un arbre amical,
10 Le proverbe inconnu qui dort dans son lexique,
L'enfant qui dit : « Cet équateur me veut du mal »,
Le sous-marin coulé par la douce musique,

La chair privée d'amour, l'amour privé de chair,
La foule qui proteste : « Où sont nos colonies ? »,
La girafe étonnée qui va seule au concert,
Le mot trop maladroit qu'un poète renie,
La lucarne sans jour ouverte sur l'exil,
Le sourd-muet qui décapite un flamant rose,
Les tournesols dans leur retraite – où iront-ils ? –
20 Il n'est de grande foi qu'en la métamorphose ;

Tout est là maintenant : les souvenirs truqués,
Les remords manuscrits, les amours en attente.
Massacre ou mascarade, allons nous expliquer !
Je ne supporte pas d'être moi : je m'invente !

Alain Bosquet[1], *Deuxième testament,* Gallimard éd.

---

Un jour après la vie,
nous pourrons naître où nous voudrons :
dans l'amadou,
dans l'aube nue,
dans l'ivresse des branches.
Un jour après la vie,
nous pourrons reconnaître
ce que nous sommes :
le sang, la chair et les baisers plus longs
que dans l'azur le train des oiseaux pâles.
Un jour après la vie,
nous n'aurons que des frères :
le fleuve avant son eau,
le volcan sous les joncs,
la truite apprenant à nager.
Un jour après la vie,
nous ferons notre choix :
l'existence, la mort, l'inexistence.

*Ibid., Notes pour un pluriel,* Gallimard éd.

1. Alain Bosquet (né en 1919) : *Syncopes* (1943) ; *Quel royaume oublié ?* (1955) ; *Premier testament* (1957) ; *Deuxième testament* (1957) ; *Maître objet* (1962) ; *Quatre testaments* (1967) ; *Cent notes pour une solitude* (1970)...

## LA FAUNE

Et toi, que manges-tu, grouillant ?
– Je mange le velu qui digère le
pulpeux qui ronge le rampant.
Et toi, rampant, que manges-tu?
– Je dévore le trottinant, qui bâfre
l'ailé qui croque le flottant.
Et toi, flottant, que manges-tu?
– J'engloutis le vulveux qui suce
le ventru qui mâche le sautillant.
Et toi, sautillant, que manges-tu?
– Je happe le gazouillant qui gobe
le bigarré qui égorge le galopant.
Est-il bon, chers mangeurs, est-il
bon, le goût du sang?
– Doux, doux! tu ne sauras jamais
Comme il est doux, herbivore!

Géo Norge[1], *Famines,* 1950, Stols éd.

## LES MURS

Ça dure longtemps, la longueur du temps
Et le prisonnier, sur un flûteau mince
Qu'il tenait serré, serré dans ses dents,
Du matin crépu jusqu'au soir qui pince,
Sifflait la longueur, la longueur du temps.

Et le prisonnier sifflait pour ses murs,
Pour ses quatre murs, où les verrous grincent,
La longueur du temps qui monte et descend
Comme une marée au cœur des serrures.

10   Si la mer était ces murs de poutrelles,
Si la mer était la longueur du temps,
Il mordrait la mer qui monte et descend,
Il saurait siffler sur son flûteau grêle
Le cœur de la mer, la longueur du temps.

Il saurait danser, si la mer était
La longueur des murs, la longueur du temps,
Il saurait, la mer, la prendre à la taille,
Il ferait tourner sur leurs gonds épais,
Les temps et la mer, le temps, les murailles.

20   Mais le prisonnier ne croit pas si fort,
Ne croit pas assez que sa flûte appelle
Le cœur de la mer, la longueur de mort,
La longueur du temps, la force d'un chant
Qui ferait lever le poids des poutrelles.

Non, le prisonnier ne saura jamais
Qu'il aurait suffi d'une note ailée
Pour jeter à bas son cruel palais
La longueur du temps, les grilles forgées
Et boire la mer à pleines gorgées.

*Ibid., Le gros gibier,* 1953, Seghers éd.

## LOUANGE D'UNE SOURCE

Dans le matin hésitant où l'écoulement des heures ne vibre pas encore,

J'ai reconnu les rieuses voyelles que prononçait ma fontaine.

J'ai reconnu ma source chère, qui jamais ne dort ou ne rêve,

Mais qui est née pour chanter et pour fuir.

Je l'ai caressée de mes mains comme une douce bête,

Une bête des bois à la profonde fourrure.

Les graminées se balançaient dans le bonheur d'un vent faible.

10 Au pied des chênes, un peu de nuit s'enroulait encore comme du lierre,

L'oiseau lissait sa plume dans la rosée,

Et lentement la clarté découvrait un monde sans pesanteur.

Ma source chère, arrête un peu ta fuite, et songe avec moi sous la durée bleue qui sourit et ne vieillit point.

Contemple avec moi sans parole et sans mouvement, écoute avec moi sans désir et sans pensée.

Et formons un double silence dans cette heure suspendue qui sait tendrement se taire.

Je te donnerai une robe de jeunes feuilles et de pétales,

20 Un lit de sable fin pour un repos transparent, un lit de sable moelleux pour des rêves et de chauds sommeils.

Je te donnerai un nom et ce nom fera un bruit pareil à celui de tes eaux.

Arrête un peu ta course et viens nicher dans cette anse de marbre où le ciel mettra sa joue contre ta joue.

Tu sentiras sur ta peau tendue ce vent clairet qui a traversé les
pommiers en fleur,

Et bercé des sommeils de libellule et soutenu des vols d'hirondelle et tremblé dans le murmure d'un orme.

30 Mon petit furet qui glisse, mon petit oiseau qui gazouille, ma
petite fille sauvage,

Repose un peu dans mes mains, viens un peu sur mes genoux,

Mets ta tête à mon épaule, laisse-moi réchauffer tes petits pieds
froids!

Elle s'échappe encore et poursuit son plaisir d'être folle et nue.

Elle sait un museau de biche qui veut boire,

Et des racines de menthe qui s'enfoncent vers la fraîcheur.

Ah! bondir, ah! briller, frissonner, ouvrir sous la clarté des milliers
de regards, c'est le bonheur d'une source.

40 Elle est délivrée de ce noir séjour sous les terreaux, elle est lasse
de cette longue patience

Qu'il fallut pour se former goutte à goutte –

Et puisque le monde est si grand, si beau,

Elle se hâte en chantant comme un pipeau de berger, vers la
nouveauté des feuillages,

Elle court en chantant vers un soleil dont l'amour l'étreint de
la tête aux pieds.

*Ibid., Le vin profond,* XVIII, Flammarion éd.

---

1. Géo Norge (né à Bruxelles en 1898) : de nombreuses plaquettes depuis *Vingt-sept poèmes incertains* (1923), dont *Le sourire d'Icare* (1936), *Joie aux âmes* (1941), *Famines* (1950), *Les oignons* (1953), *Les quatre vérités* (1962), *Le vin profond* (1968), *Fables...*

à Charles Lucet.

Ils ne savent pas qu'ils ne vont plus revoir
Les vergers d'exil et les plages familières
Les étoiles qui voyagent avec des jambes de sel
Quand la nuit est triste de plusieurs beautés

Ils oublient qu'ils ne vont plus entendre
Le vent de la grille et le chien des images
L'eau qui dort sur la couleur des pierres
La nuit avec des violons de pluie

Tant de magie pour rien
Si ce n'était ce souvenir d'un autre monde
Avec des oiseaux de chair dans la prairie
Avec des montagnes comme des granges
O mon enfance ô ma folie

Georges Schéhadé[1], *Les poésies*, Gallimard éd.

1. Georges Schéhadé (1910-1989) : *Poésies I* (1938) ; *Poésies II* (1948) ; *Poésies III* (1949).

## AUX CRÉNEAUX DE LA PLUIE

à Max Roumagoux.

Aux créneaux de la pluie
Nous veillerons longtemps,
Soumis à ces villages
D'où l'on ne revient plus,
Plus haut que le sillage
Des Angélus lointains.

Approchez de la gare,
Bouleversée par les larmes.
J'entends les taupes crier
10  Sous la terre plus dure
Qu'un ciel de février
Ecorché par les murs.

Pitié pour cette terre...

Au chevet de l'enfant
Qui montrait des marmottes,
J'ai vu venir la mort
Qui s'arrêtait aux portes.
Vous parlez de la mort
Comme d'une aventure.
20  Elle est dans votre corps,
Elle épie vos blessures.
Elle est sous votre main
Comme un chien qui vous
[lèche
Et vous mordra demain...

Maurice Fombeure[1], *A dos d'oiseau*, "Silences sur le toit", Gallimard éd.

1. Maurice Fombeure (né en 1906) : de nombreux recueils dont *Le grenier des saisons* ; *A dos d'oiseau* ; *Les étoiles brûlées* ; *Sous les tambours du ciel* ; *A chat petit...*

## INEFFABLE DE LA FIN

Quand la dernière ménagère sera morte
tenant l'étoffe
raccommodée par ses doigts minces
les étoiles brilleront encore,
les griffons des blasons
s'envoleront en cendre.

O nuit de l'être
éternel feuilletage
des ardoises du toit
et des pâtisseries blondes;
le monde pèsera son poids
avec toutes ses mains de dulcinées
dans son ciment froid enfermées.

Jean Follain[1], *Exister*, Gallimard éd.

## ÉCOUTER

Il y a ce qui rassure
et dort au cœur de la chose
on l'écoute
dans la bouche du fleuve
dans la houille éclairant
de ses brasiers
le corps de la jeune fille
qui s'expose à la vie
dans la ramure et le jour clair
ou dans la nuit poignante.

*Ibid., Territoires*, Gallimard éd.

## LA MORT

Avec les os des bêtes
l'usine avait fabriqué ces boutons
qui fermaient
un corsage sur un buste
d'ouvrière éclatante
lorsqu'elle tomba
l'un des boutons se défit dans la nuit
et le ruisseau des rues
alla le déposer
jusque dans un jardin privé
où s'effritait
une statue en plâtre de Pomone
rieuse et nue

*Ibid., Les choses données*, Seghers éd.

1. Jean Follain (1903-1971) : *Usage du temps* (1943) ; *Exister* (1947) ; *Territoires* (1953) ; *Tout instant* (1957) ; *Des heures* (1960) ; *D'après tout* (1967)...

Du bouton de la porte aux flots hargneux de l'océan,
Du métal de l'horloge aux juments des prairies,
Ils ont besoin.

Ils ne diront jamais de quoi,
Mais ils demandent
Avec l'amour mauvais des pauvres qu'on assiste.

Il ne suffira pas de les mouiller de larmes
Et de jurer qu'on est comme eux.

Il ne suffira pas
De se presser contre eux avec des lèvres bonnes
Et de sourire.

C'est davantage qu'ils veulent pour les mener à bien
Où la vengeance est superflue.

Eugène Guillevic[1], *Terraqué*, Gallimard éd.


FAUBOURG

Les murs ont de la peine à se tenir debout
Au long de cette rue
Qui monte et tourne.

On dirait qu'ils sont tous venus, ceux du quartier,
Essuyer leurs mains grasses au rebord des fenêtres
Avant de pénétrer ensemble dans la fête
Où croyait s'accomplir leur destin.

On voit un train peiner au-dessus de la rue,
On voit des lampes qui s'allument,
On voit des chambres sans espace.

Parfois un enfant pleure
Vers l'avenir.

*Ibid.*


1. Eugène Guillevic (né à Carnac en 1907) : *Terraqué* (1942) ; *Exécutoire ; Fractures* (1947) ; *Elégies* (1948) ; *Gagner* (1949) ; *Terre à bonheur* (1952) ; *Carnac* (1961) ; *Sphère* (1963) ; *Avec* (1966) ; *La ville* (1969)...


EN ÉTÉ COMME EN HIVER

En été comme en hiver
dans la boue dans la poussière
couché sur de vieux journaux
l'homme dont les souliers prennent l'eau
regarde au loin les bateaux

Près de lui un imbécile
un monsieur qui a de quoi
tristement pêche à la ligne
Il ne sait pas trop pourquoi
10 il voit passer un chaland
et la nostalgie le prend
Il voudrait partir aussi
très loin au fil de l'eau
et vivre une nouvelle vie
avec un ventre moins gros.

En été comme en hiver
dans la boue dans la poussière
couché sur de vieux journaux
l'homme dont les souliers prennent l'eau
20 regarde au loin les bateaux

Le brave pêcheur à la ligne
sans poissons rentre chez lui
Il ouvre une boîte de sardines
et puis se met à pleurer
Il comprend qu'il va mourir
et qu'il n'a jamais aimé
Sa femme le considère
et sourit d'un air pincé
C'est une très triste mégère
30 une grenouille de bénitier.

En été comme en hiver
dans la boue dans la poussière
couché sur de vieux journaux
l'homme dont les souliers prennent l'eau
regarde au loin les bateaux

Il sait bien que les chalands
sont de grands taudis flottants
et que la baisse des salaires
fait que les belles marinières
40 et leurs pauvres mariniers
promènent sur les rivières
toute une cargaison d'enfants
abîmés par la misère
en été comme en hiver
et par n'importe quel temps.

Jacques Prévert[1], *Spectacles*, Gallimard éd.

1. Jacques Prévert (1900-1977) : *Paroles* (1946) ; *Lettres des îles Baladar* (1952) ; *La pluie et le beau temps* (1955) ; *Fatras* (1966) ; *Arbres* (1976)...

## JARDIN DE FRANCE

Calme jardin,
Grave jardin,
Jardin aux yeux baissés au soir
Pour la nuit,
Peines et rumeurs,
Toutes les angoisses bruissantes de la Ville
Arrivent jusqu'à moi, glissant sur les toits lisses,
Arrivent à la fenêtre
Penchée, tamisées par feuilles menues et tendres et pensives.

10 Mains blanches,
Gestes délicats,
Gestes apaisants.

Mais l'appel du tam-tam
        bondissant
                par monts
                    et
                      continents,

Qui l'apaisera, mon cœur,
A l'appel du tam-tam
20         bondissant,
                véhément,
                    lancinant?

Léopold Sédar Senghor[1], *Poèmes inédits,* Seghers éd.

## FEMME NOIRE

Femme nue, femme noire
Vêtue de ta couleur qui est vie, de ta forme qui est beauté!
J'ai grandi à ton ombre; la douceur de tes mains bandait mes
    yeux.
Et voilà qu'au cœur de l'Eté et de Midi, je te découvre Terre pro-
    mise, du haut d'un haut col calciné
Et ta beauté me foudroie en plein cœur, comme l'éclair d'un aigle.

Femme nue, femme obscure
Fruit mûr à la chair ferme, sombres extases du vin noir, bouche
    qui fais lyrique ma bouche
Savane aux horizons purs, savane qui frémis aux caresses ferven-
    tes du Vent d'Est
Tam-tam sculpté, tam-tam tendu qui grondes sous les doigts du
    Vainqueur
Ta voix grave de contralto est le chant spirituel de l'Aimée.

Femme nue, femme obscure
Huile que ne ride nul souffle, huile calme aux flancs de l'athlète,
    aux flancs des princes du Mali
Gazelle aux attaches célestes, les perles sont étoiles sur la nuit de
    ta peau

Délices des jeux de l'esprit, les reflets de l'or rouge sur ta peau qui
     se moire
A l'ombre de ta chevelure, s'éclaire mon angoisse aux soleils pro-
     chains de tes yeux.

Femme nue, femme noire
Je chante ta beauté qui passe, forme que je fixe dans l'Eternel,
Avant que le Destin jaloux ne te réduise en cendres pour nourrir
     les racines de la vie.

*Ibid., Chants d'ombre,* Le Seuil éd.

1. Léopold Sédar Senghor (né en 1906) : *Chants d'ombre* (1945); *Hosties noires* (1948); *Chants pour Naëtt* (1949); *Ethiopiques* (1956); *Nocturnes* (1961); *Elégie des alizés* (1969); *Lettres d'hivernage* (1973).

## CAHIER D'UN RETOUR AU PAYS NATAL

(...)
     Tiède petit matin de chaleur et de peur ancestrales
je tremble maintenant du commun tremblement que notre sang
docile chante dans le madrépore.

Et ces têtards en moi éclos de mon ascendance prodigieuse!
Ceux qui n'ont inventé ni la poudre ni la boussole
ceux qui n'ont jamais su dompter la vapeur ni l'électricité
ceux qui n'ont exploré ni les mers ni le ciel mais ils savent en ses
     moindres recoins le pays de souffrance
ceux qui n'ont connu de voyages que de déracinements
10 ceux qui se sont assoupis aux agenouillements
ceux qu'on domestiqua et christianisa
ceux qu'on inocula d'abâtardissement
tam-tams de mains vides
tam-tams inanes de plaies sonores
tam-tams burlesques de trahison tabide

     Tiède petit matin de chaleurs et de peurs ancestrales
par-dessus bord des richesses pérégrines
par-dessus bord mes faussetés authentiques
Mais quel étrange orgueil tout soudain m'illumine?

20 vienne le colibri
vienne l'épervier
vienne le bris de l'horizon
vienne le cynocéphale
vienne le lotus porteur du monde
vienne de dauphins une insurrection perlière
     brisant la coquille de la mer
vienne un plongeon d'îles
vienne la disparition des jours de chair morte dans la chaux vive
     des rapaces
viennent les ovaires de l'eau où le futur agite ses petites têtes
30 viennent les loups qui pâturent dans les orifices sauvages du corps

à l'heure où à l'auberge écliptique se rencontrent ma lune et ton soleil
(...)

ô lumière amicale
ô fraîche source de la lumière
ceux qui n'ont inventé ni la poudre ni la boussole
ceux qui n'ont jamais su dompter la vapeur ni l'électricité
ceux qui n'ont exploré ni les mers ni le ciel
mais ceux sans qui la terre ne serait pas la terre
gibbosité d'autant plus bienfaisante que la terre déserte davantage la terre
silo où se préserve et mûrit ce que la terre a de plus terre
40  ma négritude n'est pas une pierre, sa surdité ruée contre la clameur du jour
ma négritude n'est pas une taie d'eau morte sur l'œil mort de la terre
ma négritude n'est ni une tour ni une cathédrale

elle plonge dans la chair rouge du sol
elle plonge dans la chair ardente du ciel
elle troue l'accablement opaque de sa droite patience.

Eia pour le Kaïlcédrat royal !
Eia pour ceux qui n'ont jamais rien inventé
pour ceux qui n'ont jamais rien exploré
pour ceux qui n'ont jamais rien dompté

50  mais ils s'abandonnent, saisis, à l'essence de toute chose
ignorants des surfaces mais saisis par le mouvement de toute chose
insoucieux de dompter, mais jouant le jeu du monde
véritablement les fils aînés du monde
poreux à tous les souffles du monde
aire fraternelle de tous les souffles du monde
60  lit sans drain de toutes les eaux du monde
étincelle du feu sacré du monde
chair de la chair du monde palpitant du mouvement même du monde !
(...)

Aimé Césaire[1], Présence africaine éd.

1. Aimé Césaire (né en 1913) : *Cahier d'un retour au pays natal* (1945) ; *Les armes miraculeuses* (1946) ; *Soleil cou coupé* (1948) ; *Corps perdus* (1949) ; *Ferrements* (1959)...

## MINERAI NOIR

Quand la sueur de l'indien se trouva bruquement tarie par le soleil
Quand la frénésie de l'or draina au marché la dernière goutte
                                    [de sang indien
De sorte qu'il ne resta plus un seul indien aux alentours des
                                    [mines d'or
On se tourna vers le fleuve musculaire de l'Afrique
Pour assurer la relève du désespoir
Alors commença la ruée vers l'inépuisable
Trésorerie de la chair noire
Alors commença la bousculade échevelée
Vers le rayonnant midi du corps noir
10 Et toute la terre retentit du vacarme des pioches
Dans l'épaisseur du minerai noir
Et tout juste si des chimistes ne pensèrent
Aux moyens d'obtenir quelque alliage précieux
Avec le métal noir tout juste si des dames ne
Rêvèrent d'une batterie de cuisine
En nègre du Sénégal d'un service à thé
En massif négrillon des Antilles
Tout juste si quelque curé
Ne promit à sa paroisse
20 Une cloche coulée dans la sonorité du sang noir
Ou encore si un brave Père Noël ne songea
Pour sa visite annuelle
A des petits soldats de plomb noir
Ou si quelque vaillant capitaine
Ne tailla son épée dans l'ébène minéral
Toute la terre retentit de la secousse des foreuses
Dans les entrailles de ma race
Dans le gisement musculaire de l'homme noir
Voilà de nombreux siècles que dure l'extraction
30 Des merveilles de cette race
O couches métalliques de mon peuple
Minerai inépuisable de rosée humaine
Combien de pirates ont exploré de leurs armes
Les profondeurs obscures de ta chair
Combien de flibustiers se sont frayé leur chemin
A travers la riche végétation de clartés de ton corps
Jonchant tes années de tiges mortes
Et de flaques de larmes
Peuple dévalisé peuple de fond en comble retourné
40 Comme une terre en labours
Peuple défriché pour l'enrichissement
Des grandes foires du monde
Mûris ton grisou dans le secret de ta nuit corporelle
Nul n'osera plus couler des canons et des pièces d'or
Dans le noir métal de ta colère en crues

René Depestre[1], *Minerai noir,* 1956, Présence africaine éd., Paris.

1. René Depestre (né en 1926) : *Étincelles* (1945); *Gerbe de sang* (1946); *Végétation de clarté* (1951); *Traduit du grand large* (1952); *Minerai noir* (1956)...

## La poésie en question

Depuis Baudelaire, la création poétique se double d'une réflexion sur la poésie, sa fonction, son langage. "Secouer la vieillerie poétique", "donner un sens plus pur aux mots de la tribu" : la volonté de faire surgir une *parole* poétique neuve d'une *langue* donnée rejoint souvent la révolte contre l'ordre idéologique que cette langue charrie. Depuis Apollinaire *(Onirocritique),* Roussel, Dada et le surréalisme, la libération de l'imaginaire va de pair avec le bouleversement des normes du discours et le travail sur les mots. Avec Artaud, l'écriture devient le cri de l'angoisse d'être ou rêve d'un être original : "... pourquoi pas un monde sans chiffres ni lettres, fait uniquement pour des illettrés qui n'auraient jamais su compter." *(Lettre contre la Kabbale.)*

La période contemporaine voit se poursuivre et s'accentuer cette réflexion sur les fins et les moyens de cette poésie. Notre époque inquiète et inquiétante, aux progrès décevants, aux risques mortels, ne pouvait manquer de sécréter une poésie de la révolte, où la véhémence, l'insolence et le désespoir font éclater la syntaxe et les normes langagières.

Mais le problème le plus constant porte sur le langage dans son rapport à l'homme et au monde : l'après-guerre a vu apparaître des tentatives spectaculaires et aléatoires pour rénover la langue poétique. Ainsi le lettrisme, autour d'Isidore Isou qui rêvait d'abolir tout écart entre la lettre et l'esprit, de revenir à un stade originel ou être et conscience d'être s'identifient, en jouant sur la matière sonore des lettres ; de même le spatialisme lancé par Pierre Garnier, tentant de retrouver un rythme essentiel, de placer l'homme "dans un milieu permanent de création et de liberté", en combinant ou espaçant les syllabes.

A l'opposé, c'est en "prenant le parti des choses" que la méditation poétique de Ponge se rénove et progresse.

Prélude à la mise en cause du pouvoir de la poésie, l'humour d'un Queneau, d'un Tardieu, et de leurs héritiers, poètes de "l'absurde", oscille entre la nostalgie d'un lyrisme impossible et le pouvoir de convertir l'angoisse en sourire. Il est bien difficile à un poète contemporain d'oublier la leçon de Maurice Blanchot, qu'il s'agisse de ses "récits" (de *Thomas l'obscur* 1932 au *Dernier homme* 1957), ou de son œuvre critique (*Faux pas* et *La part du feu ; L'espace littéraire* 1955 ; *Le livre à venir* 1959) : pour ce précurseur du nouveau roman et de la nouvelle critique, le langage implique une négation de l'être, le mot dit l'absence de la chose, et l'œuvre exclut l'écrivain. "Pour que je puisse dire : cette femme, il faut que d'une manière ou d'une autre je lui retire sa réalité d'os et de chair, la rende absente et l'anéantisse. Le mot me donne l'être, mais il me le donne privé d'être" *(L'espace littéraire).* Négation qui est en même temps affirmation, car, sans elle, "tout s'effondrerait dans l'absurde et le néant". La littérature est définie comme l'espace de "l'existence sans l'être, l'existence qui demeure sous l'existence, comme une affirmation inexorable, sans commencement ni terme, la mort comme impossibilité de mourir" *(La part du feu).* Elle est le "sentiment de l'Il y a, la conscience d'une parole qui parle en nous, à travers nous, par-delà les mots".

Même si la poésie reste associée pour certains à une quête d'absolu, à partir des années 1960 - et notamment à la faveur des recherches de la linguistique -, on assiste à une remise en cause de la poésie, de son langage, de sa prétention à "faire accéder au sens une réalité silencieuse".

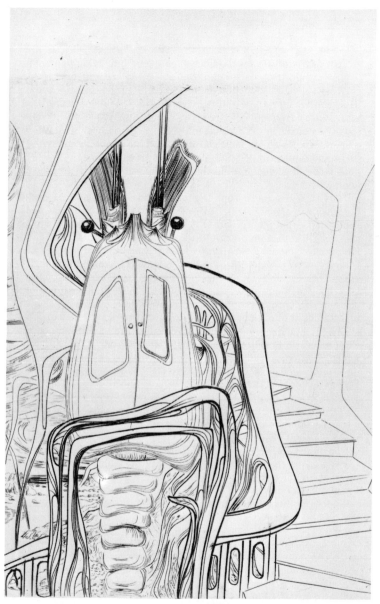

Gérard Vuilliamy (né en 1911), gravure pour *La crevette dans tous ses états* de Francis Ponge, 1948, éd. Pro-Francia. (Bibliothèque Nationale, Paris.)

## Francis Ponge (1899-1988)

Avec *Le parti-pris des choses* (1942), l'auteur, qui n'avait rien publié depuis la plaquette à tirage réduit *Douze petits écrits* (1926), désigne son champ d'activité et la fonction qu'il assigne à l'écriture, après des années de recherche : une poésie réaliste, visant à la saisie des choses, une peinture capable de restaurer "l'effet de surprise et de nouveauté des objets de sensations eux-mêmes". Puisant une leçon tout à la fois esthétique et morale dans les objets naturels sur lesquels il exerce l'exactitude et l'acuité de son regard, le poète s'applique à "sécréter" des objets poétiques dotés de la même évidence et n'obéissant qu'à une nécessité interne.

Les recueils suivants vont éclairer et enrichir sa démarche. Dans le *Carnet du bois de pins* (1947), il insiste sur le refus de la subjectivité et de l'anthropomorphisme qui faussent le regard que nous portons sur les choses. Un regard innocent et juste peut changer les relations entre l'homme et le monde ; il s'agit aussi de retrouver une liberté au niveau du langage : dans *Proêmes* (1948), l'auteur présente sa démarche comme une entreprise salutaire pour qui cherche à échapper au langage "des autres", "aux habitudes que dans tant de bouches, infectes, les paroles ont contractées". "C'est alors qu'enseigner l'art de résister aux paroles devient utile, l'art de ne dire que ce que l'on veut dire, l'art de les violenter et de les soumettre. Somme toute, fonder une rhétorique ou plutôt apprendre à chacun l'art de fonder sa propre rhétorique, est une œuvre de salut public". *(Rhétorique)*

Il précise son projet contre les interprétations qu'on en fait : *"Proême.*

Le jour où l'on voudra bien admettre comme sincère et *vraie* la déclaration que je fais à tout bout de champ que je ne me veux pas poète, que *j'utilise* le magma poétique *mais* pour m'en débarrasser, que je tends plutôt à la conviction qu'aux charmes, qu'il s'agit pour moi d'aboutir à des formules *claires* et *impersonnelles,*

on me fera plaisir ;

on s'épargnera bien des discussions oiseuses à mon sujet, etc.

Je tends à des définitions-descriptions rendant compte du contenu actuel des notions,

– pour moi et pour le Français de mon époque (à la fois *à la page* dans le livre de la culture, et honnête, authentique dans sa lecture en lui-même).

Il faut que mon livre remplace : 1) le dictionnaire encyclopédique ; 2) le dictionnaire étymologique ; 3) le dictionnaire analogique (il n'existe pas) ; 4) le dictionnaire de rimes (de rimes intérieures aussi bien) ; 5) le dictionnaire des synonymes, etc. ; 6) toute poésie lyrique à partir de la Nature, des objets, etc.

Du fait seul de vouloir rendre compte du *contenu entier de leurs notions,* je me fais tirer, *par les objets,* hors du vieil humanisme, hors de l'homme actuel et en avant de lui. J'ajoute à l'homme de nouvelles qualités que je nomme.

Voilà le *Parti-pris des choses.*

Le *Compte tenu des mots* fait le reste... Mais la poésie ne m'intéresse pas comme telle, dans la mesure où l'on nomme actuellement poésie le magma analogique brut. Les analogies c'est intéressant, mais moins que les différences. Il faut à travers les analogies saisir la qualité différentielle."

*(Methodes,* "My creative method", 1948).

Alors que les premiers recueils avaient privilégié des textes courts, dont l'unité formelle ne dépendait que de l'objet du poème, dès *Proêmes* apparaissent des textes amples, remaniés, enrichis de variantes, cherchant à épuiser les suggestions de l'objet et de son nom : comme dans les ébauches vivantes de la peinture contemporaine, on assiste au travail de l'écrivain, "se frayant un chemin à travers les mots", dans une démarche à la fois critique et créatrice *(cf. Le verre d'eau* 1949 ; *la Seine* 1951 ; *le Savon* 1967).* A partir de 1965, les deux types de textes ont coexisté. Occupé à relever "ce défi des choses au langage", il n'est pas étonnant que Ponge se soit passionné pour les recherches formelles des peintres, celles de Chardin qu'il admirait et de ceux qu'il a fréquentés (Picasso, Braque, Ungaretti).

## INTRODUCTION AU GALET

(...)
Je propose à chacun l'ouverture de trappes intérieures, un voyage dans l'épaisseur des choses, une invasion de qualités, une révolution ou une subversion comparable à celle qu'opère la charrue ou la pelle, lorsque, tout à coup et pour la première fois, sont mises au jour des millions de parcelles, de paillettes, de racines, de vers et de petites bêtes jusqu'alors enfouies. O ressources infinies de l'épaisseur des choses, *rendues* par les ressources infinies de l'épaisseur sémantique des mots! (...)

*Proêmes,* Gallimard éd.

## LES MÛRES

Aux buissons typographiques constitués par le poème sur une route qui ne mène hors des choses ni à l'esprit, certains fruits sont formés d'une agglomération de sphères qu'une goutte d'encre remplit.

Noirs, roses et kakis ensemble sur la grappe, ils offrent plutôt le spectacle d'une famille rogue à ses âges divers, qu'une tentation très vive à la cueillette.
Vue la disproportion des pépins à la pulpe les oiseaux les apprécient peu, si peu de chose au fond leur reste quand du bec à l'anus ils en sont traversés.

Mais le poète au cours de sa promenade professionnelle, en prend de la graine à raison : « Ainsi donc, se dit-il, réussissent en grand nombre les efforts patients d'une fleur très fragile quoique par un rébarbatif enchevêtrement de ronces défendue. Sans beaucoup d'autres qualités, – *mûres,* parfaitement elles sont mûres – comme aussi ce poème est fait. »

*Le parti pris des choses,* Gallimard éd.

## LA GRENOUILLE

Lorsque la pluie en courtes aiguillettes rebondit aux prés saturés, une naine amphibie, une Ophélie manchote, grosse à peine comme le poing, jaillit parfois sous les pas du poète et se jette au prochain étang. Laissons fuir la nerveuse. Elle a de jolies jambes. Tout son corps est ganté de peau imperméable. A peine viande ses muscles longs sont d'une élégance ni chair ni poisson. Mais pour quitter les doigts la vertu du fluide s'allie chez elle aux efforts du vivant. Goitreuse, elle halète... Et ce cœur qui bat gros, ces paupières ridées, cette bouche hagarde m'apitoyent à la lâcher.

*Pièces,* Gallimard éd.

## LE LÉZARD

Argument

Ce petit texte presque sans façon montre peut-être comment l'esprit forme une allégorie puis à volonté la résorbe.
Plusieurs traits caractéristiques de l'objet surgissent d'abord, puis se développent et se tressent selon le mouvement spontané de l'esprit pour conduire au thème, lequel à peine énoncé donne lieu à une courte réflexion *a parte* d'où se délivre aussitôt, comme une simple évidence, le thème abstrait au cours (vers la fin) de la formulation duquel s'opère la disparition automatique de l'objet.

Lorsque le mur de la préhistoire se lézarde, ce mur de fond de jardin (c'est le jardin des générations présentes, celui du père et du fils), — il en sort un petit animal formidablement dessiné, comme un dragon chinois, brusque mais inoffensif chacun le sait et ça le rend bien sympathique. Un chef-d'œuvre de la bijouterie préhistorique, d'un métal entre le bronze vert et le vif-argent, dont le ventre seul est fluide, se renfle comme la goutte de mercure. Chic! Un reptile à pattes! Est-ce un progrès ou une dégénérescence? Personne, petit sot, n'en sait rien. Petit saurien.

Par ce mur nous sommes donc bien mal enfermés. Si prisonniers que nous soyons, nous sommes encore à la merci *de l'extérieur,* qui nous jette, nous expédie sous la porte ce petit poignard. A la fois comme une menace et une mauvaise plaisanterie.
Ce petit poignard qui traverse notre esprit en se tortillant d'une façon assez baroque, dérisoirement.

Arrêt brusque. Sur la pierre la plus chaude. Affût? ou bien repos automatique? Il se prolonge. Profitons-en; changeons de point de vue.

Le LÉZARD dans le monde des mots n'a pas pour rien ce *zède* ou *zèle* tortillard, et pas pour rien sa désinence en *ard,* comme fuyard, flemmard, musard, pendard, hagard. Il apparaît, disparaît, réapparaît. Jamais familier pourtant. Toujours un peu égaré, toujours cherchant furtivement sa route. Ce ne sont pas insinuations trop familières que celles-ci. Ni venimeuses. Nulle malignité : aucun signe d'intelligence à l'homme.

Une sorte de petite locomotive haut-le-pied. Un petit train d'allégations hâtives, en grisaille, un peu monstrueuses, à la fois familières et saugrenues, — qui circule avec la précipitation fatale aux jouets mécaniques, faisant comme eux de brefs trajets à ras de terre, mais beaucoup moins maladroit, têtu, il ne va pas buter contre un meuble, le mur : très silencieux et souple au contraire, il s'arrange toujours, lorsqu'il est à bout de course, d'arguments, de ressort dialectique, pour disparaître par quelque fente, ou fissure, de l'ouvrage de maçonnerie sur lequel il a accompli sa carrière...
Il arrive qu'il laisse entre vos doigts le petit bout de sa queue.
... Une simple gamme chromatique ? Un simple arpège ? Une bonne surprise après tout, si elle fait d'abord un peu sauter le cœur. On reviendra près de cette pierre.

Ou bien on l'aperçoit tout à coup, plaqué contre la muraille : il était là, immobile.
Il a, dans sa seule silhouette alors, quelque chose d'un peu redoutable. C'est son côté trop dessiné, son petit côté dragon, ou poignard.
Mais on se rassure aussitôt : il n'est pas du tout aimanté vers vous (comme sont les serpents). Il vous laisse, mieux que l'oiseau, le loisir de le contempler un peu : il lui est naturel de s'arrêter ainsi sur la pierre la plus chaude... Hésitation ? Anxiété ? Stupeur ? Délices de Capoue ? Affût ?

Ennemi de la mouche au sol ! On ne peut dire qu'il ne ferait pas de mal à une mouche, puisqu'il s'en nourrit. Il faut bien se nourrir de quelque chose quand on est un petit bibelot ovipare, obligé d'assurer soi-même sa perpétuation. Comme le bougeoir si par exemple ou quelque petit bronze sur la cheminée du docteur s'offrait un spasme, montrait sa brève contorsion spécifique. Il lance alors sa petite langue comme une flamme. Ce n'est pourtant pas du feu, ce ne sont pas des flammes qui sortent de sa bouche, mais bien une langue, une langue très longue et fourchue, aussi vite rentrée que sortie, — qui vibre du sentiment de son audace. Et pourquoi donc s'affectionnent-ils aux surfaces des ouvrages de maçonnerie ? A cause de la blancheur éclatante (et morne étendue) de ces sortes de plages, laquelle attire à s'y poser les mouches, qu'eux guettent et harponnent du bout de leur langue pointue.
Le LÉZARD suppose donc un ouvrage de maçonnerie, ou quelque rocher par sa blancheur qui s'en rapproche. Fort éclairé et chaud.
Et une faille de cette surface, par où elle communique avec la (parlons bref) préhistoire... D'où le lézard s'alcive¹ (obligé d'inventer ce mot).

Et voici donc, car l'on ne saurait trop préciser ces choses, voici les conditions nécessaires et suffisantes..., pratiquement voici comment disposer les choses pour qu'à coup sûr apparaisse un lézard.

D'abord un quelconque ouvrage de maçonnerie, à la surface éclatante et assez fort chauffée par le soleil. Puis une faille dans cet ouvrage, par quoi sa surface communique avec l'ombre et la fraîcheur qui sont en son intérieur ou de l'autre côté. Qu'une mouche de surcroît s'y pose, comme pour faire la preuve qu'aucun mouvement inquiétant n'est en vue depuis l'horizon... Par cette faille, sur cette surface, apparaîtra alors un lézard (qui aussitôt gobe la mouche).

Et maintenant, pourquoi ne pas être honnête, *a posteriori?* Pourquoi ne pas tenter de comprendre? Pourquoi m'en tenir au poème, piège au lecteur et à moi-même? Tiens-je tellement à laisser un poème, un piège? Et non, plutôt, à faire progresser d'un pas ou deux mon esprit? A quoi ressemble plus cette surface éclatante de la roche ou du môle de maçonnerie que j'évoquais tout à l'heure, qu'à une page, − par un violent désir d'observation (à y inscrire) éclairée et chauffée à blanc? Et voici donc dès lors comment transmuer les choses.

Telles conditions se trouvant réunies :
Page par un violent désir d'observation à y inscrire éclairée et chauffée à blanc. Faille par où elle communique avec l'ombre et la fraîcheur qui sont à l'intérieur de l'esprit. Qu'un mot par surcroît s'y pose, ou plusieurs mots. Sur cette page, par cette faille, ne pourra sortir qu'un... (aussitôt gobant tous précédents mots)... un petit train de pensées grises, − lequel circule ventre à terre et rentre volontiers dans les tunnels de l'esprit.

*Ibid.*

1. A rapprocher peut-être de *Alcôve* ou du mot grec alkê, *élan; s'alciver :* prendre son élan? On peut trouver d'autres rapprochements...

---

(p. 481-484)
**1.** Montrer les différences dans l'approche de l'objet selon que le poème est long ou court.
**2.** Une "science" des "impressions esthétiques" : recours à la description réaliste ou métaphorique, à la réflexion, aux jeux de mots, à l'invention verbale, à la variété du rythme à l'intérieur d'un même texte, à la multiplicité des points de vue, à l'humour.
**3.** Le travail poétique tel qu'il est suggéré dans *Les mûres* ou *Le lézard.*

## Raymond Queneau (1903-1976)

C'est à la littérature qu'il a consacré sa vie. Venu du Havre à Paris en 1920, après des études de Lettres et de Philosophie, il participe au surréalisme de 1924 à 1929 (le roman *Odile,* paru en 1937, est un bilan de cette expérience). Après un travail sur "les fous littéraires", qu'il utilisera dans *Les enfants du limon* (1938), *Le chiendent* (1933) constitue à travers les monologues argotiques de Saturnin, philosophe de l'absurde, une première mise en question du langage. L'auteur collabore ensuite à plusieurs revues et journaux, entre en 1938 au comité de lecture des éditions Gallimard. Ses activités littéraires se multiplient; il s'intéresse à la radio, au cinéma (*Rendez-vous de juillet,* dialogues de *M. Ripois*), à la chanson (*Si tu t'imagines,* chanté par Juliette Gréco en 1949, *La croqueuse de diamants* pour Zizi Jeanmaire en 1950). Habitué de Saint-Germain-des-Prés, il devient en 1950 membre du collège de pataphysique, de l'Académie Goncourt en 1951, de l'Académie de l'humour en 1952, de la Société mathématique de France. En 1960, les Colloques de Cerisy lui consacrent une décade, débouchant sur la création de l'Oulipo (OUvroir de LIttérature POtentielle), associant analyse de textes et combinaisons mathématiques pour de nouvelles formules d'écriture et de création.

Comment revivifier le langage et pouvoir s'exprimer? Queneau aime Paris, les *Pieds nickelés,* Jehan Rictus, le style de Céline, la façon dont Joyce intègre à son lyrisme humour, philosophie et vocables étrangers : il voit la nécessité d'inventer le "néo-français", qui retrouverait la souplesse et la variété du français parlé ; ce serait le troisième stade de notre langue après le latin mal parlé, et le français de la Renaissance, codifié et figé par des pédants, que nous ne parlons plus, mais que nous écrivons.

Le vocabulaire pourrait être rajeuni par l'orthographe phonétique ("Epuis sisaférir, tan mye, j'écripa pour ammiélé lmond"), l'acclimatation des mots étrangers et des sigles (l'ératépiste ne boit pas de ouiski). *Pictogrammes* (1946) propose même une écriture inspirée de celle des Indiens d'Amérique du Nord. La prééminence du style, c'est ce qu'affirment avec humour en 1947 les 99 variations, sur un thème insignifiant, des *Exercices de style.*

Sa poésie joue avec toutes les formes traditionnelles (ode, stance, ballade, sonnet...). *Chêne et chien* (1937) utilise l'octosyllabe et la division en chants; le roman en prose et vers, *Saint Glinglin,* (1948), "remoud sur un orgue" moderne les grands mythes primitifs; c'est en alexandrins que le poète chante après Lucrèce la naissance du monde dans les six chants de la *Petite cosmogonie portative* (1950); les fables de *Battre la campagne* corrigent La Fontaine en renversant placidement l'ordre des choses : ainsi rajeunit-il la culture du passé et intègre-t-il celle de notre temps.

L'écriture met en œuvre les lois présidant à la création poétique. La substitution, le décalage règnent; le poème s'organise avec les jeux sur les mots et les phonèmes, les métonymies; il naît parfois d'une acrostiche, s'engendre phonétiquement ou développe quelque formule toute faite du langage. Les éléments de la nature deviennent métaphores. Les allusions, collages, pastiches intègrent les voix des poètes du passé dans la rêverie nostalgique et désinvolte du poète. Les jeux d'échos, de rimes, de rythmes créent une prolifération du sens. En 1961, les *Cent mille milliards de poèmes,* ("le seul livre qu'aucun homme n'aura jamais le temps de lire"), s'obtiennent à partir de dix sonnets aux rimes identiques et de même structure grammaticale, et de treize coups de ciseaux, un sous chaque vers.

Il ne s'agit pourtant pas d'exercices gratuits, mais de dire l'homme et le monde, et de se dire. Le jeu permet d'échapper au langage du passé, d'accueillir le présent et le quotidien. On retrouve dans les poèmes de Queneau sa tendresse pour les petits de ce monde, les déshérités, les petits détails de la vie : le mot d'Héraclite "car là aussi il y a des dieux" prélude aux menus croquis parisiens de *Courir les rues;* le ciron est aussi signifiant et noble que l'éléphant.

Souvent derrière le sourire affleure la hantise du temps, de l'usure, de la mort menaçant nos êtres, notre monde. L'humour, l'effort sur le langage sont à la fois discrétion et exorcisme de l'angoisse, contrôle du lyrisme. Comme dans les romans, s'esquisse une recherche de permanence, de sagesse. Les trois recueils *Courir les rues* (1967), *Battre la campagne* (1968), *Fendre les flots* (odyssée miniature parue en 1969), dessinent un itinéraire de la ville, monde menacé (le premier recueil faillit s'appeler "Luth, est-ce?") à la mer, lieu des origines et de l'enfance :

> « De tout cela rien ne s'élève
> il faut attendre et tendre
> vers un peu d'air bleu
> au-dessus de la brume au-dessus de l'écume au-dessus du rêve. »

*Les ziaux* (1943); *L'instant fatal* (1948); *Saint Glinglin* (1948); *Petite cosmogonie portative* (1950); *Si tu t'imagines* (1952 : reprise de *Chêne et chien, Les ziaux, L'instant fatal*); *Sonnets, Le chien à la mandoline* (1958); *Cent mille milliards de poèmes* (1961); *Courir les rues* (1967); *Battre la campagne* (1968); *Fendre les flots* (1969); *Morale élémentaire* (1975)...

Si tu t'imagines
si tu t'imagines
fillette fillette
si tu t'imagines
xa va xa va xa
va durer toujours
la saison des za
la saison des za
saison des amours
10 ce que tu te goures
fillette fillette
ce que tu te goures

Si tu crois petite
si tu crois ah ah
que ton teint de rose
ta taille de guêpe
tes mignons biceps
tes ongles d'émail
ta cuisse de nymphe
20 et ton pied léger
si tu crois petite
xa va xa va xa
va durer toujours
ce que tu te goures
fillette fillette
ce que tu te goures

les beaux jours s'en vont
les beaux jours de fête
soleils et planètes
30 tournent tous en rond
mais toi ma petite
tu marches tout droit
vers sque tu vois pas
très sournois s'approchent
la ride véloce
la pesante graisse
le menton triplé
le muscle avachi
allons cueille cueille
40 les roses les roses
roses de la vie
et que leurs pétales
soient la mer étale
de tous les bonheurs
allons cueille cueille
si tu le fais pas
ce que tu te goures
fillette fillette
ce que tu te goures

*L'instant fatal*, Gallimard éd.

## PETITE COSMOGONIE PORTATIVE

(...)
Les mots se gonfleront du suc de toutes choses
de la sève savante et du docte latex
On parle des bleuets et de la marguerite
alors pourquoi pas de la pechblende pourquoi?
on parle du front des yeux du nez de la bouche
alors pourquoi pas de chromosomes pourquoi?
on parle de Minos et de Pasiphaé
du pélican lassé qui revient d'un voyage
du vierge du vivace et du bel aujourd'hui
10 on parle d'albatros aux ailes de géant
de bateaux descendant des fleuves impassibles
d'enfants qui dans le noir volent des étincelles
alors pourquoi pas de l'électromagnétisme?
ce n'est pas qu'il (c'est moi) sache très bien ce xé
les autres savaient-ils ce xétait que les roses
l'albatros le voyage un enfant un bateau
ils en ont bien parlé! l'important c'est qu'il sent
comme de son nid s'envole un petit zoizeau
l'aile un peu déplumée et le bec balistique
20 celui-ci voyez-vous n'a rien de didactique
que didacterait-il sachant à peine rien
(merci) les mots pour lui saveur ont volatile
la violette et l'osmose ont la même épaisseur
l'âme et le wolfram ont des sons acoquinés
cajole et kaolin assonances usées
souffrante et sulfureux sont tous deux adjectifs
le choix s'étend des pieds jusqu'au septentrion
du nadir à l'oreille et du radar au pif
De quelque calembour naît signification
30 l'écriture parfois devient automatique
le monde ne subit point de déformation
très conforme en est la représentasillon
des choses à ces mots vague biunivoque
bicontinue et translucide et réciproque
choses mots choses mots et des alexandrins
ce petit prend le son comme la chose vient
modeste est son travail fluide est sa pensée
si pensée il y a. (...)

*Chêne et chien*, 3ᵉ chant, Gallimard éd.

---

Acriborde acromate et marneuse la vague
au bois des écumés brouillés de mille cleurs
pulsereuse choisit un destin coquillague
sur le nable où les nrous nretiennent les nracleus

Si des monstres errants emportés par l'orague
crentaient avec leurs crons le crepâs des sancleurs
alors tant et si bien mult et moult c'est une ague
qui pendrait sa trapouille au cou de l'étrancleur

Où va la miraison qui flottait en bombaste
où va la mifolie aux creux des cruses d'asthe
où vont tous les ocieux sur le chemin des mers

on ne sait ce qui court en poignant sur la piste
on ne sait ce qui crie en poussant le tempiste
dans le ciel où l'apur cherche un bénith amer
on ne sait pas.

*Le chien à la mandoline*, "Sonnets", 1958, Gallimard éd.

## APPRENDRE À VOIR

Les champs de blés mauves et les prés rouge sang
le tronc des arbres bleu le feuillage ocre ou brun
les agneaux verts les chèvres jaunes et les vaches argentées
le ruisseau de mercure et la mare de plomb
la ferme en sucre roux l'étable en chocolat
pourquoi pas pourquoi pas pourquoi pas pourquoi pas

*Battre la campagne*, Gallimard éd.

## CORPS D'EAU SAGE

Un corps d'eau sage
et puis lentement
le pacage
de moutons blancs
un peu d'orage
intermittent
un peu de vent
tournant les pages
des nuages
10 un corps d'eau sage
abandonnant
la haute mer
vient sur la plage
se dissiper
laissant le sable
un peu mouillé
oh! corps d'eau sage
dans quelle idée
es-tu monté
20 te réfugier
loin du pacage
des moutons blancs
que caresse l'orage
d'un doigt intermittent

*Fendre les flots*, Gallimard éd.

## Jean Tardieu (né en 1903)

"Toute ma vie est marquée par l'image de ces fleuves, cachés ou perdus au pied des montagnes. Comme eux, l'aspect des choses plonge et se joue entre la présence et l'absence. Tout ce que je touche a sa moitié de pierre et sa moitié d'écume." Incertitude sur soi et sur le monde dans "les chocs mortels des jours discontinus". Incertitude aussi sur le langage, impuissant à dire le "brûlant secret" pressenti, la plénitude entrevue, à amener dans la lumière du verbe le "quelque chose" qui commence et attend, mais demeurera non dit. Le poème ne peut dire que l'absence et tendre vers le silence. Si le lyrisme se révèle impossible, du moins peut-on jouer avec les mots "tellement élimés, distendus, que l'on peut voir le jour à travers", faire "des études de voix" sur le même thème (comme un autre fait des "exercices de style"), des dialogues absurdes, manipuler les tournures banales pour suggérer ce que cache "le bourdonnement de nos paroles". L'humour, l'absurde, le quiproquo, la parodie masquent la même angoisse.

*Figure* (1944); *Le fleuve caché* (1968) regroupe les recueils de 1924 à 1961; *Le théâtre de chambre* (1952)...

## LE TRAQUENARD

*(De l'air malin et assuré d'un qui « sait » et à qui on ne la fait pas.)*

Si ce monde était cohérent
je ne pourrais pas dire : il pleut
sans qu'aussitôt l'averse tombe.

Or il n'en est rien : je peux
parler autant que je le veux
sans tirer les morts de leur tombe
ni l'existence du néant.

Je conclus que dans tout cela
un malentendu il y a :
ou bien tout se passe à l'inverse
de ce qui devait arriver
et le mot « il pleut » suit l'averse
lorsqu'il devrait la précéder.

Ou bien ON sait ce que l'on fait :
ON veut nous rendre ridicules,
ON nous laisse bien gentiment
parler à tort et à travers
et jamais ON ne nous répond.

*Le fleuve caché,* "Monsieur, monsieur", Gallimard éd.

## LE TOMBEAU DE MONSIEUR MONSIEUR

Dans un silence épais
Monsieur et Monsieur parlent
c'est comme si Personne
avec Rien dialoguait.

L'un dit : Quand vient la mort
pour chacun d'entre nous
c'est comme si personne
avait jamais été.
Aussitôt disparu
10  qui vous dit que je fus ?

– Monsieur, répond Monsieur,
plus loin que vous j'irai :
aujourd'hui ou jamais
je ne sais si j'étais.
Le temps marche si vite
qu'au moment où je parle
(indicatif-présent)
je ne suis déjà plus
ce que j'étais avant.
20  Si je parle au passé
ce n'est pas même assez
il faudrait je le sens
l'indicatif-néant.

– C'est vrai, reprend Monsieur,
sur ce mode inconnu
je conterai ma vie
notre vie à tous deux :
A nous les souvenirs !
Nous ne sommes pas nés
30  nous n'avons pas grandi
nous n'avons pas rêvé
nous n'avons pas dormi
nous n'avons pas mangé
nous n'avons pas aimé.

Nous ne sommes personne
et rien n'est arrivé.

*Ibid.*

## Georges Perros (1923-1978)

Chez Georges Perros, solitaire et fraternel, "pas très bien chez lui dans le monde interprété", s'associent l'humour, le goût de la vie, de la liberté, d'une forme d'absolu qui lui fit choisir depuis 1959 la terre bretonne. Il savait les limites de la poésie, la sienne a assez de fraîcheur pour nous dire comment "prendre l'air".

> "J'aimais me sentir dans le vent
> Dans le blé bleu qui pique aux jambes
> Le blé n'est pas bleu je le sais
> Mais un mot en amène un autre et tout a la couleur du ciel
> Quand notre œil est en nouveauté"

*Papiers collés* (1960); *Poèmes bleus* (1962); *Une vie ordinaire* (1967)...

Mon cœur bredouille en ma poitrine
Comme une vieille horloge. Où est
Le clair tic-tac sonnant matines
Des premiers échos? De ton lait

O tendresse ma très humaine,
Allons, me suis-je assez gavé?
Sans doute est-il temps que je freine
Ma vorace perversité.

Car il est mauvais de s'étendre
Sur ton corps au sable mouvant,
Belle existence, cher néant.

Tu n'auras de moi que la cendre.
Hélas, comme notre saigneux,
J'aurais voulu te donner mieux.

Georges Perros, *Huit poèmes,* Alfred Eibel éd.

## La poésie, approche de l'absolu

La poésie reste, pour certains poètes contemporains, moyen de pressentir une réalité essentielle, quête d'absolu, malgré la distance entre le signifiant et le signifié.

Chez **André Frénaud,** le poème veut communiquer "le passage de la visitation", "le fulgurant silence", l'expérience unifiante où s'abolit le malheur de la conscience séparée, où le sujet mort à lui-même communie avec le monde dans "l'énergie du Tout" (note jointe à *Passage de la visitation,* 1947).

Pour **Jean-Claude Renard,** les êtres et le monde participent du même mystère; la poésie "office de transparence" en révèle l'unité et la profondeur; le poème "semble avoir pour étrange fonction de nous rendre présent ce qui est, sans en dissoudre cependant l'absence" (Préface de *Métamorphose du monde).*

Interrogeons "les choses mortelles que nous aimons", dit **Yves Bonnefoy,** dans *L'acte et le lieu de la poésie* (1958) : si dans un premier temps la vision du néant qui les mine nous désespère, arrive le moment où elles ressurgissent, au cœur sacré de l'instant, pour une éternité de présence, en un *ici* et *maintenant* arrachés à l'espace et au temps. S'il sait l'incapacité du langage à "saisir la présence", le poète tendra à faire du poème "la proximité angoissée du grand acte clos", de cet instant fugace mais solennel où est vaincu l'exil du temps.

Pour **André du Bouchet,** la poésie est ce "feu courant" cherchant à capter la fulgurance du vécu, "instant singulier dont la mémoire nous est presque aussitôt retirée, mais dont nous avons aussi le pressentiment qu'il peut ne pas être unique."

Ici la poésie tend vers le dépouillement, l'hermétisme, dans la lignée de Reverdy et de Char. Chez J.-Cl. Renard, le langage poétique, par l'incantation, les images éblouies ou leur symbolisme, le jeu des correspondances, peut "aimanter l'inexprimable". Plus souvent, comme chez René Char, la fulgurance résulte de la tension interne du poème, de l'opposition des contraires.

C'est par les métaphores, et surtout le jeu de la continuité et des ruptures, que le poème de Frénaud, "machine à capter le silence, construite en mots dépaysés" suggère la "déflagration" vécue. Chez Bonnefoy, ombre et lumière, opacité et transparence s'entrelacent : "Je voudrais que la poésie soit d'abord une incessante bataille, un théâtre où l'être et l'essence, la forme et le non-formel se combattent durement".

La poésie de du Bouchet est en permanence tension et renversement, à l'image de la dialectique incessante qui régit les rapports de la conscience au monde sensible : le sujet dans son élan vers la "lumière ardente" se heurte à la résistance noire et froide des objets, mur, glacier, écran, paroi, montagne – tout à la fois obstruant l'espace et en révélant la profondeur; résistance qui le révèle à lui-même. "Mon récit sera la branche noire qui fait un coude dans le ciel." Et si la coïncidence absolue du mot et de la chose est utopique, c'est "au travers" du langage que la poésie se manifeste : structure éclatée du poème, mots isolés, sans fonction, éclats scintillants, îlots de vers en suspens dans le blanc de la page. L'alternance des mots et des blancs désigne la tension entre la parole et le silence, mais "quelque chose de l'intérieur rugueux de l'enveloppe des pierres comme elle a été concassée en routes, sera passé."

"Ce que d'un mot à l'autre j'ai oublié, c'est le soleil" : l'évidence poétique ne peut s'approcher que par une série de tentatives. La rêverie de du Bouchet retient un petit nombre de motifs (l'air, la paille, le jour, la route...) dont il rapproche et oppose les valeurs; esthétique de dépouillement, rappelant les incessantes ébauches de son ami Giacometti. De même la poésie de Bonnefoy retient quelques éléments, l'arbre, le visage, la pierre comme "errants du réel", "signes nous parlant à voix basse d'un imprévisible avenir", "cortège de Graal" qu'il importe de reconnaître et de nommer.

## DOCUMENT

Hölderlin, qui savait la poésie libre, la tenait pour une *interprétation du sens sacré,* du *réel permanent.*

Je qualifierai comme lui ce langage singulier capable, plus loin que ne vont d'ordinaire les mots, d'approcher du fondement des choses, de révéler une part du mystère qui habite l'homme et le monde, d'indiquer, de faire espérer — comme en attendait Hugo — « le point... où tous les secrets se fondent en un seul », et même la merveille d'une « intimité formidable avec l'être ».

J'ai dit ailleurs[1] que la poésie me semblait célébrer un sacre, un office de la transparence, en nommant la lumière qui s'échange entre les pôles de la réalité et en donnant de pressentir l'unité de la création sous la multiplicité du créé. Mais s'il lui revient de tendre à établir — comme dans les symbolismes magiques primitifs la loi de similarité — des rapports aussi consubstantiels que possible entre ce qui désigne et ce qui est désigné, il n'apparaît pas qu'elle puisse parvenir à identifier ni à unifier formellement le signe et le signifié. N'étant l'origine ni le terme, la nature de sa parole fait d'elle seulement un médium, un intervalle magnétique où s'inscrit le premier frémissement du fer avant que l'aimant le capture. Ce qu'elle montre, ce qu'elle inaugure, et même ce qu'elle certifie, elle n'en assure pas la possession. Elle n'offre qu'un déchiffrement de ce qui comporte plus qu'on ne voit, de ce qui propose plus qu'il n'est dit. D'où cette arrière-figure en elle, durable et douloureuse sous ses plus vives prises, de la distance et du silence. Mais le regard s'en trouve changé.

Une absence est là, qui produit plus que les présences usuelles, et annonce des noces. Un langage est là, dont le pouvoir — Descartes même le notait — reste d'*imaginer,* c'est-à-dire de s'ouvrir aux images qui précèdent la parole et les concepts et dépassent les contradictions, pour manifester l'existence de ce que nous ne connaîtrions pas autrement.

Il advient ainsi que cette force, qui élève la poésie contre la fatalité, les profanations et la mort, inquiète parfois assez l'homme pour l'approfondir jusqu'à Dieu.

1. Avant-propos à la réédition de la *Métamorphose du monde*, 1963.

## LE PRISONNIER RADIEUX

Campé aux abords de lui-même,
pénétrera-t-il dans la chambre haute,
la claire fontaine où l'esprit se joue?
L'alouette a chanté entre ses terres meubles.
Des flocons d'azur de l'autre côté.

Délivrera-t-il le prisonnier radieux?
Les assauts n'entament pas la tour.
L'autre grince des dents, il ne perçoit pas
le signe attendu, les travaux d'approche.

10  Peut-être s'est-il égaré, se plaît-il
avec ses gardiens. De l'herbe couvre son chant.
Peut-être de l'autre côté, tu as oublié
que lui c'est toi encore qui pourris dans le ciel.

Et tu t'éloignes dans la forêt.
Tu te divertis avec des fleurs et des soucis.

*Dans les fourrés de ma parole,*
*parfois j'ai distingué ma voix,*
*celle-là qui n'est qu'à moi-même,*
*comme un roseau dans la hêtraie,*
20  *comme un rayon sur le chariot,*
*sur le harnachement et les sacs.*

*Dans l'effarouchement de ma voix,*
*j'ai reconnu un son plus clair.*
*Ah! tu l'avais donc entendu?*
*Assiégeant toujours repoussé,*
*chaque nuit il te visitait.*
*C'est la voix de l'autre, c'est toi.*
*Sais-tu ce qu'il t'a murmuré?*
*De lui tu n'auras rien de plus.*

André Frénaud[1], *Il n'y a pas de paradis,* Gallimard éd.

1. André Frénaud (né en 1907) : *Les rois mages* (1943) ; *Il n'y a pas de paradis* (1962) et *La sainte face* (1968) rassemblent les principaux recueils.

---

**1.** La proximité d'une révélation : étudier la double thématique d'une part de liberté, lumière et transparence entrevues (relever les verbes, les images naturelles et symboliques), d'autre part celle de la séparation, de l'effort jamais abouti (voir syntaxe, jeu des pronoms et images).
**2.** Les deux mouvements : étudier le prolongement lyrique du trouble initial (changement de typographie, de rythme ; apaisement des sonorités et des images).

## IL N'EST QU'UN NOM DANS LA RIVIÈRE

Il n'est qu'un lieu de transparence. – Entre les îles, l'eau vernale[1] apporte dans le sable ancien une lumière qui transmue.

O noir amour comme la mer! La mer se lève dans ma mort. Le lilas brûle. Et Dieu ma neige un arbre de méduses rouges.

Que l'herbe acide m'exorcise ! Il n'est d'été dehors le roi. Il n'est de sens dehors l'Esprit, – la langue pour l'algue et le lait.

L'unique bouche à proférer le peuple exact, à l'assembler avec la foudre – elle est ici, forant l'enfance pour les fleuves.

Il n'est qu'un pain et qu'un vin mûrs. Aucune ville hors la pierre. Aucune chair dehors le corps où les prairies sont commencées.

Le sang lavé reverdira sous les cassis – la terre en sacre dans les pays parousiens[2]. O fable de la grande laine!

Un coq de nuit dans les maïs par maintes pistes de renards descend au lac, et le vent d'iode ouvre mes os à la semence.

Il n'est qu'un Nom dans la rivière, pâte de manne et de poisson : qui boit ici reçoit voyance et mange ici devient vivant!

C'est patience de l'amour sur les pourrissements amers : un temps pour l'œil et pour l'oreille avant que sèchent les cerises.

Une terrible et tendre soif s'approfondit autour des vignes. Il n'est qu'un pressoir – un cellier où les liqueurs se vivifient.

Et un seul lit de transhumance, – un ravin pur comme un lion dans les hauts sacrifices blancs pour l'alliance avec le feu!

Jean-Claude Renard[3], *Incantation du temps,* Le Seuil éd.

---

1. Du latin *ver, is :* le printemps. 2. La *parousie* est le retour glorieux du Christ à la fin des temps.

3. Jean-Claude Renard (né à Toulon en 1922) : *Cantiques pour des pays perdus; Haute-mer; Métamorphoses du monde; Fables; Incantation des eaux; Incantation du temps* (1962); *La terre du sacre* (1966); *La braise et la rivière* (1969); *Le dieu de la nuit* (1973); *La lumière du silence* (1978)...

---

**1.** Hymne, célébration d'un mystère : versets, vocabulaire religieux, invocations, retour de formules syntaxiques suggérant "l'unité de la création sous la multiplicité du créé" (*cf.* texte p. 493).
**2.** Relever les images du monde naturel; quelle valeur symbolique revêtent-elles? (Voir notamment l'importance des images bibliques.)
**3.** Montrer la valeur unifiante des thèmes de la lumière et du feu.

---

Oui, c'est cela.
Un éblouissement dans les mots anciens.
L'étagement
De toute notre vie au loin comme une mer
Heureuse, élucidée par une arme d'eau vive.

Nous n'avons plus besoin
D'images déchirantes pour aimer.
Cet arbre nous suffit, là-bas, qui, par lumière,
Se délie de soi-même et ne sait plus
Que le nom presque dit d'un dieu presque incarné.

Et tout ce haut pays que l'Un très proche brûle,

Et ce crépi d'un mur que le temps simple touche
De ses mains sans tristesse, et qui ont mesuré.

Yves Bonnefoy[1], *Pierre écrite,* "Le dialogue d'angoisse et de désir", Mercure de
France éd.


## UNE VOIX

Toi que l'on dit qui bois de cette eau presque absente,
Souviens-toi qu'elle nous échappe et parle-nous.
La décevante est-elle, enfin saisie,
D'un autre goût que l'eau mortelle et seras-tu
L'illuminé d'une obscure parole
Bue à cette fontaine et toujours vive,
Ou l'eau n'est-elle qu'ombre, où ton visage
Ne fait que réfléchir sa finitude ?
− Je ne sais pas, je ne suis plus, le temps s'achève
Comme la crue d'un rêve aux dieux irrévélés,
Et ta voix, comme une eau elle-même, s'efface
De ce langage clair et qui m'a consumé.
Oui, je puis vivre ici. L'ange, qui est la terre,
Va dans chaque buisson et paraître et brûler.
Je suis cet autel vide, et ce gouffre, et ces arches
Et toi-même peut-être, et le doute : mais l'aube
Et le rayonnement de pierres descellées.

*Ibid.*

---

1. Yves Bonnefoy (né en 1924) : *Du mouvement et de l'immobilité de Douve* (1953) ; *Hier régnant désert* (1958) ; *Pierre écrite* (1965) ; *Dans le leurre du seuil* (1975).

---

**1.** Etudier l'opposition entre une aspiration à l'Etre ou une unité entrevue (thèmes de l'eau, du feu, de la clarté) et ce qui marque l'éloignement (images d'absence, de fuite, d'effacement, de doute ; interrogations).
**2.** Le "vivre-ici" : quels termes évoquent la "proximité" du sacré ? rôle de l'arbre, du mur, du buisson, des pierres où se rejoignent le clair et l'obscur, l'ici-bas et la lumière de l'Etre unique.

Alfred Manessier (né en 1911), dessin pour le poème *Cymbalium* de Guillevic, 1973, éd. Le vent d'Arles. (Bibliothèque Nationale, Paris.)

## CESSION

Le vent,
     dans les terres sans eau de l'été, nous
    quitte sur une lame,
          ce qui subsiste du ciel.

En plusieurs fractures, la terre se précise. La terre demeure stable
dans le souffle qui nous dénude.

Ici, dans le monde immobile et bleu, j'ai presque atteint ce mur.
Le fond du jour est encore devant nous. Le fond embrasé de la
terre. Le fond et la surface du front,
          aplani par le même souffle,
ce froid.

Je me recompose au pied de la façade comme l'air bleu au pied
des labours.

               Rien ne désaltère mon pas.

André du Bouchet[1], *Dans la chaleur vacante*, Mercure de France éd.

---

1. André du Bouchet (né en 1924) : *Le moteur blanc, Air* (1950-53) ; *Dans la chaleur vacante* (1959) ; *Où le soleil* (1958) ; *Laisses* (1979) ; *L'incohérence* (écrits sur l'art, 1979).

---

A travers les images, le jeu des oppositions, les ruptures syntaxiques, la disposition typographique, le choix des verbes, adverbes, étudier la double thématique du vertige (attrait du jour et de l'espace) et celle de la séparation et de la finitude ? que suggère le titre ?

---

    Au seuil d'une période où la poésie, à force de s'interroger sur elle-même, se désacralise, s'autodétruit parfois, cherche à introduire une nouvelle relation avec le lecteur ou se réfugie dans la chanson, écoutons la voix de **Jacques Réda (né en 1929),** voix lointaine comme le murmure de la mémoire humaine, ou celle de **Jacques Depreux (né en 1928)** réaffirmant tout à la fois les limites de la poésie et sa nécessité.

## TERRE DES LIVRES

Longtemps après l'arrachement des dernières fusées,
Dans les coins abrités des ruines de nos maisons
Pour veiller les milliards de morts les livres resteront
Tout seuls sur la planète.
Mais les yeux des milliards de mots qui lisaient dans les nôtres,
Cherchant à voir encore,
Feront-ils de leurs cils un souffle de forêt
Sur la terre à nouveau muette?
Autant demander si la mer se souviendra du battement de nos
                         [jambes; le vent,
D'Ulysse entrant nu dans le cercle des jeunes filles.
O belle au bois dormant,
La lumière aura fui comme s'abaisse une paupière,
Et le soleil ôtant son casque
Verra choir une larme entre ses pieds qui ne bougent plus.
Nul n'entendra le bâton aveugle du poète
Toucher le rebord de la pierre au seuil déserté,
Lui qui dans l'imparfait déjà heurte et nous a précédés
Quand nous étions encore à jouer sous vos yeux,
Incrédules étoiles.

Jacques Réda, *Récitatif,* Gallimard éd.

## QUESTIONS

Interroger la mer, la nuit, le vent, le roc
et ne trouver que soi dans le miroir des heures.

Où est le feu des choses,
le feu caché du jour et de la mer
(de tout ce qui ne fait pas d'ombre)?
Où est le feu de la lumière
aveugle qui me pousse et me précède?

Que savons-nous du jeu des ombres alternées
nous qui voguons sur la cendre des choses?

« Le feu qui te refuse est un feu trop obscur
et l'ombre qui le hante une arme trop certaine.
Renonce
et coule-toi dans le silence
multiple d'une étoile,
dans l'arbre qui toujours l'emporte sur le ciel,
dans le roc où palpite encore un peu de nuit,
dans la mort... »
— Non, dit l'homme,
je suis là pour *tenir parole.*

# Index

# Table des matières

# Table des illustrations

# Références photographiques

Imprimé par Jean-Lamour à Maxéville
Dépôt légal : mars 1991
Dépôt légal de la 1re édition : 2e trimestre 1982
*Imprimé en France*